D1239348

Les **WENDATS**

Une civilisation

méconnue

Les WENDATS

Une civilisation
méconnue

Georges E. Sioui

LES PRESSES DE L'UNIVERSITÉ LAVAL
Sainte-Foy, 1994

Les Presses de l'Université Laval reçoivent chaque année du Conseil des arts du Canada une subvention pour l'ensemble de leur programme de publication.

Données de catalogage avant publication (Canada)

Sioui, Georges E., 1948-

    Les Wendats : une civilisation méconnue

    Présenté à l'origine comme thèse (de doctorat de l'auteur – Université Laval), 1991 sous le titre : La civilisation wendate.

    Comprend des réf. bibliogr.

    ISBN 2-7637-7360-5

    1. Hurons – Histoire. 2. Hurons – Religion et mythologie. 3. Hurons – Identité ethnique. 4. Indiens – Amérique du Nord – Histoire. I. Titre

E99.H9S56 1994   970.004′975   C-94-940460-8

Édition : Dominique Johnson

Page couverture : Louise Vallée et Charles Lessard, graphistes associés

Illustration de la page couverture : *L'île sur le dos de la Tortue*, par Roy Thomas, 1994.

Les Presses de l'Université Laval
Cité universitaire
Sainte-Foy (Québec)
Canada G1K 7P4

Dédicace

Je dédie le présent ouvrage à notre grand-mère, la Grande Tortue, qui soutient physiquement et spirituellement notre Grande Île, l'Amérique; à Aataentsic, mère et grand-mère originelle des Wendats, habitants de la Grande Île, et équilibratrice des sociétés humaines; à Yoscaha (Tsestah) et Tawiskaron, petits-fils d'Aataentsic, jumeaux fondateurs du monde de la Grande Île et reflets des deux forces également nécessaires qui sont en chacun de nous, le Bien et le Mal; au Grand Esprit de la vie, notre père et grand-père, créateur et protecteur, que nous nous représentons par Aronia, le Ciel; à notre mère, Ata, la Terre, esprit, intelligence et être de bonté, de force et de beauté; à nos ancêtres, qui continuent à vivre en nous et dans le Monde des esprits, et qui agissent et parlent par nous; à ma grand-mère maternelle, Caroline Dumont-Sioui, sage et guérisseuse qui, petit, m'enseigna le Cercle, et qui partit au Bon Pays des âmes il y a vingt ans.

À ma mère Éléonore Sioui Tecumseh Tsikonsaseh, première docteure en philosophie et spiritualité amérindienne, chef-guerrière de l'esprit pour nos nations et pour l'humanité; à mon père Georges-Albert Sioui Teashiandareh, Aienouasti (homme civil et impeccable), et chef de notre tradition, qui jamais ne faillit dans sa loyauté; à ma femme, Bárbara Sioui Kanensekwanoron («elle est de sang noble»); à mon fils Miguel Paul Sioui Sastaretsi; à mes sœurs, Danyelle Washutamah («la gardienne de la nation des ours») et Carole Otseh-eh-stah («la femme du feu») et à mes frères, Vincent Warauha, Régent Garihoua, Konrad Asken et Hugues Auhouandio, et leurs familles.

L'Histoire n'est donc jamais l'histoire, mais l'histoire-pour. Partiale même si elle se défend de l'être, elle demeure inévitablement partielle, ce qui est encore un mode de la partialité.

Claude Lévi-Strauss, *La pensée sauvage*.

[…] *notre histoire écrite a été la servante de la conquête et de l'assimilation. L'histoire traditionnelle est tellement en opposition avec les faits que les Indiens souvent l'ignorent tout simplement. Ironiquement, plusieurs nations considèrent l'histoire plus acceptable que l'ethnographie, parce qu'elles croient que l'histoire n'a rien à voir avec ce qu'elles jugent important pour leur identité indienne. Cela veut dire que les Indiens ne craignent ni ne s'inquiètent au sujet de ce qu'écrivent les historiens parce que l'histoire ne s'intéresse généralement pas à ce qu'ils valorisent réellement dans leurs cultures : leurs langues, leurs religions, leurs traditions orales, leurs arts et leurs systèmes de parenté. L'histoire est tellement distortionnée qu'elle est insignifiante (trad. libre).*

Alfonso Ortiz, *Indians in American History*.

Remerciements

Cet ouvrage est également l'ouvrage de cinq personnes qui m'ont accompagné tout au long de mes quatre années de travail doctoral: premièrement Barbara, directrice, secrétaire et âme de notre Institut de l'Américité, qui voulut que «nous» poursuivions au doctorat, après mes études de maîtrise, afin que notre peuple des Premières Nations, au Canada, ait enfin un historien de ce niveau que personne ne puisse jamais exclure du débat sur notre histoire et notre civilisation; deuxièmement, Denys Delâge, mon directeur et frère, qui, dès 1983, comprit ma quête et m'ouvrit la porte de l'Université Laval, puis m'aida et me guida avec sagesse, amitié et générosité, sans jamais faillir; troisièmement Miguel, mon fils de sept ans, qui, consciemment, apporta toujours ses meilleures et ses plus belles idées à l'écriture de «notre livre» et qui toujours remercia avec nous le Grand Esprit «pour la Vie» et pour le travail qu'il nous donne à accomplir; quatrièmement, ma mère, la docteure Éléonore Sioui, mère de notre clan de la Grande Tortue, guide spirituel de notre nation et guérisseuse, dont la plus puissante médecine est la parole qui, dit-elle, peut tout, ou détruire ou faire vivre. Je veux adresser un merci très spécial à Nyemea (Bruce G. Trigger), mon frère de clan, pour son amitié, sa sagesse, sa compréhension et son appui inestimables; ce livre naît pour une importante part de l'œuvre de l'un des esprits les plus puissants à jamais se pencher sur la nature de la civilisation profonde de l'Amérique et sur l'histoire de son contact avec l'Europe.

Mes remerciements vont aussi à mes deux autres examinateurs de l'Université Laval, Jacques Mathieu et Laurier Turgeon, pour leur apport constructif à ma réflexion, leur honnêteté et leur amitié. Aussi, je remercie mon ami et collègue

Gary A. Warrick pour de très importantes idées, de même que pour ses cartes, ainsi que son attitude.

J'ai le très grand honneur d'avoir maintes fois reçu l'expression de la fierté et de la reconnaissance des miens pour mon travail; je me dois de mentionner le docteur Eber Hampton, président de notre collège, nos Sages-en-résidence, ainsi que tous mes collègues et nos 1 300 étudiants; enfin, tous mes frères et sœurs wendats et amérindiens de cœur et d'esprit, de quelque origine qu'ils soient.

La rédaction de cet ouvrage a été rendue possible grâce à une subvention du Conseil de recherche en sciences humaines du Canada. Je l'en remercie sincèrement.

Ma gratitude va également à Jacques Chouinard, directeur des publications aux Presses de l'Université Laval, et Dominique Johnson, qui s'est chargée de l'édition et de la révision linguistique, pour le professionnalisme dont ils ont fait preuve tout au long de la préparation de l'ouvrage.

Prologue

Il n'y a, en réalité, pour nous humains, qu'une façon de voir la vie sur cette terre, et c'est comme un cercle sacré de relations entre tous les êtres de toutes formes et de toutes espèces. Le grand danger est de ne plus voir la vie comme un grand système de parenté. Il n'y a pas de peuples, de races, de civilisations au sens strict; il n'y a que l'espèce humaine, une espèce parmi tant d'autres espèces d'êtres, une espèce même particulièrement faible et dépendante des autres espèces et des familles qui les composent: animales, végétales, minérales, élémentales, immatérielles, surnaturelles, etc. Il n'y a qu'une civilisation propre à l'existence humaine: la civilisation du Cercle, le Cercle sacré de la vie. Il n'y a, en réalité, que deux types de sociétés humaines: celles qui voient et vivent le cercle et celles qui ont oublié le cercle.

Les sociétés humaines qui ont oublié que la vie est un grand cercle sacré de relations pensent et croient que la vie fonctionne selon un mode linéaire. Selon la «pensée» linéaire, la vie est fonction du progrès. Ce progrès se réalise dans une direction bien précise, illustrée ainsi: →. Il n'y a, ici, plus rien de sacré: tout est profane et tout doit engendrer le «progrès». Les seuls êtres qui soient encore sacrés et qui puissent déterminer ce qui est sacré sont ceux qui ont eu la force et l'ingéniosité de se placer aux commandes du processus du progrès. Ils ont, ou ont eu, des «religions» qui leur ont affirmé, de façon sacrée, que leurs institutions humaines sont l'expression de la volonté d'un Dieu unique qui leur a conféré le pouvoir et le devoir de dominer et d'arranger Sa création selon leurs intérêts (sacrés).

Cette attitude linéaire face à la vie ne peut que détruire la vie. Les sociétés à pensée linéaire sont celles qui détruisent l'existence et la pensée circulaires autour et à l'intérieur d'elles.

Elles sont celles qui, après avoir compromis leur propre existence, doivent s'en aller de leurs lieux d'origine pour chercher
d'autres lieux où la vie est encore sacrée et donc, riche et
abondante, pour y transplanter leur «civilisation» et donc,
pouvoir continuer d'exister. Évidemment, l'arrivée de ces
sociétés parmi celles du Cercle signifie toujours une destruction
très importante, voire souvent complète des sociétés à pensée
circulaire.

À une époque où les mythes du progrès et de l'évolutionnisme culturel sont de plus en plus populairement et scientifiquement dénoncés, nous avons voulu offrir à la grande
société humaine cette réflexion sur l'histoire et la nature d'une
civilisation du Cercle, la civilisation wendate, ainsi que sur le
processus de sa destruction très rapide lors de l'arrivée de
sociétés linéaires d'Europe. Nous désirons à ce moment prier
notre lecteur de croire que nul fait ou proposition contenus
dans ce livre ne comporte l'intention de nier le droit et le
besoin – vitaux pour tout être humain – de quiconque au
respect et à la fierté. Plutôt, le désir premier qui nous a mû
en l'écrivant a été de produire la guérison spirituelle – la
recircularisation – dont nous avons tous un pressant besoin si
nous voulons éviter que le Cercle (c'est-à-dire la vie, ce don si
merveilleux que nous avons) nous soit enlevé en tant qu'espèce
humaine y appartenant.

Georges SIOUI, 22 janvier 1994

Table des matières

Introduction

J'ai toujours possédé une fierté incommensurable de mes ancêtres hurons-wendats, ainsi qu'un désir incompressible de délivrer leur mémoire de l'inattaquable geôle conceptuelle que construisit jadis pour elle l'histoire blanche et où elle l'enferma pour jamais. Très tôt dans ma vie, mon esprit, pourtant naturellement porté au rêve, s'éveilla au devoir qui m'incomberait d'aller à la découverte et à la défense de la dignité de mon peuple, que d'héroïques et saintes mains avaient, surtout au XVIIᵉ siècle, jetée au détritus de la civilisation européenne et chrétienne.

J'avais à peine cinq ans lorsque mes parents m'ont inscrit à l'école de notre réserve, où les sœurs du Perpétuel-Secours s'exaspérèrent vite de mon penchant pour la méditation. J'ai écrit, devenu adulte, les souvenirs que j'ai gardés de ces premières expériences à l'extérieur de mon monde familial :

> J'étais presque constamment dehors, là-bas, parmi la nature, et ne revenais que brièvement, lorsqu'un camarade me tirait la manche pour me dire que la sœur me posait une question, à laquelle, brusquement très rougi et inondé de sueurs froides, je ne savais que rarement quoi répondre, chaque fois peiné de voir le visage de la religieuse en colère, et doublement confus d'avoir une fois de plus recréé ce scénario trop familier qui faisait régulièrement rire toute la classe. Heureusement, nous avions un curé philosophe qui assez rapidement conseilla aux sœurs de me « laisser penser », puisque, de toute façon, je réussissais toujours à obtenir des notes moyennes, que d'ailleurs mon père et ma mère me disaient être très bonnes. C'est ainsi que ce bon prêtre me sauva miraculeusement des coups de « strappe » et de toutes leurs conséquences fracassantes sur les avenirs des enfants.
>
> Très tôt dans ma carrière scolaire (c'était l'année suivante), je fus tiré d'un de mes rêves éveillés lorsque le mot « sauvage » me parvint dans les profondeurs tranquilles des forêts où je

me trouvais cet après-midi-là. Immédiatement, tel mon ancêtre menacé, j'accourus au champ de bataille et me trouvai confronté avec cette grosse religieuse tout habillée de noir, au regard sévère, aux épais sourcils foncés qui ressemblaient à des traits de peinture de guerre et tranchaient sur son couvre-front blanc comme posé en guise de casque d'armure. Elle avait son bâton et mesurait ses pas lourds et ses mots durs, d'un ton réprobateur, consciente de l'effet dévastateur qu'elle se devait d'avoir sur nos jeunes esprits, en tant qu'implanta-trice d'un système de valeurs et de notions morales qui devaient aplatir tout respect que nous pouvions encore avoir pour nos ancêtres et la dignité de leur vie, en tant que jeteuse de vérités dont il ne nous faudrait jamais douter sous peine de mort spirituelle et, très possiblement, physique.

« Vos pauvres ancêtres étaient des sauvages, avait-elle dit. Ils ne connaissaient pas le Bon Dieu. Quand Jacques Cartier et le Sieur de Champlain ont découvert le Canada et fondé la Nouvelle-France, ils ont vu vos ancêtres adorer le soleil et des idoles. Ils les ont vus tuer et manger d'autres sauvages. Les sauvages, heureusement, avaient peur des fusils des Français. Alors, Sieur Cartier et Sieur de Champlain ont essayé de les instruire de la foi. Les sauvages étaient trop ignorants et ne pouvaient pas comprendre la foi. Le Roi a eu pitié des sau-vages et leur a envoyé des missionnaires pour les convertir, mais vos ancêtres, les sauvages, ont tué ces missionnaires, qui sont devenus nos Saints Martyrs Canadiens, morts pour sau-ver les sauvages. » Et là, émue presque aux larmes, elle nous fit mettre à genoux pour faire demander pardon aux Saints Martyrs Canadiens pour la cruauté de nos ancêtres et prier pour qu'ils obtiennent de Dieu la conversion des autres sau-vages du Canada et d'ailleurs. Puis elle continua : « Grâce à Dieu, aux religieux et aux croyants, vous êtes devenus aujour-d'hui des gens civilisés. Tous les jours, vous devez demander pardon au Bon Dieu pour les péchés de vos ancêtres et le remercier pour vous avoir donné la foi catholique et vous avoir enlevés des mains du Démon, qui maintenait vos ancêtres sauvages dans l'idolâtrie, le mensonge, le vol et les guerres et le cannibalisme. Levez-vous, nous allons chanter un cantique à la Sainte Vierge pour la remercier. » On se leva et la bonne sœur se mit à chanter d'une voix forte et criarde, un de ses cantiques préférés que certains d'entre nous savaient déjà. Je remarquai que presque tous mes camarades avaient la tête baissée bien bas et qu'une petite fille sanglotait, à deux pupitres derrière moi. Quant à moi, j'avais déjà décidé que je raconterais l'épisode à mon père et que je ferais de son jugement ma pensée.

Avant de renvoyer la classe pour la journée, la Mère nous annonça avec fierté qu'elle allait commencer à nous enseigner notre hymne national : « Vous allez le savoir en même temps que « les grands » de troisième et de quatrième, à qui je l'enseigne aussi cette année et vous allez pouvoir le chanter avec eux à la remise des prix », annonça-t-elle d'un ton plus gai qui ne réussit pas à nous charmer. « Vous devez l'apprendre comme une prière, poursuivit-elle, car c'est plus une prière qu'un hymne. C'est pour exprimer non seulement notre fierté d'être Canadiens, mais encore plus, notre fierté d'être chrétiens. » Elle se râcla les cordes vocales en toussant à quelques reprises, et entreprit, eût-on cru avec délices, de maltraiter ce si bel air des élans aussi enthousiastes qu'irritants de sa meilleure voix. La première ligne, « terre de nos aïeux », me renvoya enfin, mais momentanément, à mes forêts et à mes explorations philosophiques aux pays de mes aïeux, où l'écho d'une corneille me parvenait lointainement, sourdement : croix, exploits, droits, croix, droits, croix...

La cloche sonnée dans le corridor par un grand de quatrième (les aînés de l'école de la réserve) me ramena dans la classe, qui commençait à se faire bruyante mais, remarquai-je, beaucoup moins que d'habitude. La sœur acheva sa journée par : « N'oubliez pas la confession demain matin. Commencez votre examen de conscience ce soir. Il faut nettoyer sa maison pour recevoir Jésus dimanche. » Nous défilâmes tous devant elle, plus lents et moins enjoués, les têtes plus basses aussi qu'à l'accoutumée, avec la salutation mécanique : « Bonsoir mère, merci mère[1]. »

Je suis venu à l'Université Laval en 1970 pour y faire des études en traduction de l'anglais et en langues étrangères, notamment en allemand et en russe. J'ai étudié aussi l'inuktitut. L'histoire aurait été mon premier choix, mais devant le conservatisme excessif dont faisaient preuve à cette époque les historiens face aux Amérindiens, j'ai opté pour ma seconde passion, l'étude des langues. « Je reviendrai dans dix ou quinze ans », me suis-je dit d'un ton mi-plaisant, mi-sérieux, pour

---

1. Extrait d'un texte non publié, daté du 4 avril 1980.

conclure une conversation que j'ai eue avec un professeur d'histoire qui défendait encore la tradition des Gustave Lanctôt et des Lionel Groulx. Curieusement, ce fut précisément ce que je fis : en septembre 1982, je commençai un stage probatoire d'un an en vue de l'obtention d'une maîtrise en histoire, laquelle je terminai au début de 1987[2].

L'Université Laval avait effectivement beaucoup changé en douze ans, de 1970 à 1982. J'y ai découvert des gens sensibles aux réalités vécues par les Amérindiens et les Inuit et réceptifs aux préoccupations intellectuelles et aux projets scolaires que j'avais, et que partageaient les quelques rares premiers Amérindiens que nous étions à vouloir gravir le haut et imposant escalier de cette citadelle du savoir des Blancs, à défaut de laquelle démarche notre peuple n'aurait jamais sa place parmi les autres.

J'ai connu l'historien Jacques Mathieu, qui m'a accueilli et fait connaître celui qui devait être mon conseiller et mon directeur de recherches tout au long de neuf années de travail en vue de l'obtention d'un doctorat en histoire, l'historien et grand amérindianiste québécois Denys Delâge. Dans un cours que j'ai suivi avec monsieur Delâge dès l'automne 1982, intitulé « Histoire des Amérindiens », je vis, à mon grand encouragement, toutes les notions évolutionnistes et racistes naguère si solidement établies au sujet des Amérindiens, ébranlées, souvent carrément jetées, à leur tour, au rebut du discours officiel sur la civilisation. Dès l'introduction de son cours, Delâge parla de mes ancêtres wendats comme des possesseurs d'une civilisation, d'une brillante civilisation, digne d'être connue et reconnue. J'ai eu, durant ces instants, la confirmation que le temps était enfin venu pour moi de commencer à écrire les « autres » livres d'histoire dont mon père m'avait parlé plus d'un quart de siècle auparavant et auxquels j'avais beaucoup pensé depuis.

---

2. Mon mémoire de maîtrise fut publié en 1989, par les Presses de l'Université Laval, intitulé *Pour une autohistoire amérindienne. Essai sur les fondements d'une morale sociale.*

J'ai depuis longtemps été convaincu que l'Amérique du Nord aborigène a produit, comme l'Amérique centrale et l'Amérique du Sud, de grandes civilisations ; des civilisations certainement moins imposantes que les méridionales sur les plans matériel et technologique, mais dont les idées ont influencé de façon peut-être plus marquante les modes de pensée sociale du monde nouveau qui commença à se créer, à l'échelle planétaire, à partir des premières observations européennes de l'Amérique. Le présent ouvrage, que j'ai intitulé *Les Wendats : une civilisation méconnue*, se propose de faire le point sur la réflexion qui a été faite, au cours des siècles qui ont suivi le contact de l'Amérique avec l'Europe, sur la nature des idées sociales et philosophiques essentielles des Wendats. Sa principale prétention à la nouveauté réside dans le fait qu'elle incorpore une grande part de l'autoperception véhiculée dans la tradition orale des traditionnalistes hurons-wendats de Lorette, wyandots de l'Oklahoma, ainsi que de nombreux autres, de provenances très diverses.

L'ouvrage a une structure simple. Le premier chapitre établit le sens possédé par les Wendats concernant leurs origines, leurs migrations, la nature de leur rôle dans la géopolitique aborigène, leur théologie, leur morale, leur autohistoire de la création, leur philosophie, leur littérature orale et leur sociologie. Les grandes caractéristiques qui ressortent de cette analyse sont une vision autochtone circulaire du monde, opposée à une vision eurogène linéaire ; de multiples créateurs à l'origine de la vie, chez les autochtones, par opposition à la conception religieuse monothéiste des chrétiens ; un autre grand trait est l'absence d'une distinction nette entre un Bien et un Mal absolus, comme les conçoit la tradition européenne ; un autre, enfin, serait l'existence d'un code moral fonctionnel et socialement efficace basé sur une foi naturelle en la création, vue et traitée par une majorité d'allochtones comme un chaos à combattre et à organiser.

Le deuxième chapitre porte un regard sur l'archéologie. D'abord, en raison de son pouvoir unique d'éclairer sur

certains aspects critiques du passé, cette science est vue comme
ayant une responsabilité sociale tout aussi spéciale d'œuvrer à
l'harmonisation des attitudes et des perceptions négatives souvent adoptées réciproquement par les sciences humaines, dont
principalement l'histoire, l'anthropologie, la littérature et la
sociologie et par les peuples amérindiens d'aujourd'hui. Nous
nous penchons ensuite sur l'archéologie des Wendats. La thèse
de Gary A. Warrick, «A Population History of the Huron-
Petun, A.D. 900-1650[3]», à laquelle nous nous référons abondamment, confirme l'idée reçue par ce peuple de la centralité
de son pays dans l'ordre politique d'une famille élargie de
nations aborigènes liées culturellement et socialement par le
commerce. Dès le XIIIe siècle de notre ère, les Wendats se sont
établis au cœur d'un processus d'émergence d'une remarquable civilisation interethnique et interculturelle, que nous
appelons la civilisation wendate-algique, qui a peut-être eu des
ramifications commerciales jusque chez les Sioux ouinipégons et dont l'arrivée des Européens dans le Nord-Est, au
XVIe siècle, a signifié le déclin et la fin rapide.

   Nous présentons, dans ce chapitre, une nouvelle théorie
visant à montrer la nature profonde de la société aborigène du
Nord-Est, ainsi qu'à expliquer les réactions et les stratégies de
défense des différentes ethnies de cette région face à l'invasion
européenne: la théorie démographique. Celle-ci est basée sur
l'évidence du faible poids démographique et du petit territoire
des peuples non algiques par rapport à la masse algique, à
l'origine (et, d'ailleurs, encore actuellement). Le rapport démographique explique, selon nous, pourquoi les Wendats, les Iroquois et leurs autres congénères ethniques furent amenés, vers
l'an 900 ou 1000, à se sédentariser de façon à se donner
graduellement une vocation d'agriculteurs-commerçants et à
augmenter leur taille en comparaison avec le géant algique.

---

3. Gary A. Warrick, «A Population History of the Huron-Detun, A.D.
   900-1650», thèse de doctorat, Montréal, Université McGill, 1990.

Revoyant la terminologie pour désigner archéologiquement et historiquement les peuples du Nord-Est, nous proposons certains changements visant à rendre compte de la réalité géopolitique originelle que nous venons d'évoquer. Principalement, nous suggérons de remplacer le terme courant d'« Iroquoien », employé pour désigner tous les peuples ethniquement apparentés aux Iroquois par celui de *nadouek*, employé à l'origine par les Algiques pour désigner plusieurs de ces mêmes peuples. Nous avons ainsi un terme respectueux de la réalité amérindienne, à étymologie amérindienne et sans connotation partiale : les Nadoueks, dont les Iroquois sont une branche, les Wendats une deuxième, les Laurentiens une troisième, etc.

L'ouvrage a pour but social fondamental d'exposer le mythe de l'évolutionnisme culturel, lequel prive l'individu moderne de la confiance en un bagage spirituel hérité des temps immémoriaux. En ce bagage est contenue une richesse sociale et idéologique incommensurable et à toutes fins utiles inexploitée, sans laquelle la société, globalement, restera incapable de concevoir les moyens de la paix et, donc, de survivre. Nous voyons dans ce chapitre que les Wendats, jugés par les Blancs « plus avancés » que leurs voisins chasseurs algonquiens, n'avaient pas cette notion évolutionniste. L'évidence ethnographique, de même qu'archéologique, renforce une position contre-évolutionniste voulant que les Wendats ne semblent aucunement avoir considéré que l'adoption de l'agriculture faisait accéder à un mode supérieur de subsistance. Plutôt, cette société spiritualiste (circulaire) paraît avoir vu la proximité au sacré, plus propre aux chasseurs nomades, comme un état idéal de l'humain.

Enfin, nous traitons, dans ce deuxième chapitre, de l'énigme qui entoure la disparition des Nadoueks laurentiens au XVIe siècle. Nous suggérons des explications, au moyen de la tradition orale agnier, ainsi qu'à l'aide d'un outil conceptuel que nous pourrions appeler « miroir amazonien », d'abord proposé par l'ethnoécologiste étasunien Darrell A. Posey : nous pensons qu'il est possible de «voir» dans des processus de bouleversements sociaux récents ou actuels au Sud (tels que dispersions ou disparitions de populations de territoires donnés) le reflet de bouleversements similaires survenus au Nord dans le passé lointain non documenté. À partir d'un portrait étayé par des documents de la dépopulation au XXe siècle d'un certain territoire d'une tribu amazonienne, les Kayapos, il est possible de croire que de telles dispersions traditionnellement dites de précontact ont été causées par la rupture d'un ordre politique (fission rapide et intensive des communautés et présence inédite de guerre) due à l'avènement d'épidémies d'origine européenne, avant même que se produisent des contacts directs entre Amérindiens et allochtones.

Notre troisième et dernier chapitre est une description, du point de vue amérindien, de la société wendate, surtout des années 1615 à 1650, à partir des documents ethnographiques traditionnels, c'est-à-dire principalement des relations des missionnaires et des premiers explorateurs français. Ce chapitre est, en même temps, une analyse des moyens conceptuels employés, surtout par les missionnaires, pour construire les mythes sociaux essentiels de la société allochtone concernant les Amérindiens, leur société et leur histoire. À partir d'une réflexion autohistorique, et nous aidant des meilleures réflexions produites jusqu'à maintenant sur le sujet, notamment celles de Bruce G. Trigger et de Conrad E. Heidenreich, nous nous sommes efforcé de déconstruire ces mythes et concepts au sujet des Wendats et des Amérindiens en général.

Les sources documentaires allochtones, particulièrement missionnaires, ont été conçues pour déprécier la pensée et créer une indifférence généralisée en ce qui regarde l'existence et la disparition des autochtones, de façon à justifier l'action coloniale. Afin de contrer ce conditionnement collectif et ainsi réintégrer l'Amérindien dans sa dignité et son droit à la survie (non seulement physique, mais aussi et de façon beaucoup plus essentielle, spirituelle), nous avons choisi méthodologiquement de mettre notre lecteur en présence directe des événements et des faits sociaux attestés par les chroniqueurs, en faisant parler librement ces sources. Utilisant ainsi un avantage de trois siècles et demi d'évolution dans la pensée sociale occidentale – et planétaire –, nous avons voulu « montrer » ce qu'étaient ces peuples, cette civilisation, de façon à mieux reconnaître et apprécier ce qui en reste aujourd'hui.

Ce chapitre présente les Wendats comme une société trouvant son sens et sa place à l'intérieur de la nature, par opposition aux Européens qui se situent en dehors et au-dessus de l'ordre de la création. La première partie présente les éléments physiques et non essentiels composant le cadre de vie de la société wendate. La deuxième partie touche les rouages subtils du fonctionnement concret de la pensée circulaire des Wendats. Elle se veut avant tout une réflexion sur une approche alternative aux idées traditionnelles euroaméricaines de société et de civilisation. La personne, particulièrement, est vue par les Wendats comme essentiellement un esprit, dont l'incarnation dans la société humaine est l'effet de la volonté d'un univers régi par les âmes, ou esprits. Voir la personne humaine comme primordialement un esprit, inviolable, voire injugeable, est assurément une idée actuellement pertinente. La civilisation wendate nous livre tous les secrets simples pour parvenir à un tel respect de l'humain, digne élément intégrant du Cercle sacré et merveilleux de la vie.

Origines et mythologie

LE NOM *WENDAT*

Le mot *wendat*[1] est le nom par lequel se désignaient les cinq nations confédérées[2] du territoire de Wendaké (Huronie ontarienne) que connurent et décrivirent les Français – surtout les jésuites – de 1615[3], année de l'arrivée du missionnaire récollet Joseph Le Caron et de Samuel de Champlain, jusqu'à 1649, année de la dispersion définitive de la confédération wendate.

Le mot apparaît pour la première fois en 1623 dans les écrits de l'historien récollet Gabriel Sagard[4] qui, pour le temps relativement bref qu'il passa au Wendaké, nous a transmis une somme surprenante de détails sur des aspects de l'existence qui n'ont que peu intéressé les chroniqueurs après lui : faune,

---

1. Prononcé approximativement comme les deux mots anglais «*one dot*».
2. Voir la figure 1. La figure 2 quant à elle montre la situation du pays wendat par rapport à l'ensemble des nations de la région du sud des Grands Lacs.
3. L'ethnohistorien et éminent spécialiste des Wendats, Bruce G. Trigger, rapporte, dans *Les Enfants d'Aataentsic : l'histoire du peuple huron* (1991, p. 257-258), qu'Étienne Brûlé, jeune aventurier français, est allé vivre chez les Wendats dès 1610.
4. Le mot *Houandate* est inclus dans le dictionnaire de ce frère convers. Ce document, en plus de son rare intérêt linguistique, représente une source unique de renseignements ethnologiques.

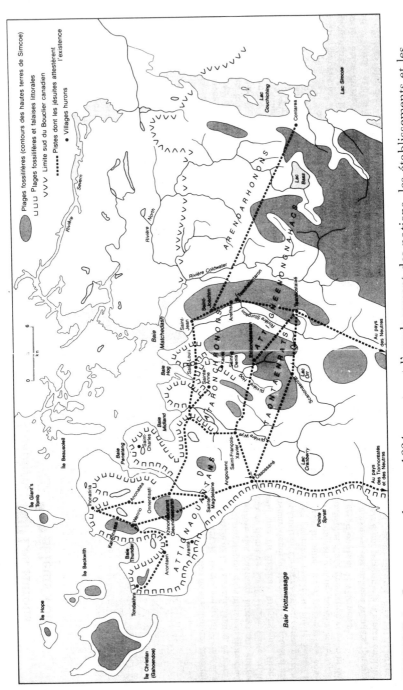

FIGURE 1   Le pays wendat vers 1634, montrant l'emplacement des nations, les établissements et les principaux chemins attestés par les jésuites. (Tiré de B.G. Trigger, *Les Enfants d'Aataentsic* [...], 1991 : 10-11.)

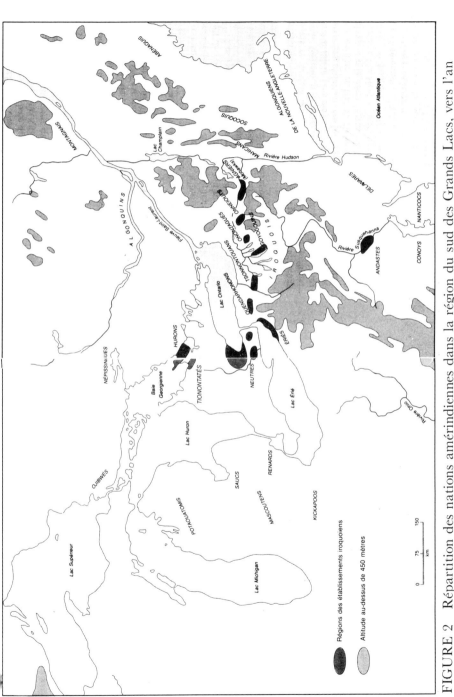

FIGURE 2   Répartition des nations amérindiennes dans la région du sud des Grands Lacs, vers l'an 1630. (Tiré de B.G. Trigger, *Les Enfants d'Aataentsic* […], 1991 : 74-75.)

flore, objets et organisation domestiques, voyages, relations interpersonnelles, etc.

Samuel de Champlain, pour sa part, ne s'est jamais rendu compte, malgré les trente années passées en Nouvelle-France, du nom qu'utilisaient les Wendats pour se désigner ; il fut le premier à employer de façon courante le terme dépréciatif de « Hurons » pour nommer les Wendats[5]. D'une manière étonnante, le fondateur de Québec apprit peu sur l'organisation sociale et politique de ce peuple, même si en tant que chef et allié commercial, il a été l'un des très rares Européens à être expressément invité à reconnaître chacun des principaux villages wendats (Trigger, 1991 : 296, 323-325)[6].

Les jésuites, derniers observateurs religieux à venir au Wendaké à la suite des récollets, ont été beaucoup moins méticuleux dans leurs comptes rendus de la vie et de la société wendates. Le fanatisme religieux des deux ordres est à peu près équivalent, mais les méthodes utilisées pour effectuer le remplacement de la culture des Amérindiens sont beaucoup plus éprouvées et directes chez les jésuites (Trigger, 1991 : 467-469). Le mot *wendat* ne figure qu'une seule fois dans les volumineuses *Relations des jésuites* (Heidenreich, 1971 : 21) ; il n'y est mentionné (Thwaites, 1896-1901, 5 : 278 n. 17) que pour suggérer qu'il en vint à désigner toute la confédération wendate, vers les années 1630, ce qui ne s'accorde pas avec les observations faites par Sagard presque une décennie plus tôt (Trigger, 1991 : 878, n. 3).

---

5. « Hurons » désigna d'abord tous les peuples sédentaires de famille nadouek à cause de leur manière fréquente de se laisser une lisière de cheveux évoquant la hure des sangliers. « Huron » était aussi employé alors pour désigner le caractère rustre, impoli, « sauvage » d'un individu.
6. Gabriel Sagard (*Histoire du Canada* [...], 1866, p. 444) fait remarquer que les Amérindiens ont reproché à Champlain de n'avoir acquis aucune connaissance de leurs langues, après vingt ans de présence continue dans leur pays.

La traduction française donnée par les jésuites de *Wendat*, «les habitants d'une île», semble exacte, bien que d'autres sens, qui ont dû nécessairement échapper à ces missionnaires, semblent impliqués. Le géographe Conrad E. Heidenreich a établi que le territoire du Wendaké était préhistoriquement «une île», à toutes fins utiles, délimité par trois lacs et une vaste étendue marécageuse (*cf.* figure 3). Sur le plan de la cosmologie également, les Wendats considéraient le monde comme une île portée sur le dos d'une tortue (Trigger, 1989: 12). Ils croyaient de plus qu'ils avaient été à l'origine de la création des peuples sur cette île, placés hiérarchiquement au centre des nations. «Lorsque les tribus furent toutes établies, dit en 1837 Oriwahento, chef wendat d'Amherstburg (Ontario), les Wyandots[7] furent placés à leur tête [...][8].»

Cette dernière conception wendate a une relation directe avec le fait que les Wendats occupaient, dans la hiérarchie politique d'un ensemble de peuples autochtones du Nord-Est constituant l'un des réseaux commerciaux les plus étendus et unifiés en Amérique du Nord, la place de peuple-chef (figure 3). Sagard, dans son *Grand Voyage du Pays des Hurons*, donne un indice majeur de l'origine de l'importance géopolitique des Wendats lorsqu'il remarque, dans les années 1620, que le wendat est la *lingua franca* de la diplomatie et du commerce interethnique pour au moins cinquante «nations» non wendates. Les jésuites, quant à eux, reconnurent très rapidement que le Wendaké constituait le cœur du pays amérindien du Nord-Est. «Les Missionnaires, écrit l'historien Charlevoix en 1744, se persuadaient qu'en fixant le Centre de leurs Missions dans un Pays [le Wendaké] qui était en même temps celui du

---

7. L'épellation *Wyandot* suit la prononciation anglophone du mot *wendat*. Les Wyandots sont des descendants des Wendats, Tionontatés, Attiwandaronks et Ériés qui migrèrent vers l'ouest, après la destruction de leurs pays au milieu du XVIIᵉ siècle.

8. Charles Marius Barbeau, *Huron and Wyandot Mythology*, mémoire 80, Ottawa, Department of Mines, Government Printing Bureau, 1915, p. 299-300 (trad. libre). Une traduction française de cet ouvrage, préparée par Pierre Beaucage, professeur à l'Université de Montréal, devrait paraître en 1994.

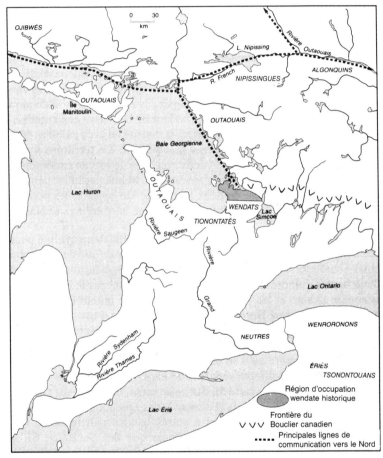

FIGURE 3 Lignes de communication majeures vers le
Bouclier canadien. (Tiré de Bruce G. Trigger,
Les Enfants d'Aataentsic [...], 1991 : 156.)

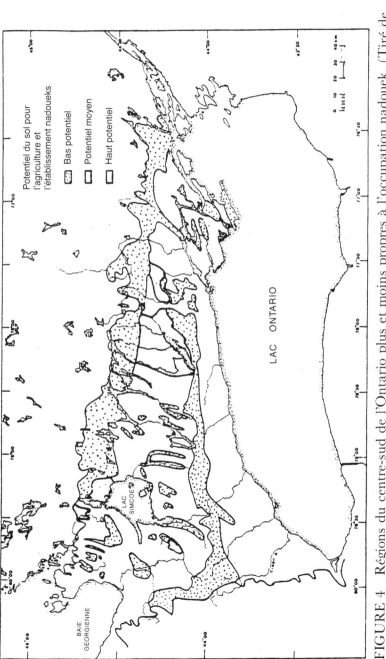

FIGURE 4 Régions du centre-sud de l'Ontario plus et moins propres à l'occupation nadouek. (Tiré de Warrick, «A Population History of the Huron-Petun, A.D. 900-1650», thèse de doctorat, Montréal, Université McGill, 1990: 112.)

Canada, il leur serait aisé de porter la lumière de l'Évangile dans toutes les parties de ce vaste Continent [...][9]. »

La tradition orale des Wendats est éloquente au sujet de leur centralité. En 1837, Oriwahento déclare : « [En ces temps primordiaux], les Wendats étaient les premiers entre les tribus et agissaient en tant que leurs chefs principaux. » Puis, parlant de la perpétuation de cette position dans les dispersions qu'ils connurent, ce même chef dit encore : « [...] nous avons été chassés de l'Est et nous nous sommes enfuis vers le Nord jusqu'à Michillimackinac ; mais, comme cela était auparavant notre droit [notre statut], les tribus nous regardèrent, lorsque nous revînmes, comme les gardiens du feu du Conseil[10]. »

La primauté commerciale, diplomatique et militaire des Wendats fut reconnue par les autorités euroaméricaines qui eurent à traiter avec eux depuis le contact. En 1795, après la bataille de Fallen Timbers, qui fut le dénouement d'une longue guerre des nations de l'Ohio pour la sauvegarde des territoires de l'Ouest, le général américain vainqueur Anthony Wayne remit aux quinze nations vaincues, par l'entremise de *leur oncle, le Wyandot*[11], une grande ceinture de wampum avec un « chemin » de perles blanches au milieu, scellant ainsi la réconciliation des États-Unis et des nations de l'Ohio. Tar-hay (La Grue), Premier Chef des Wyandots, signa le premier le *Traité de Greenville*, qui confirma cette paix, ainsi que le sort des

---

9. F.X. Charlevoix, s.j., *Histoire et description générale de la Nouvelle-France, avec le journal historique d'un voyage fait par ordre du roi dans l'Amérique septentrionale*, Paris, tome I, Nyon Fils, Librairie, 1744 (Montréal, Éditions Élysée, 1976), p. 186.

10. C.M. Barbeau, 1915 : 300 (trad. libre). Tout comme sur les plans clanique, tribal, fédéral ou confédéral, certains chefs de nations agissaient à titre de premiers porte-parole au nom de l'ensemble et généralement aussi de gardiens des archives relativement aux ententes entre les nations.

11. Le terme « oncle », dans le langage politique amérindien du Nord-Est, implique l'ascendant moral ou politique, le privilège de la représentativité. On est socialement plus proche de son oncle maternel que de son père, celui-ci étant toujours de clan différent de celui de ses enfants.

Amérindiens de l'Ouest[12]. Les Wyandots perdirent lors de cette bataille seize de leurs généraux («chefs de guerre»), c'est-à-dire presque tous[13]. Ils furent, quarante-huit ans plus tard, les derniers Amérindiens à consentir à abandonner leurs terres de l'Ohio, pour émigrer, de force, vers le Kansas.

Cette position d'hégémonie des Wendats même avant leur contact avec les Européens, outre le fait qu'elle est expliquée par la géographie et confirmée par la cosmologie et la tradition orale de ce peuple, trouve aussi sa raison d'être dans l'étymologie du mot *wendat* lui-même. Sagard, en compilant son dictionnaire de la langue «huronne», en 1623-1624, avait relevé le terme *Auoindiou*, qui signifiait «maître d'une route menant à un territoire de commerce» ou «maître du chemin». Nous apprenons, trois siècles plus tard, par Barbeau[14], que les Wyandots, maintenant au bout d'une épopée de constantes dispersions et résidant dans l'État de l'Oklahoma – l'ancien «Indian Territory» où les États-Unis déplacèrent de force plus d'une centaine de nations amérindiennes disloquées –, utilisent ce même mot, *Hamendiju*[15] pour désigner «le grand et bon Maître»[16]. Les nations iroquoises se servent de ce mot pour exprimer le même concept: *Rawennio*.

Le mot *Auoindiou* de Sagard se compose d'une racine, *wen(d)*, et d'un suffixe, *io*. La racine *wen(d)* implique, d'une part, l'idée de voix, parole, langage, et, d'autre part, celle

12. Wilcomb E. Washburn, *The American Indian and the United States: A Documentary History*, New York, Random House, 1973, 4 vol., 3119 pages; p. 2295-2303.

13. Robert E. Smith Jr., «The Wyandot Indians, 1843-1876», thèse de doctorat non publiée, Oklahoma State University, 1973.

14. La science historique est pour toujours redevable à ce grand ethnologue québécois pour avoir découvert, *in extremis*, le trésor que renferme cet ouvrage.

15. Les Wyandots de l'Ouest ont progressivement transformé en *m* le son *w* original.

16. C.M. Barbeau, 1915: 301; nous traiterons plus loin de la préhistoricité du monothéisme chez les Wendats et autres peuples autochtones du Nord-Est.

d'ancienneté, de noblesse, d'unicité et d'autorité[17]. Les habitants de Stadaconé, en 1535, ont enseigné à Jacques Cartier le mot *Agouhanne* pour désigner le chef, l'homme d'importance, le sage, l'ancien. Sagard, pour sa part, a recueilli en Wendaké, presqu'un siècle plus tard, le mot *Arouanne* pour signifier « le plus âgé »[18]. Ce missionnaire n'a pu, durant la dizaine de mois qu'il passa chez les Wendats, acquérir une connaissance suffisante de la conception sociopolitique de ses hôtes pour apprendre l'association culturelle que font ceux-ci entre l'âge et le statut politique d'un individu. Chez les Iroquois, un *royaner* est l'équivalent d'un noble dans la hiérarchie des systèmes monarchiques européens ; les royaners constituent les cinquante chefs de la confédération originelle des Cinq-Nations iroquoises, toujours rituellement « relevés », c'est-à-dire perpétués jusqu'à aujourd'hui.

Pour ce qui est de l'autre sens, également compris dans la racine *wen(d)*, celui de voix, parole, langage, nous évoquerons le fait, caractéristique des Amérindiens, qu'un chef n'était chef que dans la mesure où il maîtrisait l'art de la parole et, donc, avait le pouvoir de parler au nom de ceux qu'il devait représenter. En fait, comme le disent constamment les autochtones, le mot « chef » lui-même, au sens où quelqu'un dirige ou commande, est une notion étrangère à leur idée sociale, puisqu'il n'existe chez eux que des « représentants », choisis pour leur capacité de porter la voix *unanime* du peuple.

De la même manière, un peuple ne pouvait être un peuple-chef si tous les autres de l'alliance ne lui reconnaissaient la capacité spéciale, donc l'autorité pour garder le Feu du Conseil des nations, c'est-à-dire veiller au respect, à la transmission exacte et à l'accomplissement de la Parole. Or, peu de choses dans l'histoire éclairent autant sur la nature et la pensée

---

17. La phonétique adoptée subséquemment pour les langues nadoueks (*cf.* introduction) a rendu par la voyelle nasale *en* le son situé entre le *on* et le *an* français.

18. Dans les langues nadoueks, comme dans les langues algiques et la plupart des langues amérindiennes, on exprime l'idée euroaméricaine de personne âgée par celle de *personne de savoir*, donc d'autorité.

politiques aborigènes des Amérindiens du Nord-Est – et certainement de multiples autres aires culturelles du continent américain – que la façon dont les Wendats, même réduits par les épidémies et les guerres (dont les Européens sont responsables) à une fraction de ce qu'ils ont été, ont lutté pour continuer à exercer ce rôle qui leur a été dévolu, c'est-à-dire celui de veiller au maintien d'un ordre politique et cosmique sacré, hors duquel il n'y a plus de survie. «Les [Wendats], écrit Charlevoix en 1721, qui ne faisant presque plus un Corps de Nation et réduits à deux Villages médiocres, fort éloignés l'un de l'autre, ne laissent pas d'être encore l'âme de tous les Conseils, quand il s'agit des affaires générales[19].»

Quant au suffixe io[20], il implique dans le mot auquel il est apposé l'idée de grandeur, de beauté, de magnificence. On le retrouve dans des termes comme *Ontario*: le lac beau, magnifique; *Ohio*: la belle rivière; *Adario*: le grand et noble ami et, surtout, *Awendio*[21]. Dans ce dernier mot se confondent les deux sens que nous venons de décrire. En effet, les Wyandots de l'Oklahoma donnent, dans les années 1910, deux traductions pour le concept divin d'*Hamendiju*: «le grand et bon Maître» et «la Voix toute-puissante»[22].

Une autre considération, d'ordre historiographique celle-là, vient encore substantifier le mot *wendat*. Il est remarquable que plus on remonte vers l'époque du premier contact, plus il est clair dans l'esprit des historiographes que les Wendats ont originellement constitué le tronc de l'arbre politico-cosmologique des peuples nadoueks. Par ailleurs, les jésuites, certainement à cause de la centralité politique et économique des Wendats dont ils étaient conscients, croient que les autres

---

19. F.X. Charlevoix, *op. cit.*, tome III, lettre XII, p. 199.
20. D'autres formes sont *io, iou, yu, you, ju, jou*.
21. Nous avons déjà vu, dans le présent chapitre, d'autres formes de ce mot dans les langues nadoueks: *Auoindiou, Hamendiju, Rawennio*.
22. C.M. Barbeau, 1915: 301 et 51, respectivement. Barbeau a certainement raison de voir dans ce mot une conception missionnaire du Dieu chrétien. Le jumeau malveillant de la légende de la création (voir plus loin) devient le Diable (Deshurunon, c'est-à-dire «celui qui habite sous la terre»).

langues de cette famille ne sont que des dialectes du wendat[23]. De toute manière, les Wendats donnent une preuve évidente de leur ascendant politique sur leurs congénères par le succès singulier des rapports sociaux, commerciaux et diplomatiques qu'ils entretiennent avec les autres ethnies, en comparaison avec ceux d'un autre peuple remarquable pour son sens de l'organisation politique, bien qu'il soit géopolitiquement périphérique, les Iroquois.

La tradition orale iroquoise de même que l'archéologie[24] nous révèlent que dans les temps précédant l'arrivée des Européens, les ancêtres de l'illustre Hodenosaunee (la maison-longue iroquoise) étaient accablés de violentes et constantes guerres intestines et avec l'extérieur, alors qu'à la même époque, les Wendats connaissaient, grâce à leur intégration harmonieuse en tant que peuple minoritaire et en apparence discordant parmi une véritable mer de peuples algiques, une existence sûre, prospère et valorisante. «Avant de connaître les Français, écrit Trigger, les [Wendats] ne connaissaient aucune culture dont le succès matériel eût pu leur sembler dépasser le leur[25].»

La reconnaissance par les anciens historiens et chroniqueurs de l'importance déterminante du fait politique et social wendat dans le Nord-Est s'observe jusqu'à environ la moitié du XVIIIᵉ siècle. Après cette période, les Wendats jouent leur rôle traditionnel surtout parmi les peuples amérindiens transplantés dans l'Ohio. Les Iroquois[26], à partir de la Grande Paix de Montréal, en 1701, sont placés dans une position et un rôle qui, d'une part, leur permettent de faire jouer les deux prota-

---

23. F.X. Charlevoix, *op. cit.*, tome I, p. 184.
24. Matthew J. Dennis, «Cultivating a Landscape of Peace: The Iroquois New World», thèse de doctorat, 1986, p. 86-96.
25. Trigger, 1991: 15.
26. Il faut dire, dès maintenant, que les Iroquois étaient alors déjà devenus un amalgame, fait d'un nombre impressionnant (plus d'une vingtaine) de restes de nations décimées par les épidémies et les guerres, dont majoritairement les Wendats et leurs nations-sœurs nadoueks, qui vinrent enrichir de leurs traditions sociales et politiques les Cinq-Nations.

gonistes européens, l'Anglais et le Français, l'un contre l'autre et, d'autre part, leur apportent un avantage indéniable, voire salutaire, surtout sur les plans économique et démographique. Le rôle des Wendats a ainsi été, lui aussi, transformé par le processus historique, si bien que l'histoire en est venue à oublier la nature première de l'ordre politique – investi, avons-nous dit, dans la nation wendate – auquel ont dû se conformer les envahisseurs européens.

LA TRADITION DES WENDATS RELATIVEMENT À LEURS ORIGINES

La terminologie historique traditionnelle nomme «iroquoienne» la famille linguistique à laquelle se rattachent les Wendats. À notre sens, la création de ce terme a eu l'effet – accidentel – d'occulter l'importance du rôle joué par le peuple wendat dans la destinée de l'Amérique que nous connaissons. Parallèlement, ce même terme a eu l'effet trompeur de fixer dans l'histoire la notion d'une inimitié entre les Wendats et les Iroquois si violente et inconditionnelle que seule la destruction complète de l'une ou l'autre confédération pouvait rétablir la situation[27].

Nous avons déjà (Sioui, 1989 : 59-61, 112-114) proposé de remplacer le terme «iroquoien» par celui de «wendat-iroquoien» ou, lorsqu'il s'agissait de peuples précis, par le nom de «Wendat-Iroquois». En relation avec une nouvelle théorie «démographique[28]» – laquelle insiste sur le fait que les aborigènes du Nord-Est composaient un monde essentiellement constitué de peuples algiques, parmi lesquels les «Iroquoiens» formaient de petits îlots linguistiques, souvent politiquement insécures, du moins au moment du contact (p. ex. les Laurentiens) –, nous proposons de remplacer l'adjectif «iroquoien» et le nom «Iroquoien» par ceux de «nadouek» et «Nadouek», ainsi qu'étaient désignés par les Algiques plusieurs peuples de

---

27. Nous nous proposons d'apporter à cette notion de très importantes nuances.
28. Nous exposons cette théorie au chapitre II.

cette famille. Le mot « nadouek », outre le fait qu'il restitue tous ces peuples selon leur propre ordre géopolitique originel, a aussi l'avantage de l'impartialité au regard de la géopolitique amérindienne moderne. (*cf.* chapitre II, note 31).

On comptait, au moment du contact, au moins seize peuples nadoueks. Ils étaient, au Nord : les Laurentiens (répartis en au moins deux groupes : les Stadaconiens et les Hochelagas[29]), les Wendats, les Tionontatés, les Ériés, les Attiwandaronks, les Wenros, les Agniers, les Onneiouts, les Onontagués, les Goyogouins et les Tsonontouans, et, au Sud, les Susquehannas (Pennsylvanie), les Tuscaroras, Meherrin et Nottaways (en Virginie et en Caroline du Nord) et, enfin, les Cherokees (au Tennessee, en Georgie et au Kentucky)[30]. On ne pourra vraisemblablement jamais déterminer avec certitude le lieu de provenance des Nadoueks, mais une souche commune à tous est reconnue dans la tradition orale de chacun de ces peuples (Wright, 1966 : 1). Pour les Wendats en particulier, il est possible de trouver certaines concordances d'interprétation entre l'archéologie, la linguistique, les sources écrites, la mythologie et la tradition orale. Examinons d'abord cette dernière.

En 1837, les Wendats (Wyandots) qui habitent encore leur réserve d'Amherstburg, au sud de l'Ontario actuel, répondent aux questions que leur pose le surintendant étasunien des Affaires indiennes, Henry R. Schoolcraft, au sujet de l'origine de leur peuple. « Les Français disent, commence le célèbre historien, que vous viviez le long du fleuve Saint-Laurent, que vous êtes allés ensuite vers le Nord, d'où vous êtes après descendus pour venir vivre dans le voisinage de Détroit [...] » Le chef Oriwahento (en français : Premier Chef) répond que les Wendats vivaient à l'origine à l'intérieur, dans les montagnes

---

29. Nous traitons, au chapitre II, d'un troisième groupe possible, défini par l'archéologue Claude Chapdelaine (1990).

30. D'autres ont probablement existé, tels que les Scahentaronons, voisins des Susquehannas. Il est également possible que les épidémies et les guerres aient décimé des peuples nadoueks avant qu'ils aient rencontré les Européens (voir Trigger, 1991 : 80-82).

de l'Est, dans les contrées du Saint-Laurent[31]. En ce qui regarde «leur fuite du Saint-Laurent, leur établissement au Nord[32] et leur migration subséquente vers le site de Détroit, où ils s'établirent», le même Oriwahento explique que les Wendats avaient été un peuple fier et que la règle divine est que de tels peuples connussent la défaite et soient abaissés. «Voilà pourquoi, dit le chef wendat, nous avons été chassés de l'Est et nous sommes enfuis vers le Nord jusqu'à Michillimackinac [...][33]»

L'histoire orale des Wendats insiste passablement sur le fait qu'ils viennent de l'Est[34]. Il y a, sur ce point, discordance par rapport à la mythologie et à la cosmologie mêmes des Wendats. Nous allons ici tenter de pallier l'absence d'interprétation que nous avons constatée sur ce sujet jusqu'à maintenant.

Il faut d'abord tenter d'évaluer le degré de fiabilité «historique» de l'histoire orale. Les jésuites ont attesté que les Wendats disaient se souvenir d'événements s'étant produits deux cents ans auparavant et pouvoir évoquer, par exemple, l'emplacement de chacun des villages de leur nation durant ce laps de temps (*Relations des jésuites*, 16: 226). Trigger, par ailleurs, partant d'une preuve que lui fournit le livre de

---

31. C.M. Barbeau, 1915: 299.
32. C'est-à-dire aux environs de Michillimackinac. Il semblerait que les Wyandots aient fusionné dans leur mémoire orale les dispersions laurentiennes, au XVIe siècle (dont nous reparlerons au chapitre II), et celles du XVIIe siècle, en un seul épisode de guerres et d'événements catastrophiques.
33. Barbeau, 1915: 300. Nous abondons dans le sens de Trigger (communication personnelle, 13 juin 1991), qui associe directement ce souvenir d'une fuite vers Michillimackinac à la dispersion des Wendats et des Tionontatés en 1649-1650. Nous croyons cependant que cette histoire n'est pas étrangère à des événements vécus antérieurement par certains ancêtres des Wyandots dans la vallée du Saint-Laurent.
34. Les historiens wendats de l'Ontario, de l'Oklahoma et de Lorette s'accordent, indépendamment de l'époque à laquelle ils ont écrit, sur une origine à l'est du peuple wendat. Peter Clarke Dooyentate, en Ontario (1870), et William E. Connelly, en Oklahoma (1899), ont produit, dans leurs travaux, des abrégés de la tradition orale telle qu'ils l'ont recueillie.

l'historien wyandot ontarien Peter Clarke Dooyentate, *Origin and Traditional History of the Wyandots*, écrit qu'il semble raisonnable de conclure que la tradition orale ne fournit pas un moyen autonome d'étudier les peuples de langue nadouek. Elle présente un intérêt lorsqu'elle confirme d'autres sources d'information sur le passé mais, sauf dans de tels cas, on ne devrait pas y recourir, même à titre de supplément de ces sources (Trigger, 1991 : 5-6). Barbeau, dans son inestimable *Huron and Wyandot Mythology*, rapporte sept allusions de la tradition orale des Wendats aux régions de Québec et de Montréal, à titre de pays originels de ce peuple[35]. Le fait que le souvenir de migrations à partir du Saint-Laurent ait tant d'importance dans l'histoire orale tend à démontrer certaines choses.

Premièrement, les Wyandots peuvent avoir été composés en partie de lignées d'anciens Laurentiens qui ont vécu quelques générations au Wendaké, après l'évacuation de leurs contrées laurentiennes, au cours de la seconde moitié du XVIᵉ siècle. Un élément de preuve pourrait être la requête d'un chef wyandot de Détroit, en 1739[36], pour obtenir la permission, de la part des autorités françaises, d'installer son peuple (majoritairement wendat, et non tionontaté) *sur le Saint-Laurent* où, peut-il croire, personne ne pourrait désormais contester l'authenticité de ses droits territoriaux ancestraux.

Deuxièmement, puisque le chef Oriwahento parle de la volonté divine d'abaisser les puissants[37] et que la migration en question se fait en direction du « Nord[38] », nous pourrions ici

---

35. C.M. Barbeau, 1915 : 299, 300, 310, 312, 324, 375 et 383.
36. Voir l'article de James A. Clifton, « The Re-emergent Wyandots : A Study in Ethnogenesis on the Detroit River Borderland, 1747 », dans K.G. Pryke et L.L. Kulisek (dir.), *The Western District*, Windsor, Commercial Printing Co., 1979.
37. On aura remarqué ici une nette influence de la pensée chrétienne, ce qui semble normal après au moins deux siècles de missions chrétiennes et qui, par ailleurs, n'amoindrit pas la signification historique du témoignage d'Oriwahento.
38. Nous verrons ci-après que cet énigmatique « Nord » n'a de sens que si on le situe géographiquement par rapport aux contrées plus méridionales (c'est-à-dire à Détroit, au Michigan, puis à Sandusky, en Ohio, où s'installeront subséquemment les Wyandots.

être «partiellement» en présence de l'événement, catastrophique, de la dispersion des Nadoueks laurentiens dans les décennies qui ont suivi la troisième venue de Cartier en 1541-1542[39].

Troisièmement, suivant la même ligne hypothétique, nous remarquons qu'un lien politique unissait déjà les Stadaconiens et les Wendats «ontariens» bien avant cette dispersion[40]. En effet, la période qui s'écoule entre l'exode «laurentien» (env. 1550) et le temps de la livraison de cette histoire orale (1837), soit près de trois siècles, justifierait, si l'on s'appuie sur les observations des jésuites sur la «viabilité historique» de la tradition orale, l'évident embrouillement de la mémoire wendate concernant le temps et les circonstances exacts des événements. L'épisode du Saint-Laurent est en train d'être réclamé par l'empire de la légende. Réfutant le discrédit encore très souvent jeté sur le récit légendaire, Matthew J. Dennis affirme que «les historiens traditionnels dénigrent trop facilement les récits populaires comme étant des histoires faites pour émerveiller, des mensonges inventés pour amuser mais qui ne véhiculent que très peu ce qui est vraiment arrivé à un peuple donné». Il cite également l'anthropologue Irving A. Hallowell: «Ce dont un peuple choisit de parler est toujours important pour la compréhension que nous désirons en avoir et les récits qu'ils choisissent de se transmettre de génération en génération et d'écouter d'innombrables fois peuvent difficilement être vus comme sans importance dans une étude tous azimuts de la culture[41]. »

Le fait, cependant, que l'histoire laurentienne ait été en voie sûre d'être promue au rang d'histoire «des Wendats» nous permet de nous représenter les répercussions immédiates sur la vie sociopolitique des habitants du Wendaké. Les liens

---

39. Nous reparlerons de cette dispersion au chapitre II.
40. James V. Wright (1990: 500) affirme qu'il existe des preuves anthropologiques physiques, de même qu'archéologiques, d'une proche parenté entre les Laurentiens et les Wendats.
41. M.J. Dennis, 1986: 24 (trad. libre).

politiques et culturels qui unissaient les pays laurentiens et le Wendaké ont récemment été mis en lumière (Tuck, 1978 : 324 ; Sioui, 1989 : 113-114 ; Jamieson, 1990b : 385-405) grâce surtout à l'archéologie, mais aussi grâce à la tradition orale et à la linguistique.

Par ailleurs, la tradition wendate rapportée par Dooyentate (Barbeau, 1915 : 375) selon laquelle les Wyandots[42] auraient «autrefois habité une contrée située au nord-est de l'embouchure du Saint-Laurent, ou quelque part sur le littoral du golfe, avant qu'ils aient été aperçus par les Français ou d'autres aventuriers européens», pourrait renvoyer à un contact qu'ils auraient pu avoir recherché avec les Vikings, qui ont fréquenté l'île de Terre-Neuve et la côte nord de l'estuaire du Saint-Laurent[43] entre les années 860 et 1070, comme en font foi les fouilles archéologiques. Vraisemblablement, le but des Wendats aurait été d'acquérir des biens, notamment du fer, ainsi que des nouvelles connaissances d'ordre technique et sacré. Les jésuites (*Relations des jésuites*, 10 : 180-182) rapportent en 1636 une tradition wendate qui pourrait sembler avoir quelque correspondance avec celle mentionnée par Clarke Dooyentate. Parlant d'un type particulièrement important de Festin, ou Festin à chanter, où les hommes chantent et miment les actes de bravoure et les attaques par surprise qu'ils ont accomplis ou qu'ils projettent, le père Brébeuf décrit l'origine que les Wendats lui donnent : «Ils rapportent l'origine de tous ces mystères à un certain Géant[44] plus qu'homme qu'un des leurs blessa au front, *lorsqu'ils habitaient sur le bord de la mer*,

---

42. Le terme impliquerait probablement certains groupes, ancêtres des Nadoueks laurentiens, dont l'établissement dans la vallée du Saint-Laurent, les traces archéologiques sur la Moyenne-Côte-Nord de ce fleuve et la présence à Gaspé remarquée par Cartier en 1534 indiqueraient une familiarité avec les contrées du golfe qui remonte à des temps très reculés.

43. Revue *Dossiers de l'archéologie*, nº 27, Bruxelles, Éd. Soumillon, 1978, p. 7 ; 44-48).

44. Les Vikings étaient connus pour leurs proportions physiques extraordinaires.

pour n'avoir point répondu le compliment *Kwai*[45], qui est la repartie habituelle de ceux qu'on salue. Ce monstre leur jeta la pomme de discorde en punition de sa blessure[46] et, après leur avoir recommandé les festins de guerre, l'*Ononharoia*[47] et ce refrain *wiiiiiii*[48], il s'enfonça dans la terre et disparut[49]. Aurait-ce bien été quelque esprit infernal[50]?»

L'ÉVIDENCE D'UNE ORIGINE SUDISTE POSSIBLE DES WENDATS

La tradition wendate de la création du monde nous révèle que ce peuple situe le lieu de son origine à l'endroit où Aataentsic, la femme qui vint du ciel pour fonder le monde terrestre (voir plus loin «Les mythes wendats de la création»), trouva sa grand-mère et mit au monde ses deux fils jumeaux. Cet endroit serait situé à proximité d'une source sacrée d'eau douce (que Tawiskaron, le Jumeau malveillant, rendit par la suite amère), nommée par les «ancêtres primordiaux» des Wendats la «Grande Source ancienne» et par les Wyandots du début du présent siècle la «Source d'eau amère» (*Ohtse-hyoowah*). Elle est l'œuvre du Jumeau bienveillant Tsestah et est la plus grande et la plus belle source de toute la création. On la trouve dans le comté de Boone, dans l'État actuel du Kentucky, où des os de bisons géants préhistoriques ont été mis au jour et ont fait donner à cet ancien lieu sacré le nom de Big Bone Lick.

---

45. *Kwé* est toujours le mot de salutation usuel chez les Hurons-Wendats de Lorette et chez leurs amis traditionnels, montagnais du Lac-Saint-Jean entre autres.
46. Motif d'inimitié qui n'a rien d'invraisemblable, selon la sociologie wendate, qui ne connaît pas de position intermédiaire entre l'amitié et l'inimitié.
47. Rituel de défoulement et de thérapie collectif dont nous parlerons au chapitre III.
48. Cri produit par les danseurs. Tout cet enseignement du Géant laisse croire que la querelle s'est résolue de façon assez harmonieuse.
49. Une partie mythique convient à une tradition qui aurait six cents ou sept cents ans.
50. Le missionnaire, ajoutant foi à l'histoire, y voit l'intervention du diable.

Cette origine aiderait à dissiper la confusion concernant la marche migratoire des Wendats rapportée dans leurs mythes (et qui dura longtemps) au cours de laquelle ceux-ci, après avoir vaincu des ennemis terribles et très puissants, traversèrent une grande rivière aux berges rocheuses et très escarpées[51]. Ils s'installèrent à l'endroit où est aujourd'hui Montréal.

Si cette hypothèse du Sud est fondée, l'arrivée et l'établissement à Michillimackinac en provenance de l'Est se seraient confondus, en raison du bouleversement et du brassage intensif des populations suivant le choc de l'arrivée européenne, avec l'épisode de l'exode laurentien. La piste du Sud est encore plus difficile à suivre à cause d'une mention dans la tradition orale de la récréation du monde (rendue nécessaire par les effets de la guerre entre les deux jumeaux fondateurs) d'une grande ville souterraine établie par Tsestah, «loin au Nord du site actuel de Montréal», pour y conserver les Wendats en état de congélation[52] durant tout le temps que dura ce travail.

Manifestement, nous sommes ici en présence d'un geste mythique devant posséder une logique mythique. Montréal est un point de référence évident pour un peuple qui y a abouti (l'histoire est ethnohistoriquement vérifiable) après un trajet migratoire qui dura vraisemblablement des millénaires. «Loin au Nord de Montréal» apparaît, selon la logique de cette migration, comme le lieu tout indiqué pour la conservation des

---

51. Ailleurs dans leur tradition, les Wendats disent qu'une grande rivière séparait le pays de Tsestah de celui de Tawiskaron (le Jumeau malveillant) ; cette rivière est vraisemblablement le Mississippi (Barbeau, 1915 : 309). Les Tuscaroras, autre peuple nadouek vivant originellement au sud (dans la Caroline du Nord), possèdent cette même tradition (Barbeau, 1915 : 310).

52. Le texte de William E. Connelly dit : «comme des crapauds et des tortues en hiver» (Barbeau, 1915 : 310). Le nom wendat de cette «cité» est *Yowatayoh*. Or, ce nom est le même que celui donné par les Wendats aux Cherokees, un peuple qui serait peut-être resté au sud, plus près que ses semblables nordiques de cet endroit (Barbeau, 1915 : 280 et 310).

créatures humaines du héros-créateur, en attendant de «réaménager» la terre dévastée.

L'erreur que nous croyons déceler dans la tradition orale wendate relativement à une provenance de l'Est est aussi sous-entendue par Trigger (1991 : 220), lorsqu'il explique le phénomène fréquent de l'exagération par la tradition orale de l'importance d'événements, particulièrement ceux qui se rapportent à l'incorporation d'étrangers. «On trouve plusieurs autres exemples [à part celui des dispersés du Saint-Laurent au XVIᵉ siècle] d'événements qui ont été vécus, écrit cet auteur, seulement par un petit groupe de gens et dont le récit a été amplifié par la tradition orale pour inclure des groupes beaucoup plus grands auxquels ces gens appartenaient ou se sont joints. Il semblerait que les légendes sac et fox donnant à ce peuple une origine sur la côte est des États-Unis et les faisant plus tard fuir vers l'intérieur renvoient en fait à des groupes de réfugiés sokokis et mohicans du littoral de l'Atlantique, que les Sac et Fox accueillirent durant la période historique.»

Helen H. Tanner, auteure de l'*Atlas of Great Lakes Indian History* et directrice de la recherche au D'Arcy McNickle Center for the History of the American Indian à la bibliothèque Newberry, à Chicago, a étudié les Amérindiens caddo, originaires de l'est du Texas, de la Louisiane, de l'Oklahoma et de l'Arkansas, et énonce une hypothèse «intuitive» quant à la provenance des Wendats.

> Les linguistes disent qu'il doit y avoir une ancienne connexion entre les langues des Sioux, des Iroquois et des peuples caddo… Je pense que la langue caddo est la souche de ces langues, car la partie sud des États-Unis actuels fut habitée longtemps avant que les glaciers (la dernière glaciation) se retirent pour former les Grands Lacs et que les peuples sioux doivent avoir avancé au nord dans la vallée du Mississippi et les Iroquois, obliqué vers le nord-est le long de l'actuelle rivière Ohio. Les Caddo m'ont dit que leur propre tradition orale relate qu'ils ont à l'origine traversé la partie est du golfe du Mexique en provenance de la péninsule du Yucatan. Bien sûr, cette tradition peut ne se rapporter qu'à une partie du peuple caddo. Il est certain que plusieurs aspects des

croyances religieuses caddo, même au XVIIe siècle, s'apparentaient à des institutions sociales aztèques. Des représentations artistiques du tertre Spiro, au nord-est de l'Oklahoma, ressemblent beaucoup à d'autres dans la vallée de Mexico.

La tradition algonquienne et ojibway rapporte que les Iroquois avaient été des intrus dans leur pays, et cela vaut aussi pour les Hurons ou Wendats. Un ami caddo m'a dit que la musique d'une chanson iroquoise en particulier était identique à celle d'une chanson caddo[53].

Trigger soutient, pour sa part, qu'à défaut de preuves archéologiques plus amples, il faut adhérer à la théorie *in situ* selon laquelle les peuples nadoueks ont évolué d'une société de chasseurs à une société d'agriculteurs après l'arrivée dans le Nord-Est de cultigènes d'origine mésoaméricaine qui ont, selon lui, transformé indistinctement Algonquiens, Nadoueks, Sioux, etc. Au-delà de cette logique scientifique, nous invoquons l'argument du génie culturel spécifique aux Nadoueks. En effet, il est remarquable que partout où ont existé les peuples de cette souche, les Nadoueks ont constitué, auprès des peuples d'autres familles linguistiques, des foyers d'organisation sociale, politique et commerciale et, plus visiblement dans la période historique, des noyaux de résistance à l'invasion européenne[54]. Ce trait culturel leur est tout à fait particulier et permet, selon nous, de dénouer l'impasse méthodologique qui les enferme dans l'enclave du *in situ*, puisqu'il peut aider à établir le lien de filiation logique avec les peuples du haut-foyer culturel de la Méso-Amérique.

Par ailleurs, Trigger voit une parenté indéniable entre les institutions et les rites guerriers nadoueks et ceux diffusés

---

53. Communication de Helen H. Tanner, le 6 août 1989 (trad. libre).
54. Les cas des Wendats et des Hodenosaunee (Iroquois) sont les plus évidents, mais des preuves de cette évolution vers la centralité existent pour les Ériés (Frederick Webb Hodge, 1912: 658), les Pétuns (Champlain, 1922-1936, 3: 96-101, 4: 280-284), les Susquehannas (Webb Hodge, *op. cit.*, p. 653; Jennings, 1978: 364), les Cherokees, chefs des «Cinq-Nations civilisées» aux États-Unis et aussi les Stadaconés et les Hochelagas. Nous argumenterons, au chapitre II (*cf.* partie sur la civilisation wendate-algique), que cet aspect du caractère des Nadoueks découle de leur faible poids politique par rapport au monde algique du Nord-Est.

dans le sud-est des États-Unis à partir du Mexique : sacrifice rituel de prisonniers en offrande au Soleil, communion au corps du sacrifié, institutionnalisation de « chefs de guerre », etc. (Trigger, 1991 : 132 ; 134-135).

LES MYTHES WENDATS DE LA CRÉATION : LA MORALITÉ WENDATE

Les Wendats croyaient[55], tels les Iroquois, que la terre où vivent tous les hommes était une île sur laquelle était descendue d'un monde céleste une femme, nommée Aataentsic[56]. Cette femme fut recueillie sur le dos de la Grande Tortue, à la demande des animaux (qui n'étaient alors qu'aquatiques). Le plus humble de ceux-ci, le crapaud, réussit à ramasser, en plongeant, du limon que la Petite Tortue étendit sur la carapace de la Grande Tortue, laquelle s'agrandit jusqu'à former le monde (l'Amérique) telle que le connurent les Amérindiens.

Aataentsic, en visitant l'île, trouva une maison habitée par une vieille femme qu'elle appela spontanément Shutai (Grand-mère). C'est là qu'elle attendit de donner naissance à une fille dont elle était déjà enceinte lorsqu'elle descendit de son ancien monde vers celui-ci. Cette fille fit tôt de devenir une jeune femme. Plusieurs prétendants, qui, en fait, étaient des esprits masculins, vinrent solliciter son attention mais, conseillée par sa mère, la jeune fille choisit une Tortue-esprit[57]. Cet être déposa une de ses flèches auprès de son amoureuse

---

55. Même si les Wendats se sont fixés au Wendaké dès les années 1300 (Trigger, 1989 : 4-6), surtout pour des raisons commerciales, le rapport entre la nature quasi insulaire de leur pays et le mythe de l'île originelle est généralement considéré comme plausible.

56. Une traduction possible du mot *Aataentsic* est « Son corps est sage » ou « Femme de pouvoir » (« Sorcière »), dans Barbeau, 1915 : 65, note 61 ; la tradition tsonontouane donne essentiellement le même sens (J.N.B. Hewitt, *Iroquoian Cosmology*, New York, AMS Press Inc., 1974, p. 228).

57. Nous avons recours ici à la tradition agnier qui manifestement fournit des détails non préservés du mythe wendat. Hurons-Wendats et Agniers en vinrent à posséder une culture et des traditions souvent identiques, dans le contexte des réserves jésuites, après la destruction du Wendaké (J.N.B. Hewitt, 1974 : 225-337).

endormie et revint la chercher sans qu'elle ne s'en rendît compte. Il ne réapparut plus jamais ensuite. La fille d'Aataentsic donna plus tard naissance à deux fils jumeaux. Le premier fut Tsestah («l'Homme de feu»)[58], destiné à être la divinité bienveillante, favorable à la vie des Wendats. L'autre fut Tawiskaron («l'Homme de silex»), créateur et parsemeur d'embûches, de dangers et de difficultés dans la vie et l'environnement wendats.

La fille d'Aataentsic mourut à la naissance : Tawiskaron refusa de venir au monde par la voie naturelle et se déchira un chemin jusqu'à l'aisselle de sa mère, par où il sortit, la tuant du coup. Les deux frères ont traditionnellement été vus par les historiens comme les représentations symboliques du Bien et du Mal, une espèce de déformation païenne du Diable et du Bon Dieu. Les Wendats et les Iroquois en particulier et les Amérindiens en général ont un sens moral tout à fait différent de celui de la tradition chrétienne. La morale chrétienne préconise et recherche un Bien absolu, alors que la morale amérindienne voit celui-ci comme un danger aussi grand que son contraire pour la conscience de l'humain.

Tsestah désire faciliter la vie des Wendats en la rendant exempte de dangers et de difficultés. Étant le premier-né, il exécute le premier son œuvre de préparation du monde à l'arrivée et à l'installation des humains. Il pense à faire des rivières parallèles, les unes pour aller et les autres pour revenir, de façon à éviter aux hommes de porter leurs charges sur de longues distances. Pour avoir du sirop d'érable, les femmes n'auront qu'à le «cueillir» des arbres qui en donneront à volonté. Les bleuets et les framboises de Tsestah sont gros comme des pommes et celles-ci comme des citrouilles, et sucrés à souhait. Une telle abondance donne des animaux gras et succulents, qui craignent à peine la flèche et le piège du chasseur. Le pays n'est que belles collines ondulées.

---

58. Tsestah est aussi nommée Yoskaha, Jouskeha ou Tijuskaa (signifiant peut-être «Bienveillant»); voir Barbeau, 1915: 6, 301.

Tawiskaron, qui devait faire sa part de travail à la suite de Tsestah, trouva toutes ces choses «trop bonnes pour les gens». «Qu'ils aient au moins à remonter le courant», dit-il[59]. Et le jumeau malveillant entreprit de saccager les belles inventions de son frère. Il dispersa le sirop dans l'érable, réduisit les fruits à une fraction de leur grosseur et s'entêta tellement à créer d'innombrables difficultés, telles que montagnes abruptes, rapides dangereux, insectes énormes, etc., qu'une guerre devint inévitable avec son frère.

L'Homme du feu et l'Homme du silex se provoquèrent en duel. Pour déterminer les armes que chacun utiliserait, l'un demanda à l'autre de lui indiquer ce qui lui paraissait l'arme la plus terrifiante. «Les bois de cerf[60]», déclara honnêtement Tawiskaron. Utilisant un subterfuge, Tsestah dit que quant à lui le foin d'odeur tressé[61] était ce qu'il craignait le plus. Les deux s'affairèrent donc à rassembler une grande quantité de leur arme respective, de façon à en joncher le parcours d'une course épique. Se soutenant au moyen du foin d'odeur qu'il mangeait, Tsestah épuisa finalement son frère, de surcroît terrifié par tous les bois de cerf qu'il voyait à tout moment. Tombé parmi un amas de ces cornes pointues, il mourut bientôt de ses blessures[62].

L'esprit de Tawiskaron, cependant, ne mourut pas. Il se dirigea vers «le Nord-Ouest», où les Wendats disent qu'il fit

---

59. Barbeau, 1915 : 302.
60. Les bois du cerf de Virginie sont le symbole de la justice et de l'autorité chez les Wendats et les Iroquois. Un chef destitué se dit «*dehorned*» («déboisé»).
61. D'autres versions remplacent le foin d'odeur tressé par des sacs de maïs et de haricots (Barbeau, 1915 : 302), par des branches de pommiers en fleurs (Barbeau, 1915 : 310) ou, encore, par les fruits des rosiers sauvages (*Relations des jésuites*, 10 : 130). Toutes ces «armes» sont choses douces et comestibles. La tradition mohawk révèle que Tsestah (Oterontonnia) recevait secrètement son instruction guerrière de son père, la Grande Tortue (J.N.B. Hewitt, 1974 : 302).
62. Barbeau, 1915 : 46. Le sang de Tawiskaron, partout où il se répandit sur l'Île, devint le silex, sans lequel l'humain ne peut obtenir sa subsistance.

à sa guise un pays dur et sans grande beauté, des prairies monotones et des montagnes infranchissables (les montagnes Rocheuses). Chez les Wendats, l'esprit de Tawiskaron continue de visiter Aataentsic, sa grand-mère. Celle-ci, dupée par son petit-fils Tawiskaron quant au vrai coupable de la mort de sa fille, sembla toujours l'affectionner plus que son trop bon frère, Tsestah.

On peut néanmoins s'interroger sur la réalité de cette duperie. N'est-ce pas Aataentsic qui tressa le foin d'odeur (chose manifestement bonne et sacrée) pour Tawiskaron, afin qu'il s'en serve pour triompher de Tsestah? Aataentsic n'agissait-elle pas envers Tawiskaron, le plus faible des deux, de la manière naturelle dont agissent toutes les grand-mères, toutes les mères aimantes? Connaissant d'avance le vainqueur (puisque la force de la Vie doit toujours triompher de celle de la Mort), n'est-il pas normal et naturel de privilégier un plus faible?

Par ailleurs, les deux frères (les deux forces de la Création) sont reconnus comme étant également nécessaires à l'ordre et à l'équilibre du monde: «Les travaux de chacun [des frères], écrit en 1899 l'historien wyandot William E. Connelley, devaient être sujets à modifications par l'autre, mais l'un ne pouvait changer absolument le caractère des œuvres de l'autre, ni les détruire complètement.» «Les deux frères partirent donc alors chacun vers où bon lui semblait et chacun travailla selon son propre jugement. Cette tâche leur prit un temps presque infini. Lorsqu'elle fut accomplie, ils se retrouvèrent, tel que convenu[63].»

Aataentsic, conformément à la pensée sociale matricentriste des Wendats voit plus loin que le moment présent et établit l'équilibre entre les forces. Pourtant, elle a été associée, dans la tradition historique traditionnelle, à la force du Mal. Liguée avec son petit-fils malveillant, toute son ingéniosité est

---

63. Barbeau, 1915: 307. Lorsque vient enfin le temps de peupler l'Île, les deux frères travaillent encore conjointement (voir également 309).

appliquée à contrecarrer les desseins du bon Tsestah. Nous voudrions ici présenter une hypothèse sur la différence dans la destinée que connut ce mythe de la Création dans le contexte chrétien et celle qu'il eut dans cette partie du Nouveau Monde[64], ainsi que l'incidence de cette différence sur la philosophie sociale de chacune de ces traditions.

Deux grandes similitudes sont déjà apparentes : la femme, venue d'un monde paradisiaque, qui vient fonder une race humaine dans un monde qui doit être marqué par le danger et l'épreuve et les deux frères, dont l'un tue l'autre. Voyons maintenant les différences essentielles. Les deux sexes sont également représentés dans les deux jumeaux. Tawiskaron présente la force brutale masculine, mais aussi l'innocence. Il perd le duel parce qu'il n'a pas la ruse de mentir[65]. Tawiskaron dans un autre sens possède le don de clairvoyance de ses mères. Ainsi, il s'oppose à la bienveillance infinie et inconséquente de son frère[66]. L'élément de difficulté est nécessaire pour que vivent les humains.

De même, la mort doit être le lot de l'homme. Aataentsic est toujours vue, dans les interprétations «hétérohisto-

---

64. D'autres voudront peut-être poursuivre la comparaison à une échelle plus universelle ou, encore, la réfuter complètement.

65. De la même façon, la Tortue, dans un conte wendat, triomphe de ses nombreux ennemis, jaloux de son intelligence, par une ruse. Une morale, applicable sur un plan plus pratique, se dégage de semblables récits : l'intelligence est plus importante que la force pure dans un combat.

66. De façon typique, les peuples naturels ne nient pas la valeur ni l'unité d'autres êtres, même notablement odieux et haïssables. En 1972, une Montagnaise âgée (Tsheinnuushkweu) de la réserve indienne de Maliotenam, au Québec, nous parla (par l'intermédiaire de son petit-fils qui traduisait) ainsi de l'idée des poux sur leur sort moderne : «Les poux disent qu'auparavant ils prenaient grand soin des cheveux de gens [la vieille dame se lissant ici doucement les cheveux], leur rendant la chevelure belle et brillante. Et puis, les gens se mirent à se procurer du savon et à se laver les cheveux avec ces choses. Les poux furent très offusqués d'être ainsi traités. "Les humains veulent nous faire mourir avec ces choses qu'ils se mettent dans les cheveux. Ils essaient maintenant de nous faire disparaître, mais jamais ils ne le pourront. Nous vivrons toujours."» (Conversation personnelle avec cette dame, traduite par mon ami John D. Thomas, alors étudiant en droit, de Maliotenam, Québec.)

riques[67]», comme celle qui préside au règne de la mort, qui s'est donné la fonction macabre de faire mourir les humains, tâche dans laquelle l'aide le non moins sinistre Tawiskaron. En réalité, un monde immoral serait celui où n'existeraient ni la mort, ni la douleur, ni la difficulté, car ces trois dernières sont source de compassion, de laquelle proviennent toutes les vertus sociales, c'est-à-dire la société elle-même.

Tawiskaron, par ailleurs, fournit à l'homme le précieux silex, sans lequel la subsistance elle-même est impossible. D'une manière similaire, les animaux donnent leur sang pour que la vie humaine (leur propre sacrifice) continue.

Si l'homme tue (subsistance, culture matérielle), la femme nourrit (culture spirituelle). Tsestah fournit le feu, cadeau plus utile à la femme, sans lequel la condition de l'humain ne serait pas différente de celle de l'animal. Pourtant, Tsestah n'a pas l'intuition qui distingue la femme. Son sens moral est semblable à celui des sociétés patricentristes, où la facilité érigée en valeur absolue contribue à amollir et affaiblir l'humain. En ce sens, il est certainement aussi «mauvais» que Tawiskaron.

Pour les Wendats (et les Amérindiens en général), c'est la Vie qui triomphe, bien qu'elle n'élimine pas la Mort (Tawiskaron, tué, ne meurt pas). Le monde est suprêmement beau et bon, mais également dur, mystérieux et dangereux. Pour les chrétiens, le Mal triomphe du Bien. Abel (le Tawiskaron des Wendats) est tué. Cain (Tsestah), la partie homme de l'humain, est le vainqueur absolu. La brutalité a donc plus de pouvoir que l'intelligence. La morale chrétienne (patriarcale) préconise un seul Dieu, infiniment bon, *qui écrase le Mal*. Les Wendats ont Aataentsic et Tawiskaron, qui les protègent *contre le bien absolu*[68].

---

67. Ce mot renvoie à la méthode de l'autohistoire (Sioui, 1989), basée sur l'acquisition d'une compréhension de la vision autochtone.
68. Pour une autre réflexion sur ce sujet, voir B.G. Trigger, 1991 : 60-61.

MONOTHÉISME ET ANIMISME

Les Européens que connurent les Wendats à l'origine voyaient tous les peuples non chrétiens comme des barbares et des infidèles, et qu'il était de leur devoir de les convertir[69]. Cette grande tâche que s'est donnée l'Europe est alors passablement amorcée dans les autres parties «indiennes» du monde. «[…] le christianisme», écrivait Sagard dans sa notice au lecteur dans son *Grand Voyage du Pays des Hurons*, «est bien peu avancé dans le Pays (la Nouvelle-France), nonobstant nos travaux, le soin et la diligence que les Récollets y ont apportés, bien loin des dix millions d'âmes que nos Religieux ont baptisées à succession de temps dans les Indes orientales et occidentales […][70]»

«Indiens» voulait donc dire, du moins pour les religieux, les «infidèles» du monde entier connu. Étant aussi des Indiens, les Wendats furent naturellement vus comme des «païens», c'est-à-dire des gens ayant une idée très défectueuse de la divinité et, encore plus, de leurs devoirs envers elle. (Nier complètement aux Amérindiens un sens du surnaturel aurait eu l'effet inacceptable de nier du même coup la validité de l'entreprise missionnaire, justification morale du processus d'invasion lui-même.)

Il ne peut être contesté que les Wendats, comme tous leurs congénères amérindiens, ont eu une notion d'une divinité suprême, ou d'une cause première de la Création. Sagard, que l'historien Marcel Trudel a appelé le «témoin de la Huronie authentique[71]», puisqu'il écrivit avant les événements qui aboutirent à la dispersion du pays des Wendats, nous dit que «ceux-ci reconnaissent un Être suprême, qui [fut] avant cet Univers, lequel il [a] créé et tout ce qu'il contient[72]». Cepen-

---

69. Le phénomène de la conversion sera analysé plus en profondeur au chapitre III.
70. G. Sagard, *Le Grand Voyage du pays des Hurons*, texte établi par Réal Ouellet, Montréal, Bibliothèque québécoise, 1990, p. XXIV.
71. *Ibid.*, p. XXIV.
72. G. Sagard, *Histoire du Canada* […], Paris, E. Tross, 1866, vol. 2, p. 453.

dant, lorsqu'ils sont interrogés sur le culte rendu à ce « créateur et bienfaiteur », les Wendats répondent qu'il n'a pas besoin de rien et que, de plus, « il est trop éloigné pour pouvoir lui parler ou le prier de quelque chose ».

Autrement dit (et cela fait écho aux observations faites par le baron de Lahontan soixante-dix ans plus tard chez les Wendats de Michillimackinac)[73], les Wendats, comme tous les humains, conçoivent l'existence d'un être suprême, qui fut avant toute chose, mais ne se croient pas capables de percer ses pensées ni de reconnaître ce qu'il fait ou pourquoi il le fait.

Les jésuites, quant à eux, affirment également que les Wendats connaissent l'existence d'une divinité qui a tout créé. « Il est si clair et si évident, écrit Jean de Brébeuf en 1636, qu'il est une divinité qui a fait le Ciel et la Terre, que nos Hurons[74] ne peuvent la méconnaître entièrement. Et quoiqu'ils aient les yeux de l'espérance fort obscurcis des ténèbres d'une longue ignorance, de leurs vices et péchés, [...] ils en voient quelque chose. Mais ils se méprennent lourdement, et ayant la connaissance de Dieu, ils ne lui rendent point l'honneur, ni l'amour, ni le service qu'il convient : car ils n'ont ni Temples, ni Prêtres, ni Fêtes, ni cérémonies aucunes[75]. »

Le même missionnaire observe, dans une relation sub-séquente (*Relations des jésuites*, 10 : 158-160), que les Wendats invoquent et considèrent le Ciel comme Dieu lui-même. Il est convaincu que c'est Dieu que ces Amérindiens louangent, ado-rent et prient ainsi, au moyen d'offrandes. *Aronhiaté onné aons-taniwas taenguiaens ; taitenr* (« Ciel, voilà ce que je t'offre en sacrifice ; guéris-moi ; aie pitié de moi »), disent typiquement ces gens. Brébeuf affirme que le ciel est une parfaite image de

---

73. Maurice Roelens, *Dialogues avec un Sauvage*, Montréal, Leméac, 1974.

74. Si on dit « nos » Hurons, à plus forte raison pourra-t-on dire « notre » pays.

75. Reuben Gold Thwaites (dir.), *The Jesuits' Relations and Allied Docu-ments, 1610-1791*, New York, Pageant Book, 1959, vol. 8, p. 116-118 (trad. libre).

Dieu et qu'«il sera facile, avec le temps, de conduire ces Peuples à la reconnaissance de leur [vrai] Créateur[76]».

Par ailleurs, les Wendats du temps de Sagard savent qu'ils doivent reconnaître la supériorité du dieu des Européens sous certains rapports, surtout technologiques: «[...] quelques-uns d'entre eux, rapporte Sagard, le [Tsestah] tiennent fort impuissant, au regard de notre Dieu, duquel ils admiraient les œuvres[77]». Ce dieu ne permettait-il pas à ses protégés de venir jusque dans ces pays, au moyen de grands bateaux[78], de dominer animaux et ennemis grâce à leurs armes et autres objets de fer, de cuivre et d'étain, de bien se porter là et quand les aborigènes du pays mouraient comme jamais auparavant[79]?

Cependant, il serait faux de conclure que ces peuples ne conservaient pas une profonde assurance en un ascendant moral détenu par leur Tsestah et son panthéon sur le Dieu des chrétiens. Vers 1798, le révérend James B. Finley, missionnaire chez les Wyandots de l'Ohio, rapporte la légende d'une lutte de pouvoir entre le dieu de l'Amérindien et le dieu de l'Homme blanc, événement qu'au moins deux nations amérindiennes – les Wendats et les Agniers[80] – situent immédiatement après la victoire de Tsestah sur Tawiskaron.

> [...] Nous sommes Indiens, et notre dieu est celui de l'Homme rouge. Ce livre (la Bible) est l'ouvrage du dieu de l'Homme blanc et convient à l'Homme blanc. Lui peut le lire; nous autres non; et ce qui y est écrit est bon pour l'Homme blanc, mais n'a rien à voir avec nous. Jadis, au temps de nos ancêtres, ce dieu des Blancs vint en personne en ce pays et voulut que

---

76. *Ibid.*
77. Sagard, dans Barbeau, 1915: 455.
78. À l'est, les Montagnais nommaient les Français «Mestukushu»: «Ceux qui ont de grands navires de bois», par référence aux embarcations d'écorce qu'utilisaient les autochtones.
79. Dès 1611, les Micmacs de la Gaspésie se plaignent que «dès que les Français ont commerce avec eux, ils meurent beaucoup et se dépeuplent» (*Relations des jésuites*, 3: 105).
80. Le chef wyandot Oriwahento (Barbeau, 1915: 298) suit la même chronologie qu'une version agnier du mythe de la création rapportée dans Hewitt, *op. cit.*, p. 333-336. Cela laisse croire que l'«événement» porte sur les premiers contacts qu'eurent les Amérindiens avec les missionnaires français.

nous le suivions. Mais notre dieu le rencontra quelque part près des grandes montagnes et ils eurent une dispute à propos de la possession de ce pays[81]. Ils se résolurent enfin à régler cette question en essayant, chacun avec son pouvoir, de faire bouger une montagne. Le dieu de l'Homme blanc se mit à genoux, ouvrit un gros Livre et commença à prier et à parler, mais la montagne resta où elle était. Alors, le dieu de l'Homme rouge prit son bâton magique, se mit à prononcer des incantations et à battre une mesure avec la carapace de tortue[82] et la montagne trembla, s'ébranla et vint jusqu'à lui. Le dieu de l'Homme blanc, effrayé, se sauva à la course et nous n'avons pas eu de ses nouvelles depuis...[83].

LA CONCEPTION ANIMISTE

Les peuples de religion animiste, comme on désigne généralement les peuples naturels, sont toujours considérés comme retardés par rapport à ceux qui possèdent de «vraies» religions, de la même façon que les sociétés basées sur les systèmes de parenté sont vues comme évoluant vers une «vraie» forme de gouvernement étatique. Pourtant, les «animistes» connaissent remarquablement plus le respect de la personne et des autres êtres, l'égalité et l'abondance pour tous[84].

L'animisme est la religion des sociétés à vision circulaire. L'attachement caractéristique des animistes à leur vision sociale, conséquence de la sécurité et du bien-être moraux

---

81. L'association religion-dépossession est ici implicite. La version agnier dans Hewitt implique similairement une tentative de tromperie de la part du dieu européen, suivie d'une admission de faute, puis d'une offre d'aide, qui est acceptée.

82. Il s'agit d'un hochet fait de la tête, du cou étiré et de la carapace vidée de la tortue d'eau douce, à l'intérieur de laquelle on a mis des petites pierres ou des grains quelconques.

83. James B. Finley, cité dans Barbeau, 1915: 296 (trad. libre). La version du chef Oriwahento, rédigée par H.R. Schoolcraft en 1837, comporte plusieurs incongruités (notamment au neuvième paragraphe) qui rendent le sens de cette anecdote très diffus. La faute réside manifestement dans la rédaction.

84. Une excellente discussion sur la négation de la civilisation des sociétés naturelles (animistes) est le livre de Marshall D. Sahlins, *Âge de Pierre, âge d'abondance: l'économie des sociétés primitives*, Paris, Gallimard, 1976.

qu'ils en retiraient, dépendait directement de leur capacité de percevoir l'«âme» (*anima*) habitant tout être et toute chose, matérielle ou immatérielle[85]. Cette capacité, de plus, était l'héritage spirituel de toute la civilisation de ce Nouveau Monde, ce qui veut dire qu'à son état originel (avant le choc européen), celle-ci était étrangère au concept d'exploitation des êtres humains et non humains, visant l'accumulation de pouvoir par des groupes d'une société au détriment d'une masse dont le lot, la condition et même la religion doivent donc être l'acceptation, voire la culture de la pauvreté et de la misère.

Pour les sociétés du Cercle[86], la vie est une réalité universelle, indivisible en classes, règles ou ordres, dont chaque expression est un produit de l'ensemble. Rien n'existe par et en soi-même. Le «bien» est en partie le produit du «mal» et inversement, ce qui fait que ni l'un ni l'autre n'existent de façon absolue. Il n'y a que le mystère de la vie, impénétrable à l'humain, mais dont l'ordre infiniment parfait lui apparaît évident.

LE CONSEIL DES ANIMAUX-CRÉATEURS

Emmanuel Desveaux, dans son article intitulé «Les pensées indigènes de l'Amérique du Nord», a distingué cette reconnaissance nord-amérindienne d'une parenté intime de

---

85. Les Wendats, dans les années 1620, expliquent au frère Sagard que «les âmes des chiens vont encore servir les âmes de leurs maîtres en l'autre vie, ou du moins qu'elles demeurent avec les âmes des autres animaux, dans ce beau [ce mot est employé ironiquement par Sagard] pays d'Youskeha où elles se rangent toutes, lequel pays n'est habité que des âmes des animaux raisonnables et irraisonnables, et celles des haches, couteaux, chaudières et autres choses qui ont été offertes au défunt...» (Sagard, 1866, p. 458). Les Européens, quant à eux, ont longtemps nié que les Amérindiens aient une âme... Par ailleurs, la société occidentale industrielle moderne manifeste un début de conscience des droits appartenant aux êtres non humains: animaux, terre, eau, air, etc. Au fond, avant de parler de la préservation de quoi que ce soit, ne faut-il pas qu'il y ait acte de reconnaissance d'une parenté, donc de devoirs réciproques?

86. L'idée du «Cercle sacré des relations» est traitée dans *Pour une autohistoire amérindienne* (Sioui, 1989, chapitre II).

l'homme avec les animaux. Ici, observe Desveaux, «l'homme est avant toute chose une espèce animale parmi les autres et donc sousmis aux mêmes contraintes biologiques. De fait, lorsque les récits personnifient les animaux – ce qu'ils font constamment – ils laissent entendre que nonobstant la faculté langagière, nombre de conduites humaines nous apparentent aux animaux... Parallèlement, une telle conscience que l'homme procède à sa façon du règne animal n'empêche nullement d'apprécier la diversité au sein de celui-ci et d'y avoir recours pour énoncer les distinctions purement formelles à l'intérieur d'un ordre social donné, les différents clans d'une tribu, par exemple : l'Amérique du Nord demeure certainement la terre de prédilection des institutions dites «totémiques» qui reposent sur l'emploi systématique d'éponymes animaux»[87].

Pour les Wendats comme pour beaucoup de peuples nord-amérindiens, les hommes sont non seulement parmi les animaux, mais les animaux sont aussi parmi les dieux-créateurs. Comme pour leur gouvernement, où tous les individus sont égaux et représentés, les Wendats ont un Conseil de dieux-animaux qui décide et exécute toute chose de la façon le plus purement «démocratique». Avant de s'incarner, Tsestah procéda à la création de la Grande Île par un Conseil des animaux. Le premier chef était la Grande Tortue qui, à partir du moment où la femme (Aataentsic) fut aperçue tombant du Ciel, commanda aux oies (certaines versions disent aux cygnes, d'autres, aux huards) de recueillir celle-ci sur leur dos en attendant que les animaux aquatiques réussissent à aller chercher, au fond de l'eau, de la terre, retenue dans les racines de l'arbre tombé en même temps qu'elle. Comme nous le savons déjà, cela fut accompli par le Crapaud[88] puisque la morale

---

87. Emmanuel Desveaux, «Les pensées indigènes de l'Amérique du Nord», dans André Jacob (dir.), *L'Univers philosophique*, Paris, PUF, 1989, p. 1506.

88. «Crapaud» : *ketonskwayen*. Note : on se rappellera que la voyelle nasale *en* a une prononciation mitoyenne entre *an* et *on*. Cet exploit valut au Crapaud le nom de «Notre Grand-mère» (Wanshutaa). Les vieux Wendats disaient aux enfants : «Ne faites pas de mal aux

animiste insiste naturellement sur la considération qu'on doit être toujours prêt à donner aux êtres en apparence moins puissants.

L'histoire de la Création[89] dit qu'ensuite les animaux en conseil voulurent créer plus de lumière dans ce futur monde des Wendats maintenant habité par Aataentsic. La Petite Tortue se proposa comme créatrice d'un grand feu dans le ciel. Un gros nuage noir plein de tonnerre, d'éclairs, d'arbres, de ruisseaux, de forêts et d'étangs s'abaissa jusqu'à terre, permettant à la Petite Tortue de monter sur lui. Rendue au ciel, cette émissaire de la Grande Île prit des éclairs pour fabriquer un grand feu, qu'elle fixa dans le ciel.

Aataentsic se plaignit au Conseil qu'elle recevait trop de chaleur. Un autre Conseil fut donc convoqué. Il y fut décidé que le Soleil devait posséder un mouvement, de façon qu'il puisse visiter toutes les parties de la Grande Île. La tortue des Marais reçut la tâche de creuser un trou de part en part de l'Île, de façon à créer un passage par où le Soleil pourrait revenir à l'est chaque matin. Le passage fut creusé, mais le Soleil y demeurait parfois trop longtemps, laissant le monde sans aucune lumière. Encore une fois, le Grand Conseil dépêcha la Petite Tortue de créer un substitut au Soleil, qui éclairerait l'Île en attendant que l'astre revienne chaque jour, à son point de départ de l'est, et qui serait aussi pour lui une femme.

Le Soleil et sa femme, la Lune, eurent de nombreux enfants qui sont les étoiles, lesquelles, dotées de vie et d'esprit comme leurs parents[90], se déplacent dans le ciel. Mais tout comme la Lune est féminine et douce, le Soleil est masculin et brutal. Après un certain temps, son cœur gagna sur sa raison; il entraîna la Lune dans son passage souterrain et la

---

crapauds, ne faites pas de mal à votre grand-mère!» (Barbeau, 1915 : 40).

89. D'après les recueils publiés par William E. Connelly en 1899; reproduits dans Barbeau, 1915 : 303-321.

90. Certaines étoiles sont fixes. Elles ont pour rôle d'aider la Lune à éclairer le ciel, la nuit, depuis que le Soleil lui a fait perdre beaucoup de son éclat et de sa force, en la battant injustement.

battit très violemment. Elle fut secourue par sa créatrice, la Petite Tortue. Depuis ce temps et pour toujours, elle perd de sa vitalité et décline, pour ensuite retrouver sa rondeur et l'illusion que son mari l'aimera encore comme au commencement. Quelquefois, des aides de la Lune tombent du ciel : ce sont, pour les Wendats, les étoiles filantes. La Petite Tortue, à cause de l'immense travail qu'elle accomplit pour ordonner l'éclairage du monde, reçut des Wendats le nom de « Gardienne des cieux » ou « Celle qui prend soin du ciel ».[91]

Ensuite sont nés les deux jumeaux, Tsestah et Tawiskaron. Le lieu de leur naissance se dit en wendat « là où la Femme qui tomba du Ciel trouva sa Grand-Mère » (*cf.* en page 29 « L'évidence d'une origine sudiste possible des Wendats »).

LE GRAND CONSEIL SE TRANSPORTE AU CIEL

Avant que ne commence la guerre entre les deux fils d'Aataentsic, le Conseil des animaux-créateurs se désola fort de voir leur mésentente quant à leur conception du monde à créer. D'un côté[92], tout n'était qu'aisance, douceur et abondance, tandis que de l'autre, il n'y avait que manque, horreur et âpreté.

Le Chevreuil, pour sa part, commença à envier la Petite Tortue qui, occupée à garder le ciel, n'avait guère conscience de toute cette laideur sur la Terre. Le Chevreuil contemplateur vit en l'Arc-en-ciel un chemin possible pour accéder au ciel. Un jour, il se décida à soumettre sa requête à l'Arc-en-ciel, prétextant qu'il devait absolument voir la Petite Tortue. L'Arc-en-ciel lui répondit qu'il était nécessaire de consulter d'abord le Tonnerre[93]. Le Chevreuil attendit tout l'hiver sa réponse.

---

91. « Watronianonen » : ce nom est un nom de femme du clan de la Petite Tortue, peut-être le plus vieux nom appartenant à ce clan.
92. Les Wendats disent que le fleuve Mississippi séparait le Pays de Tsestah (à l'est) de celui de Tawiskaron (à l'ouest) (Barbeau, 1915 : 309).
93. « Hinon », le Tonnerre, et ses acolytes, les Tonnants (Thunderers), sont une sorte de Providence pour les Wendats. Ils recherchent activement, frappent et tuent à coup sûr les plus terribles ennemis

Enfin, au printemps, l'Arc-en-ciel lui donna rendez-vous dans le Brouillard qui arriva, un jour, en roulant ses masses de nuées jusqu'au-dessus d'un lac. Alors, le Chevreuil put voir l'Arc-en-ciel déployer son merveilleux chemin de couleurs, qui allait du lac à la montagne, en passant par une étrange forêt. «Prends ce beau chemin et va derrière ces bois mystérieux», lui dit l'Arc-en-ciel. Le Chevreuil monta, perdit de vue la Terre et arriva à la demeure de la Petite Tortue. Il était désormais libre de courir à sa guise d'un bout à l'autre du ciel.

À la réunion du Grand Conseil, suivant la fugue du Chevreuil, l'Ours s'informa où était ce dernier. Le Faucon scruta les airs et le Loup fouilla les bois; le Chevreuil n'était nulle part. Ce ne fut que lorsque la Petite Tortue arriva sur son nuage de roches, d'arbres et de boue que les animaux apprirent que le Chevreuil était monté au ciel par le magnifique chemin de couleurs de l'Arc-en-ciel. Voyant, en effet, le Chevreuil courir à son aise, là-haut dans le ciel, les Animaux, encouragés par la Petite Tortue, se déterminèrent à emprunter eux aussi la même voie que le Chevreuil pour aller désormais y vivre. La Tortue des marais fut la seule à rester sur la Terre. On peut souvent voir tous les autres animaux, disent les Wendats, voler et courir librement dans toutes les parties du Ciel. Le nom divin du Chevreuil, depuis cette époque, est «Dehenyanteh» («Celui pour lequel l'Arc-en-ciel a fait un chemin de couleurs»)[94].

LE PEUPLE DE TSESTAH

Lorsque le Conseil des animaux eut quitté la Terre, l'espoir du monde avait aussi disparu. La Terre n'en finissait plus de trembler et les eaux de s'agiter[95]. Toutes les bêtes du

---

des Wendats: monstres, serpents, mauvais sorciers, etc. Ils apportent la pluie, qui lave et rend fertile la Terre.

94. Ce nom est un des plus anciens noms d'homme du Clan du Chevreuil.

95. «On dit que le monde repose sur le dos de la Grande Tortue, observe Star Young, un Ancien wyandot, en 1911. Elle est toujours là; et quand elle devient fatiguée, elle bouge; c'est ce qui fait trembler la terre» (Barbeau, 1915: 41).

monde criaient en appelant leurs mères[96], les animaux-créa-teurs. Les Arbres gémissaient pitoyablement et les Quatre Vents se livraient entre eux des combats démentiels.

Tsestah et Tawiskaron se fixèrent une rencontre dans le but de discuter du peuplement humain de la Grande Île. L'accord final fut que chacun devait établir dans son territoire respectif un peuple humain qu'il amènerait du pays du Maître du ciel. Tsestah n'amena que des Wendats dans son pays. Tawiskaron peupla le sien de toutes sortes de gens, certains bons et d'autres méchants[97].

Inévitablement, une guerre se déclara entre les deux jumeaux et leurs peuples respectifs. Pendant des années, les gens ne connurent qu'invasions et destructions. Tsestah fut finalement inspiré d'en appeler aux Petites Gens[98] pour sauver ce qui restait de son pays. Ce ne fut qu'ainsi que le Jumeau bienveillant put chasser définitivement son frère de ses terres, puis entrer en force au pays de l'Ouest et y tuer Tawiskaron, au moyen des fatidiques cornes du Chevreuil[99].

Tawiskaron parti, il restait à Tsestah un monde à refaire. Tsestah avec son Feu et Tawiskaron avec son Vent du Nord (Hadu'i[100]) avaient effacé presque tout moyen de susbistance.

---

96. On remarque dans toutes ces «histoires» (ce terme veut nous écarter du mot «mythes») l'encadrement féminin du pouvoir masculin, qui est ainsi harmonisé, orienté. Nous verrons au troisième chapitre que cette notion morale se reflétait dans les idées sociales des Wendats.
97. Cet ethnocentrisme ne doit pas être vu comme exclusif aux Wendats, puisqu'il est de tous les temps et de toutes les cultures. Il faut plutôt s'attarder au fait que dans leur pratique sociale, les Wendats voyaient un autre comme «bon» à partir du moment où un commerce (la paix) existait entre eux. Or, les Wendats commerçaient avec presque tous leurs voisins, même très éloignés.
98. Les Tikéan, ou Petites Gens (Little People) font partie des légendes des Hurons-Wendats de Lorette et de celles des Wendats (Wyandots) de l'Ouest. Elles sont toujours favorables aux Wendats (voir Barbeau, 1915 : 65 et 111).
99. Voir pages précédentes : «Les mythes wendats de la création».
100. Chez les Onontagués, Hadu'i est, similairement, «une sorte de patron des vents et combattant de la maladie, outre le fait qu'il est gardien du gibier et protecteur des humains» (W.N. Fenton, cité dans M.J. Dennis, *op. cit.*, p. 40). Pour la légende onontagué de la Création et la part qu'y prend Hadu'i, voir Hewitt, *op. cit.*, p. 197-201.

Le frère vainqueur se résolut donc de créer la cité souterraine de Yowatayoh, pour y préserver congelé le Peuple humain qui restait[101].

Beaucoup de temps passa... Un jour, Tsestah jugea que son travail était terminé. Mais il fallait encore que le Soleil réchauffe et fasse mûrir cette nouvelle Terre. Cela aussi prit très longtemps.

Un matin de printemps, Tsestah déclara à sa mère, dont Hinon[102] avait fait la gardienne de la Cité, que la Grande Île réclamait maintenant le Peuple humain. Aataentsic, tenant le Flambeau de feu que lui avait jadis remis Hinon, répondit à Tsestah « Mon fils, conduis-les par ordre d'ancienneté et de lieu d'établissement. Ils viendront à moi lorsqu'ils voyageront vers le pays des Petites Gens[103]. »

Tsestah fit ensuite trembler violemment la Terre et Hinon embrasa tout le Ciel de son Feu et lava la Création de son Eau. Yowatayoh fut ainsi détruite et ensevelie et la Nation humaine put marcher vers un monde neuf et pur.

---

101. Il ne restait pas que des Wendats. Que l'extermination des «ennemis» des Wendats ne se soit pas accomplie reflète la conception nadouek de la guerre, qui ne visait jamais l'extermination, mais bien l'incorporation de l'ennemi au soi collectif, à petite ou grande échelle.

102. Hinon, le Tonnerre, est l'un des êtres surnaturels les plus vénérés par les Wendats. Il est l'Oiseau-Tonnerre, immense oiseau de proie mythique commun à toutes les nations amérindiennes au nord du Mexique. Outre le fait de faire tomber la pluie, source de vie et de génération, il a, dans le grand Plan de la vie terrestre, pour tâche de brûler et anéantir toutes les manifestations des Forces surnaturelles négatives déployées contre les humains. Le bruit du Tonnerre est produit par le battement des ailes de Hinon ; les éclairs sortent de ses yeux perçants lorsqu'il cligne ses paupières, et la foudre frappe inmanquablement les monstres, les sorciers et les mauvais esprits qu'il aperçoit. Les Wendats avaient appris de lui le secret de la production de la pluie. Ils l'appelaient grand-père (Tsutaa) et lui faisaient souvent des offrandes et des présents de tabac, notamment lors de son premier réveil, chaque printemps (voir Barbeau, 1915 : 51-53, 322, 330-333).

103. Barbeau, 1915 : 311 (trad. libre). Le pays des Petites Gens est vraisemblablement voisin du pays des âmes, situé vers le Couchant, où Aataentsic a son office de gardienne des Âmes des humains défunts (*Relations des jésuites*, 10 : 148-152).

LES TÊTES VOLANTES, GRANDS SERPENTS, BISONS SORCIÈRES ET GÉANTS DE ROCHE

Les Wendats ont une histoire (orale) de constantes migrations au cours desquelles ils durent triompher de terribles ennemis. Selon les traditions les plus éloquentes, ces peuples de monstres furent les créatures de l'esprit de Tawiskaron qui, de son vivant, s'était tant acharné à semer des difficultés dans l'existence des humains. D'ailleurs, ces peuples de monstres, comme leur créateur, ont la faculté d'échapper à l'anéantissement.

À un temps très ancien, voyageant en direction du nord avec tous leurs villages, les Wendats arrivèrent à une grande rivière (vraisemblablement le Mississippi). Des sorciers géants et maléfiques prétendaient la posséder. Ils vivaient dans des cavernes et se nourrissaient de la chair de tous les humains[104] qui tentaient de traverser. Tous les stratagèmes utilisés par les Wendats pour déjouer la garde des géants ne firent que faire capturer leurs gens, qu'ils voyaient se faire dévorer dans les carnavals les nuits, sur les hautes falaises qui bordaient l'autre rive.

Comme souvent dans les moments de désespoir, les Wendats pensèrent aux maîtres du ciel et de la foudre, la Petite Tortue et Hinon, le Tonnerre. Ces deux divinités et quelques Wendats passèrent sur le fond de la rivière, montés sur le dos de la Grande Tortue qui suggéra ce moyen pour aller attaquer les géants sur l'autre rive.

Rendus au lieu où se trouvaient les sorciers, les Wendats se faufilèrent jusqu'à proximité de ceux-ci, pendant que la Petite Tortue apporta le Tonnerre et les Éclairs. Au moment propice, les Éclairs formèrent un mur tout autour des géants.

---

104. Tous ces monstres cannibales étaient les «êtres sauvages» des Amérindiens. On peut faire un parallèle entre la nature de cet être et sa signification dans l'imaginaire des civilisations européenne et amérindienne. Chez l'Amérindien, la nature de sauvage ne pouvait s'étendre qu'aux êtres maléfiques non humains ou aux humains «déshumanisés» par un état de désordre par rapport aux normes de leur société.

Le Tonnerre les projeta alors au sol, où ils demeurèrent, aba-sourdis. Il ne resta plus aux Wendats qu'à s'en saisir et à les attacher. La Petite Tortue transporta tous les géants jusqu'à un très haut précipice surplombant la rivière, où la tête de chacun fut coupée et jetée dans le courant furieux.

La surprise des Wendats, cependant, fut grande lors-qu'ils virent, à l'aube du jour, toutes ces têtes gigantesques sortir et s'élever de l'eau avec leur chevelure ensanglantée et brillante comme des éclairs. Criant à tue-tête et affreusement, elles montèrent et disparurent en volant le long de la rivière. Les Wendats purent traverser et continuer de migrer toujours vers le nord, jusqu'à ce qu'ils arrivent, longtemps après, à l'île aujourd'hui occupée par la ville de Montréal[105].

Les Têtes volantes s'avérèrent un ennemi presque aussi cruel que les géants eux-mêmes. Elles s'approchaient des vil-lages des Wendats à la faveur du brouillard et du temps plu-vieux pour s'emparer des habitants, surtout des enfants, pour ruiner les plantations de tabac et d'autres plantes ou voler les animaux qu'avaient capturés les hommes. Elles se délectaient de chair humaine. Le feu était la seule défense efficace. L'Éclair en surprenait quelquefois une et la détruisait, et les Petites Gens aidaient souvent les Wendats à les chasser des villages. Toutefois, les Têtes volantes ne sont jamais complè-tement disparues des contrées wendates.

Les Grands Serpents, ou Monstres serpents, êtres tout aussi maléfiques que les Têtes volantes, les corps des géants qui, quelque temps après avoir été laissés sans leurs Têtes, se tortillèrent jusqu'au bord du précipice et se laissèrent tomber dans la rivière. Ils furent bientôt transformés en de très longs et très gros serpents, qui suivirent et harassèrent les Wendats tout au long de leurs migrations. Les Wendats en tuèrent

---

105. L'île de Montréal, en vertu de son insularité et de sa centralité, a pu alors représenter pour les Wendats un intérêt d'ordre cosmolo-gique et géopolitique. Elle peut avoir été le lieu d'arrivée et de première résidence des Nadoueks dans le Nord-Est (*cf.* chapitre II, note 52).

plusieurs, avec l'aide de leurs protecteurs habituels, mais quelques-uns vivent encore aujourd'hui. Ce sont eux qui causent les tempêtes et les naufrages sur les Grands Lacs. Autrefois, les Wendats réussissaient parfois à calmer ces tempêtes en jetant dans les eaux quelque offrande. Les rivières reliant les Grands Lacs ne sont que les passages qu'ont tracés ces monstres en se traînant d'un lac à un autre.

Les Bisons sorcières avaient la hauteur d'un arbre et leurs cornes, qui sortaient tout droit de leur front, étaient longues comme un homme. Elles étaient des êtres oppressifs, que Tawiskaron avait mis en charge de la Source qu'avait créée Tsestah non loin du lieu de leur naissance et que les ancêtres wendats appelaient «la grande et antique Source où sont les Os[106] et où les animaux viennent boire et se rencontrer».

Les Bisons sorcières reçurent à l'origine l'ordre de ne pas laisser les animaux et les Wendats jouir si librement de la Source. Tawiskaron fabriqua un tambour de silex, dont le son s'entendait jusqu'aux Grands Lacs, qu'il plaça près du lieu d'accès principal[107]. Ainsi, les Bisons sorcières faisaient connaître leurs commandements. Le temps de présence à la Source pour chaque espèce de gros animaux (bisons, élans, ours, etc.) devait être limité et observé. Aussi, comme la guerre existait entre les deux frères, Tawiskaron avait entrepris de réduire l'étendue de la Source. Au grand désarroi des animaux, la source fut finalement de taille médiocre et ses eaux, autrefois douces et si cristallines que le plus petit caillou pouvait se voir sur son fond presque insondable, devinrent salées, ce qui lui valut le nom wendat d'*Ohtsehyoowah* (la Source d'eau amère), qu'elle conserva.

Le charme et le plaisir d'autrefois étaient partis et les animaux ne fréquentèrent plus la source qu'avec crainte. Les

---

106. Les os de grands animaux préhistoriques trouvés en grande quantité dans la région de Big Bone Lick, au nord de l'État du Kentucky, sont, selon les Wendats, ceux des Bisons sorcières, détruits par les Petites Gens il y a très longtemps.

107. La Source, telle que la fit Tsestah, était tellement grande que l'on ne voyait pas l'autre bord.

Wendats, quant à eux, y perdirent un pays incroyablement giboyeux et poissonneux. Cet ancien lieu paradisiaque n'était plus guère bon que pour y venir chercher du sel.

Les Petites Gens, ayant pitié des Wendats, se résolurent à détruire les Bisons sorcières. Ils envoyèrent deux hommes de leur peuple, instruits de la façon dont les Êtres maléfiques devaient être conduits, en troupeau[108], jusqu'à un certain lieu où l'on devait les massacrer. La réussite fut éclatante puisque tous les Bisons sorcières furent tuées, à l'exception d'un seul qui s'enfuit en faisant un bond si prodigieux qu'il atterrit de l'autre côté des Grands Lacs. Une fois le pays débarrassé des Bisons sorcières, les Petites Gens assemblèrent les animaux et les Wendats[109] et déclarèrent : « Vous pourrez désormais user de la Source comme bon vous semblera, car nous en sommes les gardiens pour toujours. » Les Wendats disent que les empreintes de pieds ainsi que des arcs et carquois de deux minuscules êtres sont encore visibles sur les pierres avoisinant l'antique Ohtsehyoowah.

Le quatrième et dernier peuple de monstres qui terrorisa les Wendats au cours de leurs migrations fut celui des Géants de Roche, les Hoostrandoo ou Strendu[110]. Ceux-ci étaient des êtres énormes, capables de dévorer jusqu'à trois hommes en un repas. Ils étaient presque à l'épreuve des armes wendates, grâce à leur couche de roche malléable, qu'ils se fabriquaient

---

108. La description faite par les Wendats (Barbeau, 1915 : 314) correspond d'assez près aux techniques de chasse au bison des Amérindiens « faiseurs d'enclos » des Prairies (Sioux, Pieds-noirs, Cris des Plaines, etc.) et pourrait bien indiquer que les Wendats participèrent de cette culture durant un certain temps de leur histoire.

109. Le trait culturel le plus remarquable révélé par la mythologie est l'absence de démarcation stricte entre les différents « peuples » de la création : humains, animaux, végétaux, esprits, éléments, etc. C'est là l'esprit du Cercle, caractéristique des Wendats et de toutes les sociétés à pensée circulaire, dont nous parlerons tout au long du présent ouvrage.

110. Barbeau ne semble pas avoir fait le lien entre le *Strendu* et une vague réminiscence qu'en avaient les Hurons-Wendats de Lorette lorsqu'il les visita en 1911. La forme donnée à Lorette est *Oshendo* (Barbeau, 1915 : 250). À ce propos, les Micmacs ont aussi des monstres mangeurs d'hommes nommés *Sheno* (*cf.* chapitre III, note 243).

en s'enduisant de gomme de pin, puis en se roulant dans le sable, procédé qu'ils répétaient jusqu'à avoir la protection désirée[111].

À cette époque, les Géants de Roche furent pour les Wendats un objet de terreur particulière. Parfois, lorsque la menace était grande ou lorsque se présentait l'occasion d'une attaque surprise, les Wendats organisaient une chasse en groupe, dirigée contre un de ces monstres qui, heureusement, chassaient habituellement en solitaires. Mais les flèches devaient alors être décochées avec très grande précision et frapper les yeux, la bouche ou les aisselles des géants de pierre ; sinon les valeureux défenseurs wendats quittaient le lieu de l'affrontement ligotés en un paquet sanglant sur le dos du monstre qui se délectait à l'avance d'un souper aussi recherché.

Ce furent encore une fois les Petites Gens qui vinrent à l'aide des Wendats. Grâce à leur magie, elles réussirent à faire oublier aux Géants leur art de faire leur armure, de même qu'à réduire de beaucoup leur taille. Cependant, leur nature féroce et sanguinaire ne changea pas. Ils continuèrent à être à l'affût des chasseurs et des voyageurs et à les surprendre, la nuit, même dans les endroits les plus secrets. Les Strendu étaient capables d'entrer dans les corps d'hommes qui étaient morts seuls en forêt et de tuer pendant leur sommeil les gens qui venaient à leur recherche, pour ensuite les dévorer[112].

Plus tard, les Wendats reçurent de Tsestah (l'Homme de feu) l'inspiration de concocter une «médecine[113]» à partir

---

111. Les Strendu se faisaient indiquer par les doigts coupés de leurs victimes les endroits où se cachaient les gens qu'ils voulaient capturer.
112. Nous verrons, en fin d'ouvrage, que les Wendats ne ménageaient aucun effort pour aller chercher le plus tôt possible et ramener aux villages, pour les y enterrer de la façon appropriée, les cadavres de ceux qui mouraient au loin, dans la forêt.
113. Le terme «médecine», pour les Amérindiens, veut dire tout ce qui est fait, consommé ou vu avec l'intention spiritualisée de guérir, que ce soit une herbe, un objet, un remède, une parole, un discours, une cérémonie, etc.

de l'écorce de «l'arbre de feu[114]», laquelle les garantissait de telles attaques de la part des Strendu[115].

LES HUMAINS SONT *ONGWE*[116]

Les Wendats ne croyaient pas avoir été placés sur la Grande Île pour dominer le reste de la création. La mythologie révèle plutôt qu'ils croyaient avoir été créés pour témoigner de l'infinie grandeur et de l'infinie sagesse du Maître de l'Univers ainsi que de ses cocréateurs et, donc, pour vivre en harmonie avec la quantité infinie d'autres êtres qui acclamèrent avec un bonheur incontenable l'implantation parmi eux de ce prédateur contemplatif[117].

Les Wendats et tous leurs semblables humains furent des *Ongwe*. John N.B. Hewitt, l'ethnologue tuscarora, qui fut au service du Smithsonian Institute de Washington, D.C., durant le premier quart du présent siècle, définit comme suit le mot *Ongwe*: «Ce terme amérindien a un sens plus étendu que celui d'être humain en anglais [ou en français]; car il inclut, au sens primitif du terme, tous les êtres qui assumaient la forme ou les attributs humains; et dans le monde primitif de la pensée [c'est-à-dire dans la pensée du Cercle], tous les êtres pouvaient, à l'occasion, assumer la forme et le caractère humains et l'humain partageait avec eux ces attributs... Ongwe signifie, par conséquent, «l'être-homme», c'est-à-dire

---

114. W.E. Connelly rapporte le nom wendat *Detatseah*; en anglais *red-bud tree*, ou *fire-tree*, arbre sacré aux yeux des Wendats et qui, lorsqu'il faisait voir son beau rouge flamboyant parmi la nature encore endormie, au printemps, faisait dire aux Wendats: «Tsestah est maintenant revenu. C'est le renouveau» (Barbeau, 1915: 315).

115. Une autre protection consistait à tromper la faim du Strendu pour la chair humaine en laissant à proximité du campement une grosse marmite pleine de gras d'animal, que le Géant engloutissait avec délices.

116. *Ongwe* veut dire «être humain» pour les Wendats et les Iroquois. Le dictionnaire de Sagard, dans les 1620, donne *Honhouoy*. Nous verrons plus en profondeur le sens de ce mot.

117. Barbeau, 1915: 311.

l'être [humain] qui est de la substance dont tous les êtres sont formés[118]. »

Les animaux, les arbres, les insectes, les pierres, etc., sont des Familles, des Peuples, des Nations tout aussi dignes de vivre que les humains, puisqu'ils sont aussi des expressions de la grande volonté créatrice. L'humain doit consciemment et fréquemment reconnaître, par des rituels, des offrandes et des remerciements, ces autres peuples qui, directement ou indirectement, contribuent à sa subsistance, à son éducation, à son bien-être et à son bonheur.

Traitant de la conception sociale des Iroquois[119], telle que le conçoit leur tradition orale, M.J. Dennis écrit : « Qui étaient les gens avec qui vivaient les Iroquois ? Bien sûr, ils partageaient le monde avec d'autres humains, leur famille, leur clan, les membres de leur tribu, les nations confédérées de leur ligue, ainsi que d'autres Iroquoiens et des Algonquiens. Les « gens » des nations de l'ondathra[120] et du castor [ainsi que des autres espèces d'animaux] peuplaient également leur monde. Ces animaux ne faisaient pas simplement que symboliser des hommes ; on doit interpréter les récits tout à fait littéralement : les castors et les ondathras [et les autres animaux] étaient des hommes, d'une sorte non humaine[121]. »

Au moyen de deux « histoires » wendates mettant en jeu des peuples non humains, nous allons tenter de nous imprégner de cette idée sociale particulière aux Amérindiens. La première

---

118. J.N.B. Hewitt, «Cosmology notes», Hewitt Papers, N.A.A. M.S. 3693. *Ongwe*, en wendat, comme *innu*, en montagnais, *anishnabe* en algonquin, etc., ne réfèrent qu'aux Amérindiens, c'est-à-dire ceux qui rejoignent leur pensée et leurs croyances, ou qui ne les mettent pas en doute (trad. libre).

119. Nous avons déjà décrit la capacité de presque tous les Amérindiens de se rejoindre dans leur conception sociale comme l'un des traits fondamentaux de la philosophie amérindienne (Sioui, 1989). Les Iroquois sont, sous ce rapport, particulièrement proches des Wendats.

120. *Ondathra* : l'un des rares noms wendats d'animaux qui soit passé à la langue française et qui devrait remplacer sa traduction plus commune et zoologiquement incorrecte de *rat musqué*.

121. M.J. Dennis, *op. cit.*, p. 35.

traite d'un enseignement donné aux humains par le peuple des Ours. Presque tous les Amérindiens reconnaissent avoir été instruits de la médecine par le peuple des Ours et pour cette raison appellent les Ours par le nom très honorable de «Grand-père», «Grand-mère». Voici le récit de l'origine de la science médicale des Wendats[122] :

> Un couple de la Nation wendate voyageait, un jour, de village en village. Ils étaient sur une haute montagne qui surplombait un beau lac, et traversaient une forêt épaisse et sombre de grands pins, lorsqu'ils furent tout à coup entourés par une grande troupe d'Ours qui arrivaient en déboulant des sentiers descendant du flanc de la montagne. Il n'y avait point de chance de fuite et, comme les Ours ne paraissaient pas vouloir leur faire de mal, l'homme et la femme furent bientôt rassurés. Non seulement les Ours ne démontraient aucune inimitié à l'endroit des Wendats, mais à leur complet étonnement, le plus grand de la troupe, qui semblait être le chef, se tint debout et leur dit : « Il faut que vous veniez avec nous à notre demeure dans les Montagnes Rouges. Vous y resterez avec nous jusqu'à ce que nous décidions de vous laisser repartir. »
>
> L'homme et la femme avaient très peur d'être tombés entre les mains d'Okis (personnes de pouvoir)[123] très rusés et dangereux qui se seraient transformés en Ours, mais comme ces Animaux auraient pu les mettre en pièces s'ils avaient résisté, ils se mirent à marcher tranquillement en leur compagnie. Or, il se trouva que ces Ours étaient de très agréables compagnons de route. Je pense même [dit le conteur] qu'il n'a jamais existé nulle part de troupe d'Ours plus allègres. Ils jouaient, gambadaient tout le long du chemin, se taquinaient continuellement les uns les autres, dansaient dans les clairières, se faisant rouler mutuellement dans les feuilles mortes ; ils couraient, luttaient quelque peu, exécutaient des pirouettes dans la mousse verte et douce, déboulaient les pentes raides qu'ils rencontraient et faisaient résonner la forêt de leurs cris, leurs rires et leurs grognements. Vraiment, ces Ours se comportaient

---

122. C.M. Barbeau, 1915 : 326-327 : «Origin of the Medicine Formulae».
123. *Oki* signifie tout pouvoir surnaturel, bénéfique ou maléfique, ou la personne, l'être ou l'objet possédant ce pouvoir. Les «sorciers» amérindiens étant capables d'intégrer de façon magique le corps d'animaux, acquérant ainsi leur Pouvoir.

d'une manière tellement semblable à celle des jeunes Wendats au Village, que l'homme perdit toute crainte, puis toute retenue, et les rejoignit dans leurs jeux. Il connut, bien sûr, plus d'une rude chute et encaissa plusieurs bons coups de patte en boxant ou en se faisant rouler comme eux, mais il accepta tout avec une telle grâce et une telle bonne humeur qu'il devint évident qu'il s'était gagné une haute place dans l'estime de ceux dont lui et sa femme étaient les captifs[124].

Peu avant la tombée du jour, les Montagnes Rouges vinrent en vue. À ce moment, les Ours poussèrent de grands cris de contentement. Une fois au milieu de leurs Montagnes, ils dirent à l'homme et à la femme : « Vous êtes maintenant dans les Montagnes Rouges. Celles-ci sont sacrées, pour nous, les Ours. Elles sont teintes du sang de notre Grand-Père[125]. On vous y donnera comme abri une belle grotte avec un bon lit de feuilles sèches. Les meilleures noix du monde poussent partout, ici. Soyez heureux parmi nous, car il vous est impossible de vous enfuir. » Une belle caverne de roc devint leur logis. Des noix furent leur nourriture habituelle. Cependant, même s'ils ne souffraient d'aucun manque, ni d'aucune incommodité, l'homme et la femme désiraient retourner chez eux, dans leur village wendat.

---

124. Les vertus et les capacités morales et physiques démontrées par cet homme pourront presque donner à penser que ce couple avait été prédestiné par les Ours pour accomplir la mission qui leur sera donnée.

125. Cela renvoie vraisemblablement au combat qui eut lieu entre le Chevreuil et l'Ours, peu après la montée au Ciel du Chevreuil, par le chemin de l'Arc-en-ciel. Le Chevreuil s'offusqua lorsque l'Ours lui reprocha d'avoir cherché à monter au Ciel seul, sans penser aux autres animaux. Le Chevreuil provoqua l'Ours en duel et le blessa de ses cornes. Le Loup fit arrêter le combat, mais le sang de l'Ours se répandit sur la terre. Comme c'était l'automne, les feuilles des arbres furent teintées du sang de l'Ours. Chaque année, le combat du Chevreuil et de l'Ours est ainsi commémoré par la nature. Les Montagnes Rouges sont peut-être un lieu où retomba beaucoup du sang de l'Ours et sont donc pour ses « petits-enfants » un lieu sacré. Les Wendats prétendent que la beauté émanant de ce temps où la nature meurt, à l'automne, provoque la nostalgie des Âmes des disparus pour leur ancienne demeure terrestre. Les étoiles les plus belles et les plus parfaites, les Pléiades elles-mêmes, désirent à ce moment quitter leur Pays céleste pour venir visiter la Grande Île (Barbeau, 1915 : 317, 321). Il s'agit d'un temps hors du temps, où les dieux eux-mêmes viennent habiter la Terre, un temps d'admiration mystique pour une mort rendue sublime par tant de beauté. C'est un temps pour l'esprit.

Bientôt, l'homme persuada sa femme qu'ils devaient tenter de s'enfuir. Ils se sauvèrent, à travers les Montagnes Rouges, mais furent vite rattrapés par une troupe d'Ours. «Vous voyez, dirent-ils, cet homme se sauve de ceux qui lui donnent le logement et la nourriture. Il mérite de mourir.» Et, le saisissant, ils le précipitèrent en bas d'un haut promontoire. Lorsqu'ils allèrent le retrouver, l'homme était entièrement contusionné et tous ses os étaient cassés. Ils le prirent et le ramenèrent à la grotte qu'ils avaient donnée au couple pour demeure.

En arrivant à la caverne, les Ours dirent à la femme d'aller chercher dans la forêt certaines feuilles, écorces et racines, dont ils lui indiquèrent les noms. Lorsqu'elle revint, les Ours l'instruisirent de la façon de composer des remèdes à partir de ces plantes. Ces médicaments furent alors donnés au malade qui, presque instantanément, recouvra toute sa forme et toute sa santé.

Le jour suivant, l'homme essaya de nouveau de s'enfuir du pays des Montagnes Rouges. Une fois de plus, les Ours le rattrapèrent dans sa course. «Vous voyez, se redirent-ils, il a de nouveau tenté de se sauver de ceux qui lui donnent viande et abri. Il ne mérite rien de moins que de mourir par nos griffes.» Sur-le-champ, ils se saisirent de l'homme et le mirent presque en pièces avec leurs longues et puissantes griffes, puis le portèrent à la caverne qu'ils lui avaient donnée pour logis. Encore une fois, les Ours enseignèrent à la femme quelles racines, écorces et feuilles aller ramasser et comment en préparer des remèdes pour soigner son mari. Puis, toujours selon les conseils des Ours, la femme traita, avec ces remèdes, les blessures de son mari. À nouveau, presque instantanément, l'homme fut tout à fait guéri. Toujours de cette même façon, l'homme se trouva affligé de toutes sortes de maux et de blessures et chaque fois, il fut remis en parfait état par des procédés similaires. Un jour, les Ours lui dirent :

«Nous sommes amis de nos frères, les Wendats. Nous désirons leur enseigner les façons de se soigner lorsqu'ils sont malades ou blessés. Nous t'avons affligé et nous avons enseigné à ta femme comment te guérir. Elle connaît à présent toute la médecine. Rapportez ce savoir à votre Peuple. Dites à tous les gens d'honorer les os des Ours tués pour leur chair et de toujours garder en usage tous les noms appartenant au clan de l'Ours. Ne permettez pas qu'aucun de ces noms soit rejeté ou s'éteigne[126]. »

Après ce discours, la troupe entière des Ours se rassembla autour de l'homme et de la femme et les reconduisit jusqu'à l'entrée du beau pays des Montagnes Rouges de la même façon qu'ils y avaient été emmenés. Lorsqu'ils arrivèrent au pays de leur peuple, ils firent savoir à tous les villages ce qui leur était arrivé dans le pays des Montagnes Rouges et livrèrent le message envoyé par les bons Ours, habitants de ce pays. Et les formules médicinales rapportées par la femme[127] ne manquèrent jamais de guérir les Wendats de leurs maux.

La deuxième histoire révèle comment, pour les Wendats, les « peuples non humains » peuvent être plus « humains » que les humains. Il est important de bien voir cette dimension de la vision sociale amérindienne pour pouvoir comprendre la sensibilité particulière des Amérindiens vis-à-vis du monde non humain qui compose le Cercle avec eux, sensibilité communément niée par les spécialistes non autochtones, faute d'une capacité de l'appréhender.

Calvin Martin, dans son célèbre ouvrage *Keepers of the Game*, ne parvient pas, en dépit de son credo scientifique pro-amérindien[128], à discerner une conscience écologique culturelle chez l'Amérindien ni à y croire. Niant celle-ci, Martin ne peut plus voir l'état de panique très grave qui accompagna

126. Cette insistance des Ours sur la conservation des noms du clan dont ils sont tutélaires paraît en au moins un autre endroit dans le condensé de la mythologie huronne-wendate de Barbeau *Huron and Wyandot Mythology*, p. 336. Cette histoire pourrait se rapporter à l'origine du clan de l'Ours, comme le pense Denys Delâge (communication personnelle), mais aussi au nom de la nation des Attigna-wantans (les Ours), la plus nombreuse et la plus importante nation wendate.

127. Nous apprenons ici que la médecine du corps était plus le domaine des femmes ; celle des maux de l'âme, connus surtout par la voie des rêves, objet d'une spécialisation longue et ardue, correspondait à la nature masculine. Nous en traiterons au troisième chapitre de cet ouvrage.

128. Calvin Martin, *Keepers of the Game. Indian-Animal Relationships and the Fur Trade*, Berkeley et Los Angeles, University of California Press, 1978, p. 70. « Pour l'Amérindien, le monde spirituel n'était pas distinct du monde naturel ; pour lui, il n'y avait rien de sur-naturel » (trad. libre).

l'«holocauste microbien»[129] et qui fit que les Amérindiens misèrent désespérément sur l'acquisition de biens de traite européens comme seule chance de survie. Il parle plutôt de «la réaction enthousiaste de l'Amérindien au commerce des fourrures»[130]. «Attiré par les commodités européennes, explique-t-il plus loin, équipé de technologie européenne, animé par les commerçants européens et, de plus, privé d'un sens de responsabilité consciente vis-à-vis de la terre et désormais délivré de tabous, le Micmac (Martin a déjà dit que le même discours s'applique aussi bien aux horticulteurs qu'aux «chasseurs-cueilleurs») se mit à surchasser systématiquement ces gibiers maintenant devenus si profitables, voire si indispensables à son nouveau mode de vie»[131]. Un autre historien tout aussi renommé, Peter Farb, met tout simplement l'Amérindien du XVIIᵉ siècle dans la catégorie générale de «bourgeois occidental»: «[Mais] écrit-il, une fois que les commerçants blancs entrèrent en scène, fournissant aux Indiens des armes efficaces et un marché de la fourrure apparemment illimité de l'autre côté des mers, les Indiens se livrèrent à une orgie de destruction»[132]. Pour notre propos sur les Wendats, nous relaterons ce qui se passa entre un enfant

---

129. *Ibid.*, p. 43 et suivantes.
130. *Ibid.*, p. 15. William R. Fitzgerald, dans sa thèse de doctorat («Chronology to Cultural Process [...]», Montréal, Université McGill, 1990, p. 392), trouve d'amples preuves archéologiques que les Attiwandaronks, en particulier, ne commencèrent à délaisser leurs propres modes de production technologique que lorsque les épidémies des années 1630 les y forcèrent.
131. C. Martin, *op. cit.*, p. 61-62.
132. Peter Farb, *Man's Rise to Civilization, as Shown by the Indians of North America from Primeval Times to the Coming of the Industrial State*, New York, E.P. Hutton and Company, 1968, p. 82-83 (cité dans Martin, *op. cit.*, p. 9). Penseurs linéaires typiques, ces deux auteurs voient les sociétés du Cercle comme potentiellement et naturellement bourgeoises, dès qu'elles entrent en contact avec leur civilisation. Essentiellement, nous objectons que la croyance en l'évolutionnisme culturel, prémisse fondamentale de la pensée linéaire, est absolument et de façon permanente étrangère aux civilisations du Cercle. En Amérique, en tout cas, plus de cinq cents ans des meilleurs assauts n'ont en rien réussi à linéariser les peuples aborigènes.

abandonné par son père adoptif, un Ours, et d'autres gens non humains[133].

> Dans les temps jadis, les gens ne se mariaient pas comme nous le faisons aujourd'hui. Un jour, un homme prit pour femme une fille qui avait déjà un enfant, un petit garçon. Dès le commencement, cet homme n'aima pas son fils adoptif et avait continuellement l'idée de s'en débarrasser. À la fin de l'été, ils partirent très loin dans la forêt, pour la saison de la chasse, tout seuls. Ayant choisi leur territoire de chasse, ils se construisirent une maison pour l'hiver[134].

> La chasseur, ayant commencé à chasser et à rapporter du gibier, trouva dans la forêt une grande caverne. Il demanda à la femme de laisser le garçon aller avec lui dans la forêt. Comme elle connaissait son aversion pour son fils, elle ne voulait pas vraiment que l'enfant aille dans le bois avec lui, mais le chasseur insista et, de peur qu'il ne commette quelque acte brutal, elle se plia à son désir.

> Le garçon et son père adoptif partirent pour la forêt et, bien sûr, arrivèrent bientôt à la caverne. L'homme dit à son fils adoptif d'entrer dans la caverne pour voir comment elle était. Le garçon pleurait, tout en refusant d'y entrer. Cependant, l'homme le gronda et lui ordonna d'entrer. À la fin, le garçon dut céder et se retrouva donc enfermé dans la caverne au moyen de grosses roches que l'homme empila pour bloquer l'entrée. Puis, l'homme partit.

> Le garçon pleura sans arrêt jusqu'à ce qu'il entendit quelqu'un l'appeler, loin derrière lui, dans la caverne. Bien qu'il n'avait vu là personne, il entendit une voix lointaine qui

---

133. Conte recueilli en 1911 par Marius Barbeau auprès de Star Young, Wyandot de Wyandotte, dans l'État d'Oklahoma. Trois versions de ce conte furent recueillies à Wyandotte, attestant de sa popularité (Barbeau, 1915: 116-125).

134. Cette description évoque le mode de vie nomade que les Wyandots durent parfois adopter après leurs grandes dispersions du début de la période historique. Toutefois, ce type d'union libre et la vie dans les territoires de chasse n'étaient pas étrangers à la culture wendate originale. L'appellation d'*asqua* pour les «femmes à pot et à feu» (Sagard, 1990: 197-198) est peut-être une adaptation du mot algonquien *shkweo* pour femme, donc une femme qui suit son mari à la chasse, à la façon algonquienne. On sait combien proche plusieurs peuples nadoueks et algonquiens ont vécu les uns des autres et combien, donc, ils ont mutuellement influencé leurs institutions sociales.

disait : « Mon petit-fils, viens par ici. » Le garçon se mit à marcher vers la voix, le long du passage obscur. Lorsqu'il fut proche du vieil homme qui appelait, la voix dit : « Reste devant moi, mon petit-fils, car tu ne dois pas venir derrière moi ! » Le garçon resta donc debout face à lui ; il sanglotait encore un peu. Le vieil homme qui, en fait, était couché, dit : « Mon petit-fils, ne pleure pas : Nous allons essayer de nous tirer d'affaire. »

Bientôt, le garçon eut faim. Alors, le vieil homme se leva pour la première fois depuis que le garçon était venu à lui. L'enfant le vit et découvrit qu'il était un gros porc-épic. C'est pourquoi il ne voulait pas que le garçon vienne derrière lui, parce que ses piquants auraient pu lui faire mal. Le vieil homme dit : « Je vais trouver de quoi manger pour toi. » Il fouilla dans un sac et en sortit quelque chose qui était roulé en forme de petit gâteau. Il l'offrit au garçon en disant : « Je ne sais vraiment pas si tu peux manger de ce genre de chose, car c'est ma sorte de nourriture à moi. Essaie et dis-moi si tu peux en manger. » L'enfant en mangea et trouva que c'était bon. Il mangea donc à sa faim. Alors, le vieil homme lui dit : « Je ne sais pas ce que tes gens mangent ; quant à moi, c'est la sorte de nourriture que je mange habituellement. » Le garçon allait bientôt découvrir qu'il s'agissait là d'écorce d'orme.

Après cela, le Porc-épic dit : « Mon petit-fils, je vais à présent aller à l'entrée de la caverne et essayer de nous faire un passage. » Arrivé à l'endroit où la caverne était obstruée par des grosses pierres, il essaya de son mieux, mais ne réussit pas à déplacer les pierres, tant elles étaient lourdes. Il dit alors : « Je vais essayer d'une autre manière. »

Comme il y avait des espaces entre les pierres, le Porc-épic passa son nez à travers l'un d'eux et cria au plus fort de sa voix : « Vous, tous les animaux, venez ici ! » Et donc, les animaux, peu de temps après, commencèrent à s'assembler à l'entrée de la caverne. Ils étaient de toutes les nations[135], dont celles du Loup, du Raton-laveur, du Chevreuil, de la Tortue, du Dindon sauvage, en plus d'Oiseaux de toutes sortes et de toutes tailles. Bientôt, le vieil homme se mit à leur parler. « Un garçon a été enfermé ici, leur dit-il. Lui et moi sommes incapables de sortir d'ici. Je voudrais que vous essayiez d'ouvrir cette caverne. »

---

135. Le texte anglais dit *kinds*. Le terme *nations* vise à rendre mieux l'idée amérindienne.

Un à un, les Animaux se mirent à la tâche. Il semble que ce fut le Raton-laveur qui essaya le premier : il entoura une grosse pierre de ses bras et tenta de la remuer, mais rien n'y fit. Les Oiseaux et plusieurs animaux mirent eux aussi leurs forces à l'épreuve, mais aucun n'eut de succès. Il n'y avait rien à faire. Le Renard et le Loup essayèrent à leur tour. Ils égratignèrent et mordirent les roches, mais ne réussirent qu'à faire saigner leur gueule. À la fin, tous renoncèrent.

Le Chevreuil, un mâle imposant, vint essayer lui aussi. Il coinça ses longs bois entre les pierres et, tentant de les retirer, ne réussit qu'à casser un andouiller. Il tenta avec l'autre partie du bois, mais le cassa de la même façon. N'ayant donc plus de bois, il abandonna et s'en alla à la course.

L'Ours était le seul à n'avoir pas encore essayé. «C'est à moi d'essayer, dit-il, je suis le dernier de tous.» Et lui, le gros Ours puissant, mit ses deux bras autour d'une grosse roche qui bloquait la caverne et, la tenant fermement, la fit rouler hors du passage.

La caverne étant ouverte, le gros Porc-épic et son petit-fils sortirent dehors. Le vieil homme parla et dit : «Il y a encore une chose que je désire vous dire. Cet enfant, mon petit-fils, a été enfermé ici pendant quelque temps et a vécu avec moi. Je veux maintenant savoir qui d'entre vous tous est capable d'en avoir soin et de l'élever. Je sais que je n'ai pas la sorte de nourriture qu'il lui faut. Nous ne mangeons tout simplement pas la même nourriture. Je veux donc savoir qui pourra prendre soin de ce garçon, qui est mon petit-fils.»

Les animaux se dispersèrent immédiatement et allèrent tenter de trouver quelque chose à manger pour le garçon[136]. Des Oiseaux revinrent les premiers avec des graines qu'ils donnèrent au garçon qui, bien sûr, ne put en manger. Le Dindon sauvage, lui aussi, rapporta une espèce de graine, que le garçon dut refuser. Vint ensuite le Raton-laveur, portant dans sa bouche des écrevisses. Comme elles paraissaient bonnes à manger, le garçon fut sur le point d'en prendre et d'en manger. «Attends, continue à attendre, dit le Vieux Porc-épic, peut-être obtiendras-tu quelque chose de mieux encore.» D'autres animaux revinrent bientôt de leur chasse. Le Renard offrit de la viande au garçon qui, après quelque hésitation, refusa, car le vieil homme lui avait dit encore une fois : «Attends ! il y a

---

136. On remarque l'empressement de tous les animaux en toute circonstance pour secourir l'enfant.

peut-être quelque chose de mieux encore !» Le loup rapporta un os sur lequel il restait de la viande. Comme le jeune garçon aimait beaucoup la viande, il voulait la prendre, mais le Porc-épic lui dit de nouveau : «Pas encore, mon petit-fils. Je sais que tu voudrais beaucoup manger ceci, mais ne le prends pas.»

Un grand nombre d'animaux vinrent avec des sortes de nourriture que l'enfant ne pouvait pas manger et chacun à son tour fut renvoyé. Un vieil Ours vint en dernier et dit : «Eh bien ! j'ai essayé moi aussi et veux voir si l'enfant peut manger de ma nourriture.» Et il tendit au garçon une galette. Le garçon la mangea. Oh ! comme c'était bon ! Le vieux Porc-épic demanda alors à son petit-fils s'il avait aimé ce qu'il venait de manger. «Oui, c'est vraiment bon !» s'exclama l'enfant. Le vieil homme déclara alors : «Je dois maintenant vous dire à tous que ce sera la Mère-ourse qui prendra soin de l'enfant.»

La Mère-ourse qui emmena l'enfant avait trois petits oursons, qui étaient enchantés de savoir que le garçon allait maintenant vivre avec eux. Et donc, ils commencèrent à sauter et à jouer avec leur nouveau compagnon[137]. À partir de ce moment, la Mère-ours allaitait le petit garçon aussi bien que ses oursons ; elle avait donc quatre petits à soigner. Vraiment, ils vivaient très bien et de temps à autre, elle donnait au garçonnet une galette de baies séchées, de la même sorte que celle que le vieil ours lui avait offerte en premier lieu. Comme tous les autres animaux, ils erraient dans les bois, contents et paisibles.

Lorsque la Maman-ourse trouva que ses petits étaient devenus assez gros pour manger de n'importe quoi, elle cessa de leur donner de son lait et leur donna des noix, des raisins et d'autres fruits. Pendant tout ce temps le petit garçon vivait exactement comme les animaux, hivernant dans un arbre

---

137. On fera spontanément le rapprochement entre le caractère amical et enjoué de ces oursons et celui des ours qui jouèrent avec l'homme dans l'histoire précédente, en chemin vers les Montagnes Rouges. La parenté toute particulière que se reconnaissent les Amérindiens avec l'Ours est frappante et omniprésente. Quiconque, par ailleurs, a déjà dépecé un ours, s'est nécessairement rendu compte, avec étonnement, de l'étroite similitude entre son physique et celui de l'humain. J'ai moi-même, étant plus jeune, eu des rêves répétés de peuples d'Ours me faisant des procès et de sévères admonitions pour avoir tué un des leurs. Étrangement, je n'en ai plus jamais chassé depuis.

creux avec ses compagnons et parcourant la forêt tout l'été. On ne sait pas très bien pendant combien de temps il vécut de cette manière avec eux, mais il semble que ce fut pendant un ou deux ans.

Un été, lorsque vint le temps de cueillir les framboises, bleuets et autres baies, un messager vint à l'endroit où ils étaient. À première vue, le garçon prit l'étranger pour un homme mais, l'ayant mieux regardé, il vit que c'était un Ours. Le messager, d'ailleurs, s'adressa à la Mère-ourse en tant que Chef de famille et l'invita à être présente, à un jour fixé, à un grand rassemblement qui allait avoir lieu au Champ des fruits. Ce messager avait été choisi pour aller annoncer cet événement à tous les Ours.

Au jour convenu, tous les Ours se trouvèrent rassemblés au Champ des fruits. Lorsque le garçon vit cette grande foule, il trouva qu'ils ressemblaient beaucoup à des Humains[138]. Cependant, c'étaient des Ours. Leur grand chef leur dit: «Maintenant, que tout le monde aille ramasser des fruits!» Et tout le monde y alla.

Lorsqu'une grande quantité de baies eut été ramassée, les Ours les exposèrent au soleil pour en faire des galettes de fruits séchés, plates et de la largeur d'une patte d'Ours. La Mère-ourse, ses petits et l'enfant s'étaient jusque-là tenus ensemble, lorsqu'un des oursons appela le garçon à part et lui dit: «Éloignons-nous de la foule.» Et lorsqu'ils furent rendus dans la forêt, l'ourson continua: «Maintenant, poursuis-moi vers la foule, tout comme les Humains poursuivent les Ours; cours après moi! Lorsqu'ils te verront, les Ours seront effrayés et se sauveront et nous pourrons prendre toutes les baies qui sont en train de sécher; il y en a beaucoup.»

L'enfant se mit donc à pourchasser l'ourson en criant après lui. Ils atteignirent bientôt la foule, le garçon poursuivant toujours le jeune ours et criant de toutes ses forces. Les Ours furent, en effet, terrifiés et s'enfuirent dans la forêt, abandonnant tous les fruits.

Comme il n'y avait plus personne, les deux jeunes compères se mirent à manger les baies qui séchaient. Après quelque temps, la Maman-ourse revint sur ses pas pour chercher ses petits.

Elle les découvrit en train de ramasser à pleines brassées les fruits séchés. Elle alla les trouver et leur demanda: «Qu'est-

---

138. Le texte anglais dit *Indian folks*. Nous traduirons par «Humains».

ce qui se passe, vous deux?» Et elle se dit en elle-même: «C'est sûrement mon ourson qui est la cause de tout cela : il ne pense jamais qu'à mal faire.» Elle demanda donc à son enfant ce qu'avait fait l'ourson. L'enfant répondit: «Il m'a dit "allons dans la forêt". Et ensuite, il m'a dit: "Crie en me pourchassant et nous aurons toutes les galettes à nous."»

Sur-le-champ, la Maman-ourse saisit un bâton, attrapa son ourson et lui en donna quelques coups sur le derrière. À ce moment-là, quelques-uns des autres Ours commençaient à revenir prudemment au Champ des fruits. La Mère-ourse leur dit que tout cela était l'œuvre de son petit et leur expliqua : «Comme le garçon l'a poursuivi, il a eu peur et s'en est venu en courant : Voilà tout», acheva-t-elle, ne voulant pas en dire plus long[139].

Les Ours se remirent tous au travail des fruits. Comme les deux enfants avaient empilé beaucoup de galettes en un endroit, leur mère demanda aux gens de venir chercher leurs fruits. Pour le reste, la journée fut très plaisante et au soir, toutes les baies se trouvèrent séchées.

Alors, chacun des Ours colla des fruits séchés sur la plante de ses pieds et se mit à marcher ainsi pour que les fruits adhèrent bien à ses pattes, car c'est un fait que les baies collent aux pattes des Ours pendant l'hiver[140]. Et lorsqu'un Ours hiberne à l'intérieur d'une bille de bois ou d'un arbre creux, ou encore dans une caverne ou un terrier[141], il a l'habitude caractéristique de lécher les fruits secs qui se trouvent sur la plante de ses pattes. Voilà de quoi les Ours vivent pendant l'hiver[142] et ils n'ont jamais besoin de sortir chercher de la nourriture[143].

---

139. Nous traiterons de la coutume amérindienne de l'adoption de captifs. Si les animaux adoptent des humains, à plus forte raison ceux-ci s'adopteront-ils entre eux.

140. Les Amérindiens disent communément que les ours, se réveillant quelque peu au cours de leur long hibernement, lèchent leurs pattes, lesquelles conservent l'arôme des fruits qu'ils ont mangés en fin d'été, puis se rendorment.

141. La langage québécois populaire a intégré le mot montagnais *ouache* (gîte d'hibernation de l'ours). On dit: «entrer dans sa ouache», «être dans sa ouache» : s'isoler chez soi pour bien se reposer.

142. On peut déceler ici une erreur probable de traduction ou d'interprétation. L'ours, en effet, «lèche» *le parfum* des fruits.

143. En réalité, les animaux qui hibernent sont ceux qui ont les pattes trop courtes pour se déplacer efficacement dans la neige, en quête de nourriture.

Les Ours, ayant maintenant terminé d'appliquer une couche de fruits séchés sur la plante de leurs pattes, pressèrent le reste des baies en galettes, de la même sorte que celles dont la Maman-ourse avait souvent nourri l'enfant. Le rassemblement se termina par une fête[144]. Lorsque celle-ci fut finie, tous les Ours partirent vers leurs territoires, se dispersant dans toutes les directions, tout comme le fond les Humains.

Bientôt vinrent l'hiver et le froid. La Maman-ourse dit donc à ses petits : « Restez ici jusqu'à ce que je revienne », leur expliquant qu'elle s'en allait à la recherche d'un bon endroit où tous ensemble ils passeraient l'hiver. Elle revint après un certain temps et conduisit ses petits à un gros arbre creux avec, dans le haut, une ouverture. Elle grimpa dans l'arbre et cria : « C'est ici que nous allons hiberner. » Et donc, les oursons et le garçon grimpèrent et disparurent par l'ouverture. Lorsqu'ils furent rendus au fond de la cavité, l'enfant trouva qu'il y faisait chaud et que cette demeure ressemblait en tous points à une maison d'humains. La Maman donna un morceau de galette de baies séchées au garçon et elle et ses oursons se mirent à lécher la plante de leurs pattes, comme le font tous les Ours, l'hiver.

Plusieurs fois durant l'hiver, les incursions de chasseurs rendirent la Maman-ourse très inquiète. Elle avait constamment peur, en effet, que son arbre creux ne fût découvert, d'autant plus que ses petits avaient gratté et pelé l'écorce jusqu'à lui faire prendre une teinte presque rouge, car ils descendaient souvent de l'arbre, la nuit, pour jouer ensemble dans la neige, au clair de lune. Il arriva souvent, en effet, que des chasseurs, au hasard de leurs randonnées, vinrent aux alentours. Lorsqu'ils venaient trop proche, la Mère-ourse prenait un bâton fourchu qu'elle avait et, le tenant de ses deux mains, elle le pointait, sans être vue, vers les hommes qui approchaient. Chaque fois, elle tenait son bâton de façon à en poser, de loin, la fourche sur le coup du chasseur. Aussitôt, les hommes s'arrêtaient et s'orientaient dans une autre direction. Toutes les fois, elle réussissait, grâce à ce bâton, à envoyer les chasseurs qui venaient.

---

144. Cela évoque les fêtes de l'« été des Indiens » que l'on fait juste avant le grand dispersement vers les territoires de chasse.

Mais un jour, comme quelqu'un approchait, la Maman-ourse sentit que sa demeure était sur le point d'être découverte. Elle dit donc au garçon ce qu'il devait faire au cas où les chasseurs viendraient abattre l'arbre. Sur l'entrefaite, un chasseur vint directement vers leur demeure.

La Mère-ourse prit son bâton fourchu et le pointa vers le chasseur, mais le bâton se fendit en deux. C'en était fait. L'homme s'approcha et fit sa marque sur l'arbre. La coutume était, en effet, qu'un chasseur qui découvrait un arbre où hibernaient des Ours le marquait avant de s'en retourner chercher de l'aide. De cette façon, l'arbre appartenait au chasseur qui l'avait trouvé[145].

Ce chasseur, donc, après avoir fait sa marque sur l'arbre, retourna à son campement dire à ses amis de venir l'aider à tuer les Ours. La Mère-ourse savait que des chasseurs arriveraient bientôt pour les tuer, elle et ses petits. Elle parla donc au garçon, et lui dit : «Je sortirai la première. Lorsqu'ils m'auront tuée, tu feras sortir tes deux petits Frères-ours. Toi et ta petite sœur serez les derniers à vous montrer. Tu sortiras le premier et tu crieras aux chasseurs qui entoureront l'arbre : «Ne tuez pas la petite Ourse qui est encore à l'intérieur[146]!»

Alors les chasseurs arrivèrent et cognèrent sur l'arbre pour en faire sortir les Ours. Comme elle l'avait dit, la Maman-ourse sortit la première et fut tuée avant d'avoir touché le sol. Les deux petits Oursons sortirent ensemble. Le premier fut tué tout de suite, mais le deuxième, toujours si plein de ruses et de tours, réussit à s'échapper et se sauver avant de recevoir

---

145. Cette «prise de possession», évidemment, n'exemptait en aucune façon le chasseur du devoir de redistribuer le produit de sa chasse. Bien au contraire, ce geste vise à identifier le chasseur chanceux comme pourvoyeur du peuple, en cette occasion. Autant de prestige pour lui.

146. Les Amérindiens de tradition croient que les animaux comprennent leur rôle dans la subsistance de l'humain. Cependant, ce renoncement volontaire à leur vie physique est conditionnel à l'observation d'une certaine éthique par les prédateurs humains. Le grand respect pour la vie des animaux femelles est une constante de cette éthique amérindienne. Nous verrons, au troisième chapitre, comment ce trait de comportement se reflète sur la nature juridique des rapports homme/femme, en particulier chez les Wendats. La Mère-ourse de cette histoire livre aux Humains un enseignement tout aussi essentiel, sur le plan de l'éthique sociale, que celui des Ours des Montagnes Rouges, sur celui de la science médicale. (Voir, au sujet du respect amérindien pour la vie animale femelle, spécialement lorsqu'il s'agit des Ours, C. Martin, *op. cit.*, p. 80.)

une flèche[147]. Mais le chien le rattrapa et les chasseurs purent le tuer.

Le garçon, alors, sortit la tête de l'ouverture, puis s'assit au haut de l'arbre. Les chasseurs, très surpris de voir qu'il n'était pas un Ours, ne savaient pas trop que faire. Ils entendirent le garçon s'adresser à eux en disant : « Vous souvenez-vous d'un garçon qui avait été perdu il y a quelque temps ? Eh bien ! c'était moi. — Oui, nous nous en souvenons bien ! », répondirent les chasseurs. Et le garçon de continuer : « Il reste encore une petite fille Ourse dans le creux de l'arbre. Je vous supplie de ne pas la tuer et de la laisser se sauver ! » Les Humains, debout autour de l'arbre, dirent : « Mais pourquoi ne nous as-tu pas avertis auparavant ? Nous n'aurions pas tué ces Ours si tu t'étais montré en premier. Nous les aurions certainement épargnés. » Mais le petit garçon répondit : « Je ne pouvais rien y faire. C'est la Mère-ourse qui a voulu que tout se passe ainsi. »

L'un des chasseurs cogna à nouveau sur l'arbre, pour faire du bruit, et la petite Fille-ourse sortit, tout effrayée. « Laissez-la se sauver », cria le garçon, toujours assis au haut de l'arbre. Et, pendant que les Humains retenaient leur chien, la petite Fille-ourse, enjambant un tronc d'arbre couché sur le sol, courut vite et disparut dans la forêt.

L'enfant descendit finalement du haut de l'arbre, pendant que les gens se répétaient entre eux combien ils avaient du chagrin d'avoir tué ces Ours. Tous serrèrent dans leurs bras le garçon, tellement ils étaient heureux de l'avoir retrouvé, après quoi ils se mirent à enlever la peau des Ours, puis à les dépecer et empaqueter les morceaux de viande dans des écorces pour les transporter jusqu'au campement.

Le garçon les suivit jusqu'à l'endroit où tout un village était campé. Lorsque les chasseurs arrivèrent avec lui, ils dirent au reste des gens : « Nous avons retrouvé le garçon qu'on avait

---

147. Le culte de l'obéissance ne fait pas partie des concepts éducationnels amérindiens. Plutôt, la philosophie est que les enfants les plus « difficiles » se débrouilleront mieux, plus tard, dans la vie. On laisse les enfants explorer librement leur caractère et leur nature, de façon à bien se connaître eux-mêmes. Chaque individu peut ainsi être regardé comme une ressource, un « chef » potentiel dans une situation éventuelle. Les « systèmes » ne sont pas favorisés, puisque la valeur pour le groupe réside dans le respect de l'intégralité de l'individu. Nous y reviendrons lorsque nous parlerons de gouvernement et de l'individu dans la société, au chapitre III.

perdu il y a longtemps[148].» Quelques-uns des Anciens avaient souvenir qu'il avait été perdu, il y avait très longtemps. Tous les gens l'entourèrent, montrant leur joie de savoir qu'il allait désormais vivre avec eux, puisqu'il était l'un des leurs.

Le garçon grandit, puis un jour prit femme et vécut avec elle. Cet automne-là, le couple s'en alla dans la forêt pour la saison de la chasse et se construisit une petite maison d'écorce pour hiverner. Le jeune homme commença bientôt à chasser et n'eut pas trop de difficulté à tuer beaucoup de gibier, tel que Cerfs, Ratons-laveurs et Ours.

Or, la femme remarqua bientôt que les Ours que son homme tuait étaient presque toujours des vieux Ours ; très rarement rapportait-il des jeunes mâles et jamais de jeunes femelles. Aussi lui exprima-t-elle son ennui. « Pourquoi ne chasses-tu jamais de jeunes Ours ? lui dit-elle, les vieux ne sont réellement pas faits pour manger !» Mais l'homme lui répondit qu'il ne pouvait tuer de jeunes Ours, surtout les femelles, car la bonne Mère-ourse qui avait pris soin de lui dans la forêt, lui avait dit, avant qu'ils se séparent : « Tu ne dois jamais tuer de jeunes Filles-ourses ! Souviens-toi toujours que tu en mourrais.»

Mais la femme ne voulait pas accepter cette raison et se mettait régulièrement en colère parce qu'il ne rapportait que des vieux Ours. Il lui redisait qu'il mourrait certainement s'il tuait des jeunes femelles. Sa femme, cependant, n'en croyait rien et lui disait à chaque fois que cela n'était pas vrai et que rien de la sorte ne pouvait arriver s'il tuait de jeunes Ours.

Il en vint à se fatiguer lui même, à la longue, de ne manger que de la chair coriace des vieux Ours. Il décida donc de suivre l'avis de sa femme et s'en fut à la recherche de gibier plus délicat. Il rapporta donc au logis une jeune Ourse, qu'il avait tuée. Sa femme fut extrêmement satisfaite de pouvoir enfin manger la chair tendre d'une jeune Ourse, dont elle fit, le même jour, un appétissant rôti.

---

148. Il semble que la profondeur du temps puisse indifféremment varier selon l'âge ou le statut des acteurs : pour le garçon, l'origine de l'histoire remonte à quelques années ; pour les chasseurs, l'enfant avait été perdu «il y a longtemps» et pour les Anciens, la disparition eut lieu «il y a très longtemps»; pour le narrateur, il s'agit de un ou deux ans. Dans les sociétés du Cercle, l'ordre chronologique a infiniment moins d'importance que le sens de ce que l'on raconte.

Le jeune homme, cependant, n'eut pas envie d'en manger, lorsque la viande fut servie. Et, s'allongeant sur une peau de Cerf qui lui servait de lit, il s'endormit tout seul, cette fois-là. Sa femme dormit donc seule elle aussi, de l'autre côté du feu.

Le lendemain matin, à son réveil, la femme fut surprise que son mari ne s'était pas levé aussi tôt que d'habitude. « Pourquoi ne te lèves-tu pas ? » lui cria-t-elle. Elle ne reçut pas de réponse. Elle lui redemanda la même question et n'en obtint pas plus. Elle alla donc auprès de lui et le trouva tout enroulé dans la peau de Cerf. Il était mort et froid. C'est tout[149] !

LES HISTOIRES WENDATES MORALISANTES

Les histoires[150] wendates et amérindiennes en général[151] sont si moralisantes qu'on pourrait dire qu'elles n'ont d'autre fonction que de constituer un code moral. Puisque c'est la Vie (le Bien) qui triomphe, le Wendat accepte de bonne grâce le destin, peu importe ce qu'il apporte. Le Diable, ce complice du « bon » Dieu, est non seulement inutile, il est impossible.

Les « légendes » et « contes » sont de l'histoire, en ce qu'elles contiennent la sagesse du Peuple, acquise depuis la genèse de son existence. Il faut d'abord savoir que pour les peuples qui n'écrivent pas (les sociétés du Cercle, généralement), la vie ne peut ni ne doit être une entreprise purement matérielle et temporelle. L'histoire, si elle ne parle pas à l'esprit et à la conscience de l'homme, n'est pas une chose utile. « Les traditions orales de chaque peuple ont leur propre type de perspective historique et le premier devoir de l'historien est de comprendre cette perspective avant de tenter de faire entrer les traditions dans une échelle temporelle unilinéaire[152]. »

---

149. Les Wyandots terminaient leurs récits par l'interjection *Yihé* ! : « C'est tout ! »
150. Nous substituons le mot « histoire » aux mots « conte » et « légende » puisque nous parlons d'après la logique, donc la croyance, wendate et amérindienne.
151. Les descriptions des idées morales et spirituelles wendates sont en général valables pour tous les Amérindiens.
152. J.S. Boston, « Oral Tradition and the History of the Igala », *Journal of African Studies*, 1969, 10 : 38 (trad. libre).

Les histoires moralisantes vont de pair avec le type d'éducation privilégié par les Wendats, c'est-à-dire celui que les observateurs ont caractérisé par le respect de la liberté de l'individu et par la croyance en l'inaliénabilité des êtres (Tooker, 1987, p. 180, note 226; Trigger, 1991: 29-30). Au lieu de se voir et de s'entendre imposer des règles de pensée et de conduite par des personnes investies de pouvoirs arbitraires, par un système, l'individu en apprentissage a tout simplement accès à la Source commune et abondante lui parvenant de l'Esprit antique du Peuple, à laquelle il peut puiser quand et comme il veut.

Marius Barbeau, dans l'important recueil mythologique qu'il effectua dans les années 1910, auprès des Wyandots de l'Oklahoma et des Hurons-Wendats de Lorette, note que « ce présent ensemble de mythes, de contes et de traditions constitue seulement une fraction de ce qu'il fut autrefois ». Pourtant il livre une somme remarquable d'indications sur la façon dont les Wendats concevaient la moralité humaine. Les points principaux sont les suivants :

1. Il faut aimer et prendre soin des enfants que nous avons ou qui nous sont confiés, sinon nous risquons qu'ils nous soient enlevés et retournent au monde des Âmes, tels que les Sept Garçons qui, faute d'être nourris, montèrent finalement au ciel et disparurent. Ils devinrent la constellation de Sept Étoiles (*Hutiwatsija*). (« L'origine des Sept Étoiles », p. 58-59.)

2. Le mal que l'on fait aux enfants et que l'on croit bien camouflé finit toujours par être connu. C'est la leçon à tirer des histoires d'enfants abandonnés par leurs parents humains et pris en charge par des animaux, surtout des Ours (voir p. 116 à 128).

3. On est toujours puni pour le mal que l'on fait subir aux autres. Tout finit par se savoir et une justice naturelle s'applique alors. Une femme coupable de tentative d'infanticide est tuée par son mari, sans que personne n'intervienne en sa faveur (p. 128-

131)[153]. Un homme que sa femme avait voulu faire mourir d'inanition dans la forêt est délivré et soigné par les animaux. Il revient parmi les siens. La femme est disgraciée.

4. Il ne faut pas mépriser les pauvres et ceux qui n'ont pas de pouvoir : le pouvoir, la renommée et la fortune peuvent un jour frapper à la porte du plus misérable, tel qu'il arriva au pauvre chasseur auquel le Castor donna le pouvoir de découvrir les objets et les causes cachées (p. 113-115). De la même façon, un homme pauvre qui partagea sa nourriture avec un être surnaturel reçut de celui-ci le pouvoir de guérir les gens. Il devint vite riche et influent (p. 115-116 ; voir aussi p. 152-153). Un autre personnage, Tawidia, était un garçon tellement simple d'esprit que tous les gens riaient de ses méprises. Pourtant, il devint un grand chasseur et un homme influent. La petitesse de taille est communément associée à la possession de pouvoirs bénéfiques, alors que l'état de gigantisme entraîne l'idée de méchanceté, de cruauté, voire d'inhumanité. Un chasseur notoirement malchanceux reçoit d'un Tikéan (il s'agit des Petites Gens) un charme qui fera de lui un grand chasseur et un homme prestigieux (p. 111-113). Les Hurons-Wendats de Lorette voient aussi ce petit Peuple comme bon et puissant (p. 65). D'ailleurs, nous savons déjà, par les récits concernant la création et le peuplement de la Grande Île, que Tsestah et Tawiskaron ont respectivement créé et eu recours à des Petites Gens et à des Géants pour accomplir leurs œuvres.

5. Il ne faut pas combattre le feu par le feu. On obtient beaucoup plus en usant de finesse et en montrant une attitude positive qu'en recourant à l'affronte-

---

153. La peine de mort, chez les Wendats, n'est appliquée que dans les cas de trahison et de «sorcellerie». Il s'agirait donc ici d'un cas de sorcellerie.

ment. Les succès de la Tortue dans ses marathons, aussi bien terrestres qu'aquatiques, ainsi que ses autres bons coups, dus à son incomparable sagesse, lui attirent la jalousie de beaucoup d'animaux. On l'attrape et on tente de la détruire en la brûlant, en la fouettant, en la perdant dans la forêt. De tous ces châtiments, elle prétend s'amuser et elle rit. Lorsque finalement on décide de la jeter à l'eau pour qu'elle s'y noie, elle feint de résister et implore la pitié. On la jette donc dans un lac, où elle peut maintenant se moquer à son goût de ses persécuteurs (p. 72-77).

6. Rien ne vaut l'effort personnel et la vaillance pour réussir. Les paresseux seront toujours les victimes de leur imprévoyance. Les méthodes apparemment miraculeuses trouvent toujours preneurs parmi les gens sots. Le «Cycle du Renard (ou du Loup) et du Raton-laveur» est une longue histoire faite d'anecdotes montrant l'ingéniosité du Raton-laveur à faire tomber dans ses pièges et ses tours d'autres animaux paresseux ou stupides (p. 180-203).

7. La vanité rend une personne pitoyable. Il faut accepter son âge et sa condition, sous peine de devenir un objet de risée. Stonmatséa, la vieille sorcière, croit encore qu'elle peut être attirante et charmante. Aussi, Sayuwéronse, le trompeur[154], réussit toujours

---

154. Le Sayuwéronse des Wendats paraît, dans le condensé de Barbeau, essentiellement différent du Tshakapesh montagnais, du Wisakedjak cri, du Lox algonquin ou du Glooscap micmac (ces quatre derniers personnages mythiques sont des variantes tribales de l'omniprésent Trompeur (Trickster) algonquien. Il semble, en effet, qu'il soit beaucoup plus un joueur de tours invétéré, capable de verser dans le surnaturel à l'occasion, que le héros-créateur algonquien ne connaissant ni le Bien ni le Mal mais responsable de la présence de ces deux forces dans le monde. C.G. Leland, dans *The Algonquin Legends of New England* (cité dans Barbeau, 1915: 169-170), a révélé une histoire du Trompeur chez les Algonquiens de la Nouvelle Angleterre dans laquelle Barbeau a remarqué une similitude avec une bribe d'histoire du Trompeur chez les Wyandots de l'Oklahoma. Le fait intéressant est que ces Algonquiens attribuaient

à prendre la crédule et laide sorcière avec les tours qu'il invente (p. 166-174).

8. Tout ce qui reluit n'est pas or. Ce que l'on fait entrer dans sa vie comme une chose inoffensive peut s'avérer, lorsqu'il est trop tard, une chose, une habitude, ou encore une relation pernicieuse, voire dangereuse. C'est ce qu'a durement appris le garçon d'une histoire qui, charmé par la beauté innocente d'une petite couleuvre, se mit à la soigner jusqu'à ce que, très vite, elle devienne un monstre qui l'avala. L'esprit du père du garçon lui inspira la façon de détruire le monstre et l'idée d'en conserver certains restes calcinés ou séchés pour en faire des objets de pouvoir qui servirent à recréer le peuple[155].

9. Reconnaître la place des animaux dans l'existence humaine n'est pas seulement une affaire d'éthique ; c'est aussi une question de survie. Il faut sans cesse remercier les animaux et faire à l'esprit de leur espèce des offrandes qui leur soient agréables. Les animaux ont des pouvoirs que l'homme n'a pas. L'homme peut entrer dans les secrets des animaux s'il prend les moyens spirituels pour communiquer

---

l'origine de cette histoire aux Sénécas, des Iroquois culturellement et géographiquement très proches des Wendats. L'effacement des éléments «païens» du récit oklahomien (détails obscènes, au sens chrétien) indiquerait probablement que toutes les histoires du Trompeur, dans leur ensemble, ont été supprimées ou censurées par les missionnaires, au cours de leur long, intense et intime contact avec les Wendats. La déduction normale serait donc que le Sayuwéronse était, à l'origine, l'équivalent wendat du Trompeur (trickster) algonquien.

155. On ne peut s'empêcher, en approfondissant cette histoire, de faire un rapprochement avec des choses ou des éléments de culture européenne qui contribuèrent à la perte des peuples autochtones, tels l'alcool et toutes les sortes d'«aide» venant des Euro-Américains. On est de plus forcé d'assimiler la destruction du monstre à la croyance amérindienne en l'effondrement éventuel du système oppressif imposé, grâce à une inspiration venant de la considération pour les «Pères», les ancêtres, ainsi qu'en l'utilité, voire le pouvoir «magique» de certains éléments et objets qui viennent du monde blanc et qui survivront au Grand Changement.

avec eux, c'est-à-dire par le jeûne, la méditation et les rituels. Les animaux parlent aux humains par les voies du rêve et de la vision, obtenus à force de privations et d'épreuves que l'on s'impose. L'humilité des humains à pensée circulaire vis-à-vis les peuples-animaux, dont ils dépendent pour leur survie, est une expression qui revient sans cesse dans leurs discours. L'artiste cherokee Phil Young donne sa pensée sur cet aspect de sa tradition : « [Lorsque nous retournons à la terre], nous devenons une partie d'elle, une partie de sa nourriture, et nous nourrissons l'herbe qui alimente le chevreuil, qui nourrit notre famille, et ainsi de suite.

Les Cris, par exemple, ne se pensent pas supérieurs aux animaux, pas même leurs égaux. En fait, ils se considèrent moins importants qu'eux. J'ai entendu un sage cri qui a dit : « Comment puis-je penser que je suis même égal à quelque chose dont ma vie dépend ? » (trad. libre) (Robert Bensen, « Weaving Broken Threads : A Portrait of Artist Phil Young », *Akwe : Kon, A Journal of Indigenous Issues*, vol. X, n⁰ 3, automne 1993, Ithaca, New York, Akwe : Kon Press, Cornell University.

10. Des gestes de générosité (réciprocité) envers les animaux, en fait l'expression d'une pensée hautement « écologique », ont souvent pu être interprétés comme du gaspillage et ont ainsi servi à étoffer les thèses de l'Amérindien irrationnel, destructeur, anti-écologique. On pense surtout ici aux requêtes fréquemment faites par les animaux aux chasseurs amérindiens de les aider en leur faisant partager les fruits de leurs chasses. Dans une histoire wendate typique, un Loup protecteur demande à son chasseur-protégé de toujours laisser pour ceux de son espèce – après l'avoir éventré – le premier cerf abattu (Barbeau, p. 103-105). Un autre Wendat,

scalpé et laissé pour mort sur le lieu de bataille par l'ennemi, est soigné et ramené à la santé par des Oiseaux de pouvoir[156] en reconnaissance des nombreux animaux entiers, dépecés et arrangés, laissés par ce chasseur en offrande à ses Parents-oiseaux de proie (p. 336-337). Une autre histoire similaire est celle du Couguar[157], qui récompense, en lui donnant un Objet de pouvoir, un garçon qui lui a enlevé une épine de la patte. Un dernier exemple est celui de la Grenouille qui, en rêve, révèle à une Wendate prisonnière le moyen de sa libération. Encore ici, la raison du geste de la Grenouille est que le peuple de cette femme a souvent sauvé des grenouilles des dents des serpents.

11. Les Animaux ne sont pas les seuls non-humains à communiquer des messages ou des pouvoirs à des parents humains. Les plantes et les minéraux le font aussi. Les plantes semblent avoir un lien plus étroit avec les femmes. On connaît particulièrement l'exemple des « Trois Sœurs » iroquoises, le Maïs, la Courge et le Haricot, que les Wendats, encore plus portés vers l'agriculture que les Iroquois, honoraient similairement (Trigger, 1989 : 114). Une histoire recueillie en Oklahoma, en 1912 (Barbeau, p. 110), parle d'une Femme-érable-à-sucre qui présenta un charme à une femme (l'aïeule de l'informante) grâce auquel elle pouvait fabriquer plus de sirop d'érable

---

156. Le texte dit des Oiseaux-Okis. L'expression «de pouvoir» est un effort de traduction.
157. Le texte dit, curieusement, «Lion», mais par la traduction wendate : *yenrish* (p. 95 et 140) renvoie à l'animal nommé couguar. Ce détail servirait à révéler la vraie traduction du nom de la nation des Ériés, Eriehronon, régulièrement traduit par «Nation du Chat» et interprété comme renvoyant au raton-laveur. Le mot wendat pour raton-laveur est *tiron*. L'évidence va donc nettement plus vers la traduction *Nation du Couguar*, ou *du « Lion de montagne »* pour le mot Eriehronon (la partie *ronon* voulant dire «peuple» ou «nation»).

plus facilement. Cet objet, une boule de sucre d'érable, était aussi un porte-bonheur[158].

12. Les pierres, quant à elles, ont des pouvoirs parfois considérables. Les pierres qui purifient, dans la hutte à transpirer, et auxquelles on parle ; celles qui servent à souffler les malades (*Relations des jésuites*, 14 : 58-62), celles laissées par des esprits au creux des arbres, ou dans la terre (*Relations des jésuites*, 33 : 210), celles données par des animaux protecteurs pour aider à détruire des créatures maléfiques (comme dans le récit « Le Tamia et le Couguar volant », Barbeau, p. 141) ou pour la chance (« Le Serpent et le Fils adoptif du Chasseur », p. 102-103), ou encore, par Hinon, le Tonnerre (Tooker, 1987 : 179, note 216). Enfin, certaines amulettes de pierre étaient probablement les articles de traite les plus recherchés et les plus coûteux, surtout celles venant des Algonquins (*Relations des jésuites*, 17 : 210).

13. L'impudicité fait mourir celui qui s'en rend coupable. Elle est un outrage à la raison. Un chasseur qui, grâce à la magie, avait la possibilité de voir son vœu le plus cher exaucé, fit celui de « forniquer pour toujours ». Cela s'accomplissant à l'instant même, il en mourut très peu de temps après (Barbeau, p. 141).

14. L'usage maléfique de pouvoirs (la « sorcellerie ») est toujours découvert et puni de mort (Trigger, 1976 : 66-68). Les histoires orales font d'amples admonitions à propos du comportement sorcier. L'une d'elles (« La Sorcière transformée en Poule », Barbeau, p. 149) relate une sorcière qui s'est transformée en poule pour mieux pouvoir rendre malades les enfants d'un chasseur. Celui-ci découvre le

---

158. Barbeau fait remarquer, avec raison, qu'il y avait alors environ un siècle et demi que les Wyandots n'avaient pu fabriquer de sucre d'érable, ayant vécu depuis loin des forêts du Nord-Est.

stratagème et tue la Poule, qui crie d'une voix humaine avant de mourir et se retransformer en Sorcière. Le corps est brûlé et un «Chef»[159] fait un discours de circonstance sur les dangers du mauvais usage des Pouvoirs et des Charmes et invite ceux qui posséderaient des objets dangereux à s'en débarrasser. De la même façon, les gens qui, par chance, obtiennent des reliques de monstres détruits et brûlés doivent dire publiquement comment ils entendent utiliser bénéfiquement ces objets de pouvoir (Barbeau, «Le Garçon et sa Couleuvre», p. 148; «Le Monstre-Lézard et le Chasseur», p. 145; «Le Monstre-Tamia et le Couguar volant», p. 138 et 141).

15. Le jeu devenu *vice* est cause de dégénération. Le pouvoir acquis par le jeu et utilisé à des fins égoïstes détruit celui qui le possède («Les Deux Magiciens et la Sorcière», p. 175 à 180). Le jeu a un pouvoir guérisseur lorsque les joueurs jouent avec l'intention de redistribuer les produits de leur chance (*Relations des jésuites*, 10: 186; 200). Dans les sociétés du Cercle, tout ce qui n'est pas fait dans un esprit de générosité porte atteinte au groupe et est condamnable.

16. L'homme paresseux, outre qu'il soit un objet de risée, ne trouvera pas de femme. «Les femmes aiment manger», répondent celles-ci à ses propositions de mariage (Barbeau, «Le Chasseur paresseux qui voulait se marier», p. 358).

---

159. La notion euroaméricaine de «chef», investi d'autorité coercitive légitimée par un système, n'existe pas au Nord-Est. L'idée impliquée ici, et généralement, est celle d'un individu reconnu pour sa sagesse et son dévouement pour son peuple. Idéalement, chaque individu, au moins en quelques occasions au cours de sa vie, pouvait remplir cette «fonction». Traditionnellement, les individus délégués pour parlementer au nom de la nation ne sont que des porte-parole et n'ont absolument aucun pouvoir de décision. Nous parlerons des chefs (Garihoua) au chapitre III.

17. La jeune femme qui refuse trop de prétendants risque de se repentir de sa conduite, telle celle qui succomba aux charmes du beau jeune homme qui, le temps de leurs premières amours terminé, redevint le Serpent qu'il était en réalité (Barbeau, p. 55).

18. Celui qui convoite trop succombe à son propre jeu. Pour obtenir des Outardes, le Renard tente d'aller sous l'eau lier leurs pattes avec une corde qui les rattachera à lui. Il en désire tellement qu'il en attache une trop grande quantité. Enfin alertés, tout ces oiseaux s'envolent, emportant dans le ciel le pauvre Renard gourmand dont on n'a pas plus entendu parler depuis (Barbeau, p. 358).

19. Les corps de ceux qui meurent au loin doivent être ramenés et inhumés selon les rites. Sinon, leurs âmes peuvent devenir maléfiques et se venger contre les vivants. Deux récits comportent cet avertissement : «Les Voyants et l'Homme enterré dans les bois» (Barbeau, p. 152-153) et «Le Castor donnant des pouvoirs» (p. 113-155). Les Wendats rendaient aux Âmes un culte particulièrement complexe (Sagard, 1866 (1636) : 197-206 ; Tooker, 1964 (éd. française de 1987) : 118-132 ; Trigger, 1989 : 120-131 ; Heidenreich, 1978 : 374-375)[160].

20. On ne doit pas tenter de rappeler à la Terre ceux qui sont partis pour le Monde des âmes. Les Wendats avaient élaboré des rituels sociaux pour éviter que la douleur de ceux affligés par la mort des leurs ne vienne perturber l'équilibre de la société[161]. «Le Voyage au Monde des âmes» montre la futilité et le danger d'une telle peine excessive d'un homme ayant tenté de ramener sa sœur défunte (*Relations des jésuites*, 20 : 148-152). «Les Étoiles Dehndek et

---

160. Nous traiterons en profondeur au chapitre III de la notion wendate de deux âmes qui se trouvent en chaque personne.
161. Nous parlerons, au chapitre III, de la vision wendate de la mort.

Mahohrah » (Barbeau, p. 318-320) raconte comment un homme hautement estimé, Dehndek, mourut (l'histoire dit : passa « au Pays des Petites Gens ») du chagrin que lui causa la mort de sa fille, Mahohrah, et comment il se lança dans le Ciel avec un attelage de trois (ou quatre) cerfs dans une poursuite éternelle de sa fille[162]. En contrepartie, un homme encore plus éprouvé – il perdit ses deux filles et sa femme –, mais qui voua le reste de sa vie au bonheur et au bien-être de son peuple, reçut des mains de sa première fille, qui lui apparut de façon surnaturelle, la plante du tabac, qui devint peut-être la possession la plus sacrée aux yeux de tous les peuples amérindiens.

LA TRADITION ORALE DE L'ORIGINE DES CLANS

Les Wendats, comme en témoignent les *Relations des Jésuites*, eurent, à l'origine, huit clans (*Relations des jésuites*, 33 : 242). Bruce G. Trigger et Conrad E. Heidenreich, les deux spécialistes des Wendats les plus reconnus, ont établi comme suit la liste de ces clans : la Tortue, le Chevreuil, le Loup, l'Ours, le Castor, le Faucon, le Serpent et le Porc-épic (Heidenreich, 1971 : 78, 1978 : 371 ; Trigger, 1976 : 54). L'identification des deux derniers clans, ceux du Porc-épic et du Serpent, a récemment été remise en question par Trigger (Trigger, 1989 : 65) d'après des analyses faites par le linguiste John Steckley[163]. Celles-ci indiqueraient que les clans du Porc-épic et du Serpent auraient, au hasard des absorptions de parties d'autres nations dispersées, remplacé les clans originaux des Éturgeons/Huards et du Renard[164].

---

162. Ils font partie de la constellation d'Orion, Dehndek avec ses cerfs formant la ceinture et Mahohrah, avec ses flambeaux, formant l'épée.
163. John Steckley, « The Clans and Phratries of the Huron », *Ontario Archaeology*, n° 37 : 29-34.
164. L'histoire et la nature des clans wendats sera traitée au chapitre III.

Les Wyandots connus par Marius Barbeau dans les années 1910 retenaient neuf des onze clans qui les composaient lorsqu'ils quittèrent l'Ohio pour l'Indian Territory du Kansas et de l'Oklahoma, dans les années 1860[165]. Deux clans étaient alors éteints, celui du Serpent et l'un des deux clans de la Tortue terrestre[166]. Sur l'origine des clans qu'ont eus les Wendats, il ne nous est parvenu que deux histoires : celle du Serpent et celle du Faucon.

Apparemment, tous les clans étaient historiquement fondés par des mariages de femmes wendates avec des êtres-Oki non humains d'espèce animale[167]. Une caractéristique de ces femmes est qu'elles (ou leur mère ou grand-mère[168] guidant leur quête spirituelle) recherchaient l'association avec un époux spirituel de nature extrahumaine. Voici l'une des cinq versions de l'origine du clan du Serpent recueillies par Barbeau[169] :

> Une vieille femme vivait avec sa petite-fille et en avait soin. Un jour, elle alla aux bois, construisit une hutte et y enferma sa petite-fille[170]. La fille devait jeûner jusqu'à ce qu'elle

---

165. Ces onze clans étaient : le Chevreuil, le Loup, la Tortue terrestre rayée, la Tortue terrestre noire, la Tortue des marais, la Grande Tortue lisse, l'Ours, le Faucon, le Castor, le Serpent d'eau et le Porc-épic (J.W. Powell, 1881 : 59 et s., cité dans W.E. Washburn, *The American Indian and the United States : A Documentary History*, New York, Random House, 1973, p. 1803-1811). Le fait que la Tortue avait prêté son nom à trois autres clans est certes une indication de son importance chez les autres confédérations nadoueks (décimées) qui se rejoignirent pour former la nation wyandote.

166. Les Wyandots mentionnent à Barbeau qu'ils ont un clan de la Tortue terrestre, sans spécifier davantage, ce qui porte à croire que les deux (Tortue terrestre rayée et Tortue terrestre noire) se seraient unis pour ne former qu'un seul clan (Barbeau, 1915 : 85).

167. Être-Oki : créature de pouvoir.

168. Il s'agit presque toujours de parenté fictive.

169. Barbeau, 1915 : 90-91.

170. Il s'agit de la «quête de visions», «l'institution rituelle la plus répandue en Amérique du Nord» (E. Desveaux, *op. cit.*, p. 1506). Habituellement pratiqué par les garçons pubères sous la vigilance d'une personne sacrée, il avait pour fonction de faire découvrir la nature intime individuelle, sacrée et strictement secrète de la jeune personne et de lui révéler l'Être-Oki qui allait être son «allié» et lui inspirerait les voies de la chance et de la vertu tout au long de sa vie (voir Sioui, 1989 : 14-16). Cette histoire laisse voir qu'il était

découvre et s'approprie des « pouvoirs »[171]. Après être restée dix jours sans nourriture, elle trouva le Serpent[172], qui lui dit : « Maintenant, tu dois manger ; autrement, je t'emporterai avec moi. » La vieille gardienne revint bientôt voir la fille, qui s'empressa de lui dire : « Grand-mère, je dois manger maintenant sinon le Serpent va m'emmener avec lui. » La grand-mère, toutefois, ne le crut pas et repartit, comme à l'accoutumée, pour ne revenir que le soir suivant[173].

Dès qu'elle aperçut sa petite-fille, la femme-Oki remarqua que les jambes de celle-ci étaient en train de se joindre en un seul membre, alors qu'elle travaillait à former un lac. La femme s'en fut chez elle à la course, chercher quelque nourriture, qu'elle apporta à la hâte à sa petite-fille recluse. Celle-ci dit : « Non ! le temps de manger est maintenant passé. » En fait, elle était devenue Serpent jusqu'à la taille. « Demain, lorsque le soleil sera haut, continua-t-elle, vous devez tous

---

hasardeux de faire passer les jeunes filles par ce rituel, puisque les Êtres-Oki mâles pouvaient venir les « visiter » non dans le but de leur conférer des pouvoirs, mais dans celui de les séduire et de s'approprier leur âme. Une autre raison de l'exclusivité masculine relative au rituel de la quête de la vision, et que je connais personnellement par tradition, est que les femmes disposent d'alliées-Oki qui leur permettent de reconnaître plus naturellement leur vision personnelle et de *demeurer* « ajustées » par rapport aux forces de la création. Typiquement, des esprits féminins nommés les « Grand-mères » provoquent les menstruations des femmes, par lesquelles celles-ci peuvent rester « en harmonie » sans avoir à utiliser les moyens plus « mécaniques » du jeûne, ou surtout, de la suerie. Une femme ainsi visitée par les « Grand-mères » ne doit pas se trouver dans une hutte à suer où se déroule un rituel de purification. Si elle s'y trouve, elle est facilement « détectée » par la personne sacrée qui officie, puisque les « Grands-mères », trop puissantes, font que les « alliés » de l'officiant(e) ne veulent ni ne peuvent entrer.

171. Tôt dans leur vie, certains enfants étaient vus comme possédant un don de communication avec les forces (les esprits) de la nature et étaient donc confiés à des personnes-Oki (personnes sacrées) qui se chargeaient de veiller au plein épanouissement des capacités de ces êtres spéciaux dont dépendaient pour beaucoup le bien-être et le pouvoir collectifs.

172. Dans deux des quatre autres versions, la jeune fille est d'abord visitée par d'autres Êtres-Oki, tels le Loup, le Renard, etc. Chacun, cependant, est à son tour refusé par la « Grand-mère », qui recherche pour sa protégée l'association avec un Être-Oki de plus grand pouvoir.

173. D'autres versions mentionnent que le Serpent-Oki revint sous la forme d'un très beau jeune homme, au corps brillant et argenté. Le couple passa quelque temps ensemble, après quoi le « prétendant » reprit, nécessairement, sa vraie forme.

vous trouver ici, vous tous qui êtes de ma famille[174], car vous serez tous témoins lorsque le Serpent vous remettra à ce moment même le charme dont vous dépendrez ensuite pour votre chance[175].

Le jour suivant, tous [ceux de la famille de la jeune fille] se rendirent dans la forêt, au lieu où celle-ci était restée isolée. Lorsqu'ils y furent, ils virent qu'elle avait achevé de faire un lac. Se tenant au bord, ils en regardèrent l'eau monter et bientôt virent apparaître à la surface le Serpent et la jeune fille, enroulés l'un autour de l'autre.

Le Serpent fit don aux gens de ses écailles brillantes, lesquelles devaient servir à assurer leur chance et leur protection. Aussi, il leur parla, leur disant qu'ils devaient garder une promesse de tenir une fête chaque année[176]. Il leur enseigna[177] aussi les chants appropriés à cette [fête], que les gens se promirent de faire chaque année, pour leur propre bénéfice.

L'histoire de l'origine du clan du Faucon (Barbeau, p. 338-340) s'apparente tant par sa structure que par son contenu à celle du Serpent. Il faut d'abord dire que les deux montrent des signes similaires d'altération par rapport à leur ambiance « païenne » première, bien que l'histoire du Serpent ait moins dégénéré en ce sens. L'histoire du Faucon, recueillie au moins une quinzaine d'années avant la visite de Marius Barbeau chez les Wyandots de l'Oklahoma, avait manifestement été oubliée lorsque ce dernier compila son *Huron and Wyandot Mythology*. Dans cet ouvrage, Barbeau nie même

---

174. C'est-à-dire ceux du clan du Chevreuil, duquel provient ainsi le clan du Serpent.

175. Suivant la coutume wendate (Trigger, 1991 : 31-32), le Serpent récompensait ainsi les parents pour la femme qu'il avait obtenue d'eux.

176. Dans une autre version, la jeune femme elle-même fait cette demande à ses gens, qui ne la reverront jamais plus, mais qui doivent désormais commémorer annuellement la fondation du nouveau clan du Serpent. Elle précise ensuite pour la postérité que, puisque sa Grand-mère avait refusé tous les autres, il était devenu impossible d'éviter l'alliance avec le Serpent.

177. Une autre version dit que la jeune femme composa elle aussi un air, que son peuple devait chanter lors des célébrations annuelles du clan en souvenir d'elle. Le Serpent, quant à lui, enseigna au moins quinze chants, toujours en possession des Wyandots, en 1911 (Barbeau, 1915 : 91).

l'authenticitié du récit et met en question la crédibilité de William E. Connelly en tant que folkloriste, en évoquant l'existence de deux versions d'un récit similaire chez les Wyandots qu'il connut dans les années 1910, dans lesquelles le personnage est un simple chasseur réprimandé, plutôt que la Femme fondatrice de clan dont Connelly prétend avoir recueilli l'histoire.

L'une des objections que nous formulons à l'égard de l'observation de Barbeau serait que Connelly, bien qu'il fût avant tout un littéraire, ne pouvait cependant pas forger impunément un mythe wyandot, puisque les Wyandots comptaient alors parmi leurs citoyens beaucoup de gens lettrés ainsi que des historiens tribaux de quelque renom, tels que B.N.O. Walker, Joseph Warrow et Allen Johnson, l'un des informateurs-traducteurs les plus utiles à Marius Barbeau. Ces gens et beaucoup d'autres auraient certainement dénoncé un tel élan de créativité littéraire chez Connelly. Sans la relater textuellement, l'histoire dit qu'une jeune fille, vivant seule avec sa grand-mère (première similitude avec le récit du Serpent), rejeta «par orgueil» tous les prétendants qui se présentèrent[178] à elle. Soudain apparut, obscurcissant le ciel à cause de sa grande taille, le «Roi des oiseaux», le grand Tsamenhuhi[179],

---

178. Encore ici, le contexte de la quête de vision par la jeune fille a dégénéré en un épisode stéréotypé de cour faite par plusieurs prétendants simplement humains à une jeune femme résolument altière et indifférente.

179. Il s'agit du fantastique oiseau de proie décrit aux jésuites par les Wendats vers 1636 (*Relations des jésuitjes*, 10: 164). Il se nomme Tsanhohi. Les Hurons-Wendats de Lorette le nomment Tsaouen-hohi (les Wyandots de l'Oklahoma transforment le son *w* en son *m* et prononcent donc «Tsamenhuhi»). La condamnation par les chrétiens de toutes les croyances «païennes» fait cependant que les deux groupes en sont venus – certainement très tôt après le contact – à oublier l'identité originale de cet Être-Oki. Les traditionnels de Lorette, chez lesquels ce nom semble avoir été transmis de façon héréditaire au niveau confédéral (G.E. Sioui, «Nicolas Vincent Tsaouenhohi», *Dictionnaire biographique du Canada*, vol. VII, p. 963-965), donnent la traduction manifestement erronée de «Vautour». Les Wyandots, quant à eux, donnent celle d'«Aigle». Or «aigle», en wendat, se dit: *sondakwa*. La traduction la plus probable de Tsaouenhohi est «Celui qui retire des choses (proies?) de l'eau en

qui emporta, dans sa demeure située au haut des plus hautes montagnes, la fille, qui se réfugia dans le tronc d'un arbre creux.

L'oiseau-Oki, qui détient tous les pouvoirs, se transforma en jeune homme (probablement «de belle apparence») et vécut quelque temps avec elle. Bientôt, elle inventa un nouveau moyen de fuir pour retourner chez les siens. L'Oiseau avait deux rejetons, plus gros à leur naissance que des élans. La Femme découvrit que leur père avait tué leur mère et l'avait précipitée du haut d'une montagne. Elle s'appliqua à bien nourrir le plus fort des deux avec la viande des chevreuils, bisons et autres gros gibiers qu'il apportait constamment. Dès que son libérateur put voler, elle le poussa hors du nid en s'accrochant à lui, et les deux tombèrent dans le vide. Elle réussit à maîtriser le vol du jeune oiseau-Oki en tapant sur sa tête à l'aide d'un bâton. À peine eurent-ils touché le sol qu'arriva le maître de tous les oiseaux, cherchant furieusement sa femme. Celle-ci courut se cacher dans une fente de rocher après avoir arraché à son transporteur ses rémiges, afin qu'il ne puisse la poursuivre. Le roi se découragea bientôt de pouvoir retrouver la fuyarde et repartit vers sa demeure céleste, emportant son fils dans ses serres.

La jeune femme retrouva la maison de sa grand-mère. Bientôt, elle donna naissance à des enfants-faucons. Chacun reçut de sa mère une des plumes venant des ailes du jeune

plongeant»; donc, par extension sémantique, «L'Oiseau de proie par excellence», ou, comme le décrit Connelly (Barbeau, 1915: 338), «Le Maître et Chef puissant de tous les Aigles, Faucons, Hiboux et autres oiseaux de proie». Le jugement de Barbeau, selon lequel l'histoire de l'origine du clan du Faucon ne peut être une tradition d'origine de clan (puisque le personnage principal est un aigle) serait donc réfuté. Logiquement, d'ailleurs, le produit de l'union de cet être de pouvoir et de la femme wendate se devait d'être, pour constituer un Tuteur de clan, une espèce animale réelle, fût-elle une version diminuée (le Faucon) du prototype originateur, le Tsaouenhohi.

oiseau-Oki. Ils devinrent les ancêtres du clan du Faucon des Wendats[180].

---

180. La tradition omet de préciser que ces transmetteurs durent nécessairement être les enfants femelles de cette femme.

II

Histoire démographique des Wendats

L'histoire du peuplement du territoire occupé par les Wendats à l'arrivée des Européens dans le nord-est de l'Amérique du Nord, dans les dernières années du XVe siècle, relève presque exclusivement du domaine de l'archéologie. En effet, les techniques de datation des vestiges matériels – grâce notamment à l'analyse au carbone 14 – ont permis à cette science d'élaborer des méthodes et des théories d'interprétation, souvent très efficaces, de la vie et des comportements sociaux des peuples qui n'ont pas laissé d'écrits. D'ores et déjà, il n'est plus possible pour l'historien de travailler sans les renseignements précieux, constamment mis à jour par de nouvelles découvertes, que l'archéologie met à sa disposition. L'archéologie, à cet égard, possède un tel avantage que ses praticiens pèchent parfois par excès de confiance. Bruce G. Trigger, en 1985, exprimait ainsi son idée sur cette question du rapport entre histoire et archéologie :

> Le métier des historiens consistant essentiellement à découvrir des documents inconnus et à réinterpréter les documents connus, l'archéologie ne peut que les déconcerter. Mais puisque leurs travaux ne pourront jamais constituer qu'un faible apport à la masse de ce qui est déjà connu, il est rare que l'œuvre d'un seul historien réussisse à transformer radicalement la manière dont nous comprenons une période

particulière. Il en va tout autrement, par contre, en archéologie, où les découvertes s'accumulent à un rythme accéléré
depuis quelques décennies, et où de nouvelles méthodes d'interprétation viennent constamment transformer et enrichir la
signification de ces découvertes. Notre perception archéologique du passé ne peut alors être qu'une vision provisoire des
choses, qui doit nécessairement se renouveler. Mais trop souvent, les archéologues formulent leurs conclusions sans préciser suffisamment les limites de leurs connaissances actuelles,
courant ainsi le risque non seulement d'induire les historiens
en erreur, mais de se leurrer eux-mêmes[1].

Forte de ce pouvoir que lui donne sa haute capacité
technique, l'archéologie n'a, de façon générale, que trop souvent tendance à ignorer sa responsabilité morale face aux descendants vivants des peuples préhistoriques et historiques
qu'elle étudie. On peut avec raison accuser l'archéologie d'être,
à l'instar d'autres sciences, responsable d'une perception
sociale négative des Amérindiens. John Mohawk, membre de
la nation tsonontouane, qui est professeur à l'Université de
Buffalo, dans l'État de New York, parle ainsi de la source
«scientifique» qui est à l'origine du tort causé aux Iroquois et
aux autres Amérindiens par cette perception: «[Les plus
grands spécialistes non amérindiens de notre histoire] ont dit
que nous ne sommes que les *descendants* des Iroquois [...], que
nous avons théoriquement cessé d'exister en 1784 ou 1789 [...],
que nous sommes maintenant inadéquats en quelque sorte
[...], que la culture indienne existe maintenant dans un globe
de verre» (Sioui, 1989:44).

Dans un article publié en 1980 et intitulé «Archaeology
and the Image of the American Indian», B.G. Trigger a tracé
le portrait de l'attitude qu'a traditionnellement eue l'archéologie nord-américaine à l'égard des peuples autochtones:

> Au début du XIXᵉ siècle, lorsque les Étasuniens commencè-
> rent à constituer leur science archéologique, ils trouvèrent
> commode de baser leur démarche intellectuelle sur la concep-

---

1. B.G. Trigger, *Les Indiens, la fourrure et les Blancs: Français et Amérindiens
en Amérique du Nord*, trad. de l'anglais par Georges Khal, Montréal/
Paris, Boréal/Seuil, 1990, p. 75.

tion qu'aucune des sociétés aborigènes qui avaient existé ou existaient encore sur «leur» territoire n'avait dépassé le stade de l'âge de la pierre. De plus, ces peuples s'étaient constamment montrés imperméables à l'idée du progrès tel que le leur offraient les civilisateurs blancs. Leur sort logique était donc de disparaître (trad. libre).

Trigger illustre habilement l'attitude des érudits du temps en évoquant le dilemme intellectuel des scientifiques causé par les ouvrages géométriques des Moundbuilders, des cultures adena et hopewell, dans les vallées de l'Ohio et du Mississippi, ainsi que leurs productions artistiques complexes. Les archéologues et les historiens furent alors presque unanimement d'avis que ces ouvrages n'avaient pas été conçus ni produits par les autochtones, mais vraisemblablement par les Vikings, les Toltèques, les Hindous ou encore par certaines tribus perdues d'Israël, qui avaient été dispersées par des «hordes d'Indiens sauvages». «Même lorsque l'archéologue professionnel Cyrus Thomas (1894) prouva enfin que les Moundbuilders ne constituaient pas un seul et unique peuple, explique ailleurs Trigger (1985 : 75), que leurs ouvrages appartenaient aux ancêtres des Amérindiens de l'époque, et que la construction de ces tumulus s'était poursuivie jusqu'à l'époque historique, il crut renforcer sa thèse en déniant toute originalité aux Moundbuilders et en affirmant que leur mode de vie ressemblait pour l'essentiel à celui des tribus désorganisées qui vivaient dans l'Est américain au XVIIIe siècle» (trad. libre).

Trigger (1980 : 670) explique que, jusqu'à récemment, l'archéologie nord-américaine s'est efforcée de continuer d'étayer le mythe de l'immuable staticité sociale et intellectuelle de l'Amérindien. À partir des années 1930, ethnologues et archéologues ont commencé à insister sur la nécessité de rapprocher leurs disciplines respectives des descendants des populations préhistoriques dans le but de mieux comprendre les *éléments constants des processus de leur évolution matérielle*. Ce type de recherche, dite ethnoarchéologique, établit, à partir de la fin des années 1970, une relation plus étroite que jamais auparavant entre archéologues et autochtones.

Cependant, en dépit de cela, les relations entre l'archéologie et les autochtones ne sont pas bonnes. À mesure que les Amérindiens et Inuit sont devenus plus actifs politiquement, ils se sont prononcés de façon de plus en plus articulée au sujet de la façon que les Blancs traitent leur héritage. Ils ont dénoncé la profanation par les archéologues des tombes et des sites de villages de leurs ancêtres, ainsi que leur manque de respect à l'endroit des valeurs rattachées à leurs cultures [...]. Dans de nombreuses régions, ils cherchèrent à stopper ou à gérer la recherche archéologique et gagnèrent beaucoup la sympathie et l'appui du grand public et des politiciens. Ce qui est encore plus important, leurs actions ont créé une crise morale aussi bien que légale pour de nombreux archéologues. Bien que certains archéologues aient, sans trop de méthode, tenté de relever le défi, en y parvenant dans certains cas, les archéologues, collectivement, ont jusqu'ici[2] été incapables, à toutes fins utiles, de faire face résolument à toutes les implications du défi qui se présente à eux. *Ils n'ont pas sérieusement entrepris d'évaluer la responsabilité morale et intellectuelle de l'archéologie face aux peuples autochtones* (Trigger, 1980) (trad. libre).

Les archéologues ne peuvent être blâmés entièrement pour ne pas concevoir spontanément combien ils sortiraient gagnants d'un échange actif avec les descendants vivants des peuples dont ils étudient les vestiges. La masse des idées racistes et évolutionnistes héritée depuis bien avant le contact a créé une telle confusion dans les perceptions réciproques des groupes culturels – Euro-Américains et Amérindiens – que l'on ne peut s'attendre à ce que les uns ou les autres soient disposés à communiquer ce qui serait nécessaire à un tel type de collaboration. D'une part, les Amérindiens, voyant les archéologues manipuler de toutes les façons les os et les objets sacrés de leurs ancêtres, ne peuvent y percevoir qu'un désir de répéter symboliquement le sacrifice qui fut fait de ceux-ci et, ainsi, de réaffirmer la supériorité et l'ascendant moral des Blancs. De l'autre, l'incroyable distanciation morale établie par l'histoire entre les deux civilisations empêche les archéologues

---

2. Nous dirons, un peu plus loin, pourquoi nous croyons que cette faiblesse de l'archéologie continue de subsister, et nous expliquerons comment elle peut être corrigée.

de croire en l'utilité réelle de la création d'une relation professionnelle et idéologique entre eux-mêmes et l'Amérindien vivant.

L'ethnoarchéologie, dérivée de l'archéologie dite «processuelle» (c'est-à-dire dont l'objectif principal est de comprendre la dynamique interne des changements observés dans le dossier archéologique),

> n'a pas [...] fourni la base d'une relation meilleure entre l'archéologie et les peuples autochtones. A.V. Kidder [...] et Clyde Kluckhohn [...] furent parmi les premiers à proposer que le but ultime de la recherche archéologique devrait être d'établir des généralisations relativement à la conduite humaine et aux changements culturels. Walter Taylor [...] et G.R. Willey et P. Philips [...] notèrent eux aussi que de telles généralisations fournissaient un foyer anthropologique commun aux recherches anthropologiques et ethnologiques. Aux États-Unis, les spécialistes des sciences sociales ont généralement accordé peu d'importance à la recherche historique [...]. Plutôt, ils ont cherché à produire des généralisations universellement valides (ou, en fait, n'importe quelle sorte de généralisations) que l'on puisse juger comme ayant une valeur pratique pour l'amélioration et la bonne gestion des sociétés contemporaines. Il n'est, par conséquent, pas surprenant que la Nouvelle Archéologie ait, de façon générale, insisté sur le fait que la production d'un tel savoir constitue son objectif fondamental. Pas étonnant non plus que la plupart des archéologues étasuniens jugent qu'il convient au moins de dire que ce but utilitaire et socialement prestigieux est le plus approprié pour leur discipline. La fonction de l'interprétation historique ne doit pas, croit-on, être autre chose que de «jouer un rôle dans l'éducation générale du grand public» [...] (Trigger, 1980 : 670) (trad. libre).

Trigger affirme enfin dans le même ouvrage avec clairvoyance et justesse ce qui suit :

> [I]l ne semble pas injuste d'interpréter l'attitude émotivement neutre et ahistorique que plusieurs archéologues étasuniens modernes ont adoptée à l'égard de leurs données comme également un reflet de l'aliénation continue de l'archéologie euroaméricaine par rapport aux peuples autochtones dont elle étudie les vestiges culturels et physiques. Voir le passé des Amérindiens comme un laboratoire commode où tester des

hypothèses générales sur le développement socioculturel et la conduite humaine peut bien n'être qu'une manifestation plus intellectualisée d'un manque de considération sympathique pour les peuples autochtones, qui a autrefois permis aux archéologues de dénigrer leurs réalisations culturelles, d'excaver leurs cimetières et d'exhiber des squelettes amérindiens dans les musées sans s'arrêter à penser aux sentiments des Amérindiens vivants. Si l'archéologie préhistorique doit revêtir un sens social plus profond, elle doit apprendre à regarder le passé des autochtones nord-américains comme un sujet digne d'être étudié pour lui-même, plutôt que comme un moyen pour arriver à des fins (Trigger, 1980 : 670-671) (trad. libre).

Une thèse de doctorat remarquable soutenue par Gary Arthur Warrick[3], de l'Université McGill, démontre on ne peut plus clairement le pouvoir unique de l'archéologie comme source d'information sur l'histoire et la préhistoire des peuples autochtones. Son titre révèle tout l'intérêt pour notre propos sur la civilisation wendate.

À coup sûr, un ouvrage d'une telle rigueur et d'un tel calibre pourrait renfermer, à des yeux autochtones, le désir de remplir le fossé conceptuel et culturel qui sépare les deux civilisations. Or, l'ouvrage de Warrick, comme cela continue d'être le cas pour la grande majorité des travaux en archéologie préhistorique amérindienne, ne traduit pas l'intention d'une telle démarche, ni ne possède ce type spécial de communicabilité. En fait, deux facteurs principaux empêchent, selon nous, les archéologues non autochtones de créer le pont qui encouragerait l'évolution que Trigger voit comme nécessaire pour la science. Le premier facteur, culturel, est l'absence d'une conscience de l'autre suffisamment développée pour permettre le réflexe d'aller auprès de l'autochtone acquérir une sensibilisation aux raisons profondes de sa répugnance pour la morale archéologique traditionnelle[4]. L'autre facteur, lié à la profes-

---

3. G.A. Warrick, « A Population History of the Huron-Petun, A.D. 900-1650 », thèse de doctorat, Montréal, Université McGill, Département d'anthropologie, 1990, 521 pages.

4. La thèse de Warrick nous permettra d'illustrer comment persiste l'impasse entre l'archéologie et les peuples autochtones.

sion, est l'apparente incapacité d'une majorité des archéologues de concevoir un ordre d'objectifs fondamentaux autre que celui caractérisant l'archéologie «processuelle» et que Trigger, comme on l'a vu, dénonce, c'est-à-dire la production de généralisations relativement à la conduite humaine et aux changements culturels. Ajoutons à cela que les archéologues, se sentant souvent opposés aux historiographes, affichent de façon assez caractéristique une croyance démesurée au pouvoir découvreur souvent, en fait, magique de leur science[5].

Trigger, toujours dans son article «Archaeology and the Image of the American Indian» paru en 1980, lequel n'a rien perdu de son actualité, révèle une vision juste des bénéfices que, conjointement, l'archéologie, la science ethnohistorique en général, et les peuples autochtones auraient à retirer de l'échange provenant d'une meilleure connaissance de leurs préoccupations respectives et mutuelles :

> Comme première démarche, les archéologues doivent convaincre les Amérindiens que l'archéologie a une contribution importante à faire à l'étude de l'histoire amérindienne, en enrichissant notre connaissance des Amérindiens au début de l'époque historique, en aidant à révéler la nature des cultures amérindiennes au temps du contact avec les Européens et, surtout, en définissant comment les cultures amé-

---

5. Une autre cause d'irréconciliabilité entre Amérindiens et professionnels de l'histoire est l'argument pseudo-scientifique – en réalité politique – de ces derniers selon lequel les vestiges matériels et humains amérindiens constituent une part du patrimoine archéologique de tous les citoyens des États politiques modernes. De tels raisonnements découlent directement de la croyance euroaméricaine, désormais manifestement insoutenable, au mythe de la disparition de l'autochtone (exposé et traité dans notre ouvrage *Pour une auto-histoire amérindienne*, p. 1-5) et doivent être rapidement et radicalement rayés de tout discours au sujet des autochtones et de leur patrimoine. (Pour des exemples récents de l'utilisation de cet argument, voir le dossier préparé par l'anthropologue physique de l'Université de Montréal Robert Larocque: «L'exhumation et l'analyse des restes humains en archéologie», dans *Recherches amérindiennes au Québec*, vol. XVIII, n° 1, 1988, p. 67 et 70. Voir aussi, dans la même revue [vol. VII, n°s 1 et 2, 1977, p. 125-126] l'article de l'archéologue québécois Claude Chapdelaine intitulé «L'avenir de *notre* patrimoine archéologique». L'italique est de nous.)

rindiennes se sont développées au cours des nombreux millénaires de la préhistoire. Ils doivent, de plus, établir clairement que les données archéologiques ont un rôle important à jouer dans la libération de l'histoire amérindienne du recours exclusif aux sources écrites, qui ne sont que trop manifestement un produit de la culture euroaméricaine.

Une participation plus active à l'étude de l'histoire amérindienne fournira à l'archéologie préhistorique un foyer de première importance pour sa recherche. Elle peut, de plus, inspirer les archéologues à poser de nouveaux types de questions et à discerner, dans leurs données, de nouvelles et importantes implications. Particulièrement, à mesure que les autochtones en viendront à regarder la recherche archéologique comme une source d'information valable concernant leur propre histoire, ils pourront commencer à poser des questions qui permettront à l'archéologie de modifier et de développer sa base interprétative dans des directions nouvelles et stimulantes. Un tel questionnement deviendra particulièrement productif si plus d'autochtones se sentent attirés par la profession d'archéologue[6] (trad. libre).

[...] En éliminant la définition blanche de l'histoire, c'est-à-dire une étude des Blancs, et de l'anthropologie, c'est-à-dire la science des peuples supposément plus simples, l'archéologie peut enfin transcender en partie la fausse conscience que l'Amérique tient en héritage de son passé colonialiste. Il est de notre devoir de reconnaître cet héritage pour ce qu'il est et d'en surmonter les effets. (Trigger, 1980 : 673).

Énonçant, au début de son ouvrage les raisons qui l'ont amené à entreprendre sa recherche, Warrick mentionne premièrement celle de «vérifier et d'expliquer les tendances démo-

---

6. En 1977, nous avons fondé, avec l'aide de Roger Marois, des Musées nationaux du Canada, la Société d'archéologie huronne-wendate, qui a accueilli pendant deux étés consécutifs une vingtaine de jeunes étudiants hurons-wendats et de quelques étudiants montagnais sur le site préhistorique Spang (que nous avons changé pour Kondiaronk), à une cinquantaine de kilomètres au nord de Toronto. Ils reçurent, sous l'égide de l'archéologue William D. Finlayson, une formation dont tous disent avoir bénéficié au plus haut point. Malheureusement, des difficultés surtout d'ordre financier ont mis un terme au projet.

graphiques des Hurons-Pétuns»[7]. Vient, en deuxième lieu, le développement de méthodes archéologiques d'investigation, ou de la théorie à moyen terme (*middle-term theory*) qu'il définit comme «un ensemble de généralisations permettant d'inférer la conduite démographique humaine d'après les restes matériels de cette conduite».

Une troisième raison de Warrick a été de produire une étude de cas particulière des causes et des conséquences du changement démographique, dont les résultats puissent être utilisés, tout comme les études démographiques historiques, pour tester des théories générales concernant les changements démographiques. La compréhension des changements démographiques humains, spécialement la croissance, explique l'auteur, est l'un des problèmes les plus pressants dans le monde contemporain. Il s'agit aussi d'un sujet vraiment interdisciplinaire, qui appelle la collaboration des archéologues, anthropologues, démographes, économistes, géographes et historiens.

> [...] Le but de cette étude est d'élaborer une méthodologie explicite qui permette de tracer à partir du dossier archéologique un portrait aussi juste que possible du changement démographique chez les Wendats-Tionontatés de l'an 900 à l'an 1650 de notre ère. L'étude de cas qui en résulte peut alors être testée par les anthropologues et les ethnologues quant à sa concordance avec des théories de haut niveau concernant le changement démographique. En fait, le but premier de l'archéologie, démographique ou non, devrait être de monter des études de cas historiques de la conduite humaine (trad. libre).

Même s'il fut un élève de Trigger, Warrick ne semble pas avoir cru devoir se rendre au raisonnement de son directeur de thèse qui, dès 1980, écrivait:

> [...] en considérant les généralisations sur la conduite humaine comme le but premier et peut-être le seul but important de la recherche archéologique, les archéologues *ont choisi d'utiliser des données concernant les peuples autochtones d'Amérique du*

---

7. À cause de leur grande proximité culturelle, linguistique et géographique, Warrick regroupe conceptuellement ces deux peuples. Nous y référerons, quant à nous, par l'appellation *Wendats-Tionontatés*.

Nord à des fins dépourvues de pertinence spéciale pour ces peuples. Au lieu, ils sont employés de manière clinique pour tester des hypothèses qui intriguent les anthropologues et pour produire un type de savoir qui trouve sa justification en ce qu'il sert les intérêts plus généraux de la société euroaméricaine (Trigger, 1980 : 671 ; trad. libre).

L'ARCHÉOLOGIE AMÉRINDIENNE

Il n'y a pas de raison évidente, pour un archéologue, de penser qu'il doive se sentir moralement responsable envers les peuples dont il étudie les reliques. En fait, l'archéologie requiert en elle-même tellement d'inventivité, de concentration et de connaissances scientifiques et techniques que l'adjonction d'une dimension éthique particulière pourrait paraître une exigence superflue, voire anti-scientifique. Au regard de l'état actuel du discours, nous ne croyons pas qu'il soit même juste de demander à l'archéologie d'exister en fonction d'individus ou de peuples vivants dont le traitement par l'ethnohistoire (l'histoire et l'anthropologie réunies) est jugé de plus en plus adéquat. Dans une perspective méthodologique globale, l'archéologie ne peut donc être conçue autrement que comme étant libre de développer le pouvoir essentiel qui consacre son importance, celui de livrer des images de plus en plus claires et significatives du passé lointain, matériau stratégique de construction de «généralisations sur la conduite humaine». «Une étude de la population des Wendats-Tionontatés, remarque Warrick, peut apporter une contribution à la théorie à moyen terme en archéologie, particulièrement à la méthodologie inférant des renseignements démographiques à partir des données archéologiques, pour les sociétés tribales qui pratiquent l'agriculture d'essartage» (Warrick, 1990 : 3 ; trad. libre).

Comment peut-on envisager la création des sensibilités propres à dissoudre l'importante méfiance entre «Blancs» et «Indiens» qu'est l'indignation des Amérindiens vis-à-vis des archéologues et réciproquement, celle, confuse ou indifférente, de ceux-ci face aux Amérindiens en chair et en os? Notre opinion est que puisque les autochtones sont manifestement la partie lésée, il incombe à l'archéologie de se mettre au fait de la nature profonde des griefs autochtones. Les questions qui nous semblent les plus essentielles et qui nécessitent le plus de réponse sont les suivantes : en quoi consiste l'intérêt des Amérindiens actuels pour leur passé, surtout préhistorique lointain ? Comment et pourquoi les buts « cliniques » de l'archéologie peuvent-ils et doivent-ils devenir subordonnés à celui de promouvoir respect mutuel et collaboration entre descendants d'envahisseurs et de peuples décimés ? Quels changements d'approches épistémologiques cela implique-t-il pour l'archéologie et l'histoire (en tant que science) en général ?

Premièrement, sur le plan pratique de l'historiographie, nous pensons que les historiens professionnels en général, et les archéologues en particulier, doivent apprendre à regarder les Amérindiens différemment des autres peuples, en ce sens que la trajectoire historique de ces derniers a été, à cause de la venue des Blancs en Amérique, soudainement et radicalement tronquée. Il n'est que naturel que les peuples autochtones ressentent toujours très vivement la violence de ce choc, de même que la douleur morale de ce sectionnement de leur corps collectif[8]. Il est donc aussi normal et logique qu'ils ne se soient pas éloignés spirituellement du terrible impact et de ses répercussions, et qu'ils ne puissent regarder cet impact comme passé, mais bien comme présent leur appartenant et avec lequel il faut inéluctablement renouer.

Deuxièmement, sur le plan de l'idéologie, il faut insister sur le fait que les langages symboliques respectifs des Amérindiens et des Euro-Américains diffèrent fondamentalement en

---

8. « On ne peut exagérer l'effet du génocide dans l'esprit des poètes et des écrivains amérindiens », a écrit l'écrivain dakota Paula Gunn Allen. « C'est là, dit-elle, un trait qui caractérise intégralement la conscience de chaque Amérindien... » « Answering the Deer », *American Indian Culture and Research Journal*, vol. 6, nº 3, 1982, p. 33-45 ; citée dans Colin G. Calloway (dir.), *New Directions in American Indian History*, Norman (Okla.) et London, University of Oklahoma Press, 1988, p. 39.

vertu de conceptions du temps opposées et incompatibles. N. Scott Momaday, écrivain kiowa et Prix Pulitzer 1968, illustre de façon éloquente la profondeur de cette opposition :

> On a beaucoup parlé et écrit à propos de la conception indienne[9] du temps. Le temps est une merveilleuse abstraction ; la seule façon que nous ayons de rendre compte du changement apparent dans notre monde est par le concept du temps. La langue dans laquelle j'écris et que vous lisez sur cette page est organisée selon un système familier de temps : le passé, le présent et le futur. Dans notre compréhension occidentale, nous appliquons le corrélatif de distance. Le passé se trouve toujours dans cette direction, le futur dans cette autre et le présent est précisément ici, où je m'adonne à être. Mais nous parlons du passage du temps ; le temps vient et va, le jour va venir. Nous demeurons en place et observons le temps qui passe, tout comme nous nous assoyons au cinéma et regardons, fascinés, les images qui volent devant nos yeux. Le plan du temps est éclaté ; il se compose de moments, *ad infinitum*, en perpétuel mouvement.
>
> « Il adorait les melons. Toujours, lorsque nous prenions la voiture pour aller à Carnegie, nous arrêtions à un certain endroit, un endroit où il y avait un grand arbre. Et nous nous assoyions là, dans l'herbe, et mangions des melons. J'étais petit, mais je me souviens. Il adore les melons, et il s'arrête toujours à cet endroit. » Lorsque mon père me parlait de mon grand-père, qui est mort avant que je vienne au monde, il changeait invariablement au temps présent. Et cela est une chose commune dans mon expérience du monde indien. Pour l'Indien, il y a quelque chose qui ressemble à un présent prolongé. Le temps comme notion est une illusion ; en fait, le temps lui-même est une illusion. Dans le plus profond sens, selon la perception autochtone, il n'y a que la dimension de l'absence de temps, et c'est dans cette dimension que toute chose se produit...[10] (trad. libre).

Au sens de leur conception respective du temps, le professionnel de l'histoire, de l'anthropologie ou de l'archéologie

---

9. Les Étasuniens n'emploient que le mot *Indian*, ou disent encore : *Native American*.

10. N.S. Momaday « Personal Reflections », dans Calvin Martin (dir.), *The American Indian and the Problem of History*, New York, Oxford University Press, 1987, p. 158 (trad. libre).

et l'autochtone parlent des langues mutuellement inintelligibles. Le premier est absorbé par l'élaboration de sa théorie grâce au pouvoir de son outillage et à ses connaissances scientifiques, alors que l'autre, indifférent à cette sorte de pouvoir, est intensément intéressé par la réalité d'une communication continue avec ses lointains ancêtres, de la même façon que ceux-ci sont pour toujours présents et s'intéressent à la vie de ceux qui l'ont reçue d'eux. « [...] je suis vieux », disait en 1795 New Corn, patriarche poutéouatami très vénéré de tous ses congénères, à un général étasunien, « mais je ne mourrai jamais. Je vivrai toujours dans mes enfants et dans les enfants de mes enfants[11]. » Pour l'Amérindien, le passé n'est pas une réalité, alors que pour l'archéologue et les historiens en général, la communication du « primitif » avec ses ancêtres est une simple manifestation imaginaire, l'expression futile d'une nostalgie. Autrement dit, bien que ni l'Amérindien, ni le scientifique ne puissent nier catégoriquement l'intérêt de leurs préoccupations ou de leurs trouvailles respectives, ni l'un ni l'autre n'y reconnaît d'importance réelle.

Si la communication est la clef de la connaissance mutuelle et donc du respect, de l'harmonie et de toute bonne collaboration, le scientifique doit reconnaître la vision du monde de l'autochtone, de même que celui-ci doit rendre sa pensée plus accessible au scientifique. Or, comment peut-il y avoir de reconnaissance ou de confiance sans connaissance préalable ? Nous prétendons qu'en raison du lien sacré, c'est-à-dire de tout ce qu'il y a de plus vivant, existant entre les autochtones et tout vestige de la vie de ceux qui les ont

---

11. W.E. Washburn, *The American Indian and the United States : A Documentary History*, New York, Random House, 1973 (4 vol.), p. 2296. Nous citerons l'exemple de notre grand-mère maternelle qui, parlant de la vie après sa mort, continuait à s'inclure dans le *nous* de ses descendants. « Quand je serai partie, disait-elle caractéristiquement, il faudra que *nous* soyons... », ou encore « que *nous* fassions (telle ou telle chose) », etc.

précédés[12], l'archéologie, entre toutes les sciences tributaires de l'histoire, doit passer outre aux théories et aux exhortations et repenser en profondeur son rapport aux autochtones. Plus concrètement, nous pensons qu'en raison des abîmes conceptuels séparant les archéologues des Amérindiens, ainsi que de la nature toute spéciale de leur science en ce qui regarde la nécessité d'harmoniser les perceptions réciproques des Amérindiens et des Euro-Américains, un rapprochement physique et spirituel est à l'ordre des priorités. Praticiens de l'archéologie amérindienne et Amérindiens doivent être systématiquement mis l'un à l'école de l'autre.

Il s'agit donc, dans un premier regard théorique, de reconnaître *l'« archéologie amérindienne »* comme *une branche distincte de l'archéologie en général*. Pour assurer la confiance et susciter le désir de collaboration dont parle Bruce G. Trigger, il faut que spécialistes allochtones et Amérindiens traditionnalistes (porteurs de la pensée spirituelle traditionnelle)[13] forment une école par laquelle tout étudiant, allochtone ou autochtone, qui envisage de travailler en archéologie amérindienne, soit professionnellement tenu de passer et où il doive obtenir des unités de crédit en sociologie, en philosophie et en théologie amérindiennes. De plus, une telle école devrait offrir des cours de linguistique et de langues amérindiennes, ainsi que d'autres sur les arts de représentation autochtones. Le sérieux du propos justifie l'établissement d'un programme d'études de trois ans, de façon à ne donner accès à la profession qu'aux étudiants les plus motivés. Y serait donnée aussi, de manière à corriger l'insuffisance des connaissances en archéologie de professionnels autochtones, toute la gamme des cours

---

12. Un tesson, pour l'archéologue moyen, est un simple éclat d'un pot usé que « quelqu'un » a jadis peut-être distraitement jeté aux ordures et, pour l'Amérindien, une relique, chargée de signification émotive, d'une marmite dans laquelle une « grand-mère » a souvent préparé la nourriture grâce à laquelle la vie est arrivée jusqu'à lui.

13. Par exemple, aucun ossement amérindien ne devrait être touché ou étudié sans qu'on ait préalablement obtenu l'assentiment des spiritualistes concernés, seuls capables de rendre aux Âmes et aux vivants les honneurs qui leur sont dus, par les rituels appropriés.

de base traditionnels : histoire de la pensée archéologique, techniques de fouilles, collecte et interprétation des données, etc. Il est évident que la philosophie distinctive de ce type d'école serait la composition interculturelle en tout temps et en toutes choses, de façon à produire, à cette étape stratégique, l'harmonisation des perceptions et des rapports entre les sociétés allochtone et amérindienne. Nous ne voyons pas d'autre façon par laquelle l'archéologie puisse en arriver à se définir des objectifs plus nobles et plus humains que celui de l'élaboration de généralisations sur la conduite humaine. L'égoïsme culturel et la favorisation du *statu quo* ne peuvent jamais servir les vrais intérêts de la science. L'archéologie, surtout amérindienne, doit socialiser avec les peuples qui permettent qu'elle existe. Ne nous méprenons pas sur les niveaux de responsabilité : les scientifiques, en tant que producteurs de savoir, ont le pouvoir de bien ou mal orienter l'action des concepteurs de politiques sociales.

La voie de la composition interethnique et «intercivilisationnelle» est synonyme de chambardements et de refontes pour la pensée scientifique établie, mais cette voie est la seule dans laquelle nous puissions logiquement et humainement nous engager. À défaut de le faire, nous signifions notre adhésion aux vieux mythes sociaux qui ont conditionné nos prédécesseurs à penser que tous les peuples non euroaméricains étaient soit déjà disparus, soit en voie de le faire, grâce à l'aide que nous devions humainement leur fournir en ce sens. Les premiers chroniqueurs européens avaient le prétexte de ne pas pouvoir connaître les conséquences ultimes de la présence de leur peuple parmi ceux qu'ils tentaient de décrire. Les scientifiques modernes, cependant, surtout les archéologues, si éloignés dans le temps et l'espace de ces mêmes gens, sont trop facilement inconscients du tort qu'ils peuvent leur causer, ainsi qu'à leurs descendants, en ne voyant pas le lien vivant qui unit les uns aux autres. Qu'archéologues et Amérindiens s'enseignent mutuellement leurs langages et leurs idées : tous y gagneront.

LES WENDATS FACE À L'ARCHÉOLOGIE DU NORD-EST

Le Nord-Est commença à être habité par l'homme environ 10 500 ans avant notre ère, époque à laquelle le retrait du glacier continental dit «du Wisconsin», commencé environ 4 500 ans auparavant, exposa en partie cette région géographique. Le retrait complet du glacier s'effectua vers l'an 6000 avant notre ère (Funk, 1978 : 16).

Jusqu'en l'an 3000 avant notre ère, période où la géomorphologie du Nord-Est s'est fixée dans l'état où nous la connaissons, l'occupation humaine, bien qu'ininterrompue, ne put pas connaître de développement marqué (Fitting, 1978 : 14). À partir de l'an 3000, il y eut un bond spectaculaire dans la quantité aussi bien que dans la complexité des matériaux utilisés. L'élaboration de complexes mortuaires, particulièrement après l'an 2000 avant notre ère, en est un exemple. Il existe également des indications de la présence de plantes cultivées dans les régions du Sud vers l'an 1000 avant notre ère, lesquelles s'étendirent lentement vers le Nord après cette date (Fitting, 1978 : 14-15).

L'an 3000 avant notre ère correspond, en archéologie, au début du stade de l'archaïque supérieur, qui se termine 1 500 ans plus tard. Vient ensuite la période du sylvicole (*Woodland*), divisée en sylvicole inférieur (1 500 avant notre ère à 500 avant notre ère) et sylvicole moyen (500 avant notre ère à 500 de notre ère) (Trigger, 1985 : 109)[14]. L'année 900, géné-

---

14. Le sylvicole moyen commence entre les années 500 et 200 avant notre ère, selon les critères utilisés pour différencier les stades archéologiques, notamment par les décorations sur la poterie (Spence, Pihl et Murphy, 1990 : 142). On note un trou de 400 ans (de 500 à 900) dans le dossier archéologique concernant l'avènement du stade «iroquoien» que nous nommerons, pour notre part, «nadouek», subdivisé en nadouek ancien (900-1300 de notre ère), nadouek moyen, correspondant aux phases Uren et Middleport (1300-1420) et nadouek tardif (1420-1550). Les dates de fin du sylvicole moyen et de début du stade nadouek seront fixées lorsque des preuves archéologiques suffisantes le permettront (Warrick, 1990 : 179). Une classification temporaire est proposée par Claude Chapdelaine *et al.* dans la revue *Recherches amérindiennes au Québec*, vol. XX, n° 1 (printemps

ralement acceptée par les archéologues comme la date à laquelle les ancêtres des Nadoueks septentrionaux[15] adoptèrent résolument l'agriculture, marque le commencement du stade nadouek ancien et le début de la période couverte par l'ouvrage de Warrick, qui se termine avec la fin du pays wendat en 1650. Warrick présente la chronologie nadouek de l'Ontario pour le Centre-Sud de cette région, pour la période couverte (900 à 1650 de notre ère), ainsi que la durée de chaque phase archéologique (*cf.* tableau 1).

La période comprise entre le sylvicole moyen et le nadouek en Ontario correspond à la phase chronologique appelée *culture Princess Point* laquelle, explique l'archéologue James A. Tuck (1978a : 323), comprend des sites « le long de la rivière Grand, près de la ville actuelle de Hamilton, en Ontario, et sur la rive gauche de la rivière Niagara [...]. On la situe maintenant avant l'an 1000 [...]. Postérieurement à celle-ci, le stade [nommé « des premiers Iroquoiens de l'Ontario » par James V. Wright] s'étendit environ de l'an 1000 à l'an 1300. Il comprit deux branches : une du sud, appelée Glen Meyer, le long de la rive nord du lac Érié et peut-être sur la péninsule du Niagara et une branche du nord, appelée Pickering, s'étendant de la rive nord du lac Ontario à la baie Georgienne. Celles-ci peuvent représenter une des premières expressions de la séparation ethnique et linguistique Neutre-Érié et Huron-Pétun [...] » (trad. libre).

Le tableau 2 montre les corrélations suggérées entre les complexes archéologiques des Nadoueks septentrionaux.

Contrairement à la théorie répandue il y a quelques décennies et qui voulait que les Nadoueks soient originaires du

---

1990), p. 3. Ces archéologues québécois divisent le sylvicole moyen en deux tranches : un sylvicole moyen ancien débutant vers l'an 400 avant notre ère et se terminant en l'an 500 de notre ère, et un sylvicole moyen tardif, se terminant en l'an 1000 de notre ère.

15. C'est-à-dire tous les peuples de cette famille à l'exception des Tuscaroras et des Cherokees, situés respectivement, à l'origine, surtout en Caroline du Nord et en Géorgie.

TABLEAU 1 Chronologie nadouek au centre-sud de l'Ontario

Période	Phase	Années	Durée de la phase en années	Durée moyenne des sites en années
	Historique tardif	1639-1650	11	10
	Historique moyen	1625-1639	14	15
CONTACT	Historique ancien	1609-1625	16	15
	Protohistorique tardif	1580-1609	29	25
	Protohistorique ancien	1550-1580	30	35
nadouek tardif	Tardif	1500-1550	50	30
	Moyen	1450-1500	50	30
	Ancien	1420-1450	50	30
nadouek moyen MIDDLEPORT	Tardif	1370-1420	50	25
	Ancien	1330-1370	40	25
UREN		1300-1330	30	25
nadouek ancien	Tardif	1200-1300	100	40
	Moyen	1050-1200	150	40
	Ancien	900-1050	150	40
Sylvicole moyen		300 avant notre ère à 500 de notre ère	800	

«Les durées moyennes de sites de villages sont tirées de Warrick (1988b) et sont calculées à partir de la densité des poteaux des maisons. La courte durée de la phase de l'historique moyen résulte de la reconstruction de villages à la suite des épidémies des années 1630 et la courte durée de la phase de l'historique tardif provient de la destruction de villages nouvellement construits, en 1648-1649. On ne peut attribuer à aucune cause connue la courte durée de l'historique ancien, mais les arrangements sociopolitiques très instables à l'intérieur des confédérations wendate et tionontatée nouvellement composées ont pu produire une brève période de fissions et de fusions inédites des villages.»

Source: G.A. Warrick, «A Population History of the Huron-Petun, A.D. 900-1650», thèse de doctorat, Montréal, Université McGill, 1990, p. 189.

TABLEAU 2 Corrélations suggérées entre les complexes archéologiques nadoueks septentrionaux

	Pennsylvanie	New York (Tsonontouans · Goyogouins · Onontagués · Onneiouts · Agniers)	Vallée du Saint-Laurent	Ontario (Wendats · Attiwandaronks · Tionontatés · Ériés)
1600	Susquehannas			
1500		Cinq-Nations / Iroquois Garoga	Nadoueks laurentiens	
1400		Iroquois Chance		Nadoueks ontariens
1300	Shenk's Ferry	Oak Hill Iroquois / Castle Creek Owasco		Sous-stage Middleport / Sous-stage Uren
1200		Canandaiga Owasco		
1100	Clentson's Island	Carpenter Brook Owasco		Branche Pickering / Branche Glen Meyer / Nadoueks ontariens anciens
1000		Hunter's Home		Princess Point

Source: J.A. Tuck, «Northern Iroquoian Prehistory», dans B.G. Trigger (dir.), *Handbook of North American Indians*, vol. 15 (*Northeast*), Washington, D.C., Smithsonian Institution, 1978, p. 322-333.

Sud-Est des États-Unis et qu'ils soient arrivés dans le centre sud de l'Ontario quelques siècles avant la période historique, il est maintenant généralement reconnu en anthropologie que toutes ces cultures se sont développées dans cette région à partir de temps très reculés. C'est la théorie *in situ* (Trigger, 1989 : 2)[16].

LE SYLVICOLE MOYEN

Les gens du sylvicole moyen, définis par l'archéologie comme étant les ancêtres de la culture Pickering, de laquelle proviennent les Wendats (et les Tionontatés), ne pratiquaient pas l'agriculture. L'économie de subsistance de ces peuples avait été très comparable à celle des Nipissings et des Outaouais historiques. Warrick décrit comme suit leur culture :

> Les peuples du sylvicole moyen étaient des chasseurs-cueilleurs au sens large. Leur subsistance dépendait des frayes de poisson printanières, du chevreuil, des noix, des moules d'eau douce, des gibiers d'eau et, selon la disponibilité locale, du riz sauvage [...]. Des études isotopiques d'ossements humains confirment l'absence du maïs et l'importance de la viande, du poisson, des noix et des mollusques dans les régimes alimentaires du sylvicole moyen [...]. Les sites archéologiques [de cette période] sont concentrés sur les rives de grosses rivières et sur les bords des lacs situés à l'intérieur des terres [voir figure 5]. Ces lieux représentent des campements de printemps et d'été occupés de façon intermittente, certains durant plusieurs siècles [...]. Au lac au Riz et sur la rivière Moira, plus à l'est, on trouve communément des tertres funéraires à proximité des campements principaux [...]. Les sites de campement d'automne et d'hiver de cette période sont rares dans l'inventaire archéologique de l'Ontario, vraisemblablement à cause de leur petite taille (c'est-à-dire une ou deux familles nucléaires) et de leur courte durée (Warrick, 1990 : 323-324 ; trad. libre).

---

16. Nous avons énoncé, au premier chapitre, quelques raisons pour lesquelles l'hypothèse d'une origine sudiste lointaine ne devrait jamais être écartée.

LA PÉRIODE DU STADE NADOUEK ANCIEN

Le début de la période du nadouek ancien correspond au temps où les ancêtres Pickering des Wendats et des Tionontatés commencèrent à placer le maïs au centre de leur vie sociale et économique. Les archéologues considèrent que ce grand agent transformateur social apparut dans le centre sud de l'Ontario (région où se déroule l'histoire de l'établissement des Wendats) vers l'an 700 de notre ère (bien que des vestiges de cet important cultigène, trouvés au site Dawson Creek, non loin du lac au Riz, aient donné une date calibrée au radiocarbone de 625 ans plus ou moins 25 de notre ère ; Warrick, 1990 : 332). Ce n'est que vers l'an 900, cependant, qu'apparaissent dans le dossier archéologique les premiers sites habités à l'année, caractéristique essentielle de la vie nadouek subséquente (Warrick, 1990 : 336).

À l'heure actuelle, le premier site appartenant au stade nadouek retrouvé dans le centre sud de l'Ontario est le site Auda (905 ans plus ou moins 125 de notre ère), « un village non palissadé de 0,24 hectare, contenant 10 maisons difficilement identifiables, ayant une longueur moyenne de sept mètres et contenant chacune deux foyers. En supposant que toutes ces maisons aient été contemporaines et que chaque foyer ait servi à deux familles (10 personnes par foyer), le site aurait eu une population d'environ 200 personnes » (Warrick, 1990 : 336-337 ; trad. libre). (Un autre archéologue, M. Kapches (*ibid.*), utilisant une méthode d'estimation plus adaptée aux cultures du sylvicole moyen, propose une population de seulement 92 habitants.)

À partir du début de cette période, on assiste, grâce aux portraits des mouvements de population dressés par Warrick, à une montée, lente mais constante, vers l'«île» du Wendaké, où seront concentrées les cinq nations wendates confédérées que connurent les Français dans la première moitié du XVIIᵉ siècle. Une série de figures, empruntées à Warrick et reproduites aux pages suivantes (figures 5 à 16), présentent ces portraits de l'histoire du peuplement du Wendaké (de l'an 900 à l'an 1650).

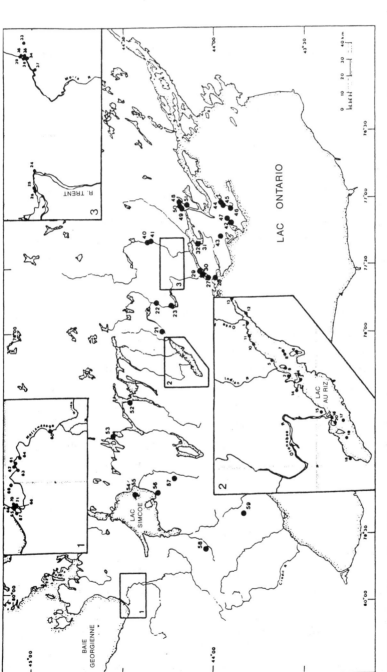

FIGURE 5   Sites d'établissement du sylvicole moyen (300 avant notre ère à 500 de notre ère) au centre sud de l'Ontario. (Tiré de Warrick, « A Population History of the Huron-Petun, A.D. 900-1650 », p. 325.)

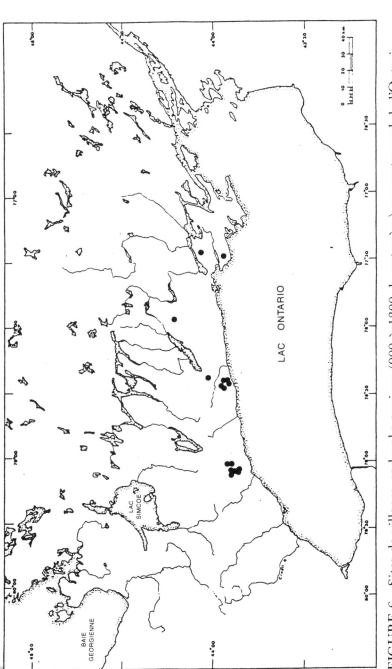

FIGURE 6 Sites de villages nadoueks anciens (900 à 1300 de notre ère) au centre sud de l'Ontario. (Tiré de Warrick, « A Population History [...] », p. 338.)

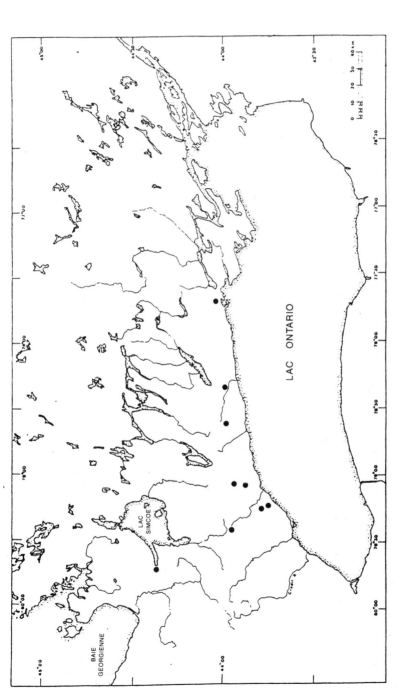

FIGURE 7   Sites de villages Uren au centre sud de l'Ontario. (Tiré de Warrick, « A Population History [...] », p. 349.)

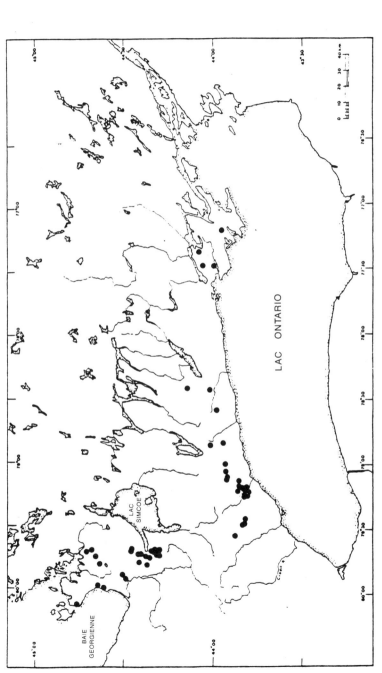

FIGURE 8   Sites de villages Middleport (1330-1420) au centre sud de l'Ontario. (Tiré de Warrick, «A Population History [...]», p. 355.)

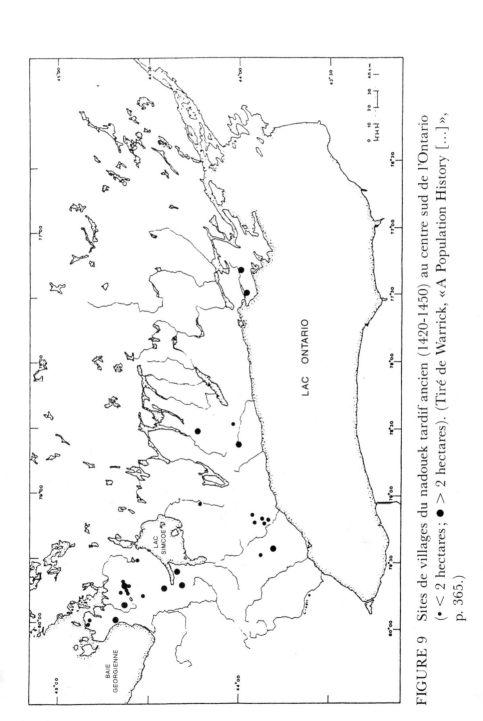

FIGURE 9 Sites de villages du nadouek tardif ancien (1420-1450) au centre sud de l'Ontario (• < 2 hectares ; ● > 2 hectares). (Tiré de Warrick, « A Population History [...] », p. 365.)

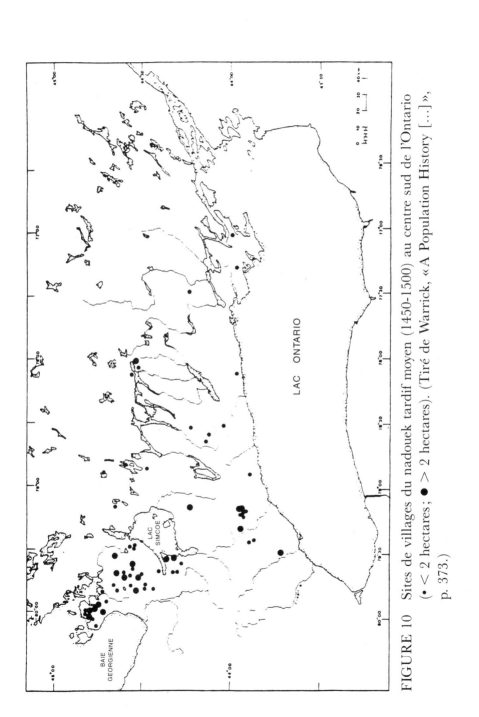

FIGURE 10   Sites de villages du nadouek tardif moyen (1450-1500) au centre sud de l'Ontario (• < 2 hectares ; ● > 2 hectares). (Tiré de Warrick, « A Population History [...] », p. 373.)

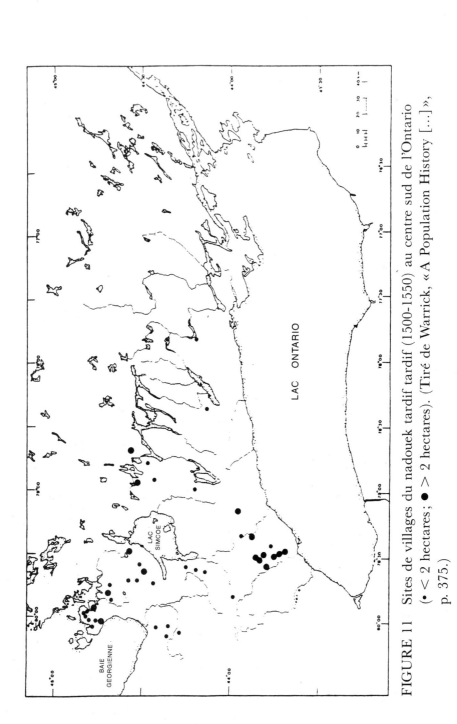

FIGURE 11   Sites de villages du nadouek tardif tardif (1500-1550) au centre sud de l'Ontario (• < 2 hectares ; ● > 2 hectares). (Tiré de Warrick, « A Population History [...] », p. 375.)

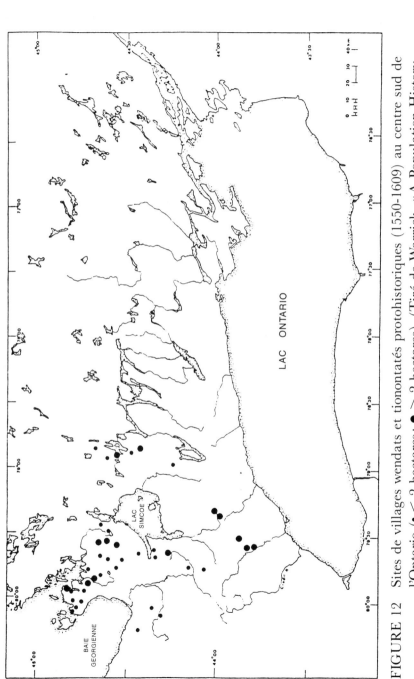

FIGURE 12   Sites de villages wendats et tionontatés protohistoriques (1550-1609) au centre sud de l'Ontario (• < 2 hectares ; ● > 2 hectares). (Tiré de Warrick, «A Population History [...] », p. 382.)

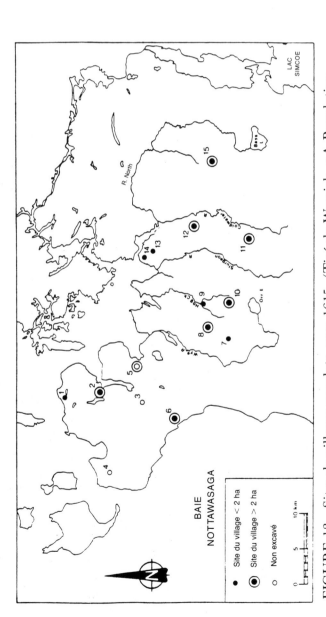

FIGURE 13 Sites de villages wendats, vers 1615. (Tiré de Warrick, « A Population History » [···], p. 392.)

1) Toanché (Otouacha) (1,2 hectare)
2) Karenhassa (Carmaron) (2,4 ha)
3) Touaguainchain –? (0,8 ha)
4) Non nommé (0,8 ha)
5) Carhagouha –? (2,2 ha)
6) Tequenonquiayé (Ossossane) (2,0 ha)

7) Non nommé (0,8 ha)
8) Non nommé (2,4 ha)
9) Non nommé (1,0 ha)
10) Scanonaenrat (2,4 ha)
11) Téanaostaiaé (2,8 ha)
12) Taenhatentaron (2,1 ha)

13) Non nommé (0,8 ha)
14) Non nommé (0,8 ha)
15) Cahiagué

– Nord : Village wendat : 3,6 ha
– Sud : Village algonquien : 2,4 ha
+ 3 autres villages non nommés

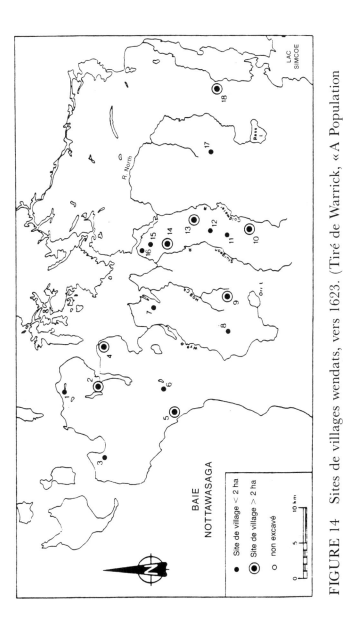

FIGURE 14 Sites de villages wendats, vers 1623. (Tiré de Warrick, « A Population History [...] », p. 395.)

1) Toanché (1,2 ha)
2) Karenhassa (2,4 ha)
3) Non nommé (0,9 ha)
4) Quieunonascaran (3,2 ha)
5) Téquenonquiayé (Ossossane) (2,0 ha)
6) Non nommé (1,6 ha)

7) Non nommé (1,6 ha)
8) Non nommé (0,8 ha)
9) Scanonaenrat (2,4 ha)
10) Téanaustayé (2,8 ha)
11) Non nommé (1,5 ha)
12) Non nommé (0,8 ha)

13) Taenhatentaron (2,1 ha)
14) Non nommé (2,0 ha)
15) Non nommé (0,8 ha)
16) Non nommé (0,8 ha)
17) Non nommé (2,0 ha)
18) Contaréa (3,0 ha)

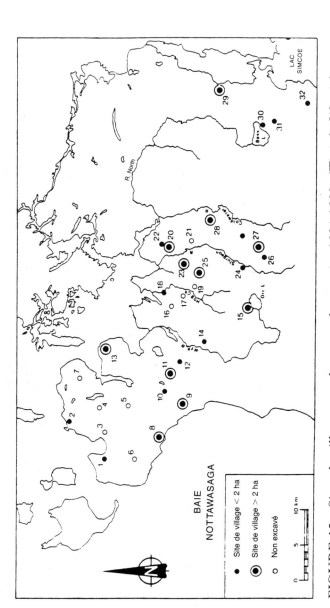

FIGURE 15 Sites de villages wendats, vers les années 1634-1639. (Tiré de Warrick, «A Population History [...]», p. 400.)

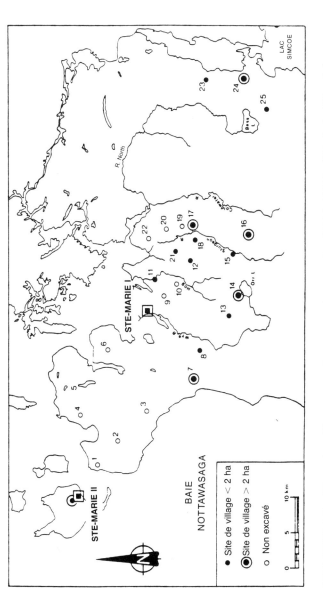

FIGURE 16 Sites de villages wendats, vers les années 1640-1650. (Tiré de Warrick, « A Population History [...] », p. 405.)

Warrick (1990: 341-342) explique qu'aucun site de village du stade nadouek ancien ou Pickering n'a, jusqu'à présent, été découvert au nord de la moraine des Oak Ridges[17]. Concédant que les territoires des abords du lac Ontario, entre le comté de Hamilton-Wentworth et le comté de Prince Edward, furent les premiers urbanisés, il est certain que les traces de nombreux sites Pickering furent effacées et ne purent donc être inscrites au répertoire archéologique de la région. Les archéologues croient qu'au moins un groupe (*cluster*) de sites de cette période a ainsi été détruit dans le territoire aujourd'hui occupé par le centre-ville de Toronto (Warrick, 1990: 342).

La figure 6 révèle seize sites de villages du nadouek ancien partagés en deux groupements, l'un de sept et l'autre de cinq. Deux autres sont situés à chaque extrémité du lac au Riz et encore deux dans la grande presqu'île que forme l'actuel comté de Victoria[18]. Ces Nadoueks ancestraux occupaient des villages d'une superficie moyenne de 0,46 hectare et leurs maisons, d'une longueur moyenne de 12,4 mètres, contenaient deux ou trois foyers centraux. Les six à huit maisons de ces villages ont pu loger environ deux cents personnes. Trigger et Warrick, constatant l'ordre spatial plutôt hétéroclite des maisons, pensent voir, à cette période, les premiers signes d'une organisation sociale matrilinéaire et matrilocale, où chaque maisonnée aurait fonctionné de façon plutôt autonome (Warrick, 1990: 342).

---

17. Bande de forêts de bois franc, à prédominance de chêne, délimitant au nord la plaine du lac Ontario.
18. L'île et la presqu'île, avons-nous déjà dit, reviennent souvent dans l'histoire des Wendats. Les Laurentiens se sont surtout concentrés sur l'île de Montréal (Hochelaga) et à Stadaconé (Québec), face à l'île d'Orléans. Les Wendats, dispersés en 1649, se réfugient sur l'île d'Orléans. Insulaires de nature, les Wendats sont d'excellents marins et vouent un culte spécial à la pêche. L'histoire «mythologique» de ce peuple fait état de multiples et terrifiants ennemis. Cela indiquerait-il un détachement «originel» d'un État opprimant (peut-être au Mexique), puis la menace conséquente de leur effectif restreint, plusieurs fois ressentie tout au long des siècles et des millénaires, d'où le besoin ancestral de la protection offerte par les îles?

Les archéologues estiment à environ 2 000 habitants la population Pickering au début du stade nadouek. Au cours des quatre siècles subséquents, elle passa au nombre de 8 000, représentant une croissance annuelle moyenne de 0,35 % (Warrick, 1990 : 342). Cette croissance annuelle, cependant, est répartie en deux étapes bien distinctes : de l'an 900 à l'an 1125 de notre ère, elle fut de 0,18 %, alors qu'au cours des 175 années qui suivirent, elle atteignit 0,55 %.

L'augmentation de la population, que Warrick qualifie de « dramatique », est attribuée au recours croissant de cette population à la culture du maïs. Parallèlement, des archéologues ont affirmé que la croissance démographique rapide, du moins au début de cette période, peut s'expliquer aussi par une augmentation dans la fertilité féminine et une diminution dans la mortalité infantile.

> Une amélioration de l'état de santé maternelle fut le résultat d'une base alimentaire plus fiable, et une réduction dans l'espacement des naissances fut amenée par une diminution de l'allaitement, causée par une supplémentation du régime des nourrissons au moyen de gruaux de céréales [...]. La mortalité infantile décrût, probablement parce que l'emmagasinage des produits de l'agriculture réduisit la fréquence des épisodes annuels de famine, éliminant ainsi les périodes-pointes des années à mortalité critique [...]. Aussi, les nourritures dérivées de produits agricoles, lorsque bien cuites par une ébullition prolongée et mélangées avec de petites quantités de viande, purent vraisemblablement corriger la malnutrition des enfants sevrés, lors des saisons de disette [...] (Warrick, 1990 : 343 ; trad. libre).

Bien que nous adhérions au contexte événementiel de ces lignes hypothétiques, nous n'acceptons pas leur déterminisme inhérent, qui ramène trop facilement à l'argument de la prédilection obligatoire et universelle pour le mode de vie agricole, que Trigger a déjà, lui aussi, sérieusement mis en doute (1991 : 118) (voir ci-après la partie sur la civilisation wendate-algique). Comme on peut le voir dans les récits de vie missionnaire auprès de populations de chasseurs au XVIIe siècle, en particulier dans la relation du père Paul

Le Jeune chez les Montagnais, en 1636, la «malnutrition» et les «épisodes annuels de famine» existaient probablement surtout dans l'esprit de ces Français, marqués par la présence presque constante et omniprésente des spectres de la famine et, surtout, de la misère sociale dans leur pays. Ces religieux ne purent que s'émerveiller devant le courage des Amérindiens qui, au temps de disette, niaient la réalité de celle-ci en se montrant d'une imprévoyance encore plus grande que celle qu'ils manifestaient en temps normal. Leurs incitations à la tranquillité et à la patience édifièrent les missionnaires et nous informent que ces gens aimaient passionnément leur vie.

> Je les voyais dans leurs peines, dans leurs travaux, souffrir avec allégresse. Je me suis trouvé avec eux en des dangers de grandement souffrir ; ils me disaient : nous serons quelquefois deux jours, quelquefois trois, sans manger, faute de vivres. Prends courage, Chihiné, aie l'âme dure, résiste à la peine et au travail, garde-toi de la tristesse, autrement, tu seras malade ; regarde que nous ne laissons pas de rire, quoique nous mangions peu (Le Jeune, 1897, p. 283 ; cité dans Marshall Sahlins, *Âge de pierre, âge d'abondance*, Paris, Gallimard, 1976, p. 73).

Les données de Warrick sur la santé des Wendats et des Tionontatés durant cette période préhistorique sont très utiles, mais ont un ton de narration, disons-nous, un peu trop «scientifique» qui, malheureusement, n'est pas de nature à faire concevoir la sympathie mutuelle et le désir de rapprochement manquants entre Amérindiens de tradition et archéologues. Sous cet angle, le texte de Warrick, comme ceux de beaucoup d'archéologues et de spécialistes de l'histoire amérindienne en général, gagnerait certes considérablement à utiliser des parallèles et des comparaisons avec d'autres sociétés de même époque et de culture similaire, de façon à éviter de donner l'impression que ce sont des sociétés engouffrées dans la misère, le manque d'hygiène et la maladie.

Tout en mentionnant, par exemple, que «la maladie, préhistoriquement, causait beaucoup plus de morts dans l'Ancien Monde que dans le Nouveau», et que «les données pathologiques sur les squelettes et les coprolytes des autochtones américains révèlent des populations saines et robustes», Warrick (1990 : 66-67) affirme que :

> la fréquence de l'effondrement périodique des ressources alimentaires de base, telles que le maïs et le chevreuil, aurait créé un état de malnutrition chronique parmi les Amérindiens du Nord-Est [...]. Une tension de courte durée dans les ressources ne tue habituellement pas les adultes en bonne santé, mais ne manque pas de supprimer les enfants mal nourris.

> Une déficience protéique et calorique, ainsi que la non-disponibilité de suppléments alimentaires suffisants et appropriés pour les enfants et les nourrissons, peuvent causer une augmentation dramatique des taux de mortalité infantile [...]. Les nourrissons et les enfants âgés entre six mois et trois ans sont particulièrement vulnérables à l'action coordonnée de la malnutrition et des maladies infectieuses, principalement la diarrhée [...]. En fait, les décès de bébés d'un et de deux ans comptent pour 25 % de la mortalité infantile chez les sociétés pré-industrielles [...]. Les principales causes de décès chez les enfants en bas âge sont les traumatismes rattachés à la naissance, les infections (diarrhée ; infections des voies respiratoires, incluant la tuberculose) et la déficience protéique et calorique [...], toutes se combinant en un circuit causatif positif, ou synergique. Les mères mal nourries ont des bébés à faible poids à la naissance ; la faiblesse du poids à la naissance signifie un plus grand risque d'infections ; les infections mènent à la malnutrition et la malnutrition accroît le taux d'infection et le risque de décès [...]. L'hygiène et les conditions sanitaires déficientes (absence de réfrigération, planchers de terre, eau potable et ustensiles domestiques contaminés, espaces vitaux partagés avec des animaux, maisons surpeuplées) viennent exacerber la synergie malnutrition-infection [...] (trad. libre).

Bien que le fond de notre argumentation ne soit pas de mettre en doute la validité du contenu scientifique de l'ouvrage de Warrick, nous suggérons qu'il serait hautement utile à l'archéologie que ses praticiens circonstancient et relativisent leurs affirmations, surtout lorsqu'elles concernent des questions aussi hautement sensibles pour les autochtones vivants que la santé et l'art de vivre en général de leurs ancêtres – encore une fois, même lointains ou sans filiation directe avec eux. Un exemple de traitement plus relativisé serait celui que l'on trouve dans les travaux de l'anthropologue physique québécois Robert Larocque. Dans un article paru dans *Recherches amérindiennes au Québec* (vol. X, n⁰ 3, 1980, p. 165-180) et intitulé «Les maladies chez les Iroquoiens préhistoriques», l'auteur conclut que «la très grande majorité des lésions observées sur les squelettes iroquoiens sont, somme toute, celles de maladies généralement bénignes et que, du moins dans la mesure où l'étude des maladies chez les populations préhistoriques est limitée à l'examen des squelettes, les Iroquoiens n'étaient pas plus malades que toute autre population». Dans un autre article publié dans la même revue (vol. XII, n⁰ 1, 1982, p. 13-24), Larocque constate que l'espérance de vie en Amérique du Nord-Est n'a jamais été inférieure à celle des Européens et que si la sélection naturelle, dans les deux continents, produisait dans les siècles antérieurs une mortalité infantile élevée (Warrick établit des taux de 30 à 50 % pour le Nord-Est), les Amérindiens jouissaient d'une santé et d'une constitution physique supérieures à celles des Européens. Larocque veut même éviter qu'en tant que modernes nous concevions un faux sentiment de supériorité vis-à-vis des peuples d'autres temps et d'autres cultures à cause de notre longévité sans précédent dans l'histoire.

> Notre plus grande longévité, nous la devons principalement à l'amélioration de l'hygiène publique (e.g. le tout-à-l'égout)[19], et aux soins médicaux, qui préviennent la maladie (la vaccination), qui redonnent la santé (les antibiotiques, la chirurgie), ou qui prolongent une mauvaise santé (le rein artificiel). Tous ces recours, et bien d'autres encore, ont en réalité pour effet de réduire le niveau moyen de santé, puisqu'ils permettent à une proportion de plus en plus importante de personnes porteuses de maladies de se maintenir en vie et de se reproduire. La longévité est donc plus une mesure du développe-

---

19. L'homme a-t-il jamais inventé d'expédient «hygiénique» plus néfaste au milieu naturel et donc, à lui-même, que celui-ci?

ment technologique que du niveau de santé (Larocque, 1982 : 14-15).

LA CIVILISATION WENDATE-ALGIQUE : THÉORIE DÉMOGRAPHIQUE[20]

Les raisons pour lesquelles les Nadoueks choisirent ou furent amenés à adopter de façon si décisive l'agriculture à cette époque ne trouveront probablement jamais d'explications satisfaisantes.

L'argument selon lequel de nouvelles pressions démographiques auraient, à la fin du sylvicole moyen, causé un sérieux stress sur les ressources fauniques, est réfuté par Warrick, qui affirme qu'une ressource aussi fondamentale que le cerf de Virginie n'était exploitée qu'entre 15 et 25 % de son potentiel.

Qu'est-ce qui causa l'adoption généralisée de l'horticulture à cette époque ? L'explication usuelle a été que l'horticulture s'est diffusée parmi les peuples de chasseurs et de cueilleurs de la Nouvelle-Angleterre et du bas des Grands Lacs aussitôt que des cultigènes adaptés aux courts étés de ces régions devinrent disponibles. Une telle explication assume que les peuples de chasseurs et de cueilleurs perçoivent inévitablement une économie agricole comme supérieure à la leur et entreprennent de cultiver des plantes dès qu'ils peuvent y avoir accès. Cette position n'est plus, aujourd'hui, acceptée par tous les anthropologues. Certains argumentent, je crois, avec raison, que toute explication de l'adoption de l'agriculture doit non seulement tenir compte de la manière dont des produits agricoles appropriés en sont venus à exister, mais aussi des facteurs présents dans les cultures réceptrices qui prédisposaient leurs membres à accueillir ces produits (Trigger, 1991 : 118).

Sur ces observations, que nous jugeons tout à fait pertinentes, nous formulerons ici une théorie qui, croyons-nous, pourra fournir des éléments de réponse à d'autres questions toujours problématiques concernant tous les Nadoueks septen-

---

20. La civilisation wendate-algique signifie le type de culture spécifique, de nature complémentaire et symbiotique qu'ont formé les Nadoueks et les Algonquiens (ou Algiques) et dont le cas le mieux documenté est celui des Wendats et de leurs voisins algiques.

trionaux, notamment leurs motivations guerrières et leurs relations avec les autres peuples. Simplement, nous dirons que les
Nadoueks se tournèrent peu à peu vers l'agriculture parce
qu'ils étaient numériquement (donc politiquement et territorialement) plus faibles que les Algiques, maîtres virtuels du
Nord-Est, et furent insensiblement forcés d'occuper des territoires où ils devinrent producteurs et fournisseurs agricoles et,
de façon plus marquée dans le cas des Wendats, des Tionontatés et des Attiwandaronks, spécialistes du commerce et des
affaires internationales. Nous soutiendrons donc que les raisons
de la spécificité culturelle des Nadoueks sont essentiellement
liées à leur vulnérabilité par rapport à la majorité algonquienne et que leurs étroites unions avec des peuples algonquiens reflètent leur succès à compenser pour leur faible
nombre. Nous donnerons à cette théorie le nom de démographique.

Le compromis entre les deux civilisations fut que des
alliés agriculteurs s'installent dans des territoires-carrefours et
constituent des greniers sur lesquels les Algiques, surtout du
Nord, puissent se rabattre aux temps de disette, tout en
gardant la possibilité de maintenir leurs modes de vie traditionnels de chasseurs. Cette évolution caractérisa surtout les
Wendats, qui, nous le verrons plus loin, se fixèrent
systématiquement dans des contrées nordiques (le pays du
Wendaké ontarien) où une nature moins riche et moins généreuse (que, par exemple, le bassin occidental des lacs Saint-
Clair et Érié) prédisposait les peuples à une volonté d'interdépendance et à des rapports harmonieux.

Cinq cents ans avant le début de l'invasion européenne,
qui vint perturber brutalement tous ces processus, les
Nadoueks septentrionaux consentirent aux compromis sociaux,
économiques et idéologiques qu'impliquait la nouvelle vocation
d'agriculteurs sédentaires. Des éléments dans le dossier historique des Wendats en particulier tendent à indiquer que, en
effet, ceux qui ont vécu au temps de ces âges préhistoriques
ont pu plutôt considérer que l'adoption d'un mode de vie

agricole représentait une diminution de la qualité spirituelle de leur vie (qualité sur laquelle les Amérindiens, typiquement et de façon générale, n'ont jamais fait de compromis et n'en font toujours pas, même face aux idéologies modernes de masse) et, à plusieurs niveaux, un mal qu'il fallait chercher à neutraliser. Les Wendats, comme nous en avons déjà parlé, considéraient que leurs voisins et partenaires commerciaux du Nord possédaient des pouvoirs d'harmonisation avec le monde spirituel supérieurs aux leurs. En ce qui concerne la simple possibilité de concrétiser des idéaux de paix, il semble évident que ces gens étaient à même de faire l'association conceptuelle entre agriculture et monde davantage caractérisé par la guerre. Par ailleurs, quel peuple de nos latitudes n'a pas préféré les viandes et les poissons que produit en abondance la nature, et dont la prise donne à l'homme tant de plaisir et de fierté, à la nourriture désormais essentiellement cultivée et moins saine[21] qui fait souvent éloigner l'homme de son village, et dont le rôle sera désormais surtout celui d'un défenseur, souvent exposé à la capture ou à la mort, auxquelles le voueront les nations d'ennemis que sa vie de voyageur séparé de sa famille l'amènera à se faire ? Nous sommes donc d'avis que le faible poids démographique des Nadoueks les prédisposait à une vie plus sédentaire et, donc, à des rôles d'organisateurs économiques et politiques, trouvant une source de régénération et d'équilibre spirituels dans une union étroite avec des peuples possédant un ensemble de conditions de civilisation distinct, en l'occurrence les Algiques (comme ce fut le cas si caractéristique

---

21. À preuve de la résistance des Nadoueks ontariens (peut-être particulièrement) à adopter un régime alimentaire à prépondérance végétarienne, retenons qu'ils tardèrent de trois siècles à adjoindre au maïs son complément nutritionnel, le haricot. En effet, bien que celui-ci ait été présent dans le sud de l'Ontario peu après l'an 1000 (dans un site algonquien), on n'en retrouve de trace dans un site nadouek qu'à la fin du XIVᵉ siècle (Warrick, 1990: 334). Les anthropologues ont amplement démontré les torts causés à la dentition par l'alimentation à base de maïs. Les dents des chasseurs s'usent plus, mais ont beaucoup moins de caries (voir l'article de Robert Larocque, «Les maladies chez les Iroquoiens préhistoriques», *Recherches amérindiennes au Québec*, vol. X, nᵒ 3, 1980, p. 165-180).

des Wendats). Si c'est dans cette fusion d'idéologies que se trouvent la force et l'originalité de la civilisation amérindienne du Nord-Est, que nous sommes en train de découvrir et d'étudier, il faut aussi dire, afin d'éviter de rendre partiale l'impression d'ensemble en faveur des Algiques, que l'état d'harmonisation wendate-algique qui suscita beaucoup l'admiration des observateurs français à l'origine émanait à coup sûr d'une conscience sensible et sympathique à la situation de l'autre.

Les deux familles de peuples, avec leur génie distinct, construisant sur une longue relation que l'archéologie nous a révélé avoir été harmonieuse (voir pages suivantes), entrèrent en une relation de plus en plus symbiotique, mutuellement enrichissante et sécurisante. Les Algonquiens durent avoir l'idée que leurs amis agriculteurs nadoueks les aideraient à composer avec les risques qui sont le lot nécessaire et assumé des peuples qui, comme eux et tous les nomades, se font une sagesse de la légèreté existentielle et de l'insécurité. En revanche, les relations souvent idéales existant entre les Wendats, les Tionontatés, les Attiwandaronks, les Ériés et leurs voisins algiques, au moment où arrivèrent les Français parmi eux, prouvent que les Algiques étaient animés de sympathie à l'égard de la condition sociale et existentielle plus grave et plus complexe de leurs partenaires commerciaux et «parents» non algiques. Aussi les uns et les autres mettaient-ils toute leur bonne volonté à se fournir mutuellement les biens alimentaires, matériels et sacrés (s'échangeant même des gens) qui leur manquaient (Trigger, 1991: 44-48; 154-166).

Il semble logique que la femme nadouek, douée de la clairvoyance qu'ont naturellement les femmes et qui leur donne un instinct de préservation sociale que les hommes de tradition circulaire leur reconnaissent généralement, dut s'ingénier à entraîner la société dans laquelle elle vivait sur la voie de la culture agricole et du sédentarisme. «Le coût culturel du changement, de même que son bénéfice culturel, étaient principalement du domaine féminin», écrit Normand Clermont (1990: 79). Ce fut un concours que dut perdre à la longue l'homme, désormais socialement isolé. Mais ce prestige et cette importance perdus chez lui lui revinrent dans la société élargie qu'il créa grâce au développement de son art diplomatique et de son génie commercial. Les idées énoncées dans cette section sur la civilisation wendate-algique visent à expliquer la différence culturelle essentielle entre les Algiques et les Nadoueks, ainsi que les raisons profondes de celle-ci. Manifestement, si les Algiques ont cultivé de façon très intense leurs rapports avec le sacré et le spirituel, les Nadoueks ont eu, et ont toujours, le culte du social. «La culture matérielle des Iroquoiens septentrionaux[22] n'était pas impressionnante, écrit Trigger (1991: 87), et en général, leur production artistique était limitée, en quantité aussi bien qu'en qualité. Plutôt, le génie de la culture iroquoienne réside dans la finesse psychologique de ces peuples et dans l'attention qu'ils accordent aux relations sociales de façon générale.»

LA PÉRIODE DU NADOUEK MOYEN

Le stade nadouek moyen se divise en deux phases: la phase Uren et la phase Middleport.

La phase Uren (1300-1330)

Gary A. Warrick nomme la première «colonisation Uren» du fait que ce fut à cette époque que les Wendats commencèrent à «coloniser» le pays-cœur qu'ils occupèrent historiquement, c'est-à-dire le Wendaké (Warrick, 1990: 346-353, voir figure 7). Du point de vue archéologique, le fait remarquable de cette période est que durant ce laps de temps de moins d'un demi-siècle, maisons et villages doublent de taille. Les maisons ont maintenant une longueur moyenne de 28 mètres (l'une a même 45 mètres) et les villages, une superficie moyenne d'un hectare (l'un d'eux recouvre deux hectares). De plus, fait révélateur de la sociologie nadouek du sud de l'On-

---

22. Expression traditionnelle équivalente à la nôtre: Nadoueks septentrionaux.

tario à cette époque, tous les groupes de cette région instituent la mode de la décoration horizontale sur leur poterie (Warrick, 1990 : 346). Les archéologues estiment à 11 000 la population wendate-tionontatée à la fin de la période Uren, ce qui représente une augmentation annuelle de 80 % depuis l'an 1300. À quoi peuvent être attribués ces développements ? À l'adoption de plus en plus marquée du mode de subsistance agricole, bien sûr, mais, encore plus fondamentalement, à des transformations importantes au plan sociopolitique.

> La taille des communautés durant la phase Uren aurait été, en moyenne, de 400 à 500 personnes et aurait commencé à exercer une tension sur les mécanismes sociopolitiques qui régissent les communautés égalitaires de taille normative inférieure à 350-450 individus [...]. La fission des villages, phénomène commun parmi les sociétés tribales en processus de croissance, semble avoir été alors la soupape de sûreté utilisée par les [Wendats-Tionontatés] préhistoriques pour éliminer la pression ressentie par les communautés trop grandes, à partir des années 1300. En raison de contraintes géographiques imposées par le lac Ontario, ainsi que de la pauvreté des sols arables de la moraine des Oak Ridges [...], de contraintes sociopolitiques rattachées aux territoires de chasse de groupes [nadoueks] voisins à l'est et à l'ouest et de contraintes écologiques imposées par les densités de populations de cerfs (en assumant que les peaux de ces animaux étaient la source principale pour la production de vêtements d'hiver [...], des communautés Uren nouvellement créées furent forcées de passer de l'autre côté de la moraine des Oak Ridges et d'y coloniser des forêts vierges dans les hautes terres sablonneuses du sud du comté de Simcoe » (Warrick, 1990 : 348-350) (trad. libre).

D'autres explications de ces transformations et de ces migrations ont également été invoquées. On a invoqué la guerre, le changement climatique, ainsi que le commerce. Warrick souligne que la recherche archéologique n'a livré de preuves à aucune de ces hypothèses. Personnellement, vu l'absence totale de traces de guerroyage ou même de fortifications de villages dans le dossier archéologique (Warrick *et al.*, 1987) et vu la nature fortement commerciale (et donc pacifique) des relations établies entre les Wendats, leurs congénères tionontatés, attiwandaronks, ériés et susquehannas et leurs fort nombreux «parents» commerciaux algonquiens, nous présumons que les futurs Wendats avaient *déjà*, à cette époque, fixé les yeux sur l'unique potentiel commercial et agricole de l'«île» du Wendaké, ainsi qu'ils avaient entrevu la vocation politique qui allait leur échoir en s'y installant. Les Wendats montrent le génie distinctif de leur civilisation par le choix qu'ils firent, dès la fin du XIII\ siècle, de s'établir dans un pays qui ne présentait pas les avantages que l'on associe de façon traditionnelle au mode de vie sédentaire des peuples nadoueks mais dont l'attrait le plus essentiel était d'être situé à la frontière de deux zones écologiques très distinctes, où les habitants avaient des économies qui se complétaient entre elles. Trigger (1989: 5) insiste sur la grande importance du fait que le pays des Wendats était:

> situé aux abords mêmes du Bouclier Canadien et à l'extrémité sud de la *seule route de canot longeant la rive et allant au Nord*, pays où vivaient les chasseurs algonquiens, qui avaient un surplus de peaux, de fourrures, ainsi que de poisson et de viande séchés à échanger avec les [Wendats], de même que des articles exotiques, tels que des morceaux de cuivre natif qu'ils obtenaient en troquant au sault Sainte-Marie et encore plus à l'ouest sur le lac Supérieur. Ces groupes étaient désireux de se procurer des provisions de maïs pour s'aider à subsister durant l'hiver, de même que du tabac et d'autres produits venant du Sud. Nous possédons des preuves archéologiques qu'il y eut des contacts entre le pays [wendat] et le Nord à partir de temps anciens [peut-être vers l'an 1000 avant notre ère; voir Trigger 1991: 97-98]; et il semble qu'un rapport symbiotique s'était développé entre les habitants de ces deux régions. Cette interdépendance, ainsi que les relations amicales qui, par conséquent, s'établirent entre eux et les Algonquiens du Nord, expliquent pour une bonne part pourquoi les [Wendats] choisirent de s'établir dans cette contrée du Sud-Est de la baie Georgienne [...]. L'objection qu'un peuple nomade aurait été beaucoup plus susceptible de se transformer en un peuple agriculteur que l'inverse [...] ne tient pas compte de la situation avantageuse unique du pays [wendat] aux abords du Bouclier Canadien et à la tête d'une impor-

tante voie navigable vers le Nord [voir figure 3 ; l'italique est de nous][23].

Enfin, sur le plan de l'organisation sociale à l'intérieur des villages, la phase Uren est celle de la fixation du mode social matrilinéaire caractéristique des sociétés nadoueks septentrionales historiques. Les maisons-longues alignées et de taille relativement grande des villages [nadoueks] du début du XIVe siècle, écrit Warrick (1990 : 348), ont été interprétées comme la cristallisation du système de matrilinéarité et le commencement de l'organisation clanique en Ontario et dans l'État de New York.

La phase Middleport (1330-1420)

L'une des contributions majeures de Warrick à l'étude archéologique des Wendats et des Tionontatés est d'avoir déterminé l'ampleur ainsi que le contexte humain et écologique de l'évolution démographique chez ces deux peuples au XIVe siècle. Pour ceux qui penseraient encore que les Amérindiens ne connurent le changement culturel[24] qu'après l'arrivée des Blancs, Warrick résume ainsi son « récit archéologique » de ce qui se passa au pays wendat et tionontaté durant les 90 ans de la phase Middleport.

La phase Middleport de l'histoire de la formation des [Wendats-Tionontatés], des années 1330 à 1420 de notre ère [...], fut témoin d'une véritable explosion démographique ; en moins d'un siècle, la population passa de 11 000 à 29 000 individus, signifiant un taux de croissance annuel de 1,07 %, qui a rarement été atteint par des sociétés du néolithique (Warrick, 1990 : 353)[25].

---

23. Voir la théorie démographique exposée p. 128 et suivantes.
24. Une petite parenthèse sur l'utilisation du concept de changement culturel serait utile ici. Les spécialistes non autochtones font preuve souvent d'une insensibilité vis-à-vis de la perception historique des autochtones en parlant d'événements ou d'épisodes catastrophiques dans l'histoire de ceux-ci comme de « changements culturels ». De tels « changements » ont souvent signifié la quasi-extinction de peuples ou de groupes entiers.
25. Fait à remarquer, alors même que les Wendats, ainsi que, probablement, l'ensemble des peuples nadoueks de l'Ontario et de l'État de New York, connaissaient une expansion démographique rapide, les

Les archéologues avaient auparavant supposé que cette étonnante poussée démographique au Middleport avait des causes essentiellement économiques telles qu'une utilisation encore plus marquée du maïs (Wright, 1966) ou encore l'introduction de la culture du haricot. Des percées en archéobotanique ainsi qu'en paléonutrition, nous dit Warrick, ont fourni des données contraires à ces hypothèses (Warrick, 1990 : 353). Un dossier archéologique maintenant beaucoup plus complet permet de se représenter (voir figure 8) une population du Middleport en processus actif de colonisation de « tous les coins habitables du centre sud de l'Ontario, à l'exception du comté de Victoria et du pays historique des [Tionontatés] » (Warrick, 1990).

La figure 8 montre clairement l'élan des Wendats ancestraux, qui entraînera bientôt tout l'effectif vers le nord, où leurs cinq nations se fixeront côte à côte, à l'opposé du mode iroquois, qui voulait que les nations de l'Hodenosaunee soient séparées l'une de l'autre[26]. En cela se précise un autre aspect du génie des Wendats : leur conception cosmopolite de la société. Le goût affirmé de ce peuple pour l'échange et le commerce fit qu'ils parurent s'être détachés de la notion de l'importance de l'ethnicité. L'arrangement « international » de leurs pays montrait une ouverture au concept ultérieurement « étasunien » de « melting pot »[27]. En effet, tout paraît indiquer

---

Français, et presque tous les Européens, voyaient, en 1348, près de la moitié de leur population fauchée par la peste noire.

26. L'archéologue William R. Fitzgerald (*Chronology to Cultural Processes : Lower Great Lakes Archæology, 1500-1650*) a remarqué que, contrairement aux villages de la Neutralie et de l'Iroquoisie, qui étaient déplacés régulièrement le long de systèmes de rivières ou selon d'autres particularités naturelles de la région, les villages wendats étaient distribués au hasard sur l'étendue des territoires des cinq nations wendates. Le Wendaké, de ce point de vue, disons-nous, n'était pas simplement un territoire, mais un pays au sens réel du terme.

27. L'archéologie et l'ethnohistoire reconnaissent la coutume séculaire de nombreux groupes algonquiens de séjourner, surtout l'hiver, aux pays wendat et tionontaté (voir Trigger, 1976 : 63-65 ; W.A. Fox, 1990b : 457-473).

que les différences culturelles et linguistiques entre les cinq nations wendates étaient en voie de s'estomper rapidement. Le frère Sagard, en 1623, fit à propos de la langue des Wendats des remarques qui témoignent de la composition récente et de la philosophie sociale universaliste :

« [...] il ne faut pas s'étonner si en voyageant dans le pays [...], qu'une même chose se dise un peu différemment ou tout autrement en un lieu qu'en un autre, dans un même village, et encore dans une même Cabane » (Sagard, 1866, vol. 4 : 6). Un peu plus loin, ce religieux qui, plus qu'aucun autre Européen, parcourut et observa le Wendaké, remarque que la langue wendate évolue rapidement. « Nos Hurons, écrit-il, et généralement toutes les autres nations[28] ont la même instabilité de langage, et changent tellement leurs mots, qu'à succession l'ancien [wendat] est presque tout autre que celui du présent, et change encore, selon que j'ai pu conjecturer et apprendre en leur parlant [...] »

Les habitants du Middleport adoptèrent de façon naturelle et massive une idée déjà véhiculée par leurs prédécesseurs du stade Uren, qui établirent, dans le comté de Simcoe, à partir d'environ 1275 (Warrick, 1990 : 350), « de véritables colonies d'agriculteurs ». Comme leurs ancêtres récents, les Wendats du Middleport « furent forcés de transformer en champs des forêts matures d'érables et de hêtres ». Les villages du Middleport ne furent pas substantiellement plus grands que ceux de l'Uren, leur étendue moyenne passant d'un hectare à 1,2 hectare (3 hectares dans un cas). De la même façon, les maisons ne furent que de 7 mètres plus longues, en moyenne (la plus longue retrouvée mesurant 45 mètres). Par ailleurs, le

---

28. N'étant pas instruit comme nous le sommes – grâce surtout à l'archéologie moderne – de la nouveauté du pays wendat, Sagard pense pouvoir généraliser ce phénomène (d'«instabilité de langage») à toutes les autres nations, et l'assimiler à celui des patois régionaux et provinciaux de France et d'Europe en général. S'il se trompe en cela, Sagard nous indique, à son insu, que la linguistique n'est pas universellement fiable pour établir l'ancienneté des séparations ou des unions interethniques, du moins dans cette partie de l'Amérique.

plus grand nombre de maisons dans chaque communauté loge, durant cette phase, une population moyenne de 1 000 personnes. Ces développements indiquent l'apparition et l'établissement des lignées maternelles à l'origine des conseils historiquement connus, composés de chefs représentatifs des lignages (segments de Clans) constituants (Warrick, 1990 : 354 ; Trigger, 1985 : 132).

Ce mouvement d'expansion sociale et territoriale des Wendats tout au long et même au-delà du XIVᵉ siècle se fit dans un climat d'harmonie remarquable (Warrick *et al.*, 1987). En effet, le commerce, surtout de biens périssables (tels que maïs, poisson et viandes séchés, peaux, filets, fourrures, etc.), semble avoir présidé seul (c'est-à-dire sans le processus guerrier) aux métissages et aux migrations de certaines communautés Uren ainsi que de celles du Middleport. Cet état de faits tendrait à prouver, au-delà des relations amicales entre Wendats (et Tionontatés) et chasseurs algonquiens du Nord, que ces deux cultures, bien loin de concevoir une dispute territoriale vis-à-vis d'une contrée (le Wendaké historique) qui avait été une terre commune de chasse auparavant, partageaient une notion claire du plus grand bien social pour tous leurs peuples, de la colonisation wendate[29]. Nous maintenons qu'une telle capacité de voir l'autre comme son complément, singulièrement bien illustrée ici, fait partie, de façon générale, des dons de toutes les cultures à pensée circulaire. D'ailleurs, comme il fut prouvé historiquement, loin d'avoir craint une réduction de l'essence de leurs droits respectifs sur ces territoires, Wendats et Algonquiens conjointement, de façon délibérée, les transformèrent en un havre de sécurité politique et économique, de même qu'en un foyer de fusion culturelle, intellectuelle et spirituelle de leurs ethnies. En cela, les sociétés respectueuses du Cercle rencontrent admirablement bien le

---

29. On peut facilement et, croyons-nous, justement projeter cette attitude *culturelle* d'un *plus grand bien social à venir* sur la vision wendate-algique historique de la présence française et européenne parmi eux, du moins au début.

critère ultime des vrais civilisations : l'acceptation, voire l'admiration de la différence. La civilisation wendate-algique peut toujours servir de modèle et d'inspiration pour un système de rapports égalitaires entre Nord et Sud ou, même, Est et Ouest...

LA PÉRIODE DU NADOUEK TARDIF (1420-1550)

Les données archéologiques concernant la période du nadouek tardif, livrées par Warrick, indiquent que les derniers Wendats préhistoriques connurent un véritable bouleversement sociopolitique. L'apparition de guerres dans leurs pays fit que des communautés commencèrent à fusionner pour répondre aux attaques des agresseurs. Warrick nomme ce phénomène « la nucléation des populations ». Un peu plus loin, nous examinerons l'évidence archéologique soumise par Warrick à la lumière de notre hypothèse démographique, notamment en ce qui concerne la relation conflictuelle attestée historiquement entre sociétés du Nord-Est, spécialement entre Wendats et Hodenosaunee (la Ligue iroquoise). « Nous basant, écrit Warrick (1990 : 364) sur l'aspect, vers les années 1400 à 1450, de sites d'établissement situés sur des terrains hauts, près de fourches de rivières, ainsi que sur la présence de palissades à rangées multiples, les ossements humains épars dans les lieux de rebuts des villages [...] et les preuves ostéologiques de mort par violence interpersonnelle [...] dans les sites ontariens et laurentiens, [nous croyons que] la guerre fut probablement le facteur décisif expliquant une augmentation aussi inédite dans la taille des établissements [...] » (trad. libre).

Il convient de dire que le fait que l'archéologie n'a pas relevé d'indications d'une présence marquée de conflits ou de menace extérieure dans le territoire wendat-tionontaté durant la phase du Middleport tend à faire penser que l'inimitié apparente opposant deux groupes de peuples (les Wendats et leur confédération élargie contre les Cinq-Nations de l'Hodenosaunee) à l'époque de l'entrée en scène de Champlain n'était pas si ancienne, ni nécessairement si opiniâtre qu'on l'a toujours cru ou laissé croire: les sources premières euro-américaines font de nombreuses mentions de tentatives de rapprochement entre les deux camps, quelquefois réussies même au plus fort des guerres commencées et alimentées par les Européens (principalement les Français) au XVIIe siècle[30]. L'évidence archéologique du Middleport donne substance à la remarque de James V. Wright, selon que «les peuples de langue [nadouek][31] du Nord-Est reconnaissaient entre eux une parenté proche qui traversait les lignes des confédérations politiques» (Wright, 1966: 1). Wright cite ensuite Arthur C. Parker, (1968: 158) qui rapporte une rare tradition orale attiwandaronk (neutre) concernant l'origine des descendants d'Aataentsic, c'est-à-dire tous les peuples nadoueks:

> Sur les deux rives du Niagara, dit Parker, étaient situés les villages des Attiwandaronks, ou Neutres, considérés comme un peuple ancien et parent de tous les [Nadoueks]. Dans un de leurs villages sur le Niagara vivait Jigonsaseh, «la Mère des nations», une descendante en ligne directe de la «pre-

---

30. Nous traiterons de cet aspect des guerres «amérindiennes» au chapitre III.

31. Wright dit, justement, que tous les peuples de cette famille linguistique étaient appelés «Iroquois» par les Algonquiens. Précisons cependant ici que les Wendats (et sûrement leurs congénères non hodenosaunee) portaient le nom algonquien de «Nadoueks» et que les Hodenosaunee recevaient celui de «Matchinadouek», c'est-à-dire «Nadoueks hostiles» (Armand Lom d'Arce de Lahontan, *Mémoires de l'Amérique septentrionale*, édition de 1703, tome II, p. 207). Elizabeth Tooker (1978: 406) rapporte la distinction suivante, encore plus explicite: Wendats = Ninanatowé: «*nos* Nadouek» et Iroquois = Matchinatowé: «Nadoueks hostiles». L'utilisation du nom Nadouek est ici suggérée comme une clef pour la simplification de la terminologie concernant les peuples de souche wendate et iroquoienne. Les Nadoueks se diviseraient ainsi en trois branches: l'une, ontarienne, comprend les Wendats, les Attiwandaronks, les Tionontatés et les Ériés; une autre, étasunienne, renvoyant aux Hodenosaunee, aux Tuscaroras, aux Susquehannas et aux Laurentiens de l'État de New York, et une troisième, québécoise, ou laurentienne. Le terme «iroquoien», toujours problématique et d'ailleurs probablement d'origine problématique (voir l'article de Peter Bakker: «A Basque Etymology for the Word "Iroquois"», *Man in the Northeast*, n° 40, automne 1990, p. 89-93), serait donc remplacé par sa désignation algonquienne et nous aurions: Nadoueks québécois, Nadoueks ontariens, Nadoueks étasuniens, Nadoueks au sens large, etc.

mière femme sur terre». Une reconnaissance similaire d'une origine commune, vint de la part des Onneiouts qui dirent aux [Wendats] dispersés [en 1656] : Tu sais[32] toi [Wendat], qu'autrefois nous ne faisions qu'une Cabane et un pays. Je ne sais par quel accident nous nous sommes séparés. Il est temps de nous réunir (trad. libre).

Warrick a déterminé que l'essor démographique presque incroyable des gens du Middleport connut, à partir des années 1420, une fin plutôt abrupte, puisque, au cours des deux générations (55 ans) qui suivirent, le taux de croissance annuel devint nul (pour ne plus jamais reprendre).

La population [wendate-tionontatée] atteignit son plus haut nombre et se stabilisa à 30 000 individus au cours du XVe siècle. La stabilité démographique chez les [Wendats-Tionontatés] préhistoriques fut accompagnée par une série d'événements historiques reliés entre eux : noyautement inédit des établissements, tant des communautés que des régions, dissémination de maladies rattachées à la densité, telle que la tuberculose, développement de réseaux commerciaux avec les Algonquiens du Bouclier, formation de tribus, guerroyage chronique entre tribus et immigration de communautés de réfugiés du Saint-Laurent (trad. libre).

En général, les archéologues ont imputé à des facteurs internes le développement guerrier sur le territoire wendat-tionontaté au stade du préhistorique tardif. Une lutte croissante pour capturer des chevreuils de moins en moins abondants est envisagée comme l'une des causes les plus probables de conflits.

Une population wendate-tionontatée de 30 000 dut sérieusement taxer la capacité de régénération des hardes de cerfs dans le centre sud de l'Ontario [...]. L'extermination locale des hardes de cerfs et une compétition farouche pour les droits de chasser les populations restantes amoindries peuvent avoir amené les tribus wendates-tionontatées émergentes et non alliées à se faire des guerres en règle (Warrick, 1990 : 364 ; trad. libre).

---

32. Dans le langage diplomatique, ces peuples employaient fréquemment le singulier pour désigner le collectif.

Nous ne pensons pas que la raréfaction de la ressource essentielle que représentait le chevreuil put être source de conflits au centre sud de l'Ontario à cette époque. Nous croyons plutôt que la colonisation Uren et Middleport était le produit d'une vision économique et sociale bien définie chez ces peuples. Deux preuves en seraient le mouvement commercial ample et complexe que firent les cultures wendate et algonquienne l'une par rapport à l'autre (l'approvisionnement en peaux de cerf, de caribou et d'orignal du Nord dut certes figurer prioritairement dans ce projet symbiotique) et l'absence de références guerrières dans les récits que firent aux jésuites dans les années 1630 les deux principales nations wendates (Attignawantans et Attignéénongnahacs), au sujet de l'histoire de leur occupation du Wendaké depuis « au-delà de deux cents ans » (*Relations des jésuites*, 16 : 226)[33].

Dans la logique de notre théorie démographique, nous croyons que la cause première et directe de tous ces événements doit se trouver dans les débuts d'une agression de la part de l'Hodenosaunee, dirigée premièrement vers les peuples laurentiens du haut Saint-Laurent (entre Hochelaga et le lac Ontario), puis vers le Wendaké, pays où des centaines de Laurentiens se réfugièrent, surtout durant la seconde moitié du XVᵉ siècle.

Les archéologues James B. Jamieson (1990 a : 79-86 ; 1990 b : 385-404) et Peter G. Ramsden (1990 a : 87-95) ont apporté des arguments intéressants allant à l'encontre de la théorie établie et soutenue au cours des décennies 1960 et 1970, selon laquelle les Laurentiens auraient commencé à être dis-

---

33. Les «cruelles guerres», qui selon la relation des jésuites de 1640 (p. 142) eurent lieu «autrefois» entre Wendats et Tionontatés, ne purent avoir eu l'importance que leur prêtent les missionnaires, si on ne considère que leur étroite union commerciale durant toute la période historique et la façon spontanée dont ils confondirent leur destinée après la destruction de la confédération wendate, jusque-là de beaucoup plus puissante que la confédération tionontatée. Manifestement, ces «cruelles guerres» n'avaient été qu'escarmouches de peu de conséquence, faites selon le mode culturel du Nord-Est, et facilement réparées au moyen de dons et d'adoptions.

persés par les Wendats après le début du XVe siècle. La majorité des auteurs adhérant à cette théorie (notamment J.V.
Wright, 1979: 71-75, Pendergast, 1975 et Ramsden, 1977:
293) interprétèrent la présence de poterie laurentienne sur les
sites wendats de cette période comme l'évidence de guerres au
cours desquelles les femmes de la Laurentie auraient été cap-
turées par les Wendats, puis adoptées par eux. L'absence de
pipes de facture laurentienne sur ces mêmes sites servit de
preuve que les hommes laurentiens avaient été supprimés.

Jamieson reprend la théorie alternative voulant que ces
Laurentiennes en territoire wendat auraient été des réfugiées
de guerres menées contre leurs peuples par les Hodenosaunee,
à la lumière de nouvelles données interprétatives selon lesquelles les artefacts laurentiens, mis au jour surtout dans les
sites wendats de la rivière Trent, «peuvent représenter des
articles de traite, ou la présence d'hommes et femmes de
groupes alliés et amis, ou de partenaires commerciaux»
(Jamieson 1990a: 82).

Jamieson (1990a: 85) présente la théorie suivante: les
Iroquois, les autochtones les plus territorialement circonscrits
du Nord-Est, peuvent avoir été particulièrement frappés par
une détérioration climatique qui survint au XVe siècle et peuvent donc alors avoir déclenché des guerres économiques et
territoriales contre leurs voisins laurentiens, dont le milieu
naturel était notablement plus riche que l'Iroquoisie. Se basant
sur l'évidence archéologique d'une escalade graduelle des hostilités entre Iroquois et Laurentiens, ainsi que sur celle du
maintien de relations amicales avec des partenaires commerciaux wendats à l'Ouest, Jamieson explique l'apparition de très
grands villages fortifiés dans le comté étasunien de Jefferson
et au nord de Toronto à partir de la seconde moitié du
XVe siècle. On suppose naturellement que le développement
d'un tel complexe guerrier sur le Saint-Laurent eut certaines
répercussions sur l'équilibre politique du pays wendat.

David Blanchard, auteur de *Seven Generations*, livre d'histoire de base utilisé à l'école traditionnaliste Survival School

de la nation agnier de Kahnawaké[34], relate que la tradition orale des gens de Kahnawaké parle de deux *Algonquin wars.* Une première, datant de l'époque préhistorique, fut gagnée et assura à la Ligue iroquoise le contrôle de la voie navigable du Saint-Laurent *et donc, la sécurité* (nous soulignons) des peuples iroquois. Une autre *Algonquin war* eut lieu après la venue de Cartier. Elle impliqua les «Mohawks du Saint-Laurent» et fut perdue par ces derniers. Plus tard, toujours selon la tradition orale, le Saint-Laurent fut reconquis par ce peuple, mais reperdu à cause de l'aide militaire de Champlain à ses alliés «algonquins» (Trudel, 1991 : 55).

La première guerre peut facilement évoquer la dispersion laurentienne des années 1450-1500 dont parle Jamieson ; l'hypothèse est ainsi appuyée. Ce récit oral nous confirme également dans l'idée d'une union politique virtuellement panrégionale, dont auraient été exclus uniquement les Iroquois, et qui d'ailleurs subsista à toutes les époques historiques. La seconde guerre, qui suivit les passages de Cartier, est ethnographiquement attestée par les jésuites, qui apprirent que les Mohawks craignaient l'extermination aux mains des Algonquins, des Abénaquis et des Susquehannas au moment où les Hollandais firent leur apparition sur la rivière Hudson, en 1609. Une guerre parallèle opposant les Iroquois aux Montagnais et aux Algonquins durait également alors depuis au moins une génération (Heidenreich, 1990 : 485). En 1622, un Iroquois affirma à Champlain que les guerres (sur le Saint-Laurent) avaient duré pendant plus de cinquante ans (Heidenreich 1990 : 490).

Voyons à présent brièvement l'évolution des Iroquois dans leur contexte géographique, du point de vue de l'archéologie. L'état d'isolement social dans lequel se trouvèrent les

---

34. *Seven Generations* est basé sur la thèse de doctorat (non terminée) de David Blanchard, intitulée «Patterns of Tradition and Change: The Recreation of Iroquois Culture at Kahnawake», Université de Chicago (1982). Voir l'article de l'anthropologue Pierre Trudel, «Les Mohawks ont-ils découvert Jacques Cartier?» *Recherches amérindiennes au Québec,* vol. XXI, nᵒˢ 1 et 2, 1991, p. 53-58.

Iroquois au moment du contact et leur état d'inimitié vis-à-vis de presque tous les autres groupes amérindiens les entourant démontrent que l'Hodenosaunee n'avait pu se tourner aussi harmonieusement que les Wendats vers le commerce avec d'autres sociétés. L'historien de Berkeley, Mathew J. Dennis, dans sa thèse de doctorat intitulée «Cultivating a Landscape of Peace: The Iroquois New World» (p. 85), parle des preuves archéologiques de l'origine lointaine de conflits intestins entre les groupes iroquois et du problème rencontré par les spécialistes quant à l'interprétation de ces «faits» archéologiques.

Le problème fondamental auquel est confronté le préhistorien des Iroquois est l'explication des transformations dramatiques, quoique graduelles, dans la nature de la vie des peuples de la période owasco [période de la préhistoire des Nadoueks de l'État de New York, allant des années 1050 à environ 1350 de notre ère]. La concentration des habitants de l'owasco et leur construction de grandes tranchées et de palissades attestent leur préoccupation grandissante pour leur auto-défense. Et la découverte au site Sackett de squelettes traversés de plusieurs flèches, quelques-uns montrant jusqu'à onze pointes de flèches incrustées dans les os, donnent un «témoignage muet» éloquent du danger de mort violente auquel devaient faire face les gens de cette époque dans leur vie de tous les jours[35]. Prise globalement, cette évidence

---

35. Aucun historien moderne ne contesterait l'affirmation que les Amérindiens du Nord-Est ne s'infligeaient pas de tort grave dans les incursions guerrières qu'ils se faisaient les uns contre les autres. Typiquement, ces «guerres» ne comportaient pas la notion de détruire un ennemi, mais plutôt celle d'absorber, ou «manger» l'autre, soit en capturant et en adoptant quelques individus, soit en torturant, puis mangeant, au sens propre, un captif. On rétablissait ainsi l'honneur et le statut de la nation par rapport à l'autre, tout en ne niant pas le respect, voire la parenté avec l'«ennemi». M.J. Dennis (1986: 99) décrit comme suit le phénomène du guerroyage nadouek au temps des aborigènes, avant qu'il ne connût l'ampleur des temps européens: «[...] il y a peu d'évidence que la guerre à grande échelle, portée à de grandes distances entre la Ligue [iroquoise] et leurs ennemis, ait existé avant la venue des Européens en Amérique du Nord. Plus typiquement, elle consistait en raids à petite échelle, organisés de façon individuelle et impliquant la participation volontaire. La guerre indigène prenait parfois la forme de confrontations rituelles entre des groupes, au cours desquelles peu d'hommes étaient blessés. Le médecin et commerçant hollandais Harmen Mey-

matérielle suggère qu'à partir environ du milieu de l'époque owasco [à peu près au milieu du XIIᵉ siècle], le guerroyage intestin endémique se développa, car les flèches qui tuèrent les hommes de l'owasco au site Sackett étaient de facture owasquienne. Pourquoi les gens de l'owasco commencèrent-ils à tuer des gens de l'owasco, lançant ainsi un modèle de guerroyage et de vengeance qui allait se perpétuer dans la période iroquoise? (Théoriquement, jusqu'à la fondation de la ligue des Cinq-Nations, que Dennis situe entre les années 1450 et 1500.) (trad. libre).

Les vestiges datant du début et du milieu de la période owasco (Dennis, 1986: 79) donnent beaucoup à voir concernant l'isolement culturel et le développement du phénomène de la guerre chez les Iroquois de cette époque.

Ce qui émerge de la reconstruction archéologique de la vie owasquienne plus tardive est un tableau d'un peuple de plus en plus local, isolé, paroissial [*sic*] et sur la défensive. En même temps que les villes de l'owasco s'agrandirent et décrûrent en nombre, elles devinrent plus entièrement auto-suffisantes, mettant davantage l'accent sur l'agriculture et devenant moins dépendantes de la chasse et de la pêche (bien que ces activités de subsistance gardèrent de l'importance). *Le commerce périclita* (nous soulignons). Dans les temps pré-owasquiens, des réseaux d'échange avaient relié les peuples des Terres Boisées (*Woodland bands*) aux cultures élaborées de la vallée de l'Ohio. La nature et la fréquence des voyages se modifia, à mesure que les Owasquiens implantèrent leurs établissements de plus en plus en retrait des cours d'eau navigables et ouvrirent des chemins de forêt qui les gardaient plus près de leurs communautés. De même, les modes culturels que les ancêtres des Owasquiens partageaient avec tous les peuples du Nord-Est grâce à la diffusion d'un groupe à l'autre, tels que les cérémonials mortuaires complexes caractérisés par une abondance d'articles funéraires, disparurent

---

dertsz van Bogaert fut témoin d'un de ces combats cérémoniaux lors d'un rare [pour un Hollandais] voyage qu'il fit aux pays des Agniers et des Onneiouts à l'hiver 1635. L'affrontement faisait s'opposer neuf Iroquois à onze autres [Amérindiens], certains desquels portaient une armure «de minces roseaux et de cordes tressés et superposés pour empêcher le porteur d'être grièvement blessé par la flèche ou la hache qui la traverserait». Les batailles entre les Cinq-Nations et leurs ennemis de l'extérieur prenaient souvent cette forme.»

graduellement à mesure que les communautés isolées de l'Owasco élaborèrent leurs propres, plus simples «micro-traditions» (Dennis, 1986 : 82-83)[36] (trad. libre).

Les produits agricoles, comme tous les biens matériels facilitant la subsistance, vinrent diminuer l'harmonie du Cercle. Les gens commencèrent à s'isoler et, donc, à se défendre. En se tournant vers des modes économiques et sociaux basés sur l'agriculture, les ancêtres des Iroquois se coupèrent des systèmes de troc traditionnels et devinrent un ensemble de peuples plus isolé et plus guerrier. Les Wendats, pour leur part, reproduisirent ces systèmes de traite en optant pour l'intensification du commerce avec des peuples géographiquement et démographiquement[37] destinés à ne pas devenir agriculteurs. Par leur adoption de l'agriculture, les Nadoueks du Nord (les Cherokees et les Tuscaroras étant, originellement, ceux du Sud) dissolurent les systèmes symbiotiques qui avaient auparavant existé entre eux et les peuples de l'Ohio. En «trouvant éventuellement le Nord», les Wendats (et, similairement, plusieurs autres Nadoueks) réussirent à garder une richesse culturelle «originelle» que les Iroquois vinrent à perdre.

Cette analyse n'implique aucunement la notion d'une supériorité morale qu'auraient eue les ancêtres des Wendats et autres alliés nadoueks par rapport à ceux des Iroquois. Plutôt, l'ensemble de *contraintes*, surtout de nature géographique et culturelle, rattachées au destin de chaque peuple fit que les Iroquois virent se refermer sur eux l'étau naturel qui forme et

---

36. W.R. Fitzgerald (1990a : 89) écrit, à propos des Cinq-Nations : «Les Iroquois étaient dans une situation particulièrement isolée et il semblerait qu'ils ressentirent qu'à mesure que la présence européenne deviendrait plus intense le long du Saint-Laurent, l'alliance entre Français et [Nadoueks] du Saint-Laurent rendrait leur propre position plus précaire.» Ailleurs (1990b : 431), l'archéologue remarque qu'à l'époque du développement décisif de la traite avec les Européens (vers 1580), les réseaux d'échanges contournaient généralement l'Iroquoisie.

37. L'un des corollaires de notre théorie démographique est que les Algonquiens septentrionaux du Nord-Est n'eurent jamais à devenir de vrais agriculteurs, puisque leurs alliés nadoueks remplissaient ce rôle auprès d'eux.

distingue les civilisations. En revanche, la même destinée voulut que ce même isolement et cette pauvreté culturelle relative des Iroquois fissent de leur monde un havre et un foyer de préservation de l'identité amérindienne dans le Nord-Est aux XVIIᵉ et XVIIIᵉ siècles et par la suite dans le monde contemporain (Sioui 1989 : 62-64 ; 80-82)[38].

LE DÉBUT DE LA PÉRIODE HISTORIQUE

Conrad E. Heidenreich (1971 : 195-200) a estimé que les Wendats se composaient d'environ 21 000 individus[39] avant les épidémies des années 1630. Une telle population, selon lui, avait besoin, bon an mal an, de cultiver 7 000 acres de terre. Le défrichement par essartage que les Wendats, comme tous les peuples semi-sédentaires du Nord-Est, utilisaient exigeait qu'ils disposent de près de 50 000 acres de terre pour subvenir à leurs besoins. Or, le Wendaké offrait à ses 21 000 habitants, 157 860 acres de bons sols à culture, ce qui implique une capacité théorique (optimale) de soutenir une population de 63 000 personnes. Même si, comme le maintient Heidenreich (1971 : 198), aucune population ne peut jamais développer la pleine capacité de soutien de son territoire, nous ne pouvons convenir avec lui que le Wendaké, plutôt que d'être sous-peuplé, approchait vraisemblablement sa population maximale. Lui-même, en effet, estime qu'une des cinq nations wendates, les Attignéénongnahacs, la plus densément peuplée sur son territoire, utilisait 78 % de son sol arable disponible. On ne peut tenir rigueur au grand érudit qu'est Heidenreich de n'avoir pas eu accès, il y a vingt ans, aux nouvelles données,

---

38. L'avenir de l'Hodenosaunee dans un monde amérindien non découvert par les Européens est affaire de pure spéculation. Cependant, il est logique d'assumer que les Cinq-Nations auraient eu, à plus ou moins brève échéance, à s'intégrer à l'ordre de civilisation wendat-algique, déjà remarquablement bien défini au moment du contact. La situation chronique de l'absolue minorité numérique et politique des Iroquois ne permet pas, en effet, d'imaginer d'autres scénarios plausibles de l'évolution politique et culturelle du pays du Nord-Est. L'arrivée européenne vint tronquer radicalement cette logique.

39. Gary A. Warrick (1990 : 391, 394, 397) est parvenu à des estimations similaires.

surtout archéologiques, qui permettent de beaucoup mieux « voir » l'importance de la vocation commerciale du pays wendat, ainsi que les fortes indications de l'émergence d'une très grande culture commerciale qui avait déjà germé des siècles auparavant dans l'esprit des Nadoueks et des Anishinabeks (Algonquiens, pris globalement) et donnait déjà une abondance de fruits au moment où arrivèrent les Blancs. Nous ne croyons pas forcer l'évidence en avançant que l'apport algonquien en biens de subsistance au pays wendat faisait qu'il dépassait substantiellement, déjà au moment du contact, sa stricte capacité agricole de soutenir sa population, ce qui rend celle-ci encore relativement plus faible au regard du potentiel « universel » du territoire.

Pourquoi un développement démographique en si grand essor est-il si soudainement arrêté à partir des années 1420 ? Peuple essentiellement ouvert sur l'extérieur et entretenant des relations commerciales avec un éventail impressionnant d'autres peuples, distants et voisins, les Wendats n'avaient que peu de raisons et surtout peu de temps d'entraver le bon fonctionnement de leur société par l'activité guerrière interne ou offensive. (Nous verrons, au chapitre III, le soin extrême qu'ils apportaient à la culture d'une harmonie sociale extra-confédérale.) Voilà surtout pourquoi le phénomène du guerroyage chronique (manifeste notamment dans la protection systématique des villages au moyen de palissades multiples et de tranchées) apparaît, dans le dossier archéologique, sensiblement plus tard chez les Wendats que chez les Hodenosaunee (approximativement en 1330 chez les premiers et en 1150 chez les seconds).

Matthew J. Dennis écrit que les ancêtres owasquiens des Iroquois protohistoriques (confédérés) « choisirent de vivre dans des villages isolés et palissadés et d'agresser ceux qui vivaient autour d'eux, qui avaient beaucoup en commun culturellement, mais peu politiquement » (1986 : 87). L'archéologue James A. Tuck a probablement plus que quiconque fait avancer la connaissance sur la formation de la nation onontaguée et peut-être aussi, par les séquences qu'il a établies, sur la formation de la confédération de l'Hodenosaunee.

Partant de la lecture archéologique de Tuck, Dennis explicite l'importance politique du mouvement onontagué:

> En suivant la tendance apparue durant la période owasco, un groupe de peuples owasquiens vivant dans le centre nord de l'État de New York s'unirent pour former une nouvelle tribu, les Onontagués. Sous plusieurs aspects, ils continuèrent à vivre comme leurs ancêtres de l'Owasco. Mais bien que le mode de vie onontagué ne représenta pas un changement révolutionnaire, le tournant évolutif qu'il marqua signala de profondes implications pour l'Iroquoisie et le Nord-Est. Le processus de fusion de villages se continua jusqu'à ce qu'il ne reste dans le territoire onontagué que deux communautés principales palissadées[40]. Les Onontagués effectuèrent à l'intérieur de leur territoire une pacification qui assura leur sécurité interne et leur fournit la force nécessaire pour affronter l'agression de l'extérieur. L'intégration sociale et culturelle réalisée isolément des autres peuples iroquois rendit possible la paix domestique, en même temps qu'elle prépara la voie à la fusion ultérieure avec d'autres Iroquois, qui connaissaient alors un processus similaire de développement tribal dans d'autres parties de l'Iroquoisie.
>
> [...] Par une méthodologie soucieuse de l'importance des endroits (établissements) où les artefacts sont retrouvés (et non pas intéressée aux seuls artéfacts pour eux-mêmes), James A. Tuck put suivre les traces de communautés onontaguées individuelles à travers des centaines d'années et des nombreux déménagements et réinstallations de villages. Tuck conclut de ses excavations de sites que la tribu des Onontagués ne se forma pas uniquement grâce à l'incorporation d'un certain nombre de bandes adjacentes, mais également par l'élabora-

---

40. Les archéologues ont trouvé, sur le site Schoff (ville d'Onondaga, dans l'État de New York), les traces d'une maison ayant mesuré 124 mètres de long, occupée au début du XVe siècle (Dennis, 1986: 94). Ces constructions gigantesques eurent l'effet de procurer à leurs habitants un haut degré de sécurité, mais de façon encore plus essentielle, celui de «consommer» l'identité nationale par la création de liens de toutes sortes entre ces habitants. Au siècle suivant, la longueur des maisons onontaguée fut standardisée entre 15 et 25 mètres de long et environ 5,5 mètres de large. Chaque maison fut dorénavant la demeure de gens d'un même clan, fédéré aux autres clans dans un système matrilinéaire.

tion d'ententes de non-agression et, ultimement, par une fusion intégrale des principales communautés proto-ononta-guées. Avec le temps, l'arrangement physique des communautés en vint à refléter ce remarquable développement. La disparition soudaine dans le dossier archéologique d'une communauté de grande taille et l'apparition simultanée d'un nouveau village à dix milles de distance (c'est-à-dire dangereusement proche d'une autre communauté bien établie) signifient, selon Tuck, la réinstallation en une seule communauté. C'est à ce mouvement [particulier] que Tuck fait correspondre la formation de la nation des Onontagués [...]

[...] La fusion qui établit la nation onontaguée faisait partie d'un processus beaucoup plus vaste [...]. La Ligne des Iroquois constitua une continuation de ce processus. Elle fut créée au cours du siècle suivant et composée des Onontagués et des quatre autres nations, les Agniers, les Onneiouts, les Goyogouins et les Tsonontouans, qui se formèrent de façon similaire [...] Évidemment, les données archéologiques ne peuvent expliquer de façon solide pourquoi les Onontagués, et les autres nations iroquoises, se formèrent. Mais très vraisemblablement, une lassitude de la guerre, ainsi qu'un profond désir de se libérer de la peur furent les raisons qui motivèrent les Cinq-Nations à se donner les structures politiques propres à leur fournir force, sécurité et paix à l'intérieur (Dennis 1986 : 88-93)[41] (trad. libre).

---

41. En ce qui regarde la motivation psychologique émanant d'un état chronique d'isolement et d'insécurité, il semble normal que les cinq peuples qui formèrent éventuellement l'Hodenosaunee réalisèrent de plus en plus que leur survie dépendait de leur union, laquelle seule leur permettrait de grossir en s'adjoignant d'autres peuples, leur proposant une «paix», conditionnée par l'intimidation et l'agression ouverte. Nous sommes d'avis que les chercheurs, tels que Heidenreich (1990: 491) et James V. Wright (1990: 502), qui imputent la défaite des Wendats devant les Iroquois à la fin des années 1650 à une incapacité des premiers d'«organiser une confédération efficace», tentent d'expliquer le caractère politique de la grande majorité autochtone du Nord-Est au moyen du modèle de la petite minorité iroquoise, peut-être surtout à cause de la plus grande compatibilité de celui-ci avec le mode politique et militaire agressif occidental. La réalité, selon nous, est que la grande société autochtone du Nord-Est était en fait, lors du contact, une grande société commerçante, multiethnique, remarquablement unifiée, dont aucun des éléments ne pouvait ressentir le besoin de «se confédérer» selon le modèle iroquois.

S'il est très probable que l'établissement de l'Hodeno-saunee puisse être mis en relation avec l'émergence évidente des bases d'un vaste système commercial au nord, duquel elle était alors géopolitiquement et culturellement exclue, il est aussi à peu près certain que la venue des Européens, dès l'aube du XVIe siècle, détermina de façon profonde l'idéologie qui contribua tant, durant la période historique, à faire voir comme ils furent vus les Iroquois, c'est-à-dire un peuple acharné à détruire tout ce qu'ils ne pouvaient pas conquérir. Également, dans ce même ordre d'idées, le bouleversement géopolitique général provoqué par l'arrivée des Européens fut surtout ce qui fit que l'Hodenosaunee fut fondée sur une vision[42] selon laquelle elle (et non la grande alliance commerciale wendate-algique) possédait un message de paix universelle qu'elle devait «faire connaître» à tous les autres peuples. Dennis (1986 : 93, 96-97) perçoit ainsi la mission iroquoise :

> Les Iroquois voyaient leur confédération comme un processus de paix qui continuerait à croître à mesure que d'autres groupes seraient amenés sous le Grand Arbre de la Paix, jusqu'à ce que leur univers en entier soit pacifié [...]. La création culturelle que fut l'Hodenosaunee favorisait fortement la pacification et servait de base permanente pour la paix. Elle représentait aussi un précédent pour étendre le modèle de paix iroquois au-delà des frontières de l'Iroquoisie. Leur carrière aux XVe et XVIe siècles suggérait aux Iroquois que d'autres gens, individuellement et en groupes politiques plus grands, pouvaient être incorporés dans une Pax Iroquoia[43] et transformés symboliquement et éventuellement dans les faits, en Iroquois (trad. libre).

---

42. Nous avons déjà argumenté (1989 : 61-64) que cette vision, venue du peuple wendat (selon la tradition orale iroquoise), s'avéra la voie par laquelle fut opéré un salut du peuple amérindien, en ce sens qu'elle permit la préservation de son idéologie originale en offrant une «politique» alternative aux programmes d'assimilation européens. Nous en traiterons au chapitre III.

43. L'idée impliquée ici par Dennis est le processus guerrier de soumission, puis d'absorbtion d'autres nations. (Voir l'interprétation de ces «guerres iroquoises» à la fin du chapitre III.)

La sagesse et la haute spiritualité des fondateurs de la Ligue de l'Hodenosaunee (particulièrement du prophète wendat Dekanawidah et de son frère spirituel agnier Hayenwentha) seront toujours un objet d'admiration et, peut-être, une énigme pour celui qui se penchera sérieusement et objectivement sur l'histoire des Amérindiens du Nord-Est. Comment, en effet, quelqu'un put-il prévoir si clairement, au XVIe siècle (c'est-à-dire après l'arrivée des Européens), le déroulement et les conséquences d'un événement aussi inédit que l'arrivée d'une civilisation humaine inconnue, ainsi que concevoir une voie pour éviter la perte complète de son peuple et peut-être, surtout, en communiquer l'idée au groupe de nations apparemment le moins susceptible entre tous de la reconnaître et de l'accueillir ?

LA DISPARITION DES NADOUEKS LAURENTIENS

L'histoire suggère que le moyen que les Cinq-Nations utilisèrent le plus pour accéder aux réseaux de traite fut l'agression ouverte et la saisie du butin (Trigger, 1991 : 213 ; 289-290 ; 335 ; 607-609). Comme nous l'avons vu, l'évidence préhistorique n'est pas moins forte en ce sens. Il est plus que probable que les perturbations politiques, démographiques (Tuck 1978a : 324 ; Trigger et Pendergast 1978 : 361 ; Fenton 1940 : 175) et sociales que dut signifier l'intrusion des Européens dans le monde amérindien[44] causèrent l'approfondissement d'une inquiétude certainement déjà présente au sein de

---

44. Le comportement de Jacques Cartier envers les Stadaconiens, tel qu'il le décrit dans la relation de ses deux premiers voyages, laisse voir les multiples façons dont sa présence (et qui sait de combien d'autres visiteurs ?) put être perçue comme hostile et provocante par les Amérindiens : il plante sa croix sans permission, au vu des chefs ; il fait ostentation de la force de ses armes, ce qui lui est catégoriquement reproché ; ses hommes et lui «maltraitent» une fille de haut statut que les chefs avaient offerte pour femme à Cartier, en signe de leur volonté d'union aux Français ; les Stadaconiens connaissent une très grave maladie nouvelle durant l'hiver 1535-1536 ; Cartier signe deux enlèvements multiples, dont l'un est du premier chef de Stadaconé, Donnacona, et de neuf personnes de son conseil et de sa famille ; les Français dénigrent ouvertement les croyances des Stadaconiens, etc.

la grande société amérindienne et firent que les articles de traite acquirent vite, en plus de la valeur symbolique et utilitaire intrinsèque à tous les biens d'échange, une valeur de survie. Par exemple, une hache de métal faisait gagner au groupe le temps dont la mort ou la disparition de parents était venu le priver. Une escalade de la panique et donc, de la violence devint inévitable[45].

Les Iroquois, privés de l'accès à l'échange commercial avec les Européens, et maintenant pacifiés à l'interne, intensifièrent une pratique de plus en plus systématique de raids à l'endroit du commerce nordique. Le Wendaké et, surtout, les territoires du nord du lac Ontario étaient, bien sûr, des points stratégiques où la traite se concentrait, mais les communautés de la rive nord du Saint-Laurent, de l'extrémité ouest du lac Ontario jusqu'à Hochelaga (Montréal), ainsi que celles du comté étasunien de Jefferson (face à la région ontarienne des Mille-Îles), étaient aussi des cibles privilégiées, vu leur isolement relatif.

En 1972, Trigger[46] fit une analyse détaillée de toutes les interprétations historiques concernant l'énigme du sort que connurent les habitants des deux régions laurentiennes de Stadaconé et d'Hochelaga[47], dispersées et abandonnées après le passage de Cartier au XVIe siècle. L'auteur relève trois interprétations : celle de Marc Lescarbot, celle des jésuites et celle de Nicolas Perrot.

---

45. L'archéologue W.R. Fitzgerald (voir chapitre I, note 131) réfute l'idée, souvent véhiculée par les historiens (voir en particulier Calvin Martin, 1978), que les Amérindiens abandonnaient facilement et rapidement leur propre technologie pour les biens que leur offraient les Européens.
46. «Hochelaga : History and Ethnohistory», première partie, dans *Cartier's Hochelaga and the Dawson Site*, James F. Pendergast et Bruce G. Trigger (dir.), Montréal, McGill-Queen's University Press, 1972, p. 1-108.
47. L'archéologue québécois Claude Chapdelaine (1990b : 53-63) a récemment défini une troisième province nadouek laurentienne, située à l'ouest de la rivière Richelieu et incluant tout le territoire laurentien des deux rives : la province de Maisouna.

Le récit des jésuites est celui rapporté par Charlevoix dans son *Histoire de la Nouvelle France* (1744, t. I, vol. 5, p. 228) selon lequel deux vieux Amérindiens racontèrent à Maisonneuve en 1642 qu'ils étaient de la nation qui avait autrefois habité le pays voisin du mont Royal (Montréal) et que leurs ancêtres en avaient été chassés par les Wendats.

Ce souvenir pourrait faire penser à l'épisode guerrier survenu après le passage de Cartier, que les Agniers nomment leur « deuxième guerre algonquienne ». Hochelaga put bien être la scène d'un engagement important opposant les Iroquois (surtout agniers) à une force wendate-algonquienne, dont le résultat put être une dispersion partielle des habitants d'Hochelaga, ancêtres des deux vieillards. Quatre ans plus tard, un ancien de la tribu algique des Onontchataronons raconte au père Lalemant que sa mère disait qu'étant jeune, les Wendats chassèrent leur peuple de l'île de Montréal, ce qui ramènerait encore aux premières décennies après la visite de Cartier, époque plausible de la « deuxième guerre algonquienne » des Cinq-Nations.

Avec raison, Trigger affirme que nous devons craindre que l'identité des assaillants (90 ans plus tard) eût été confondue avec celle des Iroquois. Les Onontchataronons ont été connus historiquement comme des alliés des Wendats, hivernant régulièrement chez eux et parlant très bien leur langue. Trigger remarque aussi que divers motifs et intérêts ont pu faire fabriquer ce genre de récit par les Onontchataronons, notamment leur désir, exprimé aux Français, d'avoir la possibilité de s'établir près de Ville-Marie et d'ainsi jouir d'une relation particulière par rapport aux coloniaux.

Trigger, dans ce texte, privilégie plutôt le récit de Lescarbot, selon lequel les Cinq-Nations, en l'an 1600, forts de 8 000 guerriers[48], envahirent la vallée du Saint-Laurent et en

---

48. Ce chiffre est exagéré, considérant que les Agniers eux-mêmes, en 1609, se disaient presque exterminés par leurs voisins du Sud (Heidenreich, 1990: 485) et que les Laurentiens étaient, eux aussi, certainement réduits en nombre à cette époque, non seulement par les

expulsèrent ou en exterminèrent tous ses habitants, algonquiens, hochelaguiens et autres. Les écrits du récollet Denis
Jamet, en 1615, vont dans le sens du récit de Lescarbot, bien
que son expression, «il y a 80 ans», renvoie vraisemblablement
aux événements de la «deuxième guerre algonquienne» (après
Cartier) et qu'il ne fasse pas allusion à une destruction massive
et définitive, incluant celle d'Hochelaga.

Une autre tradition découverte par Trigger, celle de
Nicolas Perrot, explorateur, interprète et trafiquant de fourrures de la fin du XVIIᵉ siècle, s'avère, selon nous, la plus
intéressante et la plus sûre, puisqu'elle correspond essentiellement à la tradition orale hodenosaunee. Celle-ci, telle que
rapportée dans l'article de Pierre Trudel (1991 : 55), parle
d'une «deuxième guerre algonquienne», perdue par les
«Mohawks de la vallée du Saint-Laurent»[49], suivie par un
retrait au sud. Puis, «plus tard», une autre offensive vraisemblablement contre une population alors surtout algonquienne
leur permit de rétablir leur suprématie sur le Saint-Laurent.
Enfin, les incursions de Champlain, en 1609 et en 1615, les
obligèrent à se retirer au sud une fois de plus.

La tradition de Perrot se lit comme suit dans le texte
de Trigger (Pendergast et Trigger, 1972 : 80) :

> Ce récit prétend que les Iroquois vivaient auparavant dans la
> région de Montréal et de Trois-rivières. Ils cultivaient le sol
> et échangeaient leur maïs aux Algonquiens contre des four-
> rures et de la viande séchée. Un hiver, des Iroquois et des
> Algonquiens partirent chasser ensemble et eurent entre eux
> une querelle qui finit par la mort des Iroquois. Leurs gens,
> apprenant cette nouvelle, le printemps venu, décidèrent de

---

guerres, mais aussi par les maladies amenées par les Européens.
Pour une typologie de la répercussion des maladies européennes,
voir plus loin la section intitulée «L'énigme du Saint-Laurent :
éléments de réponse amazonienne». Nous sommes d'avis que la
population hochelaguienne, alors «conquise par les Agniers», dut
être réduite considérablement par les épidémies et leurs conséquences.
49. L'article, reprenant la thèse de David Blanchard, explique que les
Agniers percevaient Hochelaga et l'archipel de Montréal comme la
limite nord-ouest du territoire de leur peuple.

venger ces morts. Dans la guerre qui s'en suivit, ils furent battus et durent se réfugier dans la région au sud du lac Ontario, où ils s'établirent[50]. Dans leur nouvelle contrée[51], les Iroquois se renforcirent et, à l'époque où arrivèrent les Français, ils étaient en train de se venger contre leurs anciens oppresseurs.

Nous croyons que David Blanchard voit juste lorsqu'il écrit que Tiotontakwe[52] était vraisemblablement un centre commercial fréquenté par les différentes tribus et nations du Nord-Est (Trudel, 1991 : 55). Nous pensons que, tout comme le Wendaké, la Neutralie et Stadaconé, Hochelaga était un lieu international partagé et fréquenté par Agniers, autres Iroquois, Wendats, Laurentiens et Algonquiens qui tous devaient pouvoir passer d'une région du pays à l'autre, à travers ces zones internationales. Se basant constamment sur la tradition orale agnier, Blanchard écrit que «comme région frontalière, il est entièrement possible que tout en ayant son caractère propre, le groupe laurentien [de Tiotontakwe] eusse été en réalité une société composite». Cela va certainement dans le sens de la revendication fréquemment faite par les Agniers tout au long de l'histoire (Delâge, 1990 : 8, 24-25), selon laquelle leurs territoires ancestraux «englobent la région de Montréal»[53].

---

50. Il s'agit évidemment d'un groupe restreint qui serait allé se fondre à l'un des peuples iroquois habitant déjà l'Iroquoisie new-yorkaise. Selon J. V. Wright (1990 : 501), des traces d'émigration laurentienne auraient récemment été retrouvées en territoire onneiout historique.
51. Le récit présente de nombreux défauts, sûrement dus à sa longue et vaste circulation, mais il faut s'en tenir aux événements essentiels.
52. Nom que les Mohawks de Kahnawake ont retenu pour l'antique ville d'Hochelaga. *Tiotontakwe* désigne aussi la ville de Montréal et voudrait dire : «là où les peuples se séparent». Selon une théorie épousée par Dawson, Lighthall et Ganong, le mot *Hochelaga* aurait été un nom nadouek pour désigner toute la région de Montréal.
53. Les historiens ont beaucoup débattu la validité du concept et la réalité des «conquêtes» iroquoises, fondement théorique du droit britannique en Amérique du Nord (voir en particulier le remarquable ouvrage de Francis Jennings, 1984 : *The Ambiguous Iroquois Empire* [...]). Nous prétendons que c'est un faux problème. Les Amérindiens du Nord-Est ne sont pas des peuples conquérants, mais des *peuples adopteurs*. Sur cette base, nous disons que le concept de «droit par conquête» ne peut s'appliquer aux Iroquois. Un fait beaucoup plus significatif au regard de la sociologie de tous ces peuples et qui

Les motifs fondamentalement politiques et démographiques (l'argument climatique nous semble facultatif) des Iroquois pour vouloir établir leurs droits sur le Saint-Laurent semblent confirmés par l'ensemble du dossier archéologique regardant l'explication la plus plausible du sort final des Nadoueks laurentiens.

Un débat intense entoure la relation des Wendats-[Tionontatés] et des [Nadoueks] laurentiens, mais les chercheurs disent de plus en plus unanimement que [ces derniers] cherchèrent refuge chez les Wendats-Tionontatés pour échapper au harcèlement et aux incursions constantes des Iroquois de New York [...] [Jamieson, 1990]. Les Iroquois, ou la confédération des Cinq-Nations, d'après une nouvelle analyse de la tradition orale et les chronologies des éclipses solaires dans le Nord-Est, semblent avoir vu le jour vers l'an 1536 [...]. Avec la cessation des hostilités entre leurs tribus, les guerriers des Cinq-Nations auraient dirigé à l'extérieur de leur pays leurs énergies employées à la quête de prestige[54]. La coïncidence de la cristallisation de la confédération des Cinq-Nations et l'abandon de territoires traditionnels des [Nadoueks laurentiens] durant les premières décennies du XVIe siècle sont causalement liées [...]. Les raisons de la disparition finale des [Hochelaguiens et des Stadaconiens] demeurent un mystère [...] mais au moins un village dans le comté de Victoria, le site Trent [...], où on a retrouvé plus de 35 % de poterie laurentienne et des perles de verre de la Période I (années 1580 à 1600) [...] est peut-être l'endroit où ont vécu les derniers représentants de ce groupe [...] autrefois populeux. La possibilité que les Hochelaguiens et les Stadaconiens connurent également les ravages d'épidémies de maladies européennes au XVIe siècle [...] ne devrait pas être

---

doit être considéré lorsqu'on traite d'antécédents territoriaux est le brassage intense et indéniable de peuples et d'identités qui se produisit, surtout durant les deux premiers siècles de l'invasion européenne (1500-1700). Par ailleurs, nous avons vu au chapitre premier que l'*île* de Montréal paraît représenter, pour les Wendats (Barbeau, 1915 : 312), le lieu d'arrivée et d'établissement dans le Nord, au terme de très anciennes et épiques migrations. Ce lieu aurait-il été le Wendaké (l'île) original de tous les Nadoueks ?
54. Plutôt que cette explication quelque peu folklorisante, nous avons déjà suggéré que ces guerres n'étaient rien moins que vitales pour les Hodenosaunee.

niée. Jacques Cartier [...] observa, en décembre 1535, que plus de cinquante Stadaconiens (environ 10 % de la population du village) étaient morts d'une maladie inconnue [...] (Warrick, 1990 : 378 ; trad. libre).

L'ÉNIGME DU SAINT-LAURENT : ÉLÉMENTS DE RÉPONSE AMAZONIENNE

Bien que les analyses les plus approfondies, notamment celles de Snow et Lanphear (1988 : 15-33) et Snow et Starna (1989 : 142-149), semblent avoir définitivement discrédité la thèse de la présence de pandémies dans le Nord-Est dès les années 1520, dont l'un des principaux tenants a été Dobyns (1983 : 314-321), il n'est aucun des spécialistes actuels qui ne consente à la possibilité d'un rôle important joué par les maladies épidémiques européennes dans l'évolution de la dépopulation des peuples autochtones à partir du moment des premiers contacts, notamment dans la disparition des Nadoueks laurentiens au XVIᵉ siècle. Une illustration possible de ce que purent vivre ces populations, peut-être dès les premières décennies, vient d'une période récente documentée de l'histoire des Kayapos, une tribu du centre du Brésil.

Le biologiste et ethnoécologiste étasunien Darrell Addison Posey se spécialise sur les modes écologiques des Amérindiens de l'Amazonie brésilienne, notamment ceux des Kayapos, l'une des tribus brésiliennes les moins visitées par la civilisation occidentale, jusqu'à il y a quelques décennies. De la même façon que leurs « congénères »[55] iroquois du Nord, les Kayapos se sont gagné la réputation d'être très résistants à leurs envahisseurs euroaméricains. Partant de sa connaissance intime de l'univers social et spirituel des Kayapos, Posey fut amené à s'interroger sur les faits historiques pouvant éclairer sur la nature sociale spécifique de ce peuple, laquelle lui a

---

55. Au sens large d'autochtones américains. Par ailleurs, tel que nous avons spéculé, au premier chapitre, sur une origine mésoaméricaine lointaine possible pour les Nadoueks, il a aussi été suggéré que les Kayapos ont pu être issus de ce même foyer culturel, il y aurait environ dix millénaires.

permis de survivre spirituellement jusqu'à aujourd'hui. Cet auteur écrit – et nous partageons son sentiment – que certains des faits qu'il a circonscrits peuvent servir à établir une typologie des conséquences sociales et culturelles de la dépopulation épidémiologique dans les Amériques, à l'origine du contact, notamment les désertions massives dans de nombreux territoires[56].

Posey découvrit que d'anciennes branches méridionales de Kayapos avaient été anéanties aux XVIe et XVIIe siècles à cause de leur proximité aux premiers postes portugais (premier point de similitude avec l'histoire des Wendats et des Hodenosaunee, où les premiers sont rapidement anéantis à cause de leur centralité dans la géopolitique d'origine).

Les Kayapos du Nord, profitant de leur situation nordique beaucoup moins vulnérable, devinrent experts à éviter les balles des fusils portugais et «à attaquer les caravanes transportant l'or [vers la côte] [...]. Ils devinrent aussi reconnus pour leur hostilité, leurs raids osés et leur coutume barbare de matraquer à mort leurs victimes [...]. À cause de leur réputation pour la violence et parce qu'ils vivaient au nord du principal corridor intérieur de la colonie portugaise, les Kayapos du Nord n'eurent pas de relations soutenues avec les Européens avant le XIXe siècle [...]» (1987 : 139 ; trad. libre).

Les Kayapos, poursuit Posey, eurent leur *premier* contact amical avec «les civilisés» en 1860, lorsque le frère dominicain Gil Vilanova établit chez eux la mission de Santa Anna Nova. Ce religieux et ses successeurs furent les premiers Européens à rendre compte de la violence avec laquelle ces Amérindiens (comme tous les autres universellement) furent frappés par les maladies épidémiques. Vilanova regarda, impuissant, sa population de Kayapo Pau d'Arco mourir rapidement sous les coups de plusieurs épidémies successives. H. Coudreau, explorateur

---

56. D.A. Posey, «Contact before contact: typology of post-columbian interaction with Northern Kayapo of the Amazon Basin», *Nucleo de Ethnobiologia*, Boletin Museo Paraense Emilio Goeldi, nova Série Anthropologica, vol. 3, n⁰ 2, 1987, p. 135-154 ; surtout p. 149.

français, visita Santa Anna Nova en 1896 et y décrivit une population de 5 000 Kayapos Pau d'Arco, vivant dans quatre villages. Ces gens, manifestement des survivants de 30 ans de contact intense avec les maladies européennes, étaient entièrement éteints 50 ans plus tard. (Dobyns, 1966 : 413-414). Par ce récit des Pau d'Arco, Posey veut illustrer l'extrême brutalité du contact amérindien avec les épidémies.

> Les cas ne sont pas rares [à l'échelle du continent], où 85 à 90 % d'un quelconque groupe donné ont été détruits par une seule épidémie [...]. Un calcul approximatif est que 85 % des populations aborigènes moururent de maladies européennes durant la première génération suivant le contact «initial». Durant une épidémie de rougeole dans un village kayapo du Nord (Kokrajmoro), 34 % d'une population *vaccinée* [nous soulignons] moururent en moins de deux semaines, et cela comprit tous les gens de quarante ans et plus, à l'exception de deux femmes [...]. Cette épidémie eut lieu dans un village qui avait eu des contacts officiels depuis plus de 20 ans ! On peut seulement s'imaginer les effets que de telles épidémies eurent sur des populations non vaccinées (Posey, 1987 : 139 ; trad. libre).

La description de ces effets ne peut qu'amener à penser à ce que vécurent vraisemblablement des peuples géographiquement beaucoup plus près de nous, tels les agriculteurs de la vallée du Saint-Laurent, dont on n'a que très peu de raison de croire qu'ils furent complètement exemptés de semblables fléaux, même bien avant les supposés contacts «initiaux» avec les Blancs.

> L'effet immédiat sur ce groupe particulier de Kayapos fut qu'il n'y avait plus personne pour s'occuper des champs cultivés, ni même récolter les produits mûrs. Le village se trouva affaibli au point que sans l'aide médicale fournie par une équipe missionnaire, le groupe au complet serait disparu. Le groupe survécut donc, mais les systèmes culturels et sociaux furent soudainement paralysés, étant donné que la transmission de la culture s'effectue surtout par la communication entre enfants et grands-parents. Il n'y avait plus de grands-parents, pas un seul ancien pour enseigner les rituels essentiels qui assurent les bonnes récoltes, ni personne pour nommer rituellement les enfants et ainsi perpétuer le sys-

tème de succession unique aux Kayapos. De plus, les rôles spécialisés dans les activités cérémoniales étant strictement réservés à certains lignages, des cérémonies et des rituels entiers disparurent en même temps que les membres âgés des lignages. Le village se trouva rapidement en proie à une chaotique déculturation (Posey, 1987 : 140 ; trad. libre)[57]. L'ethnobiologiste décrit ensuite les façons dont se fait le contact entre Brésiliens autochtones et Brésiliens allochtones. Ce contact peut être de trois types : indirect, par intermédiaire et direct. Le contact indirect est parfois «silencieux», c'est-à-dire lorsqu'un groupe «non contacté» trouve ou prend des objets qui ont été au préalable possédés ou manipulés par un autre groupe «contacté». On notera que les maladies peuvent être transportées par les insectes ou voyager par l'intermédiaire d'animaux (cela paraît, de prime abord, ne pouvoir s'appliquer qu'aux régions torrides, mais la possibilité pour les régions froides ne doit certainement pas être écartée systématiquement). Le deuxième type, le contact par intermédiaire, implique les postes des Blancs, les intermédiaires de la traite du genre «coureurs des bois» et les partenaires commerciaux d'autres groupes autochtones, les chercheurs d'or, de caoutchouc, etc., les esclaves fugitifs, les expéditions militaires anti-amérindiennes et les entreprises religieuses. Enfin, le contact direct se fait sous forme de raids contre des nations ennemies, souvent pour s'accaparer leurs objets matériels, mais, aussi, pour enlever des captifs, surtout des enfants, qu'on adopte (les analogies avec les réalités nordiques sont nombreuses et frappantes). L'autre forme est la vengeance souvent provoquée par l'empiètement (de «Portugais») sur leurs terres ou pour venger la mort d'un ou de plusieurs des leurs, ou encore pour punir un acte de sorcellerie.

---

57. Trigger (1991 : 581-582) a fait remarquer que les épidémies des années 1634-1649, en emportant massivement les personnes âgées, causèrent la déstabilisation de la société wendate sur le plan le plus critique, c'est-à-dire celui des croyances et de la spiritualité. Dès lors, il n'y eut plus de remède pour la sauver.

LA « DISPARITION » DES KAYAPOS DE PYKA-TÔ-TI

Vers l'an 1900, les Kayapos du Nord (État actuel de Para, dans le Brésil central) avaient un chef-lieu, Pyka-tô-ti, qu'ils appelaient aussi Kry-mex : le « Beau et Grand Village ». Ce village, alors « intact », avait constitué une société populeuse (3 500 à 5 000 personnes en période non festive) et hautement organisée (Posey, 1987 : 147). Les plus vieux se souvenaient, en 1978, que Pyka-tô-ti avait « tant de "rues" et de maisons [maisons-longues typiques des sociétés matrilinéaires] que l'on ne pouvait connaître que ses parents et ceux qui suivaient le même chef que soi » (Posey, 1987 : 147 ; trad. libre). Le cercle[58] entourant le village avait plus d'un kilomètre de diamètre.

Bientôt vinrent des maladies et avec celles-ci, la méfiance, la discorde, la division. On imputa les morts à la sorcellerie. « À cause de la sorcellerie et des maladies, dit Posey (1987 : 147), quelques-uns des chefs quittèrent le Grand Village avec leurs gens pour aller vivre à quelque distance de là, par crainte des esprits de tous ceux que les épidémics avaient fait mourir : "la terre était devenue mauvaise, disent-ils, et hantée par de dangereux esprits (karon punu)." Éventuellement (vers 1919), Pyka-tô-ti fut totalement abandonné, explique Posey. Les groupes fissionnés formèrent leurs propres villages, mais ne se séparèrent pas complètement du point de vue cérémonial... » (trad. libre).

Toutefois, les *sertanistas* (coureurs des bois brésiliens) qui rencontrèrent les Kayapos une vingtaine d'années plus tard constatèrent que le village avait cessé d'exister et s'était dispersé en sous-groupes mutuellement hostiles. L'un de ces explorateurs, Horace Banner, a décrit dans ses journaux de voyage l'état chaotique de « ses » Indiens. Ces chroniques, dit Posey, sont remplies de récits d'incursions faites par des groupes contre d'autres. De nombreux massacres faits par représailles pour la mort par maladie « causée » par des lignages ou des

---

58. Nous parlons constamment de sociétés à pensée circulaire.

villages rivaux accentuaient la peur d'une vengeance de la part d'anciens voisins et concitoyens. L'appréhension des représailles existe encore aujourd'hui (1987), dit Posey, puisque deux ou trois groupes de Kayapos «non contactés» continuent de fuir leurs parents «pacifiés», à cause d'une peur venant de ces anciennes hostilités.

Le plus puissant facteur ayant conduit à la désintégration de la société kayapo traditionnelle fut celui des maladies européennes. Dans un village kayapo tel que Gorotiré [le principal village actuel des Kayapos], les vagues de maladie et de mortalité provoquent encore des accusations de sorcellerie. Turner [...], Verswijver [...] et Bamberger [...] ont documenté des cas précis où des Kayapos individuels sont accusés d'avoir fait se déclarer une maladie. L'accusé doit alors fuir le village avec sa famille et ses parents loyaux ou se résigner à se faire tuer. S'il proteste de son innocence, l'accusé, ainsi que toute sa famille élargie, peuvent choisir de combattre l'accusateur et la famille élargie de celui-ci. Les perdants dans ce conflit dramatique, ritualisé et extrêmement sérieux, doivent s'en aller du village. Des segments importants de la population d'un village ont ainsi été détachés à cause d'accusations [de sorcellerie] et ont dû fuir leur lieu d'origine.

Un mécanisme culturel important qui intervient dans l'occupation d'un site est la peur des esprits. Traditionnellement, les Kayapos abandonnent une maison si plusieurs morts y surviennent durant une brève période de temps. Un site entier de village est abandonné si plusieurs personnes y meurent, comme durant une épidémie[59]. Les archives des villages, des missionnaires, ainsi que celles des agents des Indiens montrent qu'un taux de mortalité de 60 % ou plus était commun dans les missions kayapos après qu'on eût établi ces gens dans des « poste » indiens.

La dispersion suivant les épidémies est un mécanisme d'adaptation très commun chez les animaux vivant en société. Fréquemment, nous ne reconnaissons pas ce même mécanisme

---

59. Serait-ce là une raison additionnelle ou alternative pour expliquer le mouvement frénétique des populations et la réinstallation beaucoup plus fréquente des villages nadoueks, à partir du XVIᵉ siècle ? Les jésuites rapportent que les Wendats agirent de cette même façon à Ossossané, à la suite de l'épidémie de 1639 (*Relations des jésuites*, 21 : 158) (Trigger, comm. personnelle, 1991).

chez les humains parce que nous ne comprenons pas la logique culturelle qui le sous-tend. Chez les Kayapos, toutefois, l'évidence est convaincante, tel que le démontre ce modèle de fission. Une augmentation des relations hostiles à l'intérieur des groupes suivit la désintégration de Pyka-tô-ti ; de même les Kayapos se montrent beaucoup plus hostiles et agressifs envers les étrangers qu'ils l'avaient été avant d'être décimés par des épidémies. Les plus âgés des survivants se souviennent de Pyka-tô-ti et parlent des temps avant qu'il y eût beaucoup de maladie, lorsque les Kapapos vivaient en paix avec leurs voisins. Aujourd'hui, ils ressentent de la honte à cause des morts dues à la guerre et aux relations hostiles à l'intérieur de leurs groupes (Posey, 1987 : 148-149 ; trad. libre).

De multiples façons, la carrière historique du peuple Kayapo constitue l'image de celle de très nombreux autres peuples autochtones américains, en particulier des Nadoueks, fidèlement reflétée dans le miroir de l'expérience coloniale. Comme Posey, nous croyons que cette image peut être très utile pour la reconstitution d'une histoire plus exacte et socialement significative des peuples amérindiens (et d'autres peuples aborigènes ; pensons surtout à ceux du continent austral) qui partagèrent le pénible sort historiographique des Kayapos.

Les Kayapos apparurent donc aux étrangers qui ne connaissaient pas l'histoire ni la culture kayapos (et qui ne disposaient que de peu de capacité de communication pour percevoir davantage) indûment agressifs et nomades. Cette impression biaisée de leur vraie « nature aborigène » a influencé depuis lors les perceptions des Kayapos et des autres peuples autochtones.

Nous n'apprendrons jamais la vraie densité des populations aborigènes des Amériques, ni leur vraie nature sociale, mais il nous est possible d'arriver à un portrait plus véritable de l'Amérique précolombienne. Nous devons rejeter la fausse conception que les descriptions de « contacts initiaux » reflètent la réalité vécue par les populations autochtones à l'origine du contact et être prêts à réévaluer les récits historiques et ethnographiques[60] de façon qu'ils traduisent mieux la réalité

---

60. Et conséquemment les dossiers archéologiques.

de sociétés amérindiennes déjà dans les affres de la dévastation sociale et du chaos (Posey, 1987 : 149 ; trad. libre).

LA POPULATION WENDATE
AU STADE PROTOHISTORIQUE (1550-1609)

En 1550, nous voyons, dans l'évolution de l'établissement du Wendaké (voir figure 10), que le mouvement graduel de la population vers le nord-ouest se continue et que les villages forment maintenant des regroupements, dans lesquels Warrick décèle des modèles des nations wendates connues historiquement : les Attignawantans (et les Ataronchronons) au nord, dans la péninsule de Pénétang ; les Attignéénongnahacs au centre du comté de Simcoe ; les Arendahronons à l'est, dans le comté de Victoria, et les Tahontahenrats dans un ou deux villages du regroupement de Toronto, de même que les Tionontatés dans le reste de ce dernier regroupement (Warrick, 1990 : 374).

Les excavations de sites du nadouek tardif (de 1420 à 1550) au sud du Wendaké historique ont mis au jour de très gros villages, dépassant les cinq hectares, et logeant des populations de plus de 2 500 personnes (Warrick, 1990 : 362). Les maisons, pareillement, à cette époque, avaient atteint des dimensions surprenantes. Les maisons attiwandaronks (neutres), surtout, dépassaient souvent les 50 mètres de longueur, « certaines atteignant des proportions monstrueuses, telle la maison de 90 mètres du site Slack-Caswell [...], une demeure de 93 mètres au site Moyer [...] et une [autre] de 124 mètres [égalant celle du site onontagué de Schoff] [...] au site Coleman [...] » (Warrick, 1990 : 363).

Mais il semble que l'évolution dans l'île du Wendaké se fit de façon différente de celle observée en Iroquoisie et au nord immédiat du lac Ontario (territoire mixte wendat-attiwandaronk-tionontaté, où il est très difficile de distinger archéologiquement ces trois nations) (Warrick, 1990 : 105). L'absence jusqu'à aujourd'hui dans le dossier archéologique (Warrick, 1990 : 362) de villages ou de maisons gigantesques dans ce territoire indique que la formation des cinq nations qui l'habitèrent historiquement ne se fit pas selon la logique du regroupement pour la défense. Plutôt, comme nous l'avons déjà suggéré, l'organisation géopolitique du Wendaké fut conséquente de l'idéologie commerciale et cosmopolite implantée chez ce peuple dès l'époque de la «grande colonisation» des phases Uren et Middleport. L'évolution au Wendaké va vers un village de taille considérable, mais dont les maisons sont de dimensions notablement modestes.

> Les villages du préhistorique tardif [1420-1550] furent composés de maisonnées plus petites, mais plus nombreuses. La formation d'alliances tribales, intégrées et soutenues par des clans, des confréries [par exemple de médecine], la suerie, le [cérémonial du tabac], les fêtes, l'échange d'objets exotiques et les sépultures dans des fosses communes [...] remplacèrent les lignages maternels très élargis par des lignages claniques plus flexibles (Warrick, 1990 : 374).

L'une des contributions majeures de Warrick est d'avoir clairement démontré l'inexistence de preuves archéologiques d'une dépopulation importante des Wendats et des Tionontatés protohistoriques, dépopulation due aux maladies épidémiques communiquées par les Européens (Warrick, 1990 : 380)[61]. Toutefois, il faudrait voir quelle proportion de la mortalité et de la dépopulation observables entre les années 1500 et 1550 et attribuées traditionnellement par les archéologues seulement à des facteurs internes aux sociétés wendate et tionontatée (tels que morts par tuberculose et autres maladies infectieuses et contagieuses, baisse de la fertilité, violence interpersonnelle imputable à de nouvelles tensions, etc.)[62] pourrait être mise en relation avec les bouleversements sociaux et écologiques qui accompagnèrent l'entrée en scène des Européens.

---

61. Les fouilles approfondies de Dean R. Snow et William A. Starna en territoire agnier ont donné un profil démographique tout à fait similaire pour cette nation. Voir leur article paru dans *Ethnohistory* : «Sixteenth Century Depopulation : A View from the Mohawk Valley», vol. 91, nº 1, 1989, p. 142-149.

62. *Cf.* l'expérience des Kayapos.

LA POPULATION WENDATE DE 1609 À 1634

La première évaluation du nombre des Wendats au moment de l'arrivée des Français dans leur pays (vers 1615) nous vient d'un rapport que les Wendats eux-mêmes ont communiqué à Samuel de Champlain : «Ils prennent [les Wendats calculent] ces 18 villages, écrit Champlain en 1615, être peuplés de 2 000 hommes de guerre[63], sans en comprendre le commun, qui peuvent faire en nombre 30 000 âmes.» (Champlain, dans Biggar, vol. III : 122).

Le frère Sagard, à peu près à la même époque, semble avoir pensé que les Wendats pouvaient compter jusqu'à 40 000 individus (1990 : 161) et les jésuites, pour leur part, estimèrent invariablement dans leurs relations (*Relations des jésuites*, 6 : 59 ; 7 : 225 ; 8 : 115 ; 10 : 313 ; 42 : 221 ; 44 : 249) que la population «originelle» (c'est-à-dire en 1633) du Wendaké avait été supérieure à 30 000 âmes[64].

Le géographe Conrad E. Heidenreich, dans son célèbre ouvrage *Huronia. A History and Geography of the Huron Indians, 1600-1650*, paru en 1971, était arrivé à une estimation similaire à celle de Garry Warrick, c'est-à-dire qu'il estimait la population wendate à 22 500 avant le début des épidémies, vers 1634[65]. Heidenreich part du recensement jésuite de 1639, mais aussi d'une autre estimation formulée en 1640 (*Relations des jésuites*, 17 : 223), qui donne une population wendate de 10 000 habitants. Une population de 8 700 Wendats (selon le recen-

---

63. John A. Dickinson (1980 : 177), se basant sur Trigger (1991 : 158-166), a argumenté, avec raison, que tous les hommes wendats en état de porter les armes n'étaient pas des hommes de guerre, vu la vocation essentiellement commerciale de leur société. Il a supposé qu'un nombre égal d'hommes d'âge mûr étaient engagés dans l'entreprise commerciale. Les données archéologiques produites par Warrick indiquent que leur nombre aurait plutôt été de l'ordre de 3 000 hommes, comparativement à un nombre de 2 000 chargés de la défense, tel que le dirent les Wendats à Champlain.

64. Francis Jennings, dans *The Ambiguous Iroquois Empire* (1984 : 88), a mis en question le droit de la science moderne de nier la capacité des Amérindiens qui ont fourni ces statistiques (c'est-à-dire ici les Wendats) de compter leur propre population.

65. Nous verrons les raisons qui nous empêchent de croire que les Wendats n'avaient pas été frappés de maladies importées avant cette date.

sement de 1639) et un taux de mortalité épidémique de 50 %
donnent une population originale minimale de 17 400, alors
qu'une population de 10 000 (d'après l'estimation de 1640) et
un taux de mortalité de 70 % donnent une population pré-
épidémique de 33 300. Heidenreich établit donc une moyenne
entre ces deux résultats (population de 9 000 et taux de mortalité de 60 %) et obtient une population «originelle» de
22 500 (Heidenreich, 1971: 96-98).

Bruce G. Trigger, dans la deuxième édition de *Huron
Farmers of the North* (1989), révise une estimation de vingt ans
auparavant établie à 18 000 Wendats avant 1634. Se basant
lui aussi sur le recensement jésuite de 1639, Trigger propose
une population pré-épidémique supérieure à 22 000. Tout en
reconnaissant que le profil archéologique n'indique pas de
chute démographique importante avant les années 1630, cet
auteur émet l'avis que les populations wendate et tionontatée
ont pu souffrir quelque baisse entre cette date et le passage de
Champlain, en 1615 (Trigger, 1989: 19).

L'historien québécois John A. Dickinson affirme que les
chiffres de Trigger et Heidenreich (et donc Warrick) sous-
estiment les Wendats d'avant le contact. L'objection principale
de Dickinson aux estimations de Trigger et de Heidenreich est
que nous manquons de preuves pour conclure que ces épidémies, commencées en 1634, furent réellement les premières que
connurent les Wendats. Dobyns (1966: 411), affirme Dickinson, a établi le fait que les maladies précèdent souvent le
contact physique[66]. Calvin Martin (1978: 40-65), comme
Posey (1987: 142), a de plus avancé que la traite de fourrure
fut, à l'origine, un facteur majeur de décimation des Amérindiens au Nord-Est[67]. Sans même parler de «contacts avant le
contact», Dickinson remarque que «la première épidémie
documentée survint bien après le premier contact (encore une

---

66. Voir aussi l'article de Posey: «Contact Before Contact», *loc. cit.*
67. Nous avons déjà exprimé, dans *Pour une autohistoire amérindienne* (1989,
p. 135-136), notre désaccord avec certains éléments de la thèse de
Calvin Martin.

fois, *documenté*) entre [Wendats] et Européens, en 1609. À partir de 1610, à l'exception de l'année 1633-1634, au moins un Français a hiverné au pays wendat et leur nombre atteignit 14 en 1623-1624, 15 en 1625-1626, et 21 en 1628-1629» (trad. libre). Étant donné ces contacts si prolongés, il semblerait étonnant qu'aucun virus n'eût été transmis aux Wendats non immunisés avant 1634. En réalité, dit Dickinson, une résistance aussi longue contredirait tout ce que nous savons sur tous les autres contacts initiaux entre Européens et Amérindiens[68]. La preuve archéologique de la non-existence d'une dépopulation *catastrophique* chez les Wendats et les Tionontatés avant les années 1630 ne doit pas nous empêcher de reconnaître, lorsqu'on les trouve, les témoins des tragédies sociales que signifia pour ces peuples l'arrivée des Européens parmi eux dont la conséquence immédiate la plus évidente a été la transmission de maladies aussi sévères qu'inconnues[69]. Pour nous, ces signes et ces preuves incluent :

- l'évidence d'une maladie importante à Stadaconé en 1534, qui emporta au moins 10 % de la population locale et semble comporter la logique de l'existence d'autres maladies d'origine européenne antérieures ;
- le déplacement de segments importants de populations laurentiennes dès le début du XVIᵉ siècle, celui-ci pouvant évoquer la typologie des bouleversements sociaux et démographiques telle que décrite par Darrell A. Posey ;
- les allusions directes et précises d'Attiwandaronks et de Wendats (Johnston, 1964 : 5) dès 1626-1627, au pouvoir des Européens de produire des maladies ;

---

68. En 1626-1627, le récollet Joseph de La Roche Daillon écrit que les Attiwandaronks menacent de le tuer, parce qu'il aurait le pouvoir et l'intention d'empoisonner l'air du pays. (Cité dans Charles M. Johnston (dir.), *The Valley of the Six Nations*, Toronto, The Champlain Society et University of Toronto Press, 1964, p. 5.)
69. Ces événements paraissent encore plus graves lorsqu'ils sont examinés à la lumière de notre «hypothèse démographique», exposant des peuples, tels que les Nadoueks, déjà inquiets de leur faible poids politique.

– le témoignage, en 1640, d'un ancien, chez les Wendats, qui déclare au missionnaire avoir «vu *autrefois* des maladies dans le pays, qui ne duraient que deux ou trois lunes», desquelles les familles se rétablissaient en peu d'années, contrairement aux épidémies présentes, qui paraissent ne jamais devoir se terminer (*Relations des jésuites*, 15 : 42) ;

– le contact intense et prolongé qu'eurent, après 1609, Wendats et Français. Pourquoi une nation telle que les Micmacs, plus éparse et, donc, moins massivement exposée que les Wendats aux maladies se serait-elle plainte, dès 1611, d'être gravement décimée par les maladies des Français[70] alors que les Wendats auraient commencé à contracter celles-ci seulement après une génération de contacts ?

– la logique du choc psychologique représenté, au début, par l'arrivée d'un pouvoir maléfique («sorcellerie») d'une ampleur et d'une nature inédites (*cf.* l'effet de ce nouveau type de «sorcellerie» sur la société kayapo, «visible», si on le veut, dans le dossier archéologique des Wendats) ;

– enfin, nous préférons croire qu'il y eut dépopulation épidémique chez les Wendats avant 1634, parce que cette date correspond exactement au retour des jésuites au pays wendat et qu'il pourrait donc être trop facile de penser que ces gens revinrent avec le but de livrer une guerre bactériologique aux Amérindiens. (Les menaces de mort faites par les Attiwandaronks au récollet La Roche Daillon, en 1626-1627 (Trigger, 1991 : 394-399) constituent un des éléments

70. «Ils s'étonnent, rapporte alors leur missionnaire, le père Biard, et se plaignent souvent que dès que les Français ont commerce avec eux, ils se meurent beaucoup et se dépeuplent. Car *ils assurent* qu'avant cette fréquentation, toutes leurs terres étaient fort populeuses et racontent tous, côte par côte, qu'à mesure qu'ils ont plus commencé à trafiquer avec nous, ils ont été plus ravagés de maladies» (*Relations des jésuites*, 3 : 105).

de preuve qui empêchent de faire une association entre jésuites et propagation de maladies épidémiques.)

LE WENDAKÉ DE 1634 (SELON WARRICK)

Les estimations de Gary Warrick de la population wendate à l'origine du contact confirment celles de Trigger et de Heidenreich. Nous avons déjà vu comment, selon lui, les Wendats et les Tionontatés abordent le xvie siècle avec une population conjointe approximative de 28 000 à 30 000 individus (Warrick, 1990: 353 et 362), laquelle demeurera relativement stable jusqu'en 1634.

> En 1615, 18 villages [wendats] [...] et 7 villages [tionontatés] [...] ont été enregistrés. Archéologiquement, 12 villages [wendats] et 7 villages [tionontatés] ont été découverts. En ajoutant les sites de villages « manquants », cinq petits et un grand (par exemple, Carhagouha, qui est exceptionnellement grand), nous obtenons une population wendate totale de 21 000; la population tionontatée en 1615 aurait été d'environ 6 500... Il y aurait donc eu au moins 27 500 Wendats et Tionontatés en 1615. Bien que ce chiffre représente de 3 000 à 5 000 individus de moins que les estimations du xviie siècle, [il faut dire que] les estimations à partir de traces d'établissements tendent à sous-estimer de 10 à 20 % les populations totales réelles de régions données (Warrick, 1990: 394).

Warrick, reprenant les données de Sagard (c'est-à-dire de 30 000 à 40 000 Wendats habitant dans 25 villages), suppose que celui-ci a inclus dans ces chiffres les Wendats et les Tionontatés[71]. Or, nous savons que Sagard, même s'il a été très précis dans ses descriptions de la vie wendate, n'a que très peu visité le pays et n'a donc pas pu se rendre compte personnellement de l'existence de chacun de ces villages. Par ailleurs, s'il a puisé ses renseignements auprès des Wendats eux-mêmes, quelle raison purent avoir ceux-ci de fondre les deux confédérations en une seule? Plutôt, nous croyons que l'on doit retenir

---

71. Trigger (1989: 18) est aussi d'avis que Sagard, tout comme les jésuites en 1639, a inclus les deux groupes dans son estimation de la population.

que les Wendats comptaient effectivement 25 villages en 1623, et que les 18 du temps de Champlain (1615) furent probablement une référence aux villages principaux[72]. À cause de deux migrations presque consécutives vers leur territoire, les Tionontatés virent leur population originelle de 2 000 âmes quintupler, vraisemblablement en l'espace d'une dizaine d'années. La première migration vint du regroupement de villages qui abandonna la région du nord de Toronto, vers 1615-1620. «Au moins quatre grands villages du protohistorique tardif (1580-1609) [...], fournissant 75 à 85 % de poterie «Sidey Notched», la marque distinctive de la céramique des [Tionontatés] de la période historique [...], ont été découverts dans le canton d'Innisfil[73] [...]. Le canton d'Innisfil fut abandonné par les [Nadoueks] vers l'an 1610» (Warrick, 1990: 387). La deuxième migration vers le pays tionontaté survint peu après l'an 1620. Elle aurait été celle d'un groupe d'environ 3 000 Attiwandaronks, qui se seraient rapidement établi sur le site gigantesque de Pretty River, portant ainsi le nombre des Tionontatés entre 9 500 et 10 000 personnes, à ajouter à la population de leurs voisins et alliés wendats, c'est-à-dire 21 500 (selon Warrick), pour donner un total combiné de 31 500 individus. À ce nombre, il faut ajouter environ 2 000 Algonquiens vivant en étroite relation avec les Wendats et les Tionontatés. Enfin, la seule migration à venir de l'extérieur après les débuts du XVIe siècle fut celle de groupes laurentiens, représentant quelque 1 000 individus, arrivés vers les années 1580-1590[74].

Vers l'an 1590, les Arendahronons vinrent s'établir au Wendaké (*Relations des jésuites*, 16: 226). Situés originellement à l'Est, ils étaient constitués, en partie, des migrants lauren-

---

72. Une autre possibilité est que les Wendats eussent été en train de vivre, en 1623, un cycle de fractionnement de leurs communautés principales, comme il avait été le cas de leur plus grand village, peu avant le passage de Sagard (1990: 161).
73. Le canton d'Innisfil est situé au sud immédiat de la baie Kempenfelt, à l'ouest du lac Simcoe.
74. Ce nombre pourrait représenter la très grande majorité des survivants laurentiens de presque un siècle d'épidémies et de guerres liées à la présence européenne dans le Nord-Est.

tiens dont on a retrouvé beaucoup de vestiges dans des sites de la vallée de Trent. Vers 1610, la confédération wendate accueillit une autre nation, les Tahontaenrats. L'archéologie leur attribue de façon incertaine la même origine qu'aux Tionontatés, venus du canton d'Innisfil. Une indication contraire à cette possibilité serait que les Tionontatés sont censés avoir parlé la même langue que les Attignawantans (*Relations des jésuites*, 20 : 43), mais les jésuites ont remarqué ailleurs dans leurs relations (*Relations des jésuites*, 10 : 10) que le dialecte des Attignawantans différait de celui des Tahontaenrats. Enfin, les Ataronchronons semblent avoir été formés d'un ensemble de lignages disparates[75] accueillis, probablement comme réfugiés, par les Attignawantans[76]. Lorsque les jésuites constatèrent leur existence, en 1639 (*Relations des jésuites*, 19 : 1-7), les Ataronchronons étaient vraisemblablement en voie de se définir et de se constituer comme nation wendate à part entière (Heidenreich, 1971 : 84-85).

Délaissons maintenant l'aspect de l'histoire démographique des Wendats pour nous intéresser aux conditions physiques de la vie de cette société, ainsi qu'à la nature profonde de sa philosophie et de ses modes de fonctionnement. À partir des connaissances et des perceptions déjà tirées de notre analyse de leur propre sens de l'histoire (leur «mythologie»), et avec les lumières qui nous viennent d'un dossier archéologique exceptionnellement détaillé (condensé dans l'ouvrage de Gary A. Warrick), nous tenterons de produire une description aussi vivante et exacte que possible. De plus, nous croyons qu'une science historique d'ores et déjà ouverte à la nécessité d'intégrer des visions non typiquement occidentales du monde per-

---

75. Rev. A.E. Jones, «*Wendake Ehen*» or «*Old Huronia*», Toronto, Ontario Bureau of Archives, Fifth Report, 1908, p. 447.
76. Les Attignawantans, constituant la moitié de la population du pays et, donc, sa force, accueillirent et adoptèrent, disent les jésuites, bon nombre de «familles» venant de l'étranger (*Relations des jésuites*, 16 : 228). Ainsi, en 1638, ils donnèrent asile à plus de 600 Wenroronons. L'autre nation fondatrice, les Attignéénongnahacs, était aussi composée en bonne partie d'immigrants et de réfugiés (*ibid.*).

met la production d'équipements conceptuels d'une grande utilité non seulement pour l'historiographie, mais pour l'individu moderne en quête d'un sens historique universalisant et, par le fait même, libérateur. La connaissance que nous proposons, celle d'une civilisation nord-amérindienne méconnue (la civilisation wendate) n'a, au fond, pas d'autre but que celui de communiquer au monde actuel et futur la riche et fraîche vision humaine et sociale d'un ensemble de peuples qui, il y a sept siècles, avaient créé, au centre sud de l'Ontario actuel, un embryon de ce que devait devenir la société américaine moderne, c'est-à-dire un mélange de cultures unies par les différences de vision et de contraintes existentielles respectives et animées par le désir d'élargir à l'échelle planétaire le Cercle de l'échange et de la communication.

III

La société wendate

LA VIE AU WENDAKÉ

Les nations de la confédération wendate

Les relations des jésuites indiquent l'existence de cinq nations wendates confédérées[1]. Champlain, qui pourtant eut la chance de visiter de part en part le pays wendat[2], ne releva que la nation des Attignawantans, la plus nombreuse et l'une des deux plus anciennes nations à avoir occupé le Wendaké (l'autre étant les Attignéénongnahacs). Sagard[3], qui vécut au Wendaké d'août 1623 à mai 1624, connaissait l'existence de cette dernière nation, ainsi qu'une troisième, les Arendahronons. Dans leur description la plus officielle de la Confédération wendate (*Relations des jésuites*, 16 : 226), les jésuites donnent à connaître une quatrième nation, les Tahontaenrats. La cinquième, les Ataronchronons, n'est pas comptée comme nation par les jésuites, mais Conrad E. Heidenreich, dans l'une des études les plus exhaustives produites jusqu'à aujourd'hui sur

---

1. *Cf.* figure 1 : le pays wendat, vers 1634, montre les emplacements des nations, des villages et des principaux chemins connus par les jésuites.
2. Voir la figure 15 dans B.G. Trigger, *Les Enfants d'Aataentsic* [...], p. 298.
3. Gabriel Sagard, *Le Grand Voyage du Pays des Hurons*, p. 1160.

la nature physique et politique du pays wendat[4], démontre clairement l'intégrité territoriale de cette nation, qui avait sa capitale, nommée Saint-Louis par les jésuites, et au moins sept autres bourgs et villages. Les Tahontaenrats, qui n'occupaient qu'un seul grand village en 1639, furent quand même inscrits comme nation par les jésuites. Trigger (1989 : 20) dit, au sujet des Ataronchronons, qu'ils ont pu être une branche sudiste des Attignawantans, nation très populeuse et composée de plusieurs sous-nations, intégrées par voie d'adoption (*Relations des jésuites*, 16 : 228) et, donc, susceptible d'être fractionnée.

Les traductions les plus acceptées des noms des nations wendates sont les suivantes : *Attignawantans* : nation de l'Ours (d'*agnouhoin* : ours ; Sagard, 1866 ; vol. 4 : «animaux») ; *Attignéénongnahacs* : nation de la Corde. Heidenreich (1971 : 301-302) a suggéré que cette traduction est erronée puisqu'elle ne correspond pas à ses racines étymologiques. Le linguiste John Steckley (1982b : 15) découvrit subséquemment que la traduction «nation de la Corde» correspondait à l'étymologie du mot wendat pour désigner «corde».

Arendahronon signifie «la nation du Rocher» (de *arenda*, rocher et *ronnon*, nation, peuple). Trigger (1989 : 20) a suggéré que ce nom pourrait faire allusion au fait que leur territoire avoisinait le Bouclier Canadien. Le nom de la nation des Tahontaenrats a souvent été traduit par «nation du Chevreuil». Heidenreich affirme que cette traduction n'est pas fondée linguistiquement. Jusqu'à ce que soient trouvées des indications plus satisfaisantes, deux traductions sont plausibles : «la place des buissons (ou des épines) blancs (blanches)», de *T* : un lieu, une place ; *ahonta* : buissons, épines et *aenrat* : être blanc ; et «les oreilles blanches» ou «les gens aux oreilles blanches», de *atahonta*, oreilles, et *aenrat*, être blanc

---

4. Conrad E. Heidenreich, *Huronia : A History and Geography of the Huron Indians, 1600-1650*, Toronto, McClelland and Stewart, 1971, p. 84-85.

(Heidenreich, 1971 : 302)[5]. Enfin, la nation des Ataronchronons signifiait probablement, comme le pensent Jones (1908 : 314) et Heidenreich (1971 : 302), «la nation de l'autre côté des marais», de *atara* ou *ata* : terre, boue, marécage, et *aron*, impliquant l'idée d'obstacle, *chi* : au-delà, et *ronnon*, nation, peuple.

Le Wendaké, pays des Wendats

Les significations les plus plausibles du mot *wendaké* sont «l'île à part», «le pays à part», «le pays de la péninsule», ou, encore, «le pays d'une langue à part» (voir au chapitre I, notre discussion sur la signification du mot *wendat*) ou même, comme le suggère Heidenreich (1971 : 300-301), «l'unique village» ou «les villageois».

Le Wendaké[6] est essentiellement une pointe de terre d'aspect massif découpée dans la baie Georgienne, baie du lac Huron[7] où baigne la plus grande île du monde en eau douce, l'île Manitouline[8]. Sa forme rappelle celle d'une tête de chien

---

5. Il pourrait aussi s'agir d'un nom descriptif pour une espèce d'animal, peut-être le chevreuil.
6. Le pays, connu encore aujourd'hui sous le nom de «Huronie», tel que délimité et décrit avec une grande minutie par Heidenreich (1971 : 28-48).
7. Karegnondi est le nom wendat retenu pour ce grand lac; on le traduit par lac des Hurons, ou, encore, Mer douce. Henry L. Morgan donne pour ce mot la traduction de *lac* (H.L. Morgan, *League of the Iroquois*, Citadel Press, Secaucus (N.J.) 1972, p. 413); par exemple, le lac Ontario se dit, en seneca, *Neah'ga Tekarneondi* (*T*, comme en wendat, indique un lieu) : le lac où il y a un village à l'embouchure de la rivière *Neahgara*. Il est certain que le mot descriptif désignant le lac Huron a été omis par les cartographes français. Champlain (dans H.P. Biggar, *The Works of Samuel de Champlain*, vol. III, p. 45) nous donne le seul indice existant : le lac Huron serait le lac des Attignawantans. Par ailleurs, un haut rocher sacré, se trouvant vers l'ouest pour les Wendats et constituant une étape pour les âmes sur le chemin du Pays des âmes, s'appelait Ekaregniondi, signifiant peut-être qu'il se trouvait sur le bord d'un lac, ou, encore, indiquant que ce mot comportait un sens sacré (voir les cartes de François Ducreux dans Lucien Campeau, *La mission des Jésuites chez les Hurons, 1634-1650*, Montréal, Bellarmin, 1987, p. 256 (carte 5) et p. 320 (carte 7).
8. Demeure du Grand-Esprit (traduction approximative en langue outaouaise).

regardant au nord-est, la gueule correspondant à la baie de Penetang (voir figure 1). Le pays n'était pas de grande taille. Les 20 à 25 villes, villages et hameaux wendats étaient concentrés dans un territoire mesurant environ 56 kilomètres d'est en ouest et 32 kilomètres du nord au sud, le tout représentant une superficie approximative de 544 kilomètres carrés. Le territoire était contenu entre les baies Matchedash et Nottawasaga à l'ouest et le lac Simcoe à l'est. Au sud (voir figure 1), le bassin alluvial de la rivière Nottawasaga formait, à l'époque, une grande zone marécageuse, qui scellait le territoire au sud et renforcissait sa nature «insulaire»[9]. L'un des territoires les plus densément peuplés au nord du Mexique, le Wendaké recelait quand même de vastes possibilités d'expansion démographique.

Les cinq nations wendates des années 1630-1640 se partageaient ainsi le territoire (voir figure 1): les Attignawantans, principale nation, occupaient toute la partie ouest; leurs voisins ataronchronons et tahontaenrats étaient respectivement des riverains de la baie Matchedash et des habitants surtout de l'intérieur, occupant le sud. Les Attignéénongnahacs étaient également des gens de terre, possédant, à l'est, un accès au lac Simcoe. Au nord, enfin, les Arendahronons gardaient l'accès par les grandes terres de chasse du Nord, tout en bénéficiant de l'excellent réseau hydrographique de la baie Matchedash.

Les premiers observateurs ont souvent décrit la grande beauté et la rare générosité du pays wendat. L'impression que l'on reçoit des écrits de Champlain est celle d'un véritable paradis terrestre, surtout pour ce qui est des ressources alimentaires. Tout est «merveilleusement bon» et «fort abondant». Le pays est «très plaisant, au regard d'une si mauvaise

---

9. Une carte, empruntée à Gary Warrick (1990: 112) et reproduite à la figure 4, illustre bien l'«insularité» du pays wendat. En effet, pays favorable et fertile presque entièrement entouré d'eau ou de marécages (surfaces à «bas potentiel pour l'exploitation agricole nadouek»), on comprendrait facilement son appellation de «pays à part».

contrée, d'où nous venions de sortir» (les pays de chasse des «Algommequins», des Nipissings et des Montagnais [Biggar, 1929, vol. III: 45-50]). «Le pays est fort beau, dit-il encore, et la plus grande partie désertée, accompagnée de force collines, et de plusieurs ruisseaux, qui rendent ce terroir agréable.» Puis, parlant de l'accueil que lui firent les Wendats, en cette première visite de 1615: «[...] nous fûmes reçus des habitants desdits lieux fort aimablement, nous faisant la meilleure chère de leurs blés d'Inde en plusieurs façons, tant ce pays est très beau et bon, par lequel il fait beau cheminer» (Biggar, 1929, vol. III: 45-50).

Quant à la flore visible de prime abord, Champlain s'étonne de sa richesse: «Il y a force vignes et prunes, qui sont très bonnes, écrit l'explorateur; framboises, fraises, petites pommes sauvages, noix et une [sorte] de fruit qui est de la forme et de la couleur de petits citrons... Les chênes, ormes et hêtres y sont en quantité, y ayant dans ce pays force sapinières, qui est la retraite ordinaire des perdrix et [lièvres]. Il y a aussi quantité de cerises petites et merises et les mêmes espèces de bois que nous avons en nos forêts de France sont en ce pays-là» (Biggar, 1929, vol. III)

Huit ans plus tard, le récollet Sagard commente également: «Le pays est plein de belles collines, campagnes et de très belles et grandes prairies...» Puis, prêtant sa voix au pays, qui se désole de n'être pas mieux utilisé:

> [...] il y a quantité de froment sauvage, qui a l'épi comme seigle et le grain comme de l'avoine: j'y fus trompé, pensant au commencement que j'en vis, que ce fussent champs qui eussent été ensemencés de bon grain: je fus même trompé aux pois sauvages[10], où il y en a en divers endroits aussi épais que s'ils y avaient été semés et cultivés. Et pour montrer la bonté de la terre, un Sauvage de Toanché [ville attignawantane] ayant planté un peu de pois qu'il avait apporté de la traite, rendirent leurs fruits deux fois plus gros qu'à l'ordi-

---

10. Ces pois rappelaient probablement à Sagard les pois communs apportés ici d'Europe.

naire, de quoi je m'étonnai, n'en ayant point vu de si gros, ni en France, ni en Canada» (Sagard, 1990: 159-160).

Curieusement pour un religieux, la manière dont Sagard parle de la qualité du terroir wendat est souvent moins émotive et plus ostensiblement intéressée que celle de Champlain l'explorateur[11]. «Il y a de belles forêts, peuplées de gros chênes, fouteaux [hêtres], érables, cèdres, sapins, ifs et autres sortes de bois, beaucoup plus beaux, sans comparaison, qu'aux autres provinces de Canada que nous ayons vues: aussi le pays est-il plus chaud et plus beau, et plus grasses et meilleures sont les terres, que plus on avance tirant au Sud...» (Sagard, 1990: 160).

Comme l'avait justement remarqué Champlain, le sol de l'antique pays wendat était surtout sablonneux, mais se prêtait exceptionnellement bien aux modes nadoueks de la culture du maïs (Champlain, dans Biggar, 1929, vol. III: 51). L'expertise agronomique moderne rend bien compte des raisons de la vocation agricole et commerciale du Wendaké d'un côté auprès de ses voisins algonquiens et, de l'autre, en rapport avec le marché de la fourrure créé par les Européens.

Le commerce wendat exigeait de grands surplus de production, surtout de maïs, mais aussi de haricots et de courges. Heidenreich (1971: 98, 197) et Fenton (1978: 369) ont estimé que pour nourrir leurs 21 000 à 22 500 habitants, les Wendats devaient cultiver entre 6 500 et 7 000 acres. Trigger (1991: 18) a observé que ces chiffres ne tiennent pas compte des pratiques commerciales des Wendats (ni de leur habitude de stocker des quantités considérables de nourriture sous le sol dans leurs maisons, en prévision d'années de sécheresse). Trigger a écrit également que de tous les Nadoueks septentrionaux, les Wen-

---

11. Jusqu'ici, les historiens n'ont pas apprécié à sa juste valeur l'une des caractéristiques de l'œuvre de Sagard, qui est la force de son appel au colonisateur catholique français. Au regard de ce qu'il advint du pays des Wendats à peine 25 ans plus tard, la propagande de Sagard a de sombres échos.

dats et leurs voisins tsonontouans étaient ceux qui dépendaient le plus de l'agriculture pour leur subsistance[12].

Mais ce qui fait que le Wendaké ne peut être comparé à aucune autre contrée amérindienne en ce qui a trait à la production agricole est son étroite relation économique avec ses voisins nordiques, pour lesquels le pays wendat constituait un véritable grenier (*Relations des jésuites*, 8 : 114) et un territoire de rencontre interculturelle où on venait même hiverner par groupes de centaines d'individus.

[Au Wendaké], où le maïs était cultivé encore plus intensivement qu'en Iroquoisie, les champs prenaient de telles proportions qu'un missionnaire jésuite observa qu'il était plus facile de s'y égarer que dans les forêts et les prairies adjacentes. Les champs de maïs paraissaient n'être qu'un enchevêtrement de sentiers parmi une forêt interminable de plants dépassant facilement la hauteur d'un homme[13] (trad. libre).

Les sols sablonneux du Wendaké et, donc, leur faible capacité de retenir l'eau entraînaient une constante probabilité de sécheresse. Pour cette raison, les Wendats maintenaient des réserves de nourriture pouvant les garantir contre deux années ou plus de mauvaises récoltes (Trigger, 1989 : 30). Par ailleurs, le pays était irrigué par cinq rivières[14] et par une infinité de ruisseaux, ce que Champlain lui-même avait remarqué, dès 1615 (Biggar, 1929, vol. III : 50).

---

12. À cause de l'épuisement éventuel de la force productrice du sol, ainsi que des bons combustibles à proximité, les villages wendats étaient déménagés à des intervalles variant entre dix et trente ans (Trigger, 1989 : 31). Ces intervalles devinrent nécessairement de plus en plus courts à mesure que, pour des raisons de sécurité liées à l'intensification des conflits guerriers, mais aussi (en ce qui concerne surtout les Wendats, par opposition aux Iroquois) pour des raisons de consolidation de relations commerciales avec le Nord, les établissements acquirent du volume. Il va sans dire qu'un village de plusieurs milliers d'habitants aura bien plus tôt fait d'épuiser ses ressources non immédiatement renouvelables, telles que terres arables et bois de chauffage, qu'un hameau de quelques centaines d'individus.

13. M.J. Dennis, *Cultivating a Landscape of Peace* [...], p. 63-64.

14. D'ouest en est, les rivières aujourd'hui nommées Wye, Hog, Sturgeon, Coldwater et North.

Le climat

Heidenreich (1971 : 56-59) a estimé que le climat du Wendaké n'était pas différent au XVIIe siècle de ce qu'il est aujourd'hui. Avec une saison cultivable d'une durée de 195 jours et une période exempte de gel de 130 à 142 jours, le territoire se prêtait remarquablement bien à la culture du maïs, du haricot et de la courge, les « trois sœurs » iroquoises, omniprésentes dans toutes les nations horticoles de l'Amérique du Nord.

Pour ce qui est des probabilités de sécheresse, Heidenreich affirme que les cinq sécheresses notées par les jésuites durant leurs 19 ans de présence au pays wendat sont conformes avec ce qu'on y observe aujourd'hui. En effet, les précipitations annuelles de pluie de 75 à 90 centimètres pour un sol de texture granuleuse causent un léger manque d'humidité. Cependant, Heidenreich ne perçoit pas, contrairement à Trigger (1989 : 30), que la famine accompagnant ces sécheresses est un phénomène nouveau au XVIIe siècle, causé par le stress des épidémies qui déciment la population ainsi que par leur nouvelle obligation économique de troquer presque tous leurs surplus agricoles. La perte de la récolte de 1649 sur l'île Gahoendoe fut ainsi d'autant plus tragique et fatale aux Wendats qu'ils ne purent compter sur la moindre réserve alimentaire (Trigger, 1991 : 750-772).

Le nombre de villages présents sur le territoire du Wendaké varie selon le moment de la présence des observateurs européens ou, encore, selon l'idée que chacun a de ce qui constitue un village. Ainsi, Champlain a dénombré 18 villages, Sagard, 25 et les jésuites, une vingtaine (voir notre discussion en page 173). Le 17 août 1615, Champlain dit être arrivé à Cahiagué, la principale ville du pays (probablement arendahronon), qu'il décrit comme ayant deux cents maisons assez grandes[15]. On estime maintenant que six villes wendates

---

15. William Fitzgerald (1990 : 216-219), se basant sur la technique de périodisation des assemblages de perles de verre (1990 : 141-167), développée principalement par T. Kenyon, I.T. Kenyon, W.A. Fox

avaient une population approchant ou dépassant de peu les deux mille âmes durant la période de 1615 à 1649.

Canada[16], le village wendat

Domagaya et Taioagny, les deux Stadaconiens que Cartier captura à Gaspé en 1534 et emmena en France revinrent au pays un an après pour servir de guides à l'explorateur. Ils revirent leur ville d'origine, Stadaconé, le 7 septembre 1535, après avoir aidé Cartier, durant huit semaines, à effectuer la reconnaissance du pays, depuis Blanc-Sablon jusqu'à Québec. Ses deux guides lui indiquèrent le lieu de leur ville et parlèrent de celle-ci en utilisant le mot *Canada* qui, dans presque toutes les langues nadoueks, veut dire simplement «ville» ou «village»[17].

Voyant l'importance du lieu dans la géopolitique amérindienne, Cartier, citoyen d'une Europe monarchique et féodale, considéra que *Canada* était le centre d'un empire sauvage qu'il nomma *Royaume de Canada*. Pour les besoins de la cause, Donnacona, le premier *Agouhanna*[18] de ce pays de Stadaconé[19],

---

et lui-même, est confiant d'avoir réfuté définitivement la théorie établie en 1946 par T.F. McIlwraith (1946; 1947), selon laquelle le site arendahronon de Warminster correspondait à la ville de Cahiagué, visitée par Champlain en 1615. Fitzgerald apporte de fortes preuves que la ville de Cahiagué aurait été située sur le site Ball, qui précéda immédiatement Warminster. Dans *The Children of Aataentsic* (1991 : 299), Trigger avait suggéré que tel pouvait bien être le cas.

16. Autres graphies : Kanatha, Kandatha, Kanata.

17. Jacques Cartier, *Voyages en Nouvelle France*, texte remis en français moderne par Robert Lahaise et Marie Couturier, avec introduction et notes, Montréal, Cahiers du Québec/Hurtubise HMH, 1977, p. 135.

18. Garihoua, chez les Wendats, égale chef; Garihouanne correspond à premier chef, et parfois : chef confédéral. Garihouanne, chez les Wendats, Royaner chez les Iroquois ; il s'agit plus d'un titre que d'un nom. Le sens implique noblesse, sagesse, honneur, autorité. Voir la discussion sur le mot «wendat» au premier chapitre. Voir aussi la conception du chef, plus loin dans le présent chapitre.

19. Stadaconé était le chef-lieu d'une dizaine d'autres villages coexistant pacifiquement entre eux (aucun n'était palissadé) et avec leurs voisins algonquiens au nord. On peut concevoir que tous ces gens se percevaient comme politiquement fédérés et socialement solidaires.

fut consacré, du moins dans les écrits de Cartier, *Seigneur de Canada*[20].

Retenons le destin historique américain d'un mot aussi simple que *village* et voyons comment les Wendats regardaient l'établissement matériel de leur vie dans leurs *canadas*. Il n'est pas irréaliste de dire qu'en leurs modes de construire physiquement leur monde, ainsi qu'en leur vision sociale elle-même, les Wendats prenaient naturellement et fidèlement modèle sur les castors, leur emblème politique[21].

Pour les Wendats, comme pour tous les Amérindiens qui le connaissent, le castor est l'animal sédentaire qui construit ses villages et les défend et aménage des espaces où peuvent venir et se rencontrer presque toutes les autres espèces d'animaux. Où existent des villages («colonies») de castors se trouvent aussi des oiseaux aquatiques, des animaux des marais, des ondathras; les cervidés y viennent boire et s'y nourrir de plantes qui ne se trouvent que très rarement ailleurs; les truites y voyagent; les prédateurs de tous genres y viennent faire une chasse facile; parmi eux, surtout l'homme, qui non seulement contrôle scientifiquement la densité des populations de castors, mais aussi recourt au travail de ceux-ci pour cultiver la flore et la faune de ses territoires. «Sans le castor, il n'y a rien; c'est la misère pour l'Indien», dira typiquement un vieux chasseur montagnais[22].

---

20. Comme tout Seigneur digne de ce nom doit en avoir, Cartier donna à Donnacona un rival, Agona, qui se révéla un personnage plus facile et humain que l'autre. Cartier organisa la vengeance du noble Agona en capturant Donnacona et son entourage, en 1536, annexant du même coup le Royaume de Canada à la France. (Pour une analyse de cet épisode stadaconien, voir Trigger, 1991: 174-192.)
21. Réal Ouellet (dir.), *Lahontan, Œuvres complètes*, Bibliothèque du Nouveau Monde, Presses de l'Université de Montréal (2 vol.), 1990, p. 729.
22. Entretien personnel (15 mars 1985) avec M. Jean Raphaël, ancien otchimao (chef) des Montagnais de Mashteuiatsh (Lac-Saint-Jean). Ce maître chasseur nous a commenté qu'il a travaillé une dizaine d'années pour réintroduire le castor sur son territoire, après que celui-ci y eut été exterminé à cause des conditions de crédit imposées aux chasseurs amérindiens par la Compagnie de la Baie d'Hudson, une génération avant lui. Au bout de ces dix ans d'un travail constant

Comme la maison et, symboliquement, le village du castor, le Wendaké lui-même est une «île»[23] faite de beaucoup de villages composés de beaucoup de «cabanes». Le Wendaké est une île-village permanente, un cœur de pays autour duquel s'active tout un vaste monde[24], dont l'idéologie est reflétée dans la pratique sociale wendate. On peut affirmer que si l'Hodenosaunee (la maison-longue iroquoise) prônait la réunion pacifique de toutes les nations humaines à l'intérieur de la maison-longue[25], le Wendaké actualisait largement cette philosophie dans son Village universel. Passons maintenant à une description de l'aménagement physique des villages wendats.

Les Wendats s'installaient généralement sur des élévations naturelles de terrain, à proximité de bons ruisseaux ou de sources sortant du flanc des collines (Trigger, 1989 : 21). Les Wendats évitaient de placer leurs villages trop près des côtes de la baie Georgienne, à cause de l'absence de bonnes terres et des vents du nord. Les cinq rivières du pays étaient souvent des routes par lesquelles les habitants accédaient facilement au grand lac, qui conserva le nom que lui donnèrent les Français, c'est-à-dire le lac Huron.

Les principales villes étaient entourées d'une forte palissade faite généralement de trois ou quatre rangées de pieux (on en a vu jusqu'à sept) disposées en ovale imparfait tout autour du site. Les pieux étaient ordinairement des jeunes pins ou cèdres. Il en fallut environ 45 000 pour palissader une ville

---

et acharné, ce territoire redevint la source d'une vie stable et prospère pour M. Raphaël et les siens.

23. On songe ici à la toute-importance de l'eau pour les Wendats et de celui qui la donne, Inon, le Tonnerre. Si le Wendaké reste sec, c'est tout un monde qui souffre, et pas seulement les Wendats. Aussi, lorsque le Wendaké sera détruit par un nouveau prédateur, tout un monde cessera d'exister.

24. Le macrocosme amérindien du Nord-Est peut paraître, en son essence, une projection du microcosme wendat.

25. Matthew J. Dennis (1986 : 93-97, 101-102) a fait un brillant exposé de la philosophie de l'Hodenosaunee, ainsi que des antécédents culturels de cette confédération qui, comme nous l'avons vu au chapitre précédent, s'est aussi essentiellement inspirée de l'expérience wendate.

comme Cahiagué (Heidenreich, 1971: 154). Les rangées de
pieux étaient renforcées au moyen d'autres jeunes arbres et de
branches entrelacés à l'horizontale. On entassait de la terre
sur la base de la palissade et on y plaçait des troncs d'arbres
pour la solidifier davantage. L'ouvrage comprenait aussi des
tours de guet et des galeries érigées à l'intérieur des murs et
auxquelles on accédait au moyen d'échelles faites de billes
entaillées. Lorsqu'une attaque était prévue, on faisait provision
de pierres pour lancer aux assaillants ainsi que de contenants
d'eau avec lesquels on pouvait éteindre les feux allumés par
l'ennemi (Trigger, 1989: 21).

Heidenreich (1971: 151-155) a étudié la façon dont les
Wendats devaient envisager la construction d'un village
moyen, comptant 36 maisons et pouvant loger 1000 habitants.
La disponibilité des matériaux était une condition essentielle.
Les meilleurs matériaux (bois et écorce d'ormes ou de cèdres
de 10 à 20 centimètres de diamètre) n'étaient fournis en quantité suffisante que par une forêt de pousse secondaire située à
proximité du site choisi pour la construction du village. Heidenreich conclut que, vu l'âge de l'établissement du Wendaké
et, donc, de l'existence d'un grand nombre de sites datant
d'avant le contact ou de peu après celui-ci, de grandes étendues
de telles forêts n'étaient pas rares en pays wendat[26]. Les
200 hommes d'une telle communauté devaient abattre, ébran-
cher et ramener environ 16 500 arbres et 18 000 mètres carrés
d'écorce. La construction d'un tel village pouvait se réaliser
en trois mois.

---

26. La science ethnoécologique moderne reconnaît que les populations
amérindiennes aménageaient soigneusement et efficacement leurs
espaces forestiers et leur flore (notamment par l'incendie contrôlé),
en fonction des besoins futurs (voir Calvin Martin, 1978: 180-188;
et William Cronon, 1983: 49-53). Darrell A. Posey a démontré que
les Amérindiens du centre du Brésil aménagent la jungle depuis des
millénaires toujours en prévision des besoins des générations à venir
(Darell A. Posey, «Indigenous Ecological Knowledge and Development of the Amazon», *The Dilemma of Amazonian Development*, Emilio
Moran (dir.), Boulder (Colorado), Westview Press, 1984, p. 225-257.

C'est Gabriel Sagard qui nous donne la première description détaillée des maisons, de leur arrangement ainsi que de la vie à l'intérieur de celle-ci :

> Leurs cabanes, qu'ils appellent *Ganonchia*, sont faites en façon de tonnelles ou berceaux de jardin, couvertes d'écorces d'arbres, de la longueur de 25 à 30 toises[27], plus ou moins (car elles ne sont pas toutes égales en longueur) et six de large, laissant par le milieu une allée de 10 à 12 pieds de large, qui va d'un bout à l'autre ; aux deux côtés, il y a une manière d'établi de la hauteur de quatre ou cinq pieds qui prend au bout de la Cabane à l'autre, où ils couchent en été pour éviter l'importunité des puces, dont ils ont grande quantité tant pour leurs chiens qui leur en fournissent à bon escient, que pour l'eau que les enfants y font[28], et en hiver ils couchent en bas sur des nattes proches du feu, pour être plus chaudement, et sont arrangés les uns proches des autres, les enfants au lieu plus chaud et éminent, pour l'ordinaire, et les pères et mères après et il n'y a point d'entre-deux ou de séparation[29], ni de pied, ni de chevet, pas plus en haut qu'en bas, et ne font autre chose pour dormir que de se coucher en la même place où ils sont assis et s'affubler la tête avec leur robe, sans autre couverture ni lit.
>
> Ils emplissent de bois sec, pour brûler en hiver, tout le dessous de ces établis qu'ils appellent *Garihaguen* et *Eindichaguet* : mais pour les gros troncs ou tisons appelés *Aneincuni*, qui servent à entretenir le feu, élevés peu en haut par un des bouts, ils en font des piles devant leurs Cabanes ou les serrent dans les porches, qu'ils appellent *Akwé*. Toutes les femmes s'aident à faire cette provision de bois, qui se fait dès le mois de mars

---

27. Ancienne mesure de longueur valant six pieds (près de deux mètres).
28. Ces religieux étaient essentiellement des hommes qui avaient des habitudes casanières et qui ressentaient donc beaucoup plus vivement les incommodités d'une vie en contact étroit avec la nature que les Amérindiens, pour lesquels une maison n'était qu'un abri et un lieu d'identification symbolique à un clan, à une famille. Les Wendats, pour leur part, avouèrent à Champlain qu'ils ne croyaient pas qu'il pût exister une forme d'existence supérieure à celle qu'ils connaissaient dans leurs maisons, villages et pays (Biggar, 1929, vol. III : 125).
29. Les missionnaires sont toujours choqués de voir tant de proximité entre les Amérindiens. Leur culture leur enseigne à regarder de tels comportements comme contraires à la bienséance et moralement risqués.

et d'avril et avec cet ordre, en peu de jours, chaque ménage est fourni de ce qui lui est nécessaire. Ils ne se servent que de très bon bois, aiment mieux l'aller chercher bien loin que d'en prendre du vert ou qui fasse fumée. C'est pourquoi ils entretiennent toujours un feu clair avec peu de bois. S'ils ne rencontrent point d'arbres bien secs, ils en abattent de ceux qui ont les branches sèches, lesquelles ils mettent par éclats et coupent d'une égale longueur, comme les cotrets de Paris. Ils ne se servent point du fagotage, non plus que du tronc des plus gros arbres qu'ils abattent, car ils les laissent là pourrir sur la terre[30], parce qu'ils n'ont point de scie pour les scier, ni l'industrie de les mettre en pièces qu'ils ne soient secs et pourris. Pour nous [religieux] qui n'y prenions pas garde de si près, nous nous contentions de celui qui était plus proche de notre Cabane, pour ne pas employer tout notre temps à cette occupation[31].

En une Cabane il y a plusieurs feux et à chaque feu il y a deux ménages, l'un d'un côté, l'autre de l'autre, et telle Cabane aura jusqu'à huit, dix ou douze feux, qui font 24 ménages, et les autres moins, selon qu'elles sont longues ou petites, et où il fume à bon escient[32], qui fait que plusieurs en reçoivent de très grandes incommodités aux yeux, n'y ayant fenêtre ni ouverture [en réalité, il y a plusieurs de ces ouvertures pratiquées dans le toit, au-dessus des feux (Heidenreich, 1971 : 120)] que celle qui est au-dessus de leur Cabane, par

---

30. Nous avons déjà vu que les Wendats posaient habituellement les troncs d'arbres au pied des palissades pour les renforcer. Logiquement, ils pouvaient aussi en faire leurs «échelles», ou encore leurs tours de guet. Il doit s'agir ici de très gros et vieux arbres jetés à bas par le vent ou foudroyés.

31. Les missionnaires refusèrent toujours de cohabiter avec les Wendats, même si ceux-ci les adoptaient officiellement et les traitaient comme des parents, au dire des religieux eux-mêmes (Sagard, 1866 : 58-60 ; *Relations des jésuites*, 10 : 79). Nous verrons plus loin comment cette insistance à vivre en retrait de leurs hôtes contribua souvent à les faire voir comme des sorciers œuvrant à la perte du pays wendat. Par ailleurs, le présent passage peut expliquer pourquoi les «Robes Noires» se plaignirent tellement de la présence presque coutumière de fumée dans les *ganonchias*.

32. Sagard contredit ici ce qu'il a dit un peu plus haut à propos du soin des Wendats à choisir leur combustible. L'exagération par les religieux de la difficulté de leurs conditions de vie, dans le but de toucher le cœur de leurs lecteurs et de leurs promoteurs métropolitains, est dans l'ordre des choses. Cela toutefois caractérisera beaucoup plus les jésuites.

où la fumée sort. Aux deux bouts, il y a à chacun un porche, et ces porches leur servent principalement à mettre leurs grandes cuves ou tonnes d'écorce dans lesquelles ils serrent leur blé d'Inde après qu'il est bien sec et égrené. Au milieu de leur logement, il y a deux grosses perches suspendues qu'ils appellent *Ouaronta* où ils pendent leur crémaillère et mettent leurs habits, vivres et autres choses, de peur des souris et pour tenir les choses au sec[33]. Mais pour le poisson duquel ils font provision pour leur hiver, après l'avoir boucané, ils le serrent dans des tonneaux d'écorce qu'ils appellent *Acha*, excepté l'*Einchataon*[34], qui est un poisson qu'ils n'éventrent point et qu'ils pendent au haut de leurs Cabanes avec des cordellettes parce qu'enfermé en quelque tonneau, il sentirait trop mauvais et se pourrirait très vite.

Par crainte du feu, auquel ils sont assez sujets, ils serrent souvent en des tonneaux ce qu'ils ont de plus précieux et les enterrent en des fosses profondes qu'ils font dans leurs Cabanes, qu'ils couvrent de la même terre ; cela les préserve non seulement du feu, mais aussi de la main des larrons, puisqu'ils n'ont en tout leur ménage aucun autre coffre ni armoire que ces petits tonneaux. Il est vrai qu'ils se font peu souvent de tort les uns aux autres, mais encore s'y trouve-t-il parfois des méchants[35] qui font du déplaisir quand ils ne pensent être découverts et que ce soit principalement quelque chose à manger[36].

La langue wendate

À cause de la centralité géopolitique des Wendats, à l'origine du contact, les premiers historiens de la Nouvelle-France faisaient de la langue «huronne» la langue souche de toutes les langues nadoueks septentrionales[37]. La linguistique

---

33. Nous prenons la liberté de moderniser quelque peu l'écriture de Sagard, non tant pour en augmenter la clarté que pour réduire la distance culturelle ressentie par le lecteur, et ainsi préserver sa capacité d'être présent et sympathique aux choses décrites.
34. Le texte donne *Leinchataon*. Nous savons que la langue wendate ignore le son *l*.
35. Pour les jésuites surtout, «Huron» est synonyme de «larron» (*Relations des jésuites*, 10 : 66). Il était facile de déceler ce «vice» dans des sociétés où tout prestige s'acquiert par la générosité et où la propriété personnelle est chose presque inexistante.
36. Sagard, 1990 : 162-164.
37. François-Xavier de Charlevoix, s.j., *Histoire et Description générale de la Nouvelle France* [...], Paris, Nyon Fils, Libraire, 1744, tome I, p. 184.

moderne, cependant, indique qu'il est impossible de considérer aucune des seize langues de cette famille comme étant à l'origine d'aucune autre. À l'aide du calcul glotto-chronologique, on a établi que les divisions ethniques observées historiquement parmi ces peuples datent approximativement de l'an 800 de notre ère. La plus ancienne séparation serait celle des Cherokees, laquelle remonterait à entre 2 500 et 4 000 ans (Lounsbury, 1978 : 334) et celle du wendat par rapport au tsonontouan, au goyogouin et à l'onneiout, à plus de 1 000 ans (Trigger, 1989 : 2).

Entre elles, les nations de la Confédération wendate présentaient de façon remarquable plus de parenté linguistique et culturelle que les nations iroquoises (Trigger, 1991 : 166)[38]. En fait, les premiers voyageurs français eurent l'impression que les Wendats parlaient tous la même langue. Le jésuite Brébeuf, l'un des maîtres reconnus de la langue wendate, rapporte que seulement les Tahontaenrats parlaient la langue avec un accent «un peu différent de celui des Ours» (Attignawantans). Ces derniers avaient un parler identique aux Tionontatés, confédération voisine des Wendats (*Relations des Jésuites*, 10 : 11)[39].

L'intérêt diplomatique et missionnaire de la langue wendate avait déjà été remarqué et documenté par Sagard en 1623. En 1635, Le Jeune parle de cette langue comme d'une véritable clef universelle pour qui veut avoir un moyen d'agir sur tout le pays :

> Ce qui me réjouit, c'est que j'ai appris que cette langue est commune à quelques douze autres Nations toutes sédentaires et nombreuses. Savoir est aux Conkhandéenronons, Tionon-

---

38. Il convient de remarquer ici qu'une majorité de Nadoueks septentrionaux (Wendats, Attiwandaronks, Tionontatés, Wenros et, peut-être même, Ériés, c'est-à-dire environ cinq fois plus de gens que les Hodenosaunee) parlaient une langue commune.

39. Les Tionontatés (Gens des collines) furent nommés par les Français «Gens du Pétun». Comme l'indique ce nom, leur rôle particulier dans la géopolitique amérindienne et dans l'équilibre symbiotique wendat-algique (*cf.* notre théorie démographique) dut être la production du tabac, article de traite de première importance sur le plan de la spiritualité et de la diplomatie.

tatéronons, Attiwandaronks, Tsonontouanronons, Onontaguéronons, Ouioenronons [Goyogouins], Agniéronons, Andastoé-
ronons, Scahentoaronons, Eriéronons, et Aouenrochronons
[Wenros]. Les [Wendats] sont amis de tous ces peuples,
excepté des Tsonontouanronons, Onontaguéronons, Ouioenronons, Onoiochronons et Agniéronons, que nous comprenons
tous sous le nom d'Iroquois. Encore ont-ils déjà la paix avec
les Tsonontouans, depuis qu'ils furent défaits par eux l'année
passée au printemps (*Relations des jésuites*, 8 : 114-116)[40].

Au moment où Sagard et les jésuites décrivent le Wendaké tel qu'il leur apparaît, le wendat est la *lingua franca* pour
bon nombre de nations algonquiennes et est même utilisé
comme telle par au moins une nation siouse, les Ouinipégons,
située à l'ouest du lac Michigan. Les Wendats, outre qu'ils
sont traditionnellement les hôtes de groupes algonquiens qui
venaient annuellement hiverner chez eux, avaient aussi la coutume de recevoir des enfants de leurs partenaires commerciaux
qui, souvent, finissaient par se naturaliser Wendats (Trigger,
1991 : 45). Ces coutumes expliquent la facilité que les missionnaires avaient à trouver des interprètes algonquiens qui parlaient «excellemment» bien le wendat (*Relations des jésuites*,
14).

À propos du caractère de la langue, le jésuite Brébeuf
écrivait, en 1635 : «Elle a distinction de nombres, de temps,
de personnes, de modes et [est] en un mot, très parfaite et
très accomplie...» (*Relations des jésuites*, 8 : 114-116). Un an
plus tard, le missionnaire livre un peu plus de détails : les
Wendats, n'ayant dans leur langue aucune consonne labiale,
ne ferment jamais la bouche en parlant ; n'ayant, par ailleurs,
«presque aucune vertu, ni Religion, ni science aucune, ni
police», il est très difficile pour leurs missionnaires de leur
faire entendre les subtiles beautés de la civilisation et de la
religion françaises ; les noms se composent au moyen de par-
ticules qu'on ajoute ; ils ont autant de nombres grammaticaux
que les Grecs, avec certaines déclinaisons relatives propres ; les

---

40. On a vu, au chapitre II, que ces «guerres» n'avaient souvent que
    peu de conséquences.

noms se conjuguent (ce que Le Jeune voit comme une «merveille») ; les verbes sont animés ou inanimés ; le wendat a plus de temps verbaux que le grec classique et encore plus de précision dans ses nombres ; il y a deux types de conjugaison : absolue et réciproque ; il existe une conjugaison féminine (ce que Le Jeune considère comme encore plus étrange que tout le reste) phonétiquement distincte de la masculine, en ce qu'elle évite toute sonorité dure ; le wendat est riche en proverbes et a souvent recours au style métaphorique ; enfin, particularité désolante pour les religieux, «un nom relatif parmi eux enveloppe toujours la signification d'une de trois personnes du pronom possessif, si bien qu'ils ne peuvent dire simplement Père, Fils, Maître, Valet, mais sont contraints[41] de dire l'un des trois, mon père, ton père, son père [...]. Suivant cela, nous nous trouvons empêchés de leur faire dire proprement en leur langue : *Au nom du Père, du Fils et du Saint-Esprit.* Jugeriez-vous à propos [Brébeuf s'adresse ici directement à son supérieur, le père Paul Le Jeune, posté à Québec], en attendant mieux, de substituer au lieu : *Au nom de notre Père et de son Fils et de leur Saint-Esprit?*» (*Relations des jésuites*, 10 : 116-122).

L'aspect physiologique des Wendats

«Ils [les Wendats] sont robustes et tous de beaucoup plus grands que les Français», écrivait en 1639 d'Ossossané (capitale du territoire attignawantan) le jésuite François du Péron (*Relations des jésuites*, 15 : 154). Lorsqu'il passa l'hiver de 1615 au Wendaké, Champlain remarqua que tous ces peuples «sont bien proportionnés de leur corps, y ayant des hommes bien formés, forts et robustes, comme aussi des femmes et filles dont il s'en trouve un bon nombre d'agréables et belles, tant en la taille, couleur, qu'aux traits du visage, le tout à proportion ; elles n'ont le sein ravalé que fort peu, si elles ne sont

---

41. Pour les Amérindiens en général, rien n'existe de façon neutre. Comme l'exprime Oren Lyons, Royaner onontagué (Sioui, 1989 : 33), la vie est un Grand Cercle universel où tout est égal et interrelié et indispensable au maintien de l'ensemble.

vieilles et il se trouve parmi ces nations de puissantes femmes de hauteur presque extraordinaire […]» (Biggar, 1929, vol. III: 135-136). «Je vis arriver les Hurons», écrivait le jésuite Paul Le Jeune à Québec, le 25 août 1632, «ils étaient plus de cinquante canots, il faisait beau voir cela sur la rivière, ce sont des grands hommes bien faits […]» (*Relations des jésuites*, 5: 70)[42].

Sagard (1990: 215-216), qui parle de l'aspect physique des Wendats en des termes tout aussi admiratifs que tous les autres Français qui les connurent en chair et en os (et non seulement en os, tels les archéologues, bien des siècles après que ces nations disparurent), attribue l'étonnante santé de ce peuple surtout à sa rare tranquillité d'esprit:

> Nos[43] sauvages ont bien la danse et la sobriété, avec les vomitifs, qui leur sont utiles à la conservation de la santé; mais ils ont encore d'autres préservatifs desquels ils usent souvent: c'est à savoir les étuves et sueries, par lesquelles ils s'allègent et préviennent les maladies; mais ce qui aide encore à leur santé est la concorde qu'ils ont entre eux, de sorte qu'ils n'ont point de procès, et le peu de soin qu'ils prennent pour acquérir les commodités de cette vie, pour lesquelles nous nous tourmentons tant, nous autres chrétiens, qui sommes justement et à bon droit repris de notre trop grande cupidité et insatiabilité d'en avoir, par leur vie douce et la tranquilité de leur esprit[44].

Se basant sur le jugement de tous les Européens qui écrivirent à propos de la santé et de l'apparence physique des Wendats, Conrad E. Heidenreich, dans *Huronia* […], son

---

42. Plus de 115 ans plus tard, en 1749, le biologiste suédois Pehr Kalm notera que les Wendats (Hurons) de Lorette sont «un peuple de grande taille, dont certains individus mesurent une tête de plus que moi; ils sont robustes et bien bâtis […]» (*Voyage de Pehr Kalm au Canada en 1749* (trad. annotée du journal de route par Jacques Rousseau et Guy Béthune, avec le concours de Pierre Morisset), Ottawa, Le Cercle du Livre de France ltée, 1977, p. 756.

43. Remarquer l'adjectif possessif, impliquant que le pays est d'ores et déjà propriété française.

44. Ces réflexions de Sagard auront de fortes répercussions trois quarts de siècle plus tard, par la voie du baron de Lahontan (discuté dans Sioui, 1989: 95-109; voir aussi les commentaires de Réal Ouellet, coéditeur du *Grand Voyage* de Sagard (1990: 288).

ouvrage classique, déclare qu'ils étaient un peuple remarquablement sain et exempt de maladies et qu'aucune des maladies qu'ils connaissaient ne pouvait indiquer de signes de malnutrition ou de déficience vitaminique (Heidenreich, 1971 : 164-165).

Bruce G. Trigger, dans son tout aussi justement célèbre *Huron Farmers of the North* (1989), donne du même sujet une impression parfois différente, à partir surtout de preuves récemment inventoriées par l'archéologie (*cf.* Warrick, 1990 : 378-379) qui nous révèlent un peuple wendat possédant une espérance de vie moyenne de 25 à 30 ans[45], aux prises avec de sérieux problèmes de tuberculose et une variété d'autres infections chroniques sévissant surtout durant les périodes de disette alimentaire[46]. Ces mêmes archéologues sont à même de réfuter tous les témoins oculaires de la vie wendate, puisqu'ils ont également la preuve que l'hygiène et les soins dentaires des Wendats faisaient gravement défaut. La malpropreté de la vie à l'intérieur des maisons-longues est, selon les «preuves» de ces mêmes archéologues visionnaires, plus rebutante que celle qu'ont tenté de dépeindre les jésuites eux-mêmes (*Relations des jésuites*, 17 : 12-18). Jointe à celle-ci, une nutrition déséquilibrée causait un haut taux de mortalité infantile. Les connaissances d'obstétrique étaient, elles aussi, inadéquates. Les Wendats que les archéologues sont à même de voir n'étaient donc pas

---

45. L'argument vraisemblablement fondé d'une mortalité infantile beaucoup plus forte qu'aujourd'hui, responsable d'une basse espérance de vie, ne doit pas venir occulter la réalité d'une santé «remarquable» chez les Wendats (d'après Heidenreich), ni celle de la présence de plusieurs personnes très âgées.

46. Nous avons déjà vu que les Wendats se faisaient des provisions de nourriture pour des années d'avance (Biggar, 1929, vol. III : 156 ; Sagard, 1990 : 175-176). Trigger lui-même (1989 : 30) considère que les Wendats craintifs de la famine sont ceux de la fin du Wendaké (1640-1650), qui, outre le fait qu'ils sont aux prises avec des épidémies catastrophiques d'origine européenne, doivent répondre à des exigences de production agricole maintenant formulées par une métropole coloniale.

particulièrement en santé et vivaient rarement plus de 50 ans (Trigger, 1989 : 13)[47].

Nous opterons, pour diverses raisons, en faveur de la vision contemporaine au détriment de la vision archéologique. D'abord, il est nécessaire de contextualiser davantage la preuve archéologique : les Wendats étaient plus sains et plus robustes que les Français en dépit du fait que la vie qu'ils devaient affronter requérait plus de force et d'endurance que la vie des citadins et des paysans français, ou européens en général. Ces Amérindiens étaient par nature de remarquables voyageurs qui, pour le parcourir continuellement, connaissaient un pays aux dimensions gigantesques, n'ayant aucune commune mesure avec les petits royaumes écologiquement appauvris d'Europe. Le Wendat moyen était un homme sans cesse exposé à une infinité de dangers qui, souvent, éprouvaient à l'extrême ses ressources physiques, morales et bien sûr matérielles. Avec les biens faibles moyens qu'il en tirait, il devait manœuvrer parmi une nature aussi puissante que mystérieuse, capricieuse et insensible à ses craintes. Une terre et des eaux sauvages et indomptées, un monde animal souverain et exigeant, un empire d'esprits omniprésents avec lesquels il était vital de savoir converser, des peuples alliés fiers et susceptibles à tout dérogement au respect pour leur indépendance et des ennemis plus dangereux et implacables que les monstres les plus terrifiants du Panthéon. Non seulement ces Amérindiens parvenaient-ils à survivre dans un monde aussi éprouvant, ce qui, en soi, eût suffi pour que les Européens les perçoivent comme des surhumains (positivement ou négativement), comme ils le

---

47. Ce que nous soutenons, au fond, est qu'une «vérité» archéologique doit, pour ne pas risquer d'aller contre l'éthique, être soigneusement contextualisée en fonction des préjugés défavorables qui sont déjà naturellement le lot des gens dont on traite. Le but premier, à notre sens, doit toujours être celui de traiter avec honneur les émotions, dans le but de rapprocher les gens que l'histoire a isolés les uns des autres (Sioui, 1989 : 12), évidemment en sauvegardant toujours la vérité historique. Est-ce pour mieux affirmer la puissance de leur science que les archéologues paraissent souvent vouloir «démentir» les témoins oculaires ?

firent toujours si facilement, mais ils savaient s'inspirer de ce chaos apparent[48] pour élaborer et construire des sociétés qui eurent un attrait aussi puissant que condamnable sur l'esprit des peuples immigrants.

Karen Lee Anderson, historienne torontoise, a produit, en 1982, une thèse de doctorat exposant la méthodologie de son approche de la paléodémographie des Wendats[49]. Il ressort de son ouvrage que l'image vue sous la loupe archéologique dépend de celui ou de celle qui regarde :

> Selon les observateurs de l'époque les [Wendats] étaient en santé (au moins jusqu'à l'avènement des maladies venues d'Europe), bien nourris (au moins jusqu'au milieu des années 1630, lorsque la maladie vint rendre difficile la production de la subsistance) et grands de taille [indication additionnelle d'une bonne alimentation et, donc, de résistance à la maladie, dit un peu plus loin Anderson]. Ces observations sont confirmées par l'analyse ostéologique[50]. Il y a peu d'indication de problème d'alimentation inadéquate[51].

---

48. Les religieux ne purent jamais voir que l'empire le plus intégral du démon dans cette nature monstrueusement forte et dans la vénération absolue que lui vouaient les habitants aborigènes (Sagard, 1866 : 23).

49. Karen Lee Anderson : « Huron Women and Huron Men : The Effects of Demography, Kinship and the Social Division of Labour on Male/Female Relations among the 17th Century Huron », thèse de doctorat, Toronto, Université de Toronto, 1982.

50. Voir les propos de Robert Larocque, cités au chapitre II (p. 127-128), au sujet de la santé des Nadoueks.

51. K.L. Anderson, *op. cit.*, p. 92. À ces propos d'Anderson viennent en écho ceux d'autres penseurs sociaux modernes, notamment de Marshall Sahlins, dans *Âge de pierre, âge d'abondance. L'économie des sociétés primitives* (trad. de l'anglais), Paris, Gallimard, 1976, p. 46 : « Si donc à l'heure actuelle, l'image qu'on nous offre de ces peuples [chasseurs de l'est du Canada, Bochimans, Inuit, Shoshonis] est celle de miséreux aux ressources « maigres et fluctuantes », plutôt que le reflet des conditions de vie aborigène, *ne doit-on pas y voir les conséquences de la violence coloniale ?* » Le phénomène moderne de la survivance des peuples amérindiens en dépit d'une formidable oppression (surtout idéologique au Nord ; idéologique et physique au Sud) est toujours propre à causer l'étonnement des observateurs étrangers. « À l'échelle du Canada », dit Bruce Trigger dans un discours prononcé à Kahnawake devant une délégation interparlementaire du Parlement européen, le 14 janvier 1991, « les autochtones ont sept fois plus de chances d'être incarcérés que le reste de la population, sont six fois plus susceptibles de se suicider ; ont une espérance de vie de près

La subsistance au Wendaké

« [...] ils [les Wendats] cultivent les champs dont ils obtiennent le blé d'Inde [...], d'excellentes citrouilles en abondance et aussi du tabac », écrit le père Brébeuf en 1636. « Toute cette région, poursuit-il, abonde en animaux sauvages et en poisson ; aussi ont-ils à portée de la main les moyens d'une existence sinon luxuriante, du moins adéquate et saine ; et ils ont de quoi vendre à d'autres[52]. »

Heidenreich (1971 : 163) a estimé que le maïs comptait pour 65 % de toute la nourriture consommée par les Wendats[53]. Ce maïs était principalement de deux espèces : le *zea mays amylacea* (maïs à farine ou à pain) et le *zea mays indurata* (maïs dur, à sagamité). Le second produisait jusqu'à deux fois plus de grains et mettait un mois de moins à mûrir.

Dès 1623, Sagard remarque la productivité quasi miraculeuse du maïs. Il le suggère à ses compatriotes comme un remède à la pauvreté, qui caractérise tant l'ancienne France, mais qui est inexistante en la « nouvelle » :

> Il serait [aussi] bien à désirer que l'on semât de ce blé d'Inde par toutes les provinces de la France, pour l'entretien et la nourriture des pauvres qui y sont en abondance, car avec un peu de ce blé, ils pourraient se nourrir et s'entretenir aussi facilement que les sauvages, qui sont de même nature que nous, et ainsi ils ne souffriraient plus de disette et ne seraient plus contraints de courir mendiant par les villes, bourgs et villages comme ils font journellement parce qu'outre que ce blé nourrit et rassasie grandement, il porte toujours sa sauce avec soi, sans qu'il y soit besoin de viande, poisson, beurre, sel ou épice, si on ne veut (Sagard, 1990 : 234).

---

d'une décennie plus courte et sont deux fois moins susceptibles de terminer des études secondaires. Dans le Nord et dans les centres urbains, les autochtones connaissent des taux de chômage, des niveaux d'alcoolisme et de stress familial beaucoup plus élevés que les autres communautés ethniques. »

52. *Relations des jésuites*, 11 : 7 (trad. libre de l'anglais).
53. Le reste est réparti comme suit, selon le même auteur : courges : 2 % ; haricots : 13 % ; poisson : 9 % ; viande : 6 % ; fruits cueillis : 5 %.

Brébeuf, en 1636, exprime un contentement similaire lorsqu'il décrit la facilité «providentielle» d'assurer la subsistance du missionnaire au Wendaké:

> Pour le vivre, je dirai encore ceci, que Dieu nous a fait paraître à l'œil sa providence très particulière. Nous avons fait en huit jours notre provision de blé pour toute l'année, sans faire un seul pas hors notre Cabane; on nous apporte aussi du poisson [séché] en telle quantité que nous sommes contraints d'en refuser et de dire que nous en avons assez; vous diriez que Dieu voyant que nous ne sommes ici que pour son service[54], afin que nous ne travaillions que pour lui, veuille lui-même nous servir de pourvoyeur[55]. Cette même Bonté ne laisse pas de nous donner de temps en temps quelques rafraîchissements de poisson frais. Nous sommes sur le bord d'un grand Lac [le lac des Attignawantans, ou lac Huron] qui en porte d'aussi bons que j'aie guère vu ou mangé en France. Il est vrai, comme je l'ai déjà dit, que nous n'en faisons point d'ordinaire, et encore moins de la viande, qui se voit ici plus rarement[56]. Les fruits mêmes, selon la saison, pourvu que l'année soit un peu favorable, ne nous manquent point; les fraises, les framboises et les mûres y sont en telle quantité qu'il n'est pas croyable.
>
> Nous y cueillons force raisins et assez bons; les citrouilles nous durent quelquefois quatre à cinq mois, mais en telle abondance qu'elles se donnent presque pour rien; si bonnes qu'étant cuites dans les cendres, elles se mangent comme on fait les pommes en France; le seul blé du Pays est une nourriture suffisante quand on y est un peu habitué; les Sauvages

---

54. Nous verrons en plusieurs endroits que les missionnaires, surtout jésuites, insistent qu'ils ne sont ici que pour gagner des âmes à Dieu, raison de la prédilection spéciale que Dieu leur voue.

55. L'agissement constant et direct de la Providence en faveur des religieux les empêche souvent d'avoir à remercier leurs pourvoyeurs humains. Typiquement, «Dieu» donne de la viande aux missionnaires, qu'ils donnent à leur tour à «leurs» sauvages (*Relations des jésuites*, 13: 150).

56. L'agriculture des Wendats garantit tellement leur survie et leur bien-être que la pêche et la chasse surtout sont des activités secondaires dans l'ordre de la subsistance, souvent pratiquées pour le loisir (Trigger, 1989: 34-39).

l'apprêtent en plus de vingt façons et ne se servent cependant que du feu et d'eau [...][57]

Le défrichage de nouveaux champs était l'une des tâches les plus laborieuses qui incombaient aux hommes wendats. Ici encore, le frère Sagard demeure notre meilleur informateur :

Leur coutume est que chaque ménage[58] vit de ce qu'il pêche, chasse et sème, ayant autant de terre qu'il lui est nécessaire, car toutes les forêts, prairies et terres sont en commun et il est permis[59] à un chacun d'en défricher et ensemencer autant qu'il veut, qu'il peut et qu'il lui est nécessaire ; et cette terre ainsi défrichée demeure à la personne autant d'années qu'il[60] continue de la cultiver et de s'en servir, et étant entièrement abandonnée du maître[61], s'en sert par après qui veut et non autrement. Ils les défrichent avec grand-peine, pour ne pas avoir d'instruments appropriés : ils coupent les arbres à la hauteur de deux ou trois pieds de terre, puis ils émondent toutes les branches qu'ils font brûler au pied de ces arbres pour les faire mourir et, par succession de temps, en ôtent les racines ; puis les femmes nettoient bien la terre entre les arbres et bêchent de pas en pas une place ou fossé en rond[62], où ils sèment à chacune neuf ou dix grains de maïs, qu'ils ont premièrement choisis, triés et fait tremper quelques jours dans l'eau et ils continuent ainsi jusqu'à ce qu'ils en aient pour deux ou trois ans de provision, soit pour la crainte qu'il ne leur succède quelque mauvaise année, soit pour aller le traiter

---

57. Pour les façons principales d'apprêter le maïs en nourriture, voir Sagard, 1990 : 176-180.
58. Sagard (pas plus que Champlain, huit ans avant lui) n'a pas remarqué que toutes les grandes activités wendates se font selon le système clanique de parenté. Le «ménage» au sens français n'est pas une réalité sociale.
59. En réalité, qui était là pour accorder ou refuser une telle «permission»? Est-il besoin de permission dans une société où le sens de la propriété n'existe pas, où le tout existe pour la personne et la personne pour le tout? Naturellement, Sagard ne pouvait pas relativiser ainsi.
60. Remarquons combien l'emploi du féminin est contraire à un esprit féodal, surtout lorsqu'il s'agit de droit de propriété.
61. Sagard a pourtant amplement observé que les femmes étaient maîtresses d'elles-mêmes et de leur temps (Sagard, 1990 : 172-173 ; 200 ; 288) et que le domaine des champs et des récoltes était le leur (*ibid.*, 175-181). Curieusement, son emploi des pronoms personnels masculins donne l'impression que ce sont les hommes qui travaillent les champs et préparent la nourriture.
62. Remarquer le rapport au principe (sacré) du Cercle de la vie.

chez d'autres nations pour des pelleteries ou autres choses qui leur font besoin ; et tous les ans ils sèment ainsi leur blé aux mêmes places et endroits, qu'ils rafraîchissent avec leur petite pelle de bois, faite en la forme d'une oreille qui a un manche au bout ; le reste de la terre n'est pas labouré mais seulement nettoyé des méchantes herbes, de sorte qu'il semble que ce soient partout des chemins, tant ils[63] sont soigneux de tenir tout net [...][64]

Aussitôt que les plants sortent de terre, les femmes wendates les renchaussent. Lorsqu'elles sont à la hauteur du genou, les tiges paraissent logées dans un monticule circulaire, dans lequel les femmes resèmeront autant d'années que la force du sol le permettra, c'est-à-dire entre huit et douze ans (Trigger, 1989 : 31-32). Ces champs irrégulièrement parsemés de monticules circulaires furent durant des siècles (puisque la pratique s'en étendit aux Euro-Américains) une caractéristique du paysage de tout le Nord-Est de l'Amérique du Nord (Heidenreich, 1971 : 176).

Les fèves et les courges étaient les éternelles compagnes du maïs dans les champs. L'expertise agronomique moderne fait voir que la plantation des variétés de légumineuses autochtones au travers du maïs a l'avantage de fixer l'azote dans le sol et, ainsi, d'en retarder l'épuisement. D'autres bénéfices de ce type de pluriculture sont que la nécessité de sarcler est de beaucoup amoindrie, que l'érosion est réduite considérablement, que le rendement par acre est augmenté, que l'humidité du sol (considération très importante pour les Wendats) est préservée de façon notable et, enfin, que la population est assurée d'obtenir les acides aminés nécessaires à un régime équilibré de protéines végétales. Pour une excellente discussion sur les connaissances et les pratiques agricoles amérindiennes, ainsi que sur l'origine de la contamination moderne des sols et de leur perte, voir le livre de William Cronon *Changes in the*

---

63. Soulignons encore une fois que ces ouvrages – à part l'abattage et le défrichage – n'étaient jamais ceux des hommes.
64. Sagard, 1990 : 175-176.

Land : Indians, Colonists and the Ecology of New England[65]. Cet auteur estime que les méthodes agricoles des Wendats leur permettaient de quadrupler le nombre d'années d'utilisation de leurs champs. Fait complémentaire intéressant, il trouve, notamment chez les Sénécas, des indications que ces pratiques étaient basées sur l'expérience et la philosophie de ces peuples, et n'auraient donc pas été le fruit du hasard, comme les historiens le prétendent encore fréquemment.

Les récoltes, au Wendaké, se faisaient au tout début de septembre. Les femmes cueillaient alors aux champs le maïs et, nous raconte Sagard,

> le lient par les feuilles retroussées en haut et l'accommodent par paquets, qu'ils[66] pendent tous arrangés le long des cabanes, de haut en bas, en des perches qu'ils y accommodent en forme de râteliers, descendant jusqu'au bord devant l'établi ; et tout cela si proprement agencé qu'il semble que ce soient tapisseries tendues le long des cabanes ; et le grain étant bien sec et bon à serrer, les femmes et filles l'égrènent, nettoient et mettent dans leurs grandes cuves ou tonnes à cela destinées et posées en leur porche ou en quelque coin de leur cabane[67].

La chasse et la pêche

Les Wendats pêchaient plus qu'ils ne chassaient (Heidenreich, 1971 : 158). Discourant sur l'extrême bonté de Yoscaha (Tsestah), leur cocréateur[68] et père[69], les visionnaires

---

65. Publié en 1983 par Hill and Wang (New York). Voir aussi Heidenreich, 1971 : 182-186.
66. Sagard parle toujours des Wendats génériquement ; des femmes, le moins possible.
67. Sagard, 1990 : 176.
68. Les Wendats ont expliqué aux jésuites (*Relations des jésuites*, 10 : 138) que Yoscaha (Tsestah) a fait don du maïs à leur peuple et en régit les récoltes.
69. Les Wendats, alors (1646) en grand danger de disparition, élaborent une guerre théologique contre les missionnaires et leur *Dieu le Père*, qu'ils dénoncent comme le Chef militaire (*Relations des jésuites*, 30 : 28) des Robes-Noires. Ils lui opposent dialectiquement Yoscaha qui, si les Wendats gardent leur foi en lui, saura se manifester comme leur Père véritable et les fera survivre.

wendats l'évoquent comme «un fantôme[70] d'une prodigieuse grandeur, qui porte d'une main des épis de blé d'Inde et de l'autre grande abondance de poisson ; qui dit que c'est lui seul qui a créé les hommes[71], qui leur a enseigné à cultiver la terre et qui a peuplé tous les lacs et les mers de poisson, afin que rien ne pût manquer pour le vivre des hommes [...]» (*Relations des jésuites*, 30 : 26).

La chasse

Samuel de Champlain est le premier Européen à nous parler de la chasse des Wendats. Dans l'ancienne France, la chasse était un loisir réservé aux aristocrates (Trigger, 1976 : 40). Les domaines forestiers étaient l'apanage des nobles et l'homme ordinaire qui s'y faisait prendre à chasser était sévèrement châtié (Lahontan, 1703 : 117-118). Aussi le Père de la Nouvelle-France décrit-il la société wendate comme composée de deux grandes classes, l'une étant les femmes, faisant à peu près tout le travail qu'il y avait à faire, dans la maison et aux champs, et l'autre, les hommes, exploitant le travail de leurs inférieures sœurs et occupant leur temps comme les Européens nobles, à chasser, pêcher, construire des villages et faire la guerre (Boggar, 1929, vol. III : 137). L'une des meilleures réfutations de cette notion euroaméricaine à propos des Amérindiens, particulièrement des Wendats, est la thèse de doctorat de Karen Lee Anderson. L'auteure y attaque et défait les arguments ayant traditionnellement étayé une supposée subordination naturelle de la femme par rapport à l'homme. Celle-ci, selon Anderson, n'est rendue possible que par la destruction du lien existant entre la parenté, les relations sociales de production et le statut homme ou femme. «Le statut des femmes,

---

70. Les jésuites ont une panoplie de termes propres à amoindrir, déprécier, ridiculiser tous les gestes et toutes les pensées opposées en auto-défense par les Wendats.

71. Comme nous l'avons vu au chapitre premier, les Wendats n'attribuent pas la création seulement à Yoscaha ; plutôt, ce premier-né de la fille de la Grand-mère Aatentsic apporta à la Grande Île (Wendaké) les Wendats, qu'il prit au pays céleste du Maître de la vie, le Grand-Esprit lui-même (Barbeau, *Huron and Wyandot Mythology*, p. 310).

écrit-elle, est compromis lorsqu'elles n'ont plus d'accès direct aux moyens de production et au produit du travail de la communauté de leur plein droit, en tant que membres d'une unité viable de production et de reproduction» (Anderson, 1982 : 265 ; trad. libre).
Champlain goûta «singulièrement» ses expériences de chasse auprès de ses hôtes wendats. L'enthousiasme de la nouveauté se sent dans le récit d'une certaine chasse au chevreuil (cerf de Virginie), faite à l'automne 1615, au nord de Kingston :

> Le lendemain vingt-huitième dudit mois [octobre], chacun commença à se préparer, les uns pour aller à la chasse des Cerfs, les autres aux Ours [et] Castors, d'autres à la pêche du poisson, d'autres à se retirer en leurs Villages et pour ma retraite et logement, il y en eut un appelé Darontal[72], l'un des principaux chefs, avec lequel j'avais déjà quelque familiarité, me fit offre de sa cabane, vivres et commodités, lequel prit aussi le chemin de la chasse du Cerf, qui est tenue pour la plus noble entre eux. Et après avoir traversé le bout du lac de ladite île [Biggar croit qu'il peut s'agir de l'île Stoney] nous entrâmes dans une rivière quelque douze lieues [probablement la rivière Napanee], puis ils portèrent leurs canots par terre environ une demie lieue, au bout de laquelle nous entrâmes en un lac [le lac Loughborough, selon Biggar] qui a d'étendue environ dix à douze lieues de circuit où il y avait grande quantité de gibier, comme Cygnes, grues blanches, outardes, canards, sarcelles, mauves, alouettes, bécassines, oies et plusieurs autres sortes de volatiles que l'on ne peut compter, dont j'ai tué bon nombre, qui nous servirent bien, en attendant la prise de quelque Cerf, auquel lieu nous fûmes en un certain endroit éloigné de dix lieues où nos Sauvages jugeaient qu'il y avait des Cerfs en quantité.
> Ils s'assemblèrent quelque vingt-cinq Sauvages, et se mirent à bâtir deux ou trois cabanes de pièces de bois, accommodées l'une sur l'autre et les calfeutrèrent avec de la mousse pour empêcher que l'air n'y entrât, les couvrant d'écorces d'arbres : ce qu'étant fait, ils [s'en] furent dans le bois, proche d'une petite sapinière où ils firent un clos en forme de triangle,

---

72. Probablement *Atironta*, nom héréditaire de chef confédéral arendahronon. Rappelons que la lettre *l* est inexistante en langue wendate.

fermé de deux côtés, ouvert par un autre[73]. Ce clos fait de grandes palissades de bois fort pressé, de la hauteur de huit à neuf pieds et de long de chaque côté de près de mille cinq cents pas, au bout duquel triangle il y a un petit clos, qui va toujours en diminuant, couvert en partie de branchages, y laissant seulement une ouverture de cinq pieds, comme la largeur d'un moyen portail, par où les Cerfs devaient entrer. Ils firent si bien qu'en moins de dix jours, ils mirent leur clos en état, pendant que d'autres Sauvages allaient à la pêche du poisson, comme truites et brochets de grandeur monstrueuse, qui ne nous manquèrent en aucune façon[74]. Toutes choses étant faites, ils partirent une demie heure avant le jour pour aller dans le bois, à environ une demie lieue de leur clos, s'éloignant les uns les autres d'environ quatre-vingt pas, ayant chacun deux bâtons[75], qu'ils frappaient l'un contre l'autre, marchant au petit pas en cet ordre, jusqu'à ce qu'ils arrivent à leur clos. Les Cerfs entendant ce bruit, s'enfuient devant eux, jusqu'à ce qu'ils arrivent au clos où les Sauvages les pressent d'aller, se joignant peu à peu vers l'ouverture de leur triangle, où les Cerfs coulent le long des palissades jusqu'à ce qu'ils arrivent au bout, où les Sauvages les poursuivent vivement, ayant l'arc et la flèche en main, prêts à décocher, en étant au bout de leur triangle, ils commencent à crier et contrefaire les loups, dont il y a quantité qui mangent les Cerfs, lesquels Cerfs entendant ce bruit effroyable, sont contraints d'entrer en la retraite par la petite ouverture, où ils sont poursuivis fort vivement à coups de flèches, où étant entrés ils sont facilement pris en cette retraite, qui est si bien

---

73. La qualité du français de Champlain laisse à désirer, en comparaison avec celui des clercs. Il est nécessaire de le toucher quelque peu, se guidant parfois sur la traduction anglaise de Biggar, heureusement plus modernisante.

74. Ces descriptions de l'abondance et de la pureté de la vie sauvage, il y a 375 ans, ne peuvent manquer de faire faire un examen de conscience au lecteur moderne pris avec son angoisse environnementale, et faire surgir en lui quantité de questions concernant les réponses que continue d'apporter aux besoins (au fond, simples) de l'humain la civilisation occidentale et euroaméricaine. En ce sens, n'y a-t-il pas ici, pour l'histoire et les sciences dites sociales en général, une possibilité de se redéfinir une nouvelle base morale?

75. L'illustration de cette chasse, de la main de Champlain, montre pourtant (sur la page en regard) les chasseurs frappant une omoplate de chevreuil tenue dans une main avec un os (probablement un fémur) dans l'autre, ce qui s'accorde davantage avec le bruit ainsi que, symboliquement, la peur à produire.

close et fermée qu'ils n'en peuvent aucunement sortir. Je vous assure qu'il y a un singulier plaisir en cette chasse, qui se faisait de deux jours en deux jours et [où] ils firent si bien qu'en trente-huit jours que nous [y] fûmes, ils prirent 120 Cerfs, desquels ils [festoyèrent bien], réservant la graisse pour l'hiver, s'en servant comme nous faisons du beurre, et quelque peu de chair qu'ils emportent à leurs maisons pour faire des festins entre eux. Ils ont d'autres inventions, pour prendre le Cerf, comme au piège, dont ils en font mourir beaucoup (Biggar, 1929, vol. III : 81-85)[76].

Certains auteurs (Trigger, 1989 : 36 ; Tooker, 1987 : 66) ont interprété les mots «quelque peu de chair qu'ils emportent à leurs maisons» comme pouvant indiquer une indifférence des Wendats au gaspillage de la viande. Si on évalue ne serait-ce qu'à 1 kilogramme par jour la quantité moyenne de viande consommée par une cinquantaine d'hommes[77] durant les 38 jours que dura la chasse et une cinquantaine de journées de voyage de retour au Wendaké, on obtient environ 4 000 kilogrammes de viande. Supposant un poids moyen de 45 kilogrammes par animal éviscéré, ce qui donne un poids total utilisable de 5 500 kilogrammes, il ne reste en effet que «quelque peu de chair» à rapporter aux maisons[78], c'est-à-dire 1 350 kilogrammes à transporter par 50 hommes, soit 25 kilogrammes de viande pour chaque homme. Champlain dit

---

76. Le dessin de Champlain montre des pièges attachés à des arbres recourbés, auxquels les chevreuils restaient suspendus par une ou les deux pattes postérieures. Le succès obtenu par cette technique, selon Champlain, réfute, à notre sens, l'opinion de Sagard, qui a servi à mettre en doute les aptitudes de chasseurs des Wendats, selon laquelle ce peuple n'aurait pas su fabriquer des collets assez forts pour étouffer même le lièvre et autre petit et moyen gibier. (Voir Heidenreich, 1971 : 208.)

77. Champlain parle de 25 sauvages occupés à construire les cabanes et l'enclos, et d'«autres» occupés à chasser et pêcher. Il semble peu probable qu'au moins 50 des 500 qui faisaient partie de l'expédition guerrière ne soient pas restés pour accompagner le grand «capitaine» français.

78. Nous avons vu au premier chapitre que les Wendats, par déférence au Loup, leur principal compétiteur à la chasse, se reconnaissaient une obligation sacrée de toujours laisser pour lui sur le lieu de l'abattage, de la viande et même des carcasses entières de Cerfs, afin de maintenir des rapports harmonieux et fraternels entre eux-mêmes et ces deux peuples «non humains».

plus loin que la charge totale de chaque homme est de 45 kilogrammes. Autrement, il semble très peu probable, étant donné la haute estime que les Wendats avaient à l'égard du Cerf, qu'ils n'eussent pas prévu, au cas où ils n'eussent pu ramener le gros des peaux et de la viande[79], envoyer plus tard, durant l'hiver, une fois passée la saison du guerroyage (nous avons expliqué, au deuxième chapitre, comment le mot *guerre* ne véhicule pas une idée juste du conflit amérindien dans le Nord-Est encore à ce moment-là ; nous y reviendrons), une autre expédition, celle-ci composée également de femmes (les vraies expertes bouchères). Celle à laquelle participait Champlain était essentiellement une expédition de mise en respect (non simplement offensive) dirigée contre les Iroquois et organisée à cause de la présence de ce capitaine français.

Heidenreich, pour sa part, ne partage pas l'enthousiasme de Champlain pour l'abondance de viande qu'a procurée cette chasse. Comme Tooker (1987 : 69, 99) et Trigger (1989 : 13, 77)[80], Heidenreich voit plutôt dans l'alimentation de ce peuple une carence marquée en viande. « Le manque général de viande dans le régime alimentaire [des Wendats]

---

79. En 1911, un Wyandot de l'Oklahoma informe Marius Barbeau que la façon traditionnelle de ramener le gibier était d'empaqueter l'animal dépecé dans sa peau, le tout étant transporté au moyen du « collier de portage » (*acharo*) qu'utilisent toujours les chasseurs amérindiens, notamment dans les « concours de portage » annuels, événement spectaculaire lors des festivités estivales populaires dans les villages du Nord, notamment montagnais, cris, anishinabés, attikameks et naskapis.

80. Nous, modernes, sommes d'inconscients complices du sacrifice des dernières forêts vierges et de leurs peuples originaux à un goût compulsif pour la viande qui a beaucoup plus à voir avec le statut social qu'avec la biologie. La viande, c'est pour les riches ; l'agriculture et la cueillette sont pour les pauvres. Nous hypothéquons ainsi et gaspillons la terre nourricière des générations à venir, afin de pouvoir manger « comme les riches ». Sagard, qui, sans contredit, fut l'Européen lettré qui, de bon gré, s'assimila le plus entièrement au mode de vie des Wendats, nous donne un témoignage on ne peut plus éloquent du très haut degré de satisfaction que durent concevoir les Wendats de la qualité de leur alimentation quasi végétarienne, lorsqu'il écrit que le maïs des Wendats (souvent combiné avec des haricots et d'autres plantes ou fruits) n'a pas absolument besoin d'être supplémenté de viande ou de poisson (Sagard, 1990 : 234).

s'explique par une variété de facteurs différant quelque peu selon les espèces d'animaux [...]» (Heidenreich, 1971 : 204).

Les abondantes réserves alimentaires que les chroniqueurs ont vues chez les Wendats attestent amplement que ces gens n'étaient que très exceptionnellement exposés à la disette ou à la famine[81]. Le maïs et les haricots, joints au poisson (dont les eaux du pays regorgeaient), constituaient une base de régime alimentaire sûre et adéquate. La chasse était une activité à laquelle personne, ni homme ni femme, n'avait l'obligation ou le temps de se prêter de façon régulière. Les femmes, par les produits de leurs champs, fournissaient la majeure partie de la subsistance. Les camps de pêche des hommes, organisés systématiquement et ponctuellement[82], venaient combler les besoins alimentaires.

La chasse n'était pratiquée que par les hommes, qui, chez les Wendats, avaient une vie esentiellement tournée vers l'extérieur. Chaque année, des milliers d'hommes wendats organisaient des expéditions destinées à renforcer les relations commerciales[83]. Les hommes prenaient les chemins de terre et

---

81. Comme le suggère Trigger, cette grande sécurité fut soudainement changée en angoisse avec la transformation européenne du commerce wendat et l'effet parallèle des maladies d'origine européenne. Avec une population diminuant rapidement et des exigences de production agricole de plus en plus difficiles à satisfaire, les Wendats durent désormais vivre sans réserves suffisantes de nourriture. Le pays qui depuis longtemps avait été «le grenier de presque tous les Algonquins» (*Relations des jésuites*, 8 : 114) devint alors, en l'espace de quelques brèves années, le «pays de la mort» (*Relations des jésuites*, 15 : 24-26).

82. Nous traiterons, un peu plus loin, de la pêche des Wendats.

83. Certainement le peuple le plus politique du Nord-Est, la grande préoccupation des Wendats dut être de maintenir et d'étendre leurs réseaux de relations commerciales avec le plus grand nombre de nations possibles. Parallèlement, le commerce en vint à constituer la base même de l'économie wendate. La chasse devint donc une nécessité pour les hommes en voyage ou une activité entre autres lors de l'organisation de fêtes importantes. Ainsi, Bressani put écrire, en 1653, que les Wendats «chassaient seulement par plaisir ou en des occasions extra-ordinaires» (*Relations des jésuites*, 38 : 244). Par contraste, les Iroquois demeurèrent longtemps nettement plus dépendants de la chasse que les Wendats (Trigger, 1976 : 623-628 ; 1989 : 4-5), de même que les Attiwandaronks qui, nous apprennent les

d'eau[84] emportant avec eux tabac, armes, des matières à faire du feu, ainsi qu'«un sac plein de farine de [maïs] rôti et grillé dans les cendres, qu'ils mangent crue et sans être trempée, ou bien détrempée avec un peu d'eau chaude ou froide [...] qu'ils font durer [...] jusqu'à leur retour, qui est environ six semaines ou deux mois de temps...» (Sagard, 1990: 234).

Le récit de chasse[85] au chevreuil de Champlain illustre bien comment les Wendats supplémentaient leur régime de maïs rôti lorsqu'ils étaient en expédition. Les jésuites rapportent une légende wendate racontant le voyage de six jeunes hommes au Pays des âmes et révélant comment un Être-Oki les garantit contre la faim pendant le retour à leur village.

> Déjà ils abordèrent au Village des Âmes, d'où ils ne revinrent que trois en vie et tous effarés chez leur hôte [l'Être-Oki], qui les encouragea à retourner chez eux, à la faveur d'un peu de farine, telle que les âmes la mangent et qui sustente les corps à merveille. Qu'au reste, ils allaient passer à travers des bois où les cerfs, les ours et les orignaux étaient aussi communs que les feuilles des arbres; qu'étant pourvus d'un arc si merveilleux, ils n'avaient rien à craindre, que leur chasse serait des meilleures (*Relations des jésuites*, 10: 154).

Assurément, en raison de la densité de sa population[86], le Wendaké n'offrait pas de ressources fauniques remarquables. Le castor, véritable pain quotidien des peuples établis au nord, était à peu près absent dans le pays wendat (*Relations des jésuites*, 8: 56), tellement on en était venu à compter sur le commerce pour s'en procurer la fourrure. Le chevreuil n'y était pas non plus particulièrement abondant, même si le pays

---

jésuites (*Relations des jésuites*, 21: 196), avaient parfois des provisions de viande (séchée) pour un an.

84. Un réseau de chemins traversait en tous sens le pays wendat, rejoignant d'autres chemins allant à tous les points du continent (voir figures 1 et 3). Les Wendats étaient par ailleurs passés maîtres dans l'utilisation du canot d'écorce.

85. Champlain décrit une autre chasse au chevreuil (Biggar, 1929, vol. III: 60-61) pendant laquelle les Wendats firent une battue vers l'eau où les attendaient des archers en canot.

86. Heidenreich (1971: 103-106), se basant sur une population totale de 21 000 individus, obtient une densité de 62 personnes par mille carré pour le territoire wendat, soit la plus forte dans le Nord-Est.

regorgeait de forêts en voie de régénération, en plus de beaucoup de clairières. Heidenreich explique comme suit leur relative absence :

> [Le pays] était densément peuplé et de grands espaces étaient brûlés chaque année. S'il a le choix, le chevreuil tend à éviter les humains et est toujours terrorisé par le feu et la fumée. Bien que de vastes parties de la Huronie lui fournissaient un habitat excellent, les terres naguère abandonnées au sud et au sud-ouest[87] lui en fournissaient de semblables, sans la présence annuelle des feux ni des établissements humains. Les territoires producteurs de mâts se trouvaient également davantage au sud de la Huronie, particulièrement les grandes forêts de chênes de la moraine des Oak Ridges et les régions de chênes et de noyers le long de la rive nord du lac Érié (Heidenreich, 1971 : 207).

L'ours, seul autre gros gibier du Wendaké, n'est jamais abondant, étant donné sa nature solitaire et son faible taux de reproduction. Il était chassé au moyen de chiens (*Relations des jésuites*, 14 : 33), entraînés en vue de détecter l'odeur de ces animaux, souvent surpris ainsi au milieu de leur sommeil hivernal. L'orignal, le bison, le loup, le caribou et le lynx étaient presque absents du territoire, alors que les renards, martres, lièvres, perdrix ainsi que tous les autres oiseaux et petits gibiers communs y abondaient. On peut supposer que tous ces animaux faisaient l'objet de la chasse de la part des garçons, qui s'exerçaient en vue de leur future vie parmi le vaste monde extra-wendat. Fait peut-être surprenant, le dindon sauvage (*ondetontakwé*) ne se trouvait pas au Wendaké, puisque cet oiseau recherche la protection et la nourriture des forêts matures (Heidenreich, 1971 : 202). Le jugement des historiens sur la qualité des Wendats comme chasseurs a, selon nous, été empêché à cause d'une trop grande confiance traditionnellement accordée aux sources missionnaires. Comme la chasse se faisait essentiellement à l'extérieur des limites du Wendaké, les

---

87. Trigger (1989 : 2-7) a fort bien mis en évidence les raisons, essentiellement commerciales, qui amenèrent les Wendats à se concentrer dans la partie plus nordique de leur pays, en réaction à la transformation de la nature du commerce autochtone après le contact.

religieux, casaniers par profession, ne purent écrire que super-
ficiellement au sujet de la cynégétique wendate. Les Wendats,
nous l'avons vu, devaient, au cours de leurs innombrables
expéditions, pouvoir se fier absolument sur leurs propres
talents de chasseurs. Leurs techniques devaient être efficaces
(et Champlain semble avoir été impressionné sur ces points).
Pour une analyse éclairante, voir la thèse de maîtrise de
Georges Boiteau intitulée «Les Chasseurs hurons de Lorette»,
thèse qui fait état de talents et de connaissances très anciennes
de l'art de la chasse chez ce peuple. La mythologie huronne-
wyandote de Marius Barbeau (*cf.* chapitre premier) fourmille
de preuves démontrant que la chasse et les relations sacrées
avec les esprits-animaux étaient aussi parties intégrantes de la
culture des hommes wendats que celle des peuples plus strictement chasseurs qu'ils fréquentèrent d'ailleurs intensivement
durant d'innombrables générations. Sagard a observé, en
1623-1624, que les Wendats pratiquaient une chasse intimement apparentée à celle des peuples algiques (Sagard, 1990 :
271). Sans cette possession d'un sens pénétrant et sacré de la
chasse, tous ces wendats dispersés n'auraient pu effectuer aussi
rapidement et efficacement les transformations sociales et
culturelles qui permirent leur survie, ainsi que celle de leur
rôle en tant que peuple central dans la géopolitique du Nord-
Est.

Les animaux semi-domestiqués

Les Wendats connaissaient certaines formes de domes-
tication, surtout du chien, mais aussi de l'ours. Les religieux
français, non enclins à faire attention aux idées sacrées d'autres
peuples que le leur, jugèrent que le chien, en particulier, était
élevé pour sa viande, «comme on fait les moutons en France»
(*Relations des jésuites*, 7 : 222 ; Sagard, 1990 : 310).

En fait, les chiens étaient hautement estimés par leurs
maîtres wendats. Le père Le Jeune, en 1636, est témoin que
l'on fit l'éloge d'un chien, qui mourut par les griffes d'un ours,
avec autant d'émotion que «s'il eût été un Capitaine du pays»

(*Relations des jésuites*, 14 : 32-34). Les missionnaires se plaignirent constamment de ce que les chiens étaient libres d'entrer et d'habiter dans les maisons wendates, y mangeant, disent-ils, à même les plats et les écuelles des maîtres (Sagard, 1990 : 311).

Les chiens que l'on avait particulièrement aimés étaient, tout comme les humains, «relevés» à leur mort, c'est-à-dire qu'ils transmettaient leur nom à un autre de leur «parenté». De plus, ultime hommage à ces non-humains presque humains, leurs âmes[88] allaient, comme celle de leurs maîtres, au Pays des âmes, par un chemin d'étoiles voisin de la route céleste des âmes humaines, appelé *Gagnenon andahaté*, le Chemin des chiens (Sagard, 1990 : 256 ; voir chapitre III, note 332).

La chair des chiens semble avoir servi strictement à des fins rituelles ou cérémonielles (*Relations des jésuites*, 9 : 110 ; 17 : 194 ; 21 : 160-162). On sacrifie des chiens pour guérir des malades (*Relations des jésuites*, 17 : 196). On offre la tête d'un chien sacrifié à une personne remarquable (*Relations des jésuites*, 17 : 164 ; 23 : 158). On offre communément un chien à ceux qui ont rêvé qu'on leur en faisait festin (Trigger, 1989 : 133). Selon Sagard, la chair de ces animaux était «bonne»[89], son goût faisant penser à celle du porc (Sagard, 1990 : 311).

Les sacrifices et les festins de chiens remplacent symboliquement ceux de prisonniers que quelqu'un a rêvé d'exécuter par la torture[90] ; ils servent donc aux festins de guerre (*Relations des jésuites*, 23 : 170-172). Sagard (1866 ; prisonniers, tome 4 : animaux) et Potier (1920 : 451) donnent les mêmes termes pour désigner captifs humains et animaux que l'on garde, que l'on tient à la maison. Chez Sagard, chiens, ours

---

88. Pour les Amérindiens, les animaux ont une âme (*Relations des jésuites*, 8 : 120), de même que les objets dont l'humain s'est servi.
89. Les chiens que l'on mangeait avaient moins d'un an (K.L. Anderson, 1982 : 205).
90. Nous verrons, dans la deuxième partie du présent chapitre, la fonction de l'adoption dans la sociologie wendate, de même que le sens de la torture et de l'anthropophagie.

et prisonniers se confondent dans le terme *otindasquan* (prononcer «otindaskwan») et les Wendats que connut le père Potier en 1745 appellent toujours un captif *ganiennon*, c'est-à-dire «chien».

Les oursons, ramenés par les voyageurs ou pris sur le territoire, étaient, au temps de Champlain et de Sagard, élevés dans un enclos fait au milieu des maisons (Sagard, 1990: 304; Biggar, 1929, vol. III: 130). Au bout de deux à trois ans, on en faisait un festin que Sagard dit «d'importance» en raison de la qualité de la chair de l'ours, mais qui, en réalité, dut l'être à cause du statut de cet animal dans la symbolique sacrée des Wendats. Curieusement, la coutume de garder des ours n'a pas été mentionnée par les jésuites. Serait-ce simplement, comme le pense Heidenreich (1971: 202), que ces religieux ne jugèrent pas la chose digne de mention, ou bien, plutôt, que le Wendaké des jésuites ne connut plus la tranquillité domestique, ni le secret religieux nécessaire à la survivance de certaines coutumes menacées dans un climat social aussi insécure que celui du pays wendat des années 1634-1649?

La pêche

Lorsque les jésuites nous informent, en parlant de la pêche des Wendats (*Relations des jésuites*, 17: 198-200), que les Algonquins sont «peuples voisins très intelligents et excellents en toute sorte de pêche», il faut probablement comprendre par le mot «intelligents» que les Wendats considéraient leurs alliés algonquiens comme des personnes possédant un sens des choses sacrées particulièrement développé, qu'ils devaient tenter d'assimiler. En plus de leurs relations commerciales privilégiées avec eux, il faut voir dans cette émulation de la culture spirituelle algonquienne une autre raison importante de l'association wendate-algique.

De l'aveu des Wendats eux-mêmes, certaines de leurs pratiques de chasse et de pêche étaient d'origine ou d'inspiration algonquienne (Trigger, 1989: 39). Le mieux documenté de ces cas d'emprunts aux Algiques est celui d'une coutume algonquienne adoptée en 1636 par les Wendats, du mariage annuel des filets de pêche à deux fillettes. Les Algonquins, étonnés de leur insuccès soudain à la pêche, reçoivent en rêve l'avis de l'Esprit des filets. Cet oki,

> un grand homme bien fait, tout mécontent et en colère, leur dit : « J'ai perdu ma femme et je n'en puis trouver qui n'ait connu d'autres hommes avant moi. Voilà ce qui fait que vous ne réussissez jamais jusqu'à ce qu'on m'ait donné contentement sur ce point. »
> Les Algonquins là-dessus tiennent conseil et avisent que pour apaiser et donner satisfaction au Filet, il fallait lui présenter des filles en si bas âge qu'il n'eût plus de sujet de se plaindre et que pour plus grande satisfaction, il fallait lui en présenter deux pour une. Ils le font donc [...] en un festin et aussitôt, leur pêche réussit à merveille.
> Les [Wendats], leurs voisins, n'en eurent pas plutôt vent que voilà une fête et solennité instituée[91], qui a toujours duré depuis et se célèbre tous les ans en cette même saison (*Relations des jésuites*, 17 : 198-200).

La pêche des Wendats est aussi une aventure transculturelle en ce sens que la conformation sociale d'un camp de pêche rapproche les gens qui en font partie de la culture moins sédentaire au Nord (Sagard, 1990 ; Trigger, 1989 : 35). Ces grandes pêches, faites tout au long de l'année par les Wendats (Heidenreich, 1971 : 208-209), étaient, selon le frère Sagard, les occasions de fêtes « meilleures » que les innombrables autres auxquelles on pouvait assister dans les villages (Sagard, 1990 : 270). Facile à pêcher et en quantité abondante, le poisson était considéré par les missionnaires européens comme la « plus grande douceur et la meilleure rencontre qui se fasse dans le pays » (*Relations des jésuites*, 17 : 200). À la fois vestiges culturels d'une vie ancestrale plus nomade et produit de leur symbiose avec les Algiques, ces camps de pêche représentaient, pour les Wendats, l'équivalent de vacances passées loin de la vie laborieuse, trépidante, compliquée des villages. D'ailleurs, les descriptions de ces camps (Champlain, dans Biggar, 1929,

---

91. Noter la pointe d'ironie à l'endroit d'une « croyance païenne ».

vol. III : 56-57 ; 166-168 ; Sagard, 1990 : 269-275) laissent penser que le danger d'attaques ennemies n'y était pas une préoccupation, à cause des nombres de participants ou des sites choisis. Les poissons étaient gros, abondants et délicieux, et l'atmosphère était au plaisir et à la générosité.

> Dès le soir de notre arrivée, on fit festin de deux grands poissons qui nous avaient été donnés par un des amis de notre Sauvage, en passant devant l'île où il pêchait : car la coutume entre eux est que les amis se visitant les uns les autres au temps de la pêche se fassent des présents mutuels de quelques poissons [...] Tous les soirs, on portait des rets une demie lieue ou une lieue avant dans le lac et le matin à la pointe du jour, on allait les lever et on rapportait toujours quantité de bons gros poissons, comme *assihendos* [truite de lac, selon Trigger, 1989 : 35 ; il peut aussi s'agir du corégone], truites, esturgeons et autres... Quelquefois on réservait des plus gros et gras assihendos, qu'ils faisaient fort bouillir et consommer en de grandes chaudières pour en tirer l'huile, qu'ils amassaient avec une cuiller par-dessus le bouillon, et la serraient en des bouteilles qui ressemblaient à nos calebasses : cette huile est aussi douce et agréable que beurre frais, aussi est-elle tirée d'un très bon poisson, qui est inconnu aux Canadiens [Montagnais] et encore plus ici [en France]. Quand la pêche est bonne et qu'il y a nombre de cabanes, on ne voit que festins et banquets réciproques qu'ils se font les uns aux autres, et se réjouissent de fort bonne grâce par ensemble, sans dissolution (Sagard, 1990 : 269-270)[92].

Les Wendats avaient conçu une véritable théologie de la pêche. Les hommes fabriquaient leurs filets (qu'ils troquaient, par ailleurs, aux Algonquins) avec un excellent chanvre (*ononhaskwara*) filé par les femmes, en hiver[93]. Les filets qui, comme on l'a vu, avaient une personnalité sacrée,

---

92. Curieusement, le mot wendat pour festin, *agochin*, est un emprunt à l'algique *makusham*, du mot *makh* : ours, donc festin d'ours. L'atmosphère de cet *agochin* de poisson est le même que celui des *makusham* de leurs voisins algonquiens, et de leurs descendants aujourd'hui.

93. Les jésuites (*Relations des jésuites*, 23 : 54) rapportent qu'une certaine année sèche (1643), un Arendiwané (homme sacré) avisa que l'on devait retarder la cueillette du chanvre, et faire au ciel certaines offrandes de tabac si l'on voulait que vienne la pluie (Tooker, 1987 : 88).

n'étaient pas les ennemis des poissons qu'ils aidaient à prendre, mais leurs alliés et «parents». Les poissons leur donnaient leurs âmes à manger et, en retour, les filets les informaient de tout acte irrespectueux commis par les hommes à l'endroit des habitants de l'onde.

Plus que tout, les poissons avaient horreur de l'idée de l'anéantissement. Le poisson capturé et mangé n'avait en aucune façon le sentiment de mourir, puisque le moindre de ses os était retourné à l'eau, d'où il venait.

> Ils prennent surtout garde de ne jeter aucune arête de poisson dans le feu et en ayant jeté, ils m'en [réprimandèrent] fort et les en retirèrent promptement, disant que je ne faisais pas bien et que je serais cause qu'ils ne prendraient plus rien, parce qu'il y avait certains esprits, ou les esprits de poissons mêmes qui avertiraient les autres poissons de ne pas se laisser prendre puisqu'on brûlait leurs os (Sagard, 1990 : 270-271)[94].

De même, les filets, caractérisés par l'idée de force, de vie, de puissance (ils prenaient la forme d'un beau jeune homme en quête de la pureté fraîche d'une très jeune amante) et, donc, opposés à toute idée de mort ou de tuer[95], préviendraient leurs parents, les poissons, du moindre soupçon de geste destructeur ou même de pensée ou de parole discordante par rapport au climat de parfaite harmonie qui devait régner :

> Un jour, comme je pensais brûler au feu le poil d'un écureuil qu'un Sauvage m'avait donné, ils ne voulurent point le souffrir et me l'envoyèrent brûler dehors, à cause des rets qui étaient pour lors dans la Cabane, disant qu'autrement elles le diraient aux poissons... Je [réprimandais] une fois les enfants de la Cabane pour quelques vilains et impertinents discours qu'ils

---

94. La nécessité de remettre les os des poissons à l'eau est observée par toutes les nations du Nord-Est.
95. La pêche des Wendats semble avoir été une échappée vers la douceur et l'immortalité d'un peuple (d'hommes, surtout) culturellement contraint à vivre constamment en présence du danger de mourir, de la nécessité de tuer ou d'être tué. La pêche peut donc être vue comme une thérapie collective chez les Wendats, et a probablement, disons-nous, un effet psychologique apparenté pour tous ceux qui s'y adonnent. Il serait assurément beaucoup plus difficile pour le chasseur de «purifier» l'acte par lequel il supprime la vie d'un animal, «être humain non humain».

tenaient : il arriva que le lendemain matin ils prirent fort peu de poisson ; ils l'attribuèrent à cette réprimande qui avait été rapportée par les rets aux poissons (Sagard, 1990 : 271).

En 1636, les Wendats d'Ihonatiria, déjà gravement décimés par les épidémies et en proie au contrôle spirituel des jésuites, employèrent une ruse pour soustraire leurs filets à la vue des préparatifs de la Grande Fête des âmes[96]. Le père Brébeuf ne tarda pas à contourner la manœuvre de ses inconstantes ouailles :

> Les poissons, disent-ils [les Wendats], n'aiment point les morts et là-dessus, ils s'abstiennent d'aller à la pêche quand quelqu'un leur est mort. Naguères qu'ils tirèrent du cimetière les corps de leurs parents et les portèrent dans leurs Cabanes à l'occasion de la Fête des Morts[97], quelques-uns nous apportèrent chez nous leurs rets, alléguant pour prétexte la crainte qu'ils avaient du feu ; car c'est d'ordinaire en cette saison que le feu ruine souvent les Villages entiers ; que chez nous nous étions quasi toujours sur pied et dormions fort peu ; que nous étions éloignés du Village et par conséquent moins en danger de ce côté-là. Mais tout cela n'était que discours ; la vraie raison était, comme nous apprîmes par après, qu'ils craignaient que leurs rets ne fussent profanés par le voisinage de ces carcasses [...] (*Relations des jésuites*, 10 : 166-168)[98].

Les Wendats avaient des Magiciens[99] de la pêche. Brébeuf mentionne, en 1636, un homme reconnu pour sa chance à la pêche.

---

96. Cette célébration, sacrée entre toutes, se faisait tous les dix ou douze ans et avait pour but d'affirmer l'unité de tout le pays en enterrant dans une fosse commune les os de centaines, voire de milliers de parents et d'alliés morts depuis la dernière Fête des âmes. Nous en traiterons dans la seconde partie du présent chapitre.

97. Expression conçue par les missionnaires. Pour les Wendats, il n'y avait pas de morts, seulement des âmes qui passaient à une autre forme d'existence.

98. On note, dans le mot «profanés», que Brébeuf, l'un des supposés experts jésuites des Wendats, n'a pas aussi bien compris que le récollet Sagard la vraie raison de cet interdit, qui est que les filets rapporteront aux poissons ce qu'ils ont vu. Par ailleurs, les mots «le voisinage de ces carcasses» dénotent chez Brébeuf un mépris non mitigé à l'endroit des Wendats, pour qui cette Fête des âmes fut leur dernière.

99. Brébeuf parle en ce passage de cas de «sorciers» si étonnamment

Nous avons un Sauvage en notre Village (Ihonatiria), surnommé le Pêcheur, pour l'heur qu'il a à pêcher ; cet homme attribue tout son bien aux cendres d'un certain petit oiseau qu'on appelle *Ohguione*, qui pénètre, à l'entendre dire, les troncs des arbres sans résistance. Allant à la pêche, il démêle ses cendres avec un peu d'eau et en ayant frotté son rets, il s'assure que le poisson donnera dedans en abondance ; en effet, il en a acquis le renom (*Relations des jésuites*, 19 : 192).

D'autres, Ministres spirituels officiels de la pêche, ont le pouvoir de transmettre l'« esprit de la pêche » aux humains, à leurs agrès et aux poissons.

En chacune des Cabanes de la Pêche[100], il y a ordinairement un Prédicateur de poisson, qui a accoutumé de faire un sermon aux poissons ; s'ils sont habiles gens ils sont recherchés, parce qu'ils croient que les exhortations d'un habile homme ont un grand pouvoir d'attirer les poissons dans leurs rets. Celui que nous avions s'estimait l'un des premiers ; aussi faisait-il beau[101] le voir se démener et de la langue et des mains quand il prêchait, comme il faisait tous les jours après souper, après avoir imposé silence et fait ranger chacun à sa place, couché de leur long sur le dos et le ventre en haut comme lui[102]. Son thème était que les [Wendats] ne brûlent point les os des poissons, puis il poursuivait ensuite avec des affections non-pareilles, exhortait les poissons, les conjurait, les invitait et les suppliait de venir, de se laisser prendre et d'avoir bon courage et de ne rien craindre, puisque c'était pour servir à de leurs amis, qui les honorent et ne brûlent point leurs os (Sagard, 1990 : 272).

Les Wendats faisaient aussi communément des offrandes de tabac aux poissons (dans un langage consacré que Sagard

---

doués pour accomplir certaines choses qu'il remet sans hésiter tout leur crédit au Diable lui-même.

100. La curiosité de Sagard est une garantie de capacité certaine de respect chez lui.

101. S'il est amusé par ces coutumes, Sagard ne méprise point âprement ni ne condamne absolument, à la façon d'un Brébeuf.

102. C'est ainsi que l'on écoute toujours ceux qui discourent dans les campements des Amérindiens du Nord où nous sommes allé. Exemptée de l'effort de « bien se tenir », la personne peut mieux appliquer son esprit à capter le sens des paroles dites.

dit n'avoir pu comprendre), de même qu'à «l'âme de l'eau»[103] afin qu'elle soit favorable à leur pêche.

Les fruits et plantes comestibles

Les plantes comestibles poussaient abondamment au Wendaké, «pays fort déserté, nous dit Sagard, plein de belles collines, campagnes et de très belles et grandes prairies qui portent quantité de bon foin, qui ne sert qu'à y mettre le feu par plaisir[104] quand il est sec...» (Sagard, 1990: 159, 323).

«Fait intéressant, écrit Heidenreich (1971: 201), la majeure partie des produits récoltés croît dans les champs ouverts ou en bordure des forêts. Grâce au défrichage de leurs forêts et à leur pratique d'abandon éventuel de leurs champs, les [Wendats] modifiaient donc leur environnement pour y rendre possible la présence d'un plus grand nombre et d'une plus grande variété d'espèces de plantes utiles» (trad. libre). Assurément, les Wendats connaissaient à fond le potentiel alimentaire de leur pays. Cependant, peut-être à cause de l'abondance de leur nourriture, ils ne recherchaient de façon régulière que peu de leurs plantes semi-sauvages. L'une d'elles était une variété du topinambour, l'*oraskweinta* (Tooker, 1987: 62) et une autre (de beaucoup meilleure, d'après le frère Sagard), le *sondhratates* (vraisemblablement le panais des champs; Trigger, 1989: 34). Les oignons et l'ail sauvages, communs encore aujourd'hui au pays wendat, étaient cuits sous les cendres[105].

---

103. Sagard «découvre» ici une croyance amérindienne que la société moderne devrait apprendre à considérer avec sérieux. Imaginons l'enrichissement de notre qualité d'être et de vie si nous devenions capables de reconnaître et de remercier l'eau, l'air, la terre, la lumière, etc.

104. Ces feux étaient un moyen systématique d'aménager le pays et d'attirer certaines espèces animales en favorisant la pousse de certaines espèces de plantes, d'arbustes et d'arbres au détriment d'autres moins désirables ou moins utiles; ils servaient aussi à éliminer la vermine et les insectes nuisibles.

105. Heidenreich (1978: 381) prétend que la cueillette des plantes semi-sauvages ne devenait une activité importante qu'en période de disette. Il semble que les pois sauvages poussaient en quantité (Sagard, 1990: 159). Sur l'île de Gahoendoe, en 1649, le peuple wendat agonisant dut, comme nous en informent ses missionnaires,

Les Wendats semblent avoir eu un dégoût marqué pour l'haleine des religieux, lorsqu'ils ingéraient crus ces deux légumes (Sagard, 1990: 325). Enfin, les champignons, particulièrement les morilles, semblent avoir joui de quelque reconnaissance parmi cette nation (Sagard, 1866: dictionnaire; voir «Plantes»).

Les baies faisaient l'objet d'une collecte beaucoup plus active. Sagard s'y est d'ailleurs particulièrement intéressé:

> En beaucoup d'endroits, contrées, îles et pays, le long des rivières et dans les bois[106], il y a si grande quantité de bleuets, que les [Wendats] appellent *ohentakwe*, et autres petits fruits, qu'ils appellent d'un nom général *hahikwe*, dont les sauvages font sècherie pour l'hiver, comme nous faisons des prunes séchées au soleil, et cela leur sert de confitures pour les malades et pour donner goût à leur sagamité et aussi pour mettre dans les petits pains qu'ils font cuire sous les cendres.

> Nous en mangeâmes en quantité sur les chemins, comme aussi des fraises, qu'ils nomment *tichionté*[107], avec de certaines graines rougeâtres et grosses comme gros pois, que je trouvais très bonnes; mais je n'en ai point vu au Canada [ancien pays des Stadaconiens] ni en France de pareilles, non plus que plusieurs autres sortes de petits fruits et graines inconnues par deçà, desquelles nous mangions comme mets délicieux quand nous en pouvions trouver. Il y en a de rouge qui semblent presque du corail et qui viennent quasi contre terre par petits bouquets, avec deux ou trois feuilles, ressemblant au laurier, qui lui donnent bonne grâce, et semblent de très beaux bouquets, et serviraient pour tels s'il y en avait ici[108].

---

subsister en mangeant de l'ail sauvage, des glands de chênes, et au moins une racine, amère, nommée *otsa* (*Relations des jésuites*, 34: 214).

106. Manifestement, presque partout.

107. Les Wendats disaient que les fraises étaient un fruit céleste qu'Aataentsic avait apporté avec elle lorsqu'elle vint créer la Grande Île. Leur nom, *tichionté*, désigne aussi les étoiles. Comme premier fruit offert aux humains après l'hiver, il a des vertus curatives et sert aussi à certains esprits pour se nourrir, sous forme de jus (*Relations des jésuites*, 13: 226-232). On dit encore que ceux qui meurent sont «partis manger des fraises» (sur la route étoilée des âmes).

108. Réal Ouellet affirme qu'il s'agit des baies couramment appelées *graines rouges* (1983: 329) dont les peuples du Nord usent abondamment et nomment: *Shkouté*, c'est-à-dire «Plantes de feu», à cause de leur couleur rouge vif.

Il y a de ces autres grains plus gros encore une fois, comme j'ai tantôt dit, de couleur noirâtre, et qui viennent en des tiges hautes d'une coudée. Il y a aussi des arbres qui semblent de l'épine blanche, qui portent de petites pommes dures et grosses comme avelines, mais non pas guère bonnes[109]. Il y a aussi d'autres graines rouges, nommées *toca*[110], ressemblant à nos cornioles ; mais elles n'ont ni noyaux ni pépins ; les [Wendats] les mangent crues et en mettent aussi dans leurs petits pains (Sagard, 1990 : 323-324).

Champlain (dans Biggar, 1929, vol. III : 51) a distingué deux variétés de cerises : les cerises sauvages, ou à grappes, et les petites merises, ou fruits du cerisier de Pennsylvanie (*skwanatsekwanan*), ainsi que des petites pommes sauvages (*yhohyo*, dans le dictionnaire de Sagard), des pommiers de mai, appelés aussi citronniers (Biggar, 1929, vol. III : 50, note 3) et de « très bons » raisins (*ochaenna*) et prunes (*tonestes*). Sagard n'eut pas la même appréciation pour ces dernières, qu'il dit n'avoir été rendues bonnes que par la gelée, raison pour laquelle, selon lui, « les sauvagesses, après les avoir soigneusement amassées, les enfouissent en terre quelques semaines pour les adoucir, puis les en retirent, les essuient et les mangent » (Sagard, 1990 : 324). Noisetiers, chênes et noyers noirs fournissaient leurs fruits en abondance ; enfin, cassis, mûres (*sahiessé*) et petites poires sauvages (baies d'amélanchier) étaient trois autres saveurs de fruits qu'on trouvait au pays wendat (Heidenreich, 1971 : 61 ; Sagard, 1990 : 329).

LES WENDATS, SOCIÉTÉ DU CERCLE

Ces dernières années, les peuples autochtones québécois, canadiens et des Amériques dans leur ensemble ont donné des signes multiples d'une détermination à assumer le rôle qui leur revient dans les sociétés d'aujourd'hui et de demain. Généralement, les peuples aborigènes du continent (les Amérindiens) voient dans l'état de crise écologique planétaire, dénoncée par

---

109. Ouellet et Warwick désignent ce fruit comme celui du cenellier (l'aubépine sauvage) (Sagard, 1990: 329).
110. *Atoca*, pour *canneberge*, est l'un des rares mots wendats qui soient passés dans la langue québécoise.

une masse de plus en plus grande de citoyens des pays indus-
trialisés (les plus directement responsables de cette crise), l'évidence d'un échec d'une pensée sociale jadis apportée par les
envahisseurs blancs ici et dans les autres parties «découvertes»
du monde. Les autochtones, ainsi justifiés dans leur longue
résistance à ce système de valeurs étrange, se trouvent devant
une responsabilité sociale[111] dont ils ont longtemps prévu l'avènement et qu'ils revendiquent comme l'un des fondements
importants d'une réaffirmation de leur droit d'être et de survie.

On pourra peut-être objecter que de nombreuses
sociétés autochtones sont aujourd'hui disparues et insister sur
le caractère artificiel d'une «prétendue» philosophie sociale
pan-amérindienne. Il est toujours facile d'évoquer les images,
laissés par les livres d'histoire des étrangers[112], présentant des
bandes de guerriers inlassablement occupés à essayer de s'ex-
terminer. La réalité, cependant, est très différente. Le phénomène guerrier, chez les Amérindiens, était une réalité sociale
tout à fait marginale en comparaison avec celui de la pratique
de l'échange commercial. Les sources de première main sont
éloquentes à propos d'une culture diplomatique et commerciale
développée, ainsi que sur l'ampleur des réseaux de traite exis-
tants. L'archéologie, d'ailleurs, démontre que ces coutumes
étaient extrêmement anciennes. Nous avons vu, au chapitre II,
comment l'arrivée des Européens au Nord-Est, à l'aube du
XVIe siècle, a pu très rapidement rompre cet équilibre autochtone et le transformer en un univers de maladie, de division,
de violence et de mort.

Le présent ouvrage, basé à la fois sur une étude appro-
fondie des principales sources documentaires euroaméricaines

---

111. Voir Sioui (1989: 36-43) pour une discussion sur la persistance des
     valeurs amérindiennes et d'une conscience d'une telle responsabi-
     lité.
112. Les Amérindiens réfutent de plus en plus le terme de «conqué-
     rants». Ce que leurs ancêtres subirent, à la suite du contact, fut
     purement et simplement une destruction brutale et radicale, peu
     importe si la cause qui rendit celle-ci possible fut les épidémies,
     lesquelles paralysèrent presque instantanément les forces vives des
     peuples aborigènes.

et sur notre expérience personnelle et familiale d'une tradition amérindienne ininterrompue, exclut la notion euroaméricaine de l'applicabilité aux Amérindiens du concept allochtone du nationalisme rigide et exclusif. Les sociétés du Cercle reconnaissant intrinsèquement l'unité fondamentale et sacrée de toutes les choses créées, ne peuvent logiquement concevoir une société humaine divisible et ségrégationnée. D'ailleurs, une telle «vision» sociale ne peut être que celle de promoteurs d'un «ordre» social et économique dont ceux-ci ont fait leur pouvoir matériel personnel, ainsi que celui des élites qui maintiennent par la force ce pouvoir. En réalité, nous ne pensons pas qu'il eût pu subsister une seule société autochtone, en tout cas dans le Nord-Est, si les sociétés qui y vivaient n'avaient eu la merveilleuse faculté de se recomposer à mesure qu'elles étaient défaites, grâce à leur capacité de percevoir l'unité de la Vie, dont les humains constituent *un* élément.

De prime abord, il peut paraître sans intérêt, voire superflu, de parler de la philosophie sociale d'un peuple (les Wendats) officiellement détruit il y a plus de trois siècles et demi. Mais quel peuple autochtone n'a pas été irréversiblement détruit par le processus de l'invasion blanche? Les Iroquois, peut-être? Ceux-ci ont aussi été transformés: ceux que nous appelons aujourd'hui Iroquois – et nous voyons personnellement cela comme la plus honorable réalisation du génie de ces peuples – sont le mélange ethnique de restes de dizaines de peuples autochtones décimés par l'impact européen et sauvés de l'anéantissement grâce à l'existence du foyer de survivance créé à l'origine par les Iroquois, dans lequel eux-mêmes confondirent leur «pureté» ethnique[113], de façon naturelle et

---

113. Nous dénonçons la thèse de William A. Starna et de Ralf Watkins («Northern Iroquoian Slavery», *Ethnohistory*, vol. 38, n° 1, 1991: 34-57) qui fait état des «pratiques esclavagistes» des Hodenosaunee et de leurs congénères nadoueks au XVIIᵉ siècle. Ces deux auteurs, désirant projeter sur les autochtones les impulsions ségrégationnistes et économiques propres à leur culture euroaméricaine, n'ont pas vu que les Amérindiens du Nord-Est avaient déjà, à l'arrivée des Blancs, la coutume d'«acheter» des prisonniers, soit pour les exécuter ou, beaucoup plus souvent, pour les adopter, c'est-à-dire

spontanée, afin de permettre la survie (spirituelle et non seulement physique) du peuple «ongwe», c'est-à-dire amérindien (et non seulement iroquois)[114].

Nous avons déjà présenté, dans un essai intitulé *Pour une autohistoire amérindienne*[115], nos arguments concernant l'universalité d'un système de valeurs proprement amérindien[116]. La vision wendate du monde est essentiellement celle de tous les peuples amérindiens. Elle survit aujourd'hui non seulement parmi les descendants traditionalistes qui ont maintenu leur sens de l'identité wendate[117], mais également dans la grande société amérindienne du Nord-Est, particulièrement dans la Confédération des Hodenosaunee et chez les voisins et partenaires commerciaux traditionnels des Wendats : les Montagnais, les Anishinabeks (Algonquins), les Outaouais, les Cris, les Attikameks, les Abénaquis, les Poutéouatamis et beaucoup d'autres.

---

leur «donner la vie» (Bacqueville de La Potherie), 1753, vol. 4 : 125, 150, 157, 207, 211, 241, 256). L'absence de toute idée de profit chez les Amérindiens faisait que les Européens adoptés jugeaient toujours leur vie «sauvage» infiniment plus douce que leur ancienne et refusaient de retourner à celle-ci (voir note 373, en fin de chapitre). Au reste, peut-on nier que les Iroquois ont été la seule force capable de faire échec au génocide et à la déspiritualisation de tous les Amérindiens du Nord-Est aux mains des Européens ?

114. Nombreux furent les Euro-Américains qui devinrent «Ongwe», par adoption volontaire ou par enlèvement en bas âge. La chose importante à remarquer est la *capacité* de ces Amérindiens de *voir* l'égalité de tous les humains.

115. Paru aux Presses de l'Université Laval en français en 1989 et aux Presses de l'Université McGill-Queen's en 1992.

116. Même les sociétés théocratiques fortement hiérarchisées du Sud, telles que les Aztèques, les Mayas et les Incas, possédaient aussi une pensée circulaire et, donc, avaient un mode socio-économique redistributif et une relation harmonieuse avec l'environnement. Pour deux réflexions utiles sur ce sujet, voir Steve J. Stern, *Peru's Indian Peoples and the Challenge of the Spanish Conquest : Huamanga to 1640*, Milwaukee, University of Wisconsin Press, 1982 et celui de John Collier, *The Indians of the Americas*, New York, Norton and Co., 1947.

117. Ils sont Wendats de Wendaké (Lorette), au Québec, ou Wyandots aux États-Unis, répartis dans plusieurs États, dont le Michigan, l'Ohio, le Kansas, l'Oklahoma, la Californie et la Floride.

La présente partie traite des modes sociaux et des idées philosophiques des Wendats, et se base sur la tradition orale ainsi que sur les perceptions des allochtones qui observèrent les Wendats tout au long de l'histoire de leur contact avec les Blancs. Nos plus importantes sources documentaires seront les écrits des Français qui furent physiquement présents au Wendaké, de 1610 à 1650. L'imposante quantité de documents qui nous est parvenue de cette période constitue, selon Trigger, «l'information disponible la plus détaillée que nous ayons, datant d'avant 1650, concernant la culture de tout autre peuple autochtone en Amérique du Nord».

«Aucun autre peuple autochtone de l'Amérique du Nord-Est, dit cet auteur, ne fut aussi minutieusement décrit si tôt après son contact avec les Européens» (Trigger, 1989: 2). Ces auteurs furent essentiellement: Samuel de Champlain (1615-1616), le récollet Gabriel Sagard (1623-1624) et, les plus importants, les jésuites, dont 29 de leurs 73 célèbres *Relations* (livres 7 à 35) traitent de leur œuvre au pays wendat, de 1634 à 1650. Il est possible, grâce au caractère unique de cette documentation, et aux données de la tradition orale, de cerner les traits profonds et plus subtils de la psychologie et de la philosophie wendates[118].

La vie est un Cercle sacré de relations

Pour les Wendats, le premier principe social est la reconnaissance du Grand Cercle sacré de la vie, ou des relations. Les Wendats, comme tous les peuples à pensée circulaire, regardaient l'univers comme une grande chaîne de relations entre une infinité d'être appartenant à une seule grande famille. Tous ces êtres différents sont des expressions d'une même Grande Volonté qui produit le mouvement et la vie, et la place des humains dans ce Cercle n'est pas plus ou moins

---

118. Un ouvrage remarquable en ce sens, et que nous privilégierons comme outil analytique, est le livre de Bruce G. Trigger, *The Huron Farmers of the North*, New York, Holt, Rinehart and Winston Inc., 1989.

importante que celle des autres formes de vie ; tous sont libres et égaux : hommes, femmes, animaux, végétaux, minéraux, air, soleil, eau, terre, feu, astres, esprits : en un mot, la Création. La société humaine doit aussi se conformer au Cercle. Tout groupe humain doit constituer un cercle de personnes égales et interdépendantes, unies par un système de relations. Dans les sociétés de chasseurs composées de deux ou trois familles apparentées, la réalité du Cercle des relations est évidente. Par contre, les sociétés d'agriculteurs sédentaires, beaucoup plus nombreux, doivent constituer systématiquement leur Cercle. Ils s'ingénient donc à se former et à étendre des liens de parenté en dehors de la consanguinité. Certains moyens sont l'adoption, l'échange d'enfants, la reconnaissance d'amitiés spéciales (*fellowhood*) consacrées rituellement[119], l'enlèvement forcé et la naturalisation par adoption et, surtout, l'établissement de clans. «Les clans, écrit Matthew Dennis, liaient ensemble les communautés et les nations en une forme de parenté, même lorsque de vrais liens de sang n'existaient pas. Avec le temps, les gens réunis en un même clan acquéraient de vrais liens de parenté[120], ou ils oubliaient la nature fictive de leur parenté, assumant qu'elle était réelle.»

Les clans wendats de 1650 à aujourd'hui

L'institution de clans matrilinéaires chez les Nadoueks septentrionaux semble remonter à l'origine de leur adoption de l'agriculture et de la vie sédentaire (Warrick, 1990 : 336-342 ; voir le chapitre II, «La phase Uren»). Elle est donc beaucoup plus ancienne que les grandes confédérations qui, comme le suggèrent du moins certaines traditions orales wendates (*Relations des jésuites*, 16 : 216-221) et hodenosaunee (Tooker, 1978 :

---

119. Voir J.F. Lafitau, 1983, tome I, p. 182 ; Fenton, 1978 : 313 ; Powell, 1881 : 1810.

120. M. Dennis, 1986 : 94. À l'instar des auteurs euroaméricains généralement, Dennis voit dans l'adoption du système clanique une stratégie sociopolitique. Les autochtones diraient plutôt qu'il s'agit d'une pratique sociale dictée par la sagesse du Cercle. Le système clanique est l'application logique et nécessaire de la pensée circulaire du chasseur à une société élargie.

420), virent le jour vers les années 1430-1440 et 1450-1460 respectivement. Le nombre de clans varie d'une nation à l'autre (de trois chez les Agniers et les Onneiouts à neuf chez les Onontagués), mais trois sont constants : l'Ours, le Loup et la Tortue (Tooker, 1978 : 426-428 ; Steckley, 1982a : 31).

Les Wendats, vers 1650, avaient huit clans : la Tortue, le Loup, l'Ours, le Cerf, le Castor, le Faucon, le Huard (probablement joint à l'Esturgeon) et le Renard (Steckley, 1982a : 29-34). Bien qu'elle date d'après la destruction du pays des Wendats, il n'y a pas de raison majeure de croire que cette liste ne représente pas assez fidèlement la constitution clanique qu'avait eue cette nation une quinzaine d'années auparavant, lorsqu'elle commença à être massivement touchée par les épidémies et les guerres. Par la suite, la nation wendate, majoritairement réinstallée au sud, vers Détroit, puis vers l'Ohio, vit sa configuration clanique se transformer rapidement.

L'historien John Steckley, spécialiste de l'approche linguistique de l'histoire wendate, a émis l'hypothèse que les Wendats classaient à l'origine leurs clans selon trois phratries : celle de l'Ours, contenant les clans de l'Ours et du Cerf ; celle de la Tortue, comprenant les clans de la Tortue et du Castor et, enfin, la phratrie du Loup, comprenant les autres clans, c'est-à-dire ceux du Loup, du Faucon, des Huards/Esturgeons et du Renard. À leur tour, ces phratries auraient été classées, pour des motifs surtout cérémoniaux, en deux moitiés de nation (en anglais *moieties*), l'une se composant des phratries de l'Ours et de la Tortue et l'autre constituée par la phratrie du Loup. Le système clanique wendat aurait donc été identique à celui de deux des nations de l'Hodenosaunee, les Agniers et les Onneiouts, ce qui serait plausible, si l'on pense, à l'instar de Steckley, que les deux « moitiés » originales ont pu être les deux nations fondatrices de la Confédération wendate, c'est-à-dire les Attignawantans et les Attignéénongnahacs, et que les deux nations additionnelles[121], les Tahontaenrats et les

---

121. Nous avons déjà dit que la cinquième nation, les Ataronchronons,

Arendahronons, vinrent s'ajouter, les premiers aux Ours/Tortue (Attignawantans) et les seconds aux Loups (Attignéénongnahacs)[122].

Vers 1745, l'une des phratries, celle de l'Ours, est devenue la phratrie du Cerf, intégrant entre autres clans celui de l'Ours[123]. Un nouveau clan apparaît dans cette phratrie : celui du Serpent (il s'agit d'un serpent d'eau surnaturel, ou de pouvoir ; *cf.* Barbeau, 1915 : 94). La deuxième phratrie, celle de la Tortue, resta relativement inchangée, puisqu'elle était toujours composée des deux clans de la Tortue et du Castor. La théorie de Steckley serait ici probablement renforcée, puisque l'un des clans énumérés (et que Steckley identifie à une autre espèce de Tortue) a pour chef un homme du clan du Castor (Barbeau, p. 65). Par ailleurs, Steckley semble avoir toute raison d'identifier trois espèces différentes de Tortues, puisque les Wyandots de l'Oklahóma, en 1911, avaient encore mémoire d'avoir eu ces trois clans (Barbeau, p. 85). Enfin, la phratrie du Loup, en 1745, comprenait toujours les clans du Loup, du Faucon et de l'Esturgeon (les Huards s'y étaient probablement confondus), mais on ne trouve plus le clan du Renard. En revanche, on y remarque un clan que Steckley traduit par « le clan des Anciens ». Une hypothèse qui peut

---

était, vers les 1630, en train de terminer son processus de formation, à partir de segments de clans (lignages) et de nations adoptés antérieurement par les Attignawantans.

122. Lors de la dispersion finale du pays wendat, plus de Wendats des deux nations fondatrices optèrent pour l'adoption par les Onneiouts et les Agniers que par les autres nations iroquoises (Trigger, 1991 : 796-814 ; *Relations des jésuites*, 51 : 123, 187).

123. Les Wyandots d'Anderson (Ontario), en 1870 (P.C. Dooyentate : *Origin and Traditional History of the Wyandotts*, Toronto, Hunter, Rose and Co., p. 4-7), disent qu'une partie de la nation de l'Ours est « retournée » à son ancien pays de Québec (la ville) vers 1650. Potier confirme cette assertion en 1745 en donnant « Attindiaouantan » comme nom du village des Wendats (Hurons) de Lorette. Les Ours constituaient la force de la population de cet établissement à l'origine. Ils furent majoritairement adoptés par les Agniers (Trigger, 1991 : 796-801).

venir à l'esprit est que ce clan[124] pourrait provenir de la lignée maternelle de «Jigonsaseh, la mère des nations», une femme [attiwandaronk] qui descendait en droite ligne de la «première femme sur terre». Étrangement, ce clan porte le nom d'Aataentsic (Steckley, 1982a: 32). Les sources écrites ne révèlent que l'évidence de bonnes relations entre les Wendats et les Attiwandaronks (qui avaient le même nom les uns pour les autres: «Ceux qui parlent un peu différemment de nous»), ainsi qu'entre les Attiwandaronks et les Tionontatés (*Relations des jésuites*, 20: 46-50). Le témoignage archéologique indique que ces trois nations ont eu des origines et des territoires souvent communs (Warrick, 1990: 105) et que les Tionontatés ont probablement accueilli des groupes importants de réfugiés attiwandaronks vers les années 1620 (Warrick, 1990: 394). Ils accueillirent aussi plusieurs groupes de survivants wendats, après la dispersion finale de leur pays, en 1649-1650.

En 1881, le major J.W. Powell, directeur du Bureau d'ethnologie au Smithsonian Institute, à Washington, D.C., fait une description détaillée du système de gouvernement wyandot, en Oklahoma[125]. Les Wyandots ont, durant ce temps, changé leurs établissements et leurs territoires d'innombrables fois. Ils ont accueilli certains groupes (et clans) épars des anciennes confédérations, principalement ériée, wendate, attiwandaronk et tionontatée[126] qui, après la fin de leurs pays, partagèrent une même destinée, sous le nom de Wyandots (Trigger, 1976: 767-797, 820-825). Entre autres, nous savons que les Wyandots, alors concentrés en Ohio, furent rejoints en 1842 par une partie de leurs congénères de

---

124. Un ou les deux nouveaux clans de Tortue définis par Steckley pourraient aussi venir des Attiwandaronks ou des Ériés.
125. W.E. Washburn, *The American Indian and the United States: A Documentory History*, New York, Random House, 1973, 4 vol., p. 1803-1811.
126. L'histoire des Wyandots en Oklahoma est indissociable de celle des Hodenosaunee qui aboutirent aussi dans ce territoire, notamment de celle des Tsonontouans, puis des Goyogouins (Barbeau, 1915: ix, x).

l'Ontario[127]. Un autre reste de nation dont on ne voit plus de traces dans les documents après 1763, et qui durent logiquement se fondre aux Wyandots, près desquels ils vivaient alors, aux environs de Détroit, sont les Ériés[128]. La description de Powell, faite une trentaine d'années avant celle d'un Ancien wyandot, Smith Nicholas, en 1911, vient suppléer certaines lacunes dans la mémoire de ce Wyandot traditionnel qui parle à un temps où l'ancienne vie des siens « n'est plus qu'un souvenir », tel que l'exprime un autre « breech-clout Wyandot »[129] enregistré par Barbeau (John Kayrahoo, dans Barbeau, p. 266-267).

De plus, Powell remonte, par la tradition orale, au temps où les Wyandots furent délogés de l'Ohio par le gouvernement américain. À ce moment (1843), la nation comptait onze clans répartis en quatre phratries. Il ne semble plus alors y avoir de clans gardiens de phratrie. Une première phratrie comprend les clans de l'Ours, du Cerf et de la Tortue rayée ; une seconde rassemble trois autres clans de Tortues : Tortue de terre, Tortue noire et Grande Tortue lisse ; une troisième phratrie se compose des clans du Faucon[130], du Castor[131] et du Loup[132] et, enfin,

---

127. P.C. Dooyentate, dans Barbeau, 1915 : 390. Les Wyandots eurent, jusqu'en 1836, une « Réserve huronne », en face de Détroit, dans le comté ontarien actuel d'Anderdon, près de la vile d'Amherstburg. Cette bande reçut son affranchissement en 1876 (Tooker, 1978 : 401).

128. Francis Jennings (1988 : 445) parle de la participation des Ériés dans la guerre de Pontiac, notamment du jugement sévère d'un chef érié, concernant le leadership du chef outaouais Pontiac.

129. Expression de l'époque qui signifie « qui porte le pagne, comme aux temps antiques » ; autrement dit : « les derniers vrais ».

130. Lewis H. Morgan dit que ce clan était définitivement éteint en 1877 (1877 : 157).

131. Cela confirme probablement l'existence de ce clan au temps de Potier, tel que nous l'avons suggéré.

132. Si le Loup a perdu son statut de Gardien de phratrie, il remplit toujours, en 1911, certaines fonctions spéciales et occupe une place à part. L'arrangement des places des phratries a encore une ressemblance certaine avec celui en vigueur au Wendaké, trois siècles plus tôt : la phratrie des Tortues et celle des autres clans, dont l'Ours, sont constitutionnellement interactifs par rapport aux Loups, dont la fonction est de confirmer leurs décisions, ou de diriger le débat s'il y a impasse. Ce système est identique à celui des Onneiouts

la quatrième phratrie, est formée des clans du Serpent d'eau et du Porc-épic[133].

Chez les Wendats traditionnels modernes de Wendaké (Lorette), ainsi que chez leurs homologues de l'Oklahoma, du Michigan et de l'Ohio, la coutume est que les familles ou les individus établissent leur appartenance clanique à leur dernier ancêtre, homme ou femme, qui posséda un clan ou qui s'identifia à un animal clanique. Ainsi, la majorité des Sioui de Wendaké, au Québec, s'identifient au clan de la Tortue, c'est-à-dire celui auquel leur ancêtre Raphaël Tsihéoui Annénorak appartint. S'étant marié à une Canadienne française (vers 1769)[134], le clan ne put être transmis à ses enfants. Aucun descendant moderne des Wendats ne peut relier son ascendance en droite ligne à une porteuse de clan original. Par conséquent, toute appartenance à un clan doit être établie de la façon que nous venons de décrire ou, encore, signifier un changement de nation pour une autre qui a maintenu des lignées claniques.

(Tooker, 1978: 426), lequel peut logiquement servir à retrouver la disposition du Conseil national perdu chez les Wyandots de 1911. Les Wyandots ne semblent pas avoir livré de détails à Powell sur les rôles des phratries.

133. P.C. Dooyentate mentionne (dans Barbeau, 1915: 375), à tort, l'existence d'un clan du Porc-épic dès la grande dispersion (vers 1650). Ce clan, venu se joindre vraisemblablement entre les années 1750 et 1840, a traditionnellement été investi d'un rôle spécial de défense (communication personnelle en août 1984, de Harold et Artie Nesvold, deux Anciens wyandots de Wyandotte, en Oklahoma, ainsi que de Leaford Bearskin, chef des Wyandots de l'Oklahoma; voir aussi Powell, *op. cit.*, p. 1809). Le clan du Serpent d'eau, qui existe chez les Wyandots de Détroit, en 1745, s'est apparemment éteint entre 1881 et 1911 (bien qu'on ait encore, en 1911, des légendes concernant son origine (*cf.* Barbeau, p. 90-95). Enfin, un autre clan («presque éteint») est mentionné par les Wyandots en 1911, celui de la Bécassine. Il s'agit certainement d'une affiliation matrilinéaire avec les Sénécas, depuis longtemps alors (70 ans) voisins et proches parents des Wyandots et qui ont eux aussi un clan d'origine wyandote, le Porc-épic (Sturtevant, 1978: 540).

134. Il a épousé Suzanne Vallières, fille du juge de Trois-Rivières.

Le tissu social wendat : la parenté

Les Hodenosaunee disent que l'idée de leur organisation sociale et de leur confédération leur vint d'un Wendat nommé Deganawidah[135]. En 1911 (Barbeau, 1915 : 89), la tradition orale des Wyandots informe encore ce peuple que leur modèle de gouvernement et les lois ont été adoptés par leurs amis et alliés. L'ethnologue Powell, en 1881, écrit que «le gouvernement des Wyandots, avec l'organisation sociale sur laquelle il se fonde, fournit un exemple de gouvernement tribal typique dans toute l'Amérique du Nord».

À l'instar du gouvernement des Six-Nations, décrit en 1851 par Lewis Henry Morgan dans *League of the Hodenosaunee, or Iroquois*[136], les Wendats conçurent et établirent leur confédération de façon à «tisser tout leur peuple[137] en une seule famille politique» (Morgan : 79), en faisant reposer leur unité sur les clans (*tribes*). Les huit clans wendats existaient dans chacune des cinq nations wendates, de sorte que les membres d'un clan et d'une nation donnée étaient unis à ceux de leur clan appartenant à une autre nation, par un lien aussi réel et encore plus important que les liens du sang. Il s'agissait, en fait, d'une parenté voulue et dictée par les esprits-protecteurs par les voies sacrées du songe et du rêve. Elle était source d'union, donc de force ; puisqu'elle était venue du monde des esprits, elle était donc source de clarté et de paix. La parenté clanique transcendait toutes les frontières ethniques ; elle était évidemment, à l'origine, une garantie contre la dégénération indue des conflits, puisque même des ennemis étaient tenus de

---

135. Arthur C. Parker, «The Constitution of the Five Nations», dans W.N. Fenton (dir.), *Parker on the Iroquois*, Syracuse (NY), Syracuse Press, 1968, p. 14-15. Il s'agit d'une tradition, peut-être la plus répandue chez les Iroquois, de l'origine de leur ligne.

136. Cet ouvrage nous est d'une grande utilité, en ce qu'il constitue la première description scientifique du fonctionnement d'une société nadouek. Morgan, dans son livre *Ancient Society* (1877 : 157), constate le caractère identique des confédérations wendate et iroquoise quant à leur organisation sociale.

137. Morgan emploie le mot «race».

se considérer comme parents, en vertu de leur appartenance et de leurs alliances claniques.

> L'appartenance clanique n'avait pas d'implication territoriale, et des membres de même clan résidaient dans de nombreuses communautés et à l'étendue de tout le territoire [wendat]. Même des Wendats, des Attiwandaronks et des Hodenosaunee appartenant à des clans du même animal se considéraient liés par plusieurs des mêmes liens d'affinité unissant les membres d'un même clan dans une communauté donnée […]. Le statut de parenté clanique était un recours pour faciliter l'interaction politique et sociale entre des communautés et des peuples différents. En arrivant dans une communauté, un étranger commençait par chercher des membres du clan auquel il appartenait lui-même, étant en droit d'attendre d'eux protection et hospitalité. Cela s'appliquait même aux chefs wendats et iroquois se rendant visite dans leur pays respectif pour discuter de trèves occasionnelles (Trigger, 1989 : 66 ; trad. libre).

Morgan parle du système iroquois comme d'une «ligue de clans»[138], effectuant «la plus parfaite union de nations séparées jamais produite par l'ingéniosité de l'homme» (*League of the Hodenosaunee, or Iroquois*, p. 81-82).

> La construction de la Ligue des Hodenosaunee est en elle-même un spécimen extraordinaire de législation amérindienne. Simple dans sa fondation sur les relations entre les familles, efficace par la vigueur persistante des liens de parenté, et parfaite dans son succès à accomplir une union permanente et harmonieuse des nations, elle constitue un monument durable à ce peuple fier et progressif[139] (trad. libre).

Le principe de base de toute société nadouek (de toute société naturelle, ou du Cercle) était la parenté[140]. En 1881,

---

138. Morgan utilise le mot «tribus».
139. À cette époque, les Amérindiens sont jugés officiellement incapables de progrès (Trigger, 1990 : 73-75).
140. Encore une fois, l'individu du Cercle, au lieu de voir dans la centralité de la parenté une stratégie systémique, ne peut que se référer au fonctionnement circulaire de la Grande Intelligence, appelée aussi Grand Esprit. La Vie ne peut être que Parenté.

Powell décrit ainsi le gouvernement des peuples amérindiens (dont il dit que celui des Wyandots est un prototype) :

> Le gouvernement tribal en Amérique du Nord est basé sur la parenté, en ce que les unités fondamentales d'organisation sociale sont des groupes de parents consanguins, soit dans la lignée paternelle soit dans la maternelle, ces unités ayant été correctement appelées : «gentes»[141] [ou clans]. Ces [clans] sont organisés en [nations][142] par la voie de la parenté et de l'affinité, et cette organisation est de tel caractère que la position de [la personne] dans la nation est définie par ses liens de parenté. Il n'y a pas de place dans une nation pour quelqu'un dont les liens de parenté ne sont pas définis et les seules personnes qui peuvent être adoptées dans la nation sont celles qui sont adoptées dans une famille et dont la parenté artificielle est spécifiée. La société [amérindienne] est un tissu complexe de liens de parenté dont la chaîne est faite des liens consanguins et la trame, des alliances matrimoniales (Powell, 1881 : 1810 ; trad. libre).

Les lois du mariage

Les jésuites, en 1636, avaient déjà remarqué la sagesse d'une loi fondamentale de mariage qu'observaient les Wendats. «Dans leur mariage, remarque Brébeuf (*Relations des jésuites*, 10 : 212), il y a ceci de remarquable qu'ils ne se marient jamais dans la parenté en quelque degré que ce soit, ou direct, ou collatéral, mais font toujours de nouvelles alliances, *ce qui n'est pas un petit avantage pour maintenir l'amitié*» (l'italique est de nous).

À l'origine, les Wendats, comme les Hodenosaunee et probablement les autres Nadoueks ne pouvaient épouser des gens de leur propre phratrie[143]. Cela permit à une époque relativement tranquille la formation de liens intra et extranationaux. Vraisemblablement, les bouleversements sociaux et les réductions importantes des populations connus après les années 1630 firent que l'exogamie en vint à être limitée aux

---

141. *Gentes* : mot latin signifiant «peuple».
142. Powell, comme Morgan, dit «tribus».
143. Coutume appelée l'exogamie phratrique, mentionnée dans Morgan, 1881 : 83 et dans Barbeau, 1915 : 89.

clans. Les Iroquois traditionnels observent encore aujourd'hui très sérieusement cette loi. L'homme et la femme appartiennent toujours à des clans différents.

En 1911, les Wyandots ne font encore presque jamais défaut à la règle (Barbeau, 1915: 88-89). Cela n'est l'effet d'aucune pensée ou action coercitive de la part de la société, mais correspond plutôt, dans l'esprit de peuples attentifs aux diktats de la nature, à un sentiment de confiance dérivé de l'obéissance à celle-ci. Morgan (1851: 82), en dépit de sa propre croyance tout aussi forte en l'évolutionnisme culturel et, donc, en la supériorité de la civilisation euro-américaine, est capable de reconnaître ce trait idéologique ainsi que l'attention particulière portée aux liens de la parenté. «Si ce système de relations intimes ne reposait pas, tel qu'il le fait caractéristiquement, sur la force des impulsions naturelles, constate Morgan, une simple alliance entre les nations iroquoises [ou wendates] aurait été faible et transitoire.»

Au moment où ils quittent l'Ohio pour l'Ouest, en 1843, les Wyandots démontrent, par la description qu'en a fait l'ethnologue Powell (1881: 1806), qu'ils adhèrent toujours fondamentalement aux préceptes familiaux et matrimoniaux observés par leurs ancêtres du XVIIe siècle[144].

> Le mariage entre membres d'un même clan est défendu, mais les mariages consanguins entre personnes de clans différents sont permis[145]. Par exemple un homme ne peut se marier avec la fille de la sœur de sa mère, puisqu'elle est du même clan

---

144. La description de Powell est intéressante en ce qu'elle est la première qui nous livre autant de détails sur la sociologie wendate. Bien qu'elle arrive tard, elle nous permet d'estimer l'attachement de ce peuple à ses anciens modes sociaux, qui persistent après plus de deux siècles d'un cheminement historique des plus difficiles.

145. Selon les jésuites qui vécurent au Wendaké (*Relations des jésuites*, 8: 118; 10: 212), à l'origine, les mariages entre cousins n'étaient pas possibles. Les changements remarqués 200 ans plus tard, spécialement en ce qui regarde les règles du mariage, sont vraisemblablement dus à la réduction très importante des bassins de population et, donc, des nombres de partenaires matrimoniaux possibles, après les grandes dispersions des années 1640-1655.

que lui, mais il peut épouser la fille de la sœur de son père, parce qu'elle appartient à un clan autre que le sien.

Les maris retiennent tous leurs droits et privilèges dans leur propre clan[146], même s'ils vivent avec le clan de leur femme[147]. Les enfants, sans égard à leur sexe, appartiennent au clan de la mère. Les hommes et les femmes doivent se marier à l'intérieur de la nation. Une femme prise pour épouse à l'extérieur de la nation doit d'abord être adoptée dans une famille d'un clan autre que celui auquel l'homme appartient. Pour qu'une femme puisse prendre pour mari un homme d'une autre nation, celui-ci doit aussi être préalablement adopté dans une famille d'un clan autre que celui de la femme. Ce qui a été appelé par quelques ethnologues endogamie et exogamie [non pas clanique ou phratrique, mais nationale] sont des parties corrélatives d'une même loi et les Wyandots, comme toutes les autres tribus dont nous avons quelque connaissance en Amérique du Nord, sont à la fois endogames et exogames.

La polygamie est permise, mais les femmes doivent appartenir à des clans différents[148]. La première épouse demeure respon-

---

146. Lafitau (1983, tome 1: 6-7) a documenté de façon intéressante ce même statut des hommes iroquois en relation avec leur clan de naissance. De même que l'homme devenait, en se mariant, pourvoyeur dans un autre clan, il demeurait attaché à la maison de ses parents comme défenseur de son propre clan contre tout ennemi.

147. Trigger (1991: 36, 83) a expliqué comment cela n'a pas pu être une règle universelle à l'origine, surtout en raison du fait que certaines fonctions héréditaires ou officielles impliquaient que l'homme réside chez son propre clan.

148. Inexistante au Wendaké au temps des jésuites, nous supposons que l'apparition de cette coutume dut avoir la même raison d'être qu'elle eut chez les peuples des Prairies, aux XVIIIe et XIXe siècles, c'est-à-dire qu'elle eut une importance proportionnelle à une pénurie d'hommes, causée par la guerre. Il dut, en effet, devenir beaucoup plus ardu de trouver des remplaçants, à cause de conditions de survie de plus en plus difficiles et à cause de la diminution des populations. En ce sens, le mot «polygamie» ne rend pas compte de la réalité sociale vécue par les peuples naturels, chez qui le célibat, pas plus que la virginité, n'est jamais vraiment valorisé et chez qui personne ne doit être abandonné dans sa faiblesse ou sa solitude, à moins qu'elle ne l'exige. De plus, les Wyandots sont devenus nettement moins sédentaires qu'à l'origine. En fait, leur façon de disposer leurs campements, lorsqu'ils migrent, à l'occasion, rappellent le mode de vie des Amérindiens des Prairies (*cf.* Powell, 1881: 1807). La maison-longue a maintenant été remplacée par le «wigwam» algonquien pour voyager et la maison de style

sable de la maisonnée. La polyandrie est prohibée [elle est, de toute manière, impensable dans le contexte]. Un homme qui veut une fille pour épouse consulte la mère de celle-ci, parfois directement et parfois par l'entremise de sa propre mère. La mère de la fille discute de la question avec les femmes du Conseil [de son clan], qui prennent une décision, à laquelle les jeunes gens se conforment ordinairement en toute docilité. Il arrive que les conseillères consultent les hommes. Lorsqu'une fille se marie, l'homme fait à la mère un présent, selon ses moyens[149]. La coutume veut que le mariage soit consommé avant la fin du mois lunaire dans lequel le mariage a eu lieu. Les deux conjoints font promesse de fidélité aux parents et aux conseillères des deux clans en cause. D'habitude, le mariage est célébré par une fête, à laquelle sont conviés les clans des mariés. Au moins durant quelque temps, les nouveaux mariés vivent dans la maison maternelle de la fille[150]. Le moment où ils emménageront dans leur propre maison a normalement été fixé avant le mariage.

Dans l'éventualité de la mort de la mère, les enfants appartiennent à sa sœur ou à sa plus proche parente, cette question étant du ressort des conseillères du clan. Comme les enfants appartiennent à la mère, lorsque le père meurt, la mère et les enfants sont à la charge du plus proche parent de cette dernière, jusqu'à ce qu'elle se remarie[151] (trad. libre).

Les hommes et les femmes dans le Cercle

Karen Lee Anderson, se basant sur le témoignage ethnohistorique et archéologique de la société wendate, a contredit la théorie du sociologue Maurice Godelier, selon laquelle «la subordination de la femme à l'homme a toujours

---

européen, dans les villages permanents (par ailleurs beaucoup mieux aménagée, tenue et meublée que celle des communautés blanches de l'Ohio à la même époque (Tanner, 1974: 20).

149. Cette coutume n'est pas attestée dans les *Relations des jésuites*, mais on y apprend que des présents étaient faits à la fille. L'acceptation de celle-ci pouvait, quelque temps après, aboutir au mariage. Tout était laissé à la discrétion de la fille (*Relations des jésuites*, 14: 18).

150. Les Wendats tentent, semble-t-il, de préserver leur mode matrilocal, dans des contextes sociaux et géographiques où la chasse a enlevé à l'agriculture une partie de l'importance qu'elle avait anciennement eue, jusqu'en 1649. La maison-longue, emblème de la matrilocalité, n'est peut-être alors même plus un souvenir.

151. Élément probable d'explication des pratiques «polygames».

existé et existe dans toutes les sociétés aujourd'hui»[152]. «En tant que membres d'une société matrilinéaire et matrilocale dont l'économie de subsistance était basée sur l'horticulture, la chasse et la pêche, constate Anderson à propos de la société wendate, les femmes [wendates] paraissent, selon tous les récits historiques, avoir été extraordinairement libres de domination masculine» (Anderson, 1982 : 1).

Le jésuite Joseph-François Lafitau, missionnaire chez les Iroquois au début du XVIIIᵉ siècle, et qui a aussi connu intimement les Wendats, donne en fait l'impression que le vrai pouvoir dans ces sociétés autochtones échappait pratiquement aux hommes[153].

> Rien n'est plus vrai que cette supériorité des femmes. C'est en elles que la nation consiste réellement ; et c'est par elles que la noblesse du sang, l'arbre généalogique et les familles se perpétuent. Toute l'autorité véritable repose sur elles. La terre, les champs et les récoltes leur appartiennent. Elles sont l'âme des Conseils, les arbitres de la paix et de la guerre. Elles ont la charge du trésor public. C'est à elles qu'on distribue les captifs. Elles arrangent les mariages. Les enfants sont leur domaine et c'est à travers elles qu'est arrangé l'ordre des successions. Les hommes, quant à eux, sont entièrement réduits à eux-mêmes [...] Leurs enfants leur sont étrangers (Lafitau, 1724, tome I).

---

152. Maurice Godelier, «The origins of male domination», *New Left Review*, 1981, 127 : 5, 10.

153. L'ethnologue Susan C. Rogers, dans son article «Female forms of power and the myth of male dominance : a model of male/female interaction in peasant society», paru en 1975 dans l'*American Ethnologist* (2 : 727-756) a argumenté que «dans la plupart des sociétés, les mâles tendent à monopoliser des positions d'autorité et sont plus engagés dans les processus politiques formels que ne le sont les femmes». Ces processus politiques de niveau formel, commente Anderson, ne sont pas nécessairement les plus importants. Les femmes, note Rogers, «tendent à détenir du pouvoir sans participer directement dans les institutions politiques officielles. Les hommes peuvent occuper des positions publiques d'autorité sans détenir de pouvoir réel et les femmes, même en ne devenant jamais des personnages publics revêtus d'autorité, peuvent contrôler de façon réelle une partie majeure des ressources et des décisions importantes» (Rogers, 1975 : 728-729) (trad. libre).

L'analyse fine et minutieuse faite par Bruce Trigger, dans son *Huron Farmers of the North* (1989)[154], dresse un portrait similaire de cet aspect de la vie wendate :

> [...] Bien que l'activité politique publique était exclusivement l'affaire des hommes, les femmes wendates jouaient un rôle important dans les prises de décision politique. Non seulement elles choisissaient les chefs ou les démettaient de leurs fonctions, mais leurs opinions, et surtout celles des femmes plus avancées en âge, était présentées dans les conseils locaux par les hommes qui y assistaient. Si ces opinions n'étaient pas dûment considérées, les participants masculins pouvaient s'attendre à de sérieux problèmes lorsqu'ils retournaient à leur maison-longue. Généralement, les femmes avaient un intérêt particulier dans les affaires touchant la vie communautaire, alors que les hommes étaient plus préoccupés par les relations entre les communautés. Les femmes wendates étaient les gardiennes des traditions des familles et des communautés, alors que les hommes, qui passaient plus de temps à visiter des peuples éloignés, étaient plus habitués aux différences culturelles et donc, plus tolérants face à celles-ci. Pourtant, hommes et femmes avaient une influence importante dans presque toutes les discussions concernant les politiques publiques. Par exemple, les chefs devaient obtenir la permission des femmes avant de pouvoir emmener les garçons et jeunes hommes [...] loin de la communauté dans leurs expéditions de traite ou militaires. Cela donnait aux femmes une place importante dans la conduite des affaires étrangères. À cause de la croyance des Wendats que le silence était signe de force et parce qu'une décision de conseil ne pouvait jamais lier une personne contre sa volonté, même l'exclusion des femmes de l'activité politique publique n'impliquait pas nécessairement l'infériorité politique. Comme dans plusieurs autres aspects de leur vie, les Wendats reconnaissaient qu'hommes et femmes avaient des intérêts différents, mais s'accordaient entre eux la liberté de contrôler ce qui était de leur propre intérêt (Trigger, 1989 : 87 ; trad. libre).

Le Cercle sacré implique essentiellement la reconnaissance de l'autre, comme complément de soi, et la qualité

---

154. Ce livre est le fruit de plus de trente ans de recherches sur les Wendats, et a transformé la façon de voir l'histoire de ce peuple et de tous les Amérindiens.

morale et sociale découlant de cette reconnaissance est l'honnêteté. Par ailleurs, les membres du Cercle doivent considérer leurs «parents» du Cercle avec respect et reconnaissance, faute de quoi ils en seront exclus. La générosité les caractérisant ne vient pas d'une démarche calculée : elle est une chose imposée par le Cercle. Cette réflexion est en désaccord avec celle de Marcel Mauss, dans son «Essai sur le don [...][155]».

De tous ces thèmes très complexes et de cette multiplicité de choses sociales en mouvement, nous voulons ici ne considérer qu'un des traits, profond mais isolé : le caractère volontaire, pour ainsi dire, apparemment libre et gratuit, et cependant contraint et intéressé de ces prestations. Elles ont revêtu presque toujours la forme du présent, du cadeau offert généreusement, même quand, dans ce geste qui accompagne la transaction, il n'y a que fiction, formalisme et mensonge social, et quand il y a, au fond, obligation et intérêt économique... *Quelle est la règle de droit et d'intérêt qui, dans les sociétés de type arriéré*[156] *ou archaïque fait que le présent reçu est obligatoirement rendu ? Quelle force y a-t-il dans la chose qu'on donne qui fait que le donataire la rend ?* (L'italique est de l'auteur.)

Adepte de l'évolutionnisme culturel, Mauss ne perçoit pas que beaucoup de sociétés naturelles, exemptes de la domination d'un sexe par l'autre, constituent une catégorie distincte de la société ; elles ne peuvent être intégrées à un discours évolutionniste, puisque, de façon caractéristique, elles n'entrent pas de plein gré dans le processus évolutif qui, selon eux, est dégénératif, puisqu'il ne produit qu'oppression et destruction des ordres de vie humain et non humain.

Les gens de sociétés à pensée linéaire ne sont pas foncièrement moins généreux ; ils ne sont tout simplement pas obligés de reconnaître à un niveau profond la contribution des autres à leur vie. Les êtres, les sexes, les peuples étant désolidarisés, il ne peut plus être question d'égalité, sinon dans les discours.

---

155. Marcel Mauss, «Essai sur le don, forme et raison de l'échange dans les sociétés archaïques», *L'année sociologique*, tome I, 2ᵉ série, 1923-1924, p. 145-279.
156. Ce mot révèle la pensée de Mauss sur ces sociétés que, pour notre part, nous appelons circulaires, ou naturelles.

L'égalité de statut pour tous n'a de tout temps été possible que dans les sociétés du Cercle. À cet égard, la question d'une vision sociale et économique circulaire est essentielle à la survie de la société industrielle actuelle. Celle-ci a-t-elle le pouvoir éducationnel de tendre à une «fonctionnalité» des valeurs circulaires? Nous devons répondre par l'affirmative, car il n'y a autrement pas d'espoir pour la survie de la société telle que nous la connaissons.

Comment une société à pensée circulaire devient-elle une société à pensée linéaire? Comme nous l'avons déjà vu, les sociétés du Cercle possédaient elles aussi une notion claire de la supériorité de leur vision du monde. «Vous verriez ces pauvres Barbares, écrit Biard chez les Micmacs en 1616, nonobstant leurs si grands manquements de police, de puissance, de lettres, d'arts et de richesse: néanmoins tenir si grand compte d'eux-mêmes, qu'ils nous en méprisent beaucoup, se magnifiant par-dessus nous» (*Relations des jésuites*, 3: 74). «Apprends donc maintenant une fois pour toutes, mon ami, dit un chef de la même nation au récollet Chrestien Le Clercq, en 1691, puisque je dois t'ouvrir mon cœur: il n'y a pas un Sauvage qui ne se considère infiniment plus heureux et plus puissant que les Français[157].»

Cela dit, nous devons parler du processus de déstructuration des réseaux de parenté par l'élite sociale étrangère. L'objectif est de réaliser l'instauration de la notion de propriété privée, clef de la désolidarisation des individus, des familles et, surtout, des sexes. La femme, soutien et symbole de l'ancien système de parenté, est alors radicalement bannie du nouvel ordre socio-économique, désormais linéaire. «Ensuite, des hommes propriétaires [peuvent] subjuguer les femmes, économiquement, socialement et sexuellement» (Anderson, 1982: 2; trad. libre).

---

157. Chrestien Le Clercq, *New Relation of Gaspesia*, Toronto, The Champlain Society, 1910, p. 347.

L'idée est de remplacer les femmes par des hommes à titre de chefs de la maisonnée, ce qui est fait surtout grâce aux nouvelles conditions de vie difficiles dans les contextes coloniaux, amenées surtout par la guerre, et aussi de maladies, toujours présentes et catastrophiques au début des « contacts » entre sociétés linéaires et sociétés circulaires. Cependant, le nouveau « chef », c'est-à-dire l'homme, n'étant pas réellement doué pour protéger les intérêts vitaux de la société (au sens circulaire du terme), tombe facilement et vite sous le coup d'une oppression définitive pour tous les siens. La suppression du système social circulaire féminin implique donc la suppression simultanée du supposé remplaçant de la chef matrilinéaire.

En Nouvelle-France, parmi les Wendats et les autres groupes amérindiens, la suppression des femmes (et des enfants) en faveur d'hommes comme chefs des foyers fut un pas premier et crucial vers la formation d'une population loyale à l'État français. La soumission des femmes, cependant, alla main dans la main avec la suppression des hommes qui, bien qu'ils soient maintenant placés dans une position idéale pour pouvoir régner sur leurs femmes et enfants, furent à leur tour obligés d'implorer humblement la compassion d'un État dont la puissance croissait rapidement (Anderson, 1982 : 227 ; trad. libre).

La thèse d'Anderson nous intéresse parce qu'elle est un rare effort fait par une femme pour cerner la nature, la signification ainsi que l'intérêt moderne d'une société autochtone matricentriste dont la vie, et la destruction, à la suite de l'arrivée des Européens, a été exceptionnellement bien documentée. Évidemment, Anderson n'utilise ni la logique ni le langage du Cercle pour prouver que toutes les sociétés n'ont pas accordé (les Wendats fournissant l'exemple qui démentit la règle) à l'homme un statut supérieur à celui de la femme. Plutôt, sa rhétorique est celle des théoriciens de l'ancien débat entre marxistes et capitalistes. Ses thèmes de référence incluent des mots et des expressions tels que : « modes de production », « division sociale du travail », « relations sociales de production », « unités de production et de reproduction », etc.

En réalité, pour faire sa démonstration, Anderson n'a pas d'autre choix que de reprendre le discours sur l'origine de la famille et les modes de production et de reproduction sociales depuis Morgan, puis Engels et Marx, jusqu'aux marxistes modernes, qui, tout comme les artisans du capitalisme euro-américain, ont concocté leurs mythes sociaux évolutionnistes à partir de l'«évidence» de la barbarie et de la sauvagerie «primitives». Ayant vécu avant l'échec aujourd'hui évident de la «pensée industrielle», des auteurs comme Morgan, Engels, etc., durent inventer et bâtir leur position sur l'idée d'un processus évolutif des sociétés humaines, menant vers des modes de production capitalistes et socialistes. Engels, comme tant d'autres pères de la sociologie «civilisée», basèrent leur réflexion au sujet des sociétés «arriérées» sur le concept d'une promiscuité universelle caractéristique de celles-ci, qui faisait qu'on ne pouvait presque jamais être certain de la paternité des enfants (Anderson, 1982: 7-8). L'évolution culturelle, selon Engels, fit que les Sauvages et les Barbares[158] exclurent de plus en plus les parents consanguins des liens du mariage. (On est tenté de comprendre en cela la signification du qualificatif «arriérées», que plusieurs utilisèrent pour décrire ces sociétés.) Engels nomme mode *sexuel* de production celui qui a caractérisé ce stade de promiscuité qui a précédé le mode civilisé. Celui-ci est un système «matériellement orienté, concret, axé sur la commodité, avec propriétaires et héritiers mâles». (Anderson, 1982: 9).

Le mépris pour le Cercle paraît toujours démesuré dans la pensée civilisée. Cela constitue un véritable paradoxe, car les sociétés circulaires ont été tellement plus productrices d'égalité, de bonheur, de plénitude sociale et d'abondance que les sociétés linéaires. Le bonheur humain, inséparable de la

---

158. Engels proclama que «Morgan fut le premier individu possédant un savoir expert à tenter d'introduire un ordre défini dans l'histoire de la société non capitaliste. Morgan proposa trois grades évolutifs des sociétés: de la sauvagerie, à la barbarie, puis enfin, à la civilisation» (Anderson, 1982: 6).

sécurité sociale et écologique, sera toujours le critère ultime de la valeur des visions sociales. Le nouvel ordre social mondial, que nous sommes d'ores et déjà devant la nécessité urgente de faire, devra concevoir de façon prioritaire une définition de la vraie nature du bonheur humain. Il est clair que le mépris et le discours utilisés pour discréditer et faire disparaître les sociétés du Cercle vont à l'encontre des vrais intérêts de l'humanité, et doivent au plus vite cesser.

Mariage et sexualité

Les baisers et les embrassades en public n'étaient pas permis, même entre gens mariés. Les Wendats, mariés comme non mariés, préféraient avoir leurs relations sexuelles à l'écart des villages. Cela permettait un degré d'intimité impossible dans leurs maisons bondées de gens[159].

En dépit de telle modestie, les Wendats voyaient les relations sexuelles prémaritales comme normales et s'adonnaient à celles-ci tôt après l'âge pubère. Les jeunes gens avaient fréquemment plusieurs partenaires sexuels, et les filles étaient aussi actives que les garçons à commencer ces relations. Les Wendats évitaient de se montrer jaloux en public. Les jeunes hommes ne se querellaient pas au sujet de filles et acceptaient que les filles aient le droit de refuser leurs avances et de mettre fin à une relation. Quelquefois, un jeune homme et une jeune femme établissaient entre eux une relation d'assez longue durée, quoique officieuse, dans lequel cas la fille devenait aux yeux de tous la compagne du garçon. Toutefois, une telle relation ne signifiait pas que les partenaires ne pouvaient, chacun pour soi, avoir des relations sexuelles avec d'autres amis (Trigger, 1989 : 78 ; trad. libre).

Les hommes, dans les sociétés du Cercle, sont beaucoup plus exposés à la mort et aux accidents que les femmes, et celles-ci sont nécessairement très tôt engagées dans la tâche de procréer et d'éduquer des enfants. Ces faits expliquent

---

159. Les jésuites (*Relations des jésuites*, 13 : 61) ont noté que les chefs demandaient parfois aux gens d'éviter l'activité sexuelle, en considération d'un rituel quelconque qui allait s'accomplir pendant un ou plusieurs jours. Les mots d'un chef rapportés par les missionnaires, en une telle occasion, furent que les gens «ne devaient pas aller s'amuser dans les bois» (Trigger, 1976 : 440, n. 29).

essentiellement la différence entre la nature du rôle politique respectif des deux sexes. La participation sociale des hommes était donc très différente du simple sexisme dont les Blancs ont souvent accusé les Amérindiens. La liberté sexuelle des Amérindiens fait que la distinction qu'on a souvent faite entre sociétés polygames (de façon générale les nomades) et monogames (essentiellement les peuples sédentaires) est incapable de refléter la réalité sociale de ces peuples. L'attitude à l'égard de la sexualité est chez tous la même. La «monogamie» des Wendats dépend strictement du contexte. Aussi longtemps que le village est une organisation matricentriste et matrilinéaire, où la femme est entourée et aidée par ses parents dans presque chaque situation de la vie, elle n'a pas besoin de partager la protection d'un même homme avec d'autres femmes ; mais dès que ce cadre de vie est modifié ou brisé, et qu'une nouvelle contingence sociale vient requérir une protection plus directe de la part de l'homme (comme ce fut le cas des Wyandots, au XIXᵉ siècle), il y a un glissement vers la «polygamie».

Chez les peuples de chasseurs, les femmes (naturellement surnuméraires) ne bénéficient pas de la protection d'une structure matricentriste. Elles doivent donc accepter, au besoin, de partager avec une ou d'autres femmes la protection d'un pourvoyeur-défenseur. Les religieux français, au XVIIᵉ siècle, virent dans cette pratique (en réalité une contrainte) un péché d'«affection» chez les Montagnaises. Les femmes se voyaient menacées par ces étrangers (par ailleurs, dédaigneux du sexe féminin), qui réprouvaient jusqu'à leur besoin de protection.

> Depuis que j'ai prêché parmi eux qu'un homme ne devait avoir qu'une femme, je n'ai pas été bienvenu des femmes, lesquelles étant en plus grand nombre que les hommes, si un homme n'en peut épouser qu'une, les autres auront à souffrir : c'est pourquoi cette doctrine n'est pas conforme à leur affection. Ô que la chair et le sang ont de peine à goûter Dieu (*Relations des jésuites*, 12 : 164).

Chez les sédentaires, en revanche, les religieux ont loué la «monogamie», mais exécré la promiscuité sexuelle et la grande facilité du divorce, tableau d'ensemble que des missionnaires plus modernes auraient pu tout aussi bien intituler «polygamie huronne».

Enfin, on doit se garder de penser que ce regard naturel qu'avaient les Wendats et leurs voisins sur la sexualité produisait une société amorale où le respect n'avait pas de place. Au contraire, si on doit en juger par les témoignages des religieux eux-mêmes, la liberté semble une école favorable au développement de la raison, ainsi que du sens des responsabilités et du respect des autres. Bruce Trigger a écrit à ce propos que les couples mariés se séparaient rarement après qu'un enfant fût arrivé.

En dépit de, ou peut-être à cause de la liberté sexuelle qui avait régné auparavant, les relations sexuelles ne semblent pas avoir joué un rôle important dans la solidité des mariages après l'arrivée des enfants. Même si l'adultère n'était pas légalement une offense, les maris ne s'y adonnaient en aucune façon évidente, quoiqu'ils étaient privés d'avoir des relations sexuelles avec leur femme durant plusieurs années après la naissance de chaque enfant. Les hommes s'abstenaient de leurs épouses durant de longues périodes chaque année et des couples restèrent unis même dans les cas où des maris devinrent définitivement impotents à cause de maladie. Si les couples mariés depuis longtemps se querellaient, ou se séparaient, amis et parents intervenaient pour les réconcilier et sauver le mariage. En dépit du système clanique, des enfants allaient parfois vivre avec leur père à la suite d'un divorce, bien que les enfants petits demeuraient généralement avec leur mère. Malgré la stabilité relative des mariages mûrs, même les Wendats âgés prenaient au sérieux leur droit au divorce. Parce qu'elle vivait avec ses sœurs et qu'elle était partiellement soutenue économiquement par ses frères et ses beaux-frères, une femme n'était jamais rendue totalement dépendante de son mari. De son côté, un homme dont sa femme ou la famille de celle-ci abusaient avait toujours la possibilité de retourner dans la maison-longue de sa mère ou de ses sœurs. Par conséquent, un mari et une femme étaient obligés de se traiter mutuellement avec respect s'ils voulaient faire de leur mariage une réussite (Trigger, 1989 : 79 ; trad. libre).

Le récollet Sagard a remarqué que les femmes wendates «vivent fort bien avec leurs maris» (Sagard, 1990 : 132) et qu'«elles [les] aiment communément plus que ne font [les Européennes]» (Sagard, 1990 : 173). Cet amour a son témoignage dans le deuil qu'observent les époux lorsqu'un des deux meurt :

> Les funérailles faites, le deuil ne cesse pas ; la femme le continue toute l'année pour le mari et le mari pour la femme. Mais le petit deuil proprement dit ne dure que dix jours : pendant ce temps, ils demeurent couchés sur leurs nattes et enveloppés dans leurs robes, la face contre terre, sans parler ni répondre que « Kwé » à ceux qui les viennent visiter. Ils ne se chauffent même point en hiver, ils mangent froid, ils ne vont point aux festins, ne sortent que de nuit pour leurs nécessités. Ils se font couper au derrière de la tête une poignée de cheveux et disent que ce n'est pas sans grande douleur[160], principalement quand le mari pratique cette cérémonie à l'occasion de la mort de sa femme, ou la femme à l'occasion de la mort du mari.
>
> Le petit deuil dure toute l'année : quand ils [vont] visiter, ils ne saluent point et ne disent point « Kwé » ; ils ne se graissent point les cheveux[161]. Ce que je trouve de remarquable est que pendant toute l'année, la femme ni le mari ne se remarient point, autrement, ils feraient parler d'eux dans le Pays (*Relations des jésuites*, 10 : 272-274).

Gouvernement, loi et pouvoir

La reconnaissance mutuelle entre les membres, nécessaire et omniprésente dans les sociétés à pensée circulaire, permet d'appliquer la loi du consensus, par opposition à l'autorité coercitive investie dans une société à pensée linéaire, comme un corps policier[162]. Cette réalité sociale dicte des limites au développement des communautés. Une fois une certaine taille atteinte, celles-ci se fractionnent, de façon à main-

---

160. C'est-à-dire qu'ils font ceci parce que la douleur est grande (*cf.* version anglaise de l'ouvrage de Thwaites, p. 275).
161. Avec de l'huile de tournesol (Tooker, 1987 : 22).
162. Sur la conception amérindienne du pouvoir, voir l'ouvrage de Pierre Clastres, *La société contre l'état* (1974), surtout les deux premiers chapitres (p. 7-42).

tenir leur haut niveau de cohésion sociale. Parlant de ce fractionnement latent dans la société wendate, Heidenreich explique que «la coopération à l'intérieur d'un village augmente proportionnellement à la petitesse de la population, alors que c'est le manque de coopération qui augmente à mesure que croît la population» (Heidenreich, 1971 : 130). Plutôt que de penser, comme Heidenreich, que les Wendats (ainsi que tous leurs voisins) «n'avaient pas les mécanismes sociaux pour diriger de grandes quantités de gens si ceux-ci ne désiraient pas coopérer» (Heidenreich, p. 130-131), l'approche circulaire fait voir cette société comme un regroupement de membres qui, habitués à ne faire aucun compromis sur la qualité de leur indépendance individuelle et de leur groupe, durent avoir développé un réflexe qui les faisait opter pour la division dès que s'en manifestait le besoin. Loin d'avoir l'intention de rompre de façon importante avec ceux que l'on quittait, de tels fractionnements visaient plutôt à éviter la dégénérescence des relations et, ainsi, à préserver l'unité fondamentale sous-jacente et acquise entre tous les Wendats. Les vertus de cet art social n'ont pas échappé aux jésuites, qui, dès 1636, écrivent à propos du gouvernement des Wendats :

> [I]ls ont une douceur et une affabilité quasi incroyables pour des Sauvages ; ils ne se piquent[163] pas aisément ; et encore, s'ils croient avoir reçu quelque tort de quelqu'un, ils dissimulent souvent le ressentiment qu'ils en ont ; au moins en trouve-t-on fort peu ici qui s'échappent en public pour la colère et la vengeance. Ils se maintiennent dans cette si parfaite intelligence par les fréquentes visites et les secours qu'ils se donnent mutuellement dans les maladies, par les festins et les alliances. Si leurs champs, la pêche, la chasse ou la traite ne les occupent pas, ils sont moins souvent en leurs Cabanes que chez leurs amis ; s'ils tombent malades et qu'ils désirent quelque chose pour leur santé, c'est à qui se montrera le plus obligeant. S'ils ont un bon morceau, [...], ils en font festin à leurs amis et ne le mangent quasi jamais en leur particulier (*Relations des jésuites*, 10 : 210-212).

---

163. C'est-à-dire «s'offusquent».

Les individus de sociétés à vision circulaire n'ont pas de chose plus précieuse à préserver que leur liberté individuelle, c'est-à-dire que toutes leurs actions auront pour but d'assurer pour eux-mêmes et pour chacun de leurs congénères une capacité de gérer intégralement leur vie personnelle. La première condition pour une vie sociale de qualité est l'accès à la connaissance et à l'information, ainsi que la participation libre aux affaires publiques. Or, sous ce rapport, les traits culturels des Wendats ne pouvaient manquer de causer l'émerveillement des clercs européens, pour lesquels la connaissance réservée aux élites était un critère évident d'un haut degré de civilisation. Comme le note le père Brébeuf en 1636 :

> [I]l n'y en a quasi point qui ne soit capable d'entretien, et ne raisonne fort bien et en bons termes, sur les choses dont il a connaissance ; ce qui les forme encore dans le discours sont les conseils qui se tiennent quasi tous les jours dans les Villages en toutes occurrences. Quoique les Anciens y tiennent le haut bout, et quoique ce soit de leur jugement que dépende la décision des affaires ; néanmoins, s'y trouve qui veut et chacun a droit d'y dire son avis (*Relations des jésuites*, 10 : 212).

L'éloquence était une école à laquelle les jeunes avaient libre accès, et un don que possédaient la plupart des Wendats et leurs voisins. « Ils ont quasi tous plus d'esprit en leurs affaires, discours, gentillesses, rencontres, souplesses et subtilités que les plus avisés bourgeois et marchands de France », écrivait, en 1638, le père François du Péron à son frère Joseph, également missionnaire jésuite (*Relations des jésuites*, 15 : 156). Deux jeunes Wendats, Satouta et Tsiko, placés au séminaire pour garçons que les jésuites tentent de fonder à Québec en 1637, font l'admiration des pères pour leur habileté oratoire prometteuse[164]. Tsiko, le plus jeune et « le moins instruit », avait, rapporte le père Le Jeune, « une très rare éloquence naturelle ». « Le soir, comme je le faisais quelquefois discourir, raconte le père Daniel à Le Jeune, il colorait son discours de

---

164. Ces deux garçons mourront tôt après, au séminaire. Les enfants amérindiens, en général, ne survivent pas longtemps dans ces institutions, aujourd'hui dénoncées par tous les peuples amérindiens.

figures, de prosopopées, sans avoir autre étude ni avantage qu'une belle naissance[165], il formait des dialogues fort naturels. Bref, il s'animait en discourant avec une telle grâce et naïveté en son langage qu'il ravissait ses compagnons et moi avec eux» (*Relations des jésuites*, 13-58). Le père Brébeuf, pour sa part, fut d'avis que la force de persuasion d'un certain orateur qu'il lui fut donné de connaître (*Relations des jésuites*, 10 : 244) eût pu facilement le faire comparer à Tite-Live[166].

Que pouvaient donc être les chefs chez des peuples composés de gens si manifestement impossibles à «contrôler»? La réponse évidente est que ces peuples n'avaient pas de chefs, tel que nous pouvons comprendre ce mot aujourd'hui. Les «Garihoua»[167] wendats, les «Royaner» hodenosaunee (iroquois), les «Okimao» des Algonquiens ne pouvaient en aucune occasion prétendre posséder un pouvoir non consenti sur qui que ce soit; ils n'étaient que des porte-parole. Dans son ouvrage sur la société wendate, déjà un classique, Bruce Trigger donne un résumé du rôle de chef:

> Les chefs wendats n'avaient pas d'autorité constitutionnelle pour forcer leurs gens à agir ou pour imposer leur volonté à quiconque. De plus, les individus de cette société étaient sensibles à leur honneur et ne toléraient pas la contrainte extérieure; aussi, les amis et les parents se ralliaient à la défense de quelqu'un qui disait s'être senti insulté par un chef. La conduite arrogante d'un chef pouvait donc entraîner une réaction violente, ainsi que des conflits entre des lignages [segments de clan dans un village] ou à l'intérieur de ceux-ci. À la longue, un chef qui se comportait de façon impérieuse ou inintelligente risquait de perdre ses appuis et de se faire destituer par sa propre lignée. Le chef wendat était idéalement un homme sage et brave qui comprenait ceux qu'il représentait et se gagnait leur appui par sa générosité, sa capacité de

---

165. Son père était l'un des chefs les plus éloquents du pays «et par conséquent fort estimé» (*Relations des jésuites*, 12 : 58).

166. L'historien québécois André Vachon a dit dans son livre *L'éloquence indienne* (Ottawa, Fides, 1968, p. 11) : «L'éloquence indienne, si elle était en même temps poésie, était tout autant musique et spectacle; elle n'était pas faite pour être lue, mais pour être vue et entendue.»

167. C'est-à-dire sa voix, sa parole est considérable (Trigger, 1989 : 81).

persuasion et son jugement équilibré (Trigger, 1989 : 84 ; trad. libre).

Le témoignage le plus révélateur que nous ayons de la nature de l'autorité chez les Wendats est celui du jésuite Jean de Brébeuf, rapporté en 1636 :

Toutes les affaires des [Wendats] se rapportent à deux chefs : les unes sont comme les affaires d'État, soit qu'elles concernent ou les citoyens, ou les Étrangers, le public ou les particuliers du Village, pour ce qui est des festins, danses, jeux, crosses[168] et ordre des funérailles. Les autres sont des affaires de guerre[169]. Or, il se trouve autant de sortes de Capitaines que d'affaires[170]. Dans les grands villages, il y aura quelquefois plusieurs Capitaines, tant de la police que de la guerre, lesquels divisent entre eux les familles du Village, comme en autant de Capitaineries[171] ; on y voit même parfois des Capitaines, à qui tous ces gouvernements se rapportent, à cause de leur esprit, faveur, richesses, et autres qualités qui les rendent considérables dans le Pays. Il n'y en a point qui, en vertu de leur élection, soient plus grands les uns que les autres. Ceux-là tiennent le premier rang, qui se le sont acquis par leur esprit, éloquence, magnificence[172], courage et sage

---

168. Il s'agit du jeu amérindien de crosse.
169. Les chefs civils étaient l'assemblée législative wendate. Leur nom, *Garihoua andionxra* se traduit, a proprement parler «Chefs de conseil» (*Relations des jésuites*, 16 : 278). Ce corps législatif et exécutif traitait de toutes les affaires ordinaires et extraordinaires des nations et de la confédération. Les *Garihoua doutaguéta* étaient les chefs d'un ministère de la Défense comme en possèdent tous les États. L'expression traditionnelle «chef de guerre» est évidemment porteuse de stéréotypes. Celle de chef de la défense semble lui être préférable. Les mots wendats *Garihoua doutaguéta* signifient «chef de ceux qui portent la natte» (Lafitau, 1724 : 26-27 ; Potier, 1745 : 450). La natte que l'on portait avec soi lorsqu'on allait en expédition était faite d'une plante des marécages, *ondouta*, probablement la quenouille. Par ailleurs, la natte, dans le langage diplomatique nadouek, était symbole de domesticité et d'hospitalité (Fenton, 1985 : 121-122). On disait : «étendre la natte pour quelqu'un» ; «essuyer le sang sur une natte» : apaiser la peine d'une famille pour la perte de quelqu'un tué par la guerre ; «fumer sur sa natte» : être profondément en paix, chez soi, etc.
170. Trigger (1989 : 88) écrit que le pouvoir des chefs principaux se trouvait encore limité parce que «chaque chef siégeant au conseil national était officiellement responsable de quelque affaire particulière liée au gouvernement du peuple ou de la confédération».
171. Il s'agit ostensiblement des lignages (segments de clans).
172. C'est-à-dire générosité.

conduite, de sorte que les affaires du Village s'adressent principalement à celui des Capitaines qui a en lui ces qualités ; et de même en est-il des affaires de tout le Pays, où les plus grands esprits sont les plus grands Capitaines, et d'ordinaire, il n'y en a qu'un qui porte le faix de tous. C'est en son nom que se passent les Traités de Paix avec les Peuples étrangers ; le Pays même porte son nom : et maintenant, quand on parle d'Anenkhiondic dans les Conseils des Étrangers, on entend la Nation des Ours [...]

Les Wendats comptaient quatre niveaux de gouvernement : le lignage (segment de clan dans un village), le village, la nation et la confédération. Le lignage, comprenant normalement de 250-300 individus, était constitué d'une dizaine de groupes familiaux matrilinéaires, nommés *ahwatsira* (Trigger, 1989 : 66). Les chefs étaient choisis (et destitués) par les femmes, qui jugeaient selon l'intelligence, les aptitudes oratoires, la disposition à travailler, la popularité et, surtout, le courage des candidats possibles à l'intérieur de leur lignage (Trigger, 1989 : 82)[173].

Le titre de chef des affaires civiles était héréditaire dans un certain clan. Si un village ne comportait pas de lignage de ce clan, les chefs des lignages représentés désignaient entre eux un chef de village. Le conseil de chaque village était composé des chefs des affaires civiles et de ceux de la défense de chaque lignage, de même que par les *atiwanens* (Hommes âgés)[174].

Les conseils de chacune des nations étaient composés des chefs de tous les segments de clan de tous les villages[175].

---

173. J.W. Powell décrit, chez les Wyandots, des coutumes relativement inchangées pour choisir, instituer et destituer les chefs, de même que pour tenir les conseils. Une différence probable est que les conseils de lignages sont maintenant composés de quatre conseillères et d'un chef choisi par les femmes du clan (Powell, 1881 : 1804-1806).

174. Les Anciens, reconnus pour leur sagesse et leur bravoure dans le passé, avaient le plus de poids dans les conseils. La coutume était de leur demander leur opinion, en des termes tels que : « Avisez-y vous autres, vous êtes les Maîtres » (*Relations des jésuites*, 10 : 250-252).

175. Les Tahontaenrats, qui n'avaient qu'un gros village, Scanonaenrat, avaient probablement une organisation gouvernementale identique aux niveaux de leur village et de la nation (Trigger, 1989 : 87).

La fonction de chef principal était transmise par hérédité dans un certain lignage d'un certain clan. Le nom de ce personnage était parfois cité pour désigner toute la nation. Ainsi, on pouvait dire : «les Aenons (Attignawantans) ont dit telle chose»; «les Endahiakonk (Attignéénongnahacs) pensent cela»; «les Atironta (Arendahronons) feront telle chose», etc. Les maisons-longues des lignages des chefs héréditaires étaient plus spacieuses et servaient aux réunions des conseils.

Les titres de chefs de la défense étaient, eux aussi, apparemment héréditaires dans les mêmes lignages que ceux des chefs des affaires civiles (Trigger, 1989 : 83)[176]. Preuve que ces gouvernements agissaient selon un idéal de paix, seuls les chefs civils avaient une place aux conseils national et confédéral. Ces conseils se réunissaient périodiquement et on y traitait de toutes les affaires faisant partie de la vie des peuples constituants. Les chefs de la défense n'avaient de fonction que dans les moments critiques où la paix avec une, ou d'autres nations, semblait devoir être compromise (habituellement en raison du meurtre ou d'une blessure d'un ou de plusieurs Wendats non compensés par les présents qu'on exigeait en de tels cas, au

---

176. L.H. Morgan (1851 : 99-103) semble avoir été informé par les Tsonontouans que les concepteurs originaux de l'Hodenosaunee n'avaient pas prévu la nécessité d'avoir une classe distincte de chefs pour la défense. «Lorsque le pouvoir de l'Hodenosaunee commença à se développer, [...] une classe de guerriers, distinguée par son hardiesse sur le sentier de la guerre et son éloquence dans les conseils, surgit et entoura les sachems [chefs confédéraux] et demanda à participer à l'administration des affaires publiques.» Cet énoncé, de même que le suivant qui explique que cette «classe» devint vite trop puissante pour pouvoir lui résister, indique que ces «chefs», dont la position ne fut jamais héréditaire, devinrent nécessaires et donc importants à partir d'une intensification des activités militaires de la Ligue, donc vraisemblablement après l'arrivée des Européens au XVIe siècle. Nous estimons concevable qu'un développement similaire ait été connu par les Wendats. Cela impliquerait que les positions des *Garihoua doutaguéta* ne furent probablement pas héréditaires et que les *Garihoua andionxra* (chefs de conseils, qui purent être appelés *Garihouanne* (Royaner iroquois, à l'origine) n'eurent pas besoin, dans la société préhistorique, d'une telle classe de militaires en voie rapide d'«ascension sociale», tel que le prétend Morgan.

nom des parents de la victime). Tous les recours diplomatiques étant épuisés[177], le conseil approprié instruisait les matriarches des lignages en cause qu'elles pouvaient approcher les *Garihoua doutaguéta* de leur choix afin de mettre sur pied un parti de guerre, qu'elles engageaient, au moyen de colliers de wampum, à ramener des captifs, destinés soit à la mort par la torture, soit à l'adoption et au remplacement des membres perdus du groupe (Lafitau, 1724, tome 2 : 6-7).

Les positions de chefs héréditaires n'étaient pas limitées au nombre et à l'ordre officiels fixés par les constitutions aux différents niveaux. « Il se trouve autant de sortes de Capitaines que d'affaires », disent les jésuites (*Relations des jésuites*, 10 : 230). Or, il est probable que beaucoup de ces « capitaineries », sinon toutes, étaient héréditaires, de sorte que rare devait être le lignage privé de fonctions transmises héréditairement. Par exemple, nous savons que « toutes les affaires de la navigation, et toutes les nouvelles des Nations où ces [Wendats] vont par eau sur leur mer douce » [le lac Huron], sont investies héréditairement dans le lignage de Tsondechaouanan, « l'Amiral du pays » (*Relations des jésuites*, 12 : 52-54). Nous savons aussi que tous les chemins de traite appartiennent aux lignages de ceux qui les ont découverts ou développés. On appelle ces chefs « Maîtres de chemins », « Maîtres de lacs » (Sagard, 1866 ; dictionnaire (tome 4) : « Maître, être le maître » ; Sagard, 1990 : 170). De toute façon, tel que le note Trigger, la qualité héréditaire de ces titres était une garantie contre ceux qui auraient pu autrement les regarder comme moyen de réaliser des ambitions personnelles.

> Les positions de chefs civils étaient héréditaires dans des lignages particuliers, la fonction passant d'un chef à un de ses frères et, à la génération suivante, à un fils de sa sœur. Bien que la nature héréditaire de ces positions pût, jusqu'à

---

177. Le jésuite Lafitau nous dit que ces peuples (wendat et hodenosaunee) ne se déterminaient à la guerre qu'après « en avoir pesé toutes les raisons du pour et du contre avec beaucoup de maturité » (1724, tome 2 : 12).

un certain degré, avoir contredit les idéaux égalitaires de la société wendate, elle servait à minimiser ce qui aurait pu être une compétition potentiellement dommageable entre lignages et familles pour l'accès à ces fonctions (Trigger, 1989 : 82 ; trad. libre).

De plus, comme l'exprima le jésuite Brébeuf (*Relations des jésuites*, 10 : 232), «ces charges sont plutôt servitude qu'autre chose» :

> Être chef, spécialement chef civil, entraînait l'investissement de beaucoup de temps et de fortune. Les chefs étaient censés s'occuper de leurs gens, ainsi que de fournir l'accueil aux visiteurs. Ils devaient aussi se déplacer sur des distances considérables, parfois par temps très mauvais. Le chef à la maison duquel on se réunissait était obligé de fournir nourriture et divertissement à ses hôtes. Cela exigeait que lui et sa famille travaillent plus fort que toutes les autres maisonnées pour produire la nourriture dont une personne dans sa position devait disposer. Également, la plupart des biens que les chefs recevaient en cadeaux ou à cause du contrôle qu'ils avaient de certaines routes de traite, devaient être distribués en présents afin de maintenir la réputation de générosité sans laquelle un chef n'avait pas d'appui. Plus un chef avait d'influence, c'est-à-dire plus grand était le nombre de gens au nom desquels il parlait, plus il devait donner de festins sur une grande échelle et distribuer des biens exotiques (Trigger, 1989 : 81-82 ; trad. libre).

Jacques Cartier remarqua, en 1535, que le chef de Stadaconé, Donnacona, que lui-même voyait comme «le roi et Seigneur du Canada», «n'était point mieux accoutré que les autres» (Cartier, *Voyages en Nouvelle France*, p. 88, 103). En cela, il ne différait pas de tous les autres «chefs» amérindiens du Nord-Est et de l'Amérique, en général (Sioui, 1989 : 18), qui n'étaient «chefs» qu'en vertu de leur pouvoir de donner. Le récollet Chrestien Le Clerq a bien perçu cette qualité spirituelle dans un chef micmac vers les années 1680 :

> Celui-ci se faisait un point d'honneur d'être toujours le plus mal habillé et d'avoir soin que tous ses gens fussent mieux couverts que lui, ayant pour maxime, à ce qu'il me dit un jour, qu'un Souverain et un grand cœur comme le sien devait avoir plutôt soin des autres que de soi-même ; parce qu'étant

bon chasseur comme il était, il aurait toujours facilement tout ce qui lui serait nécessaire pour son usage ; qu'au reste, s'il ne faisait pas bonne chère, il trouverait dans l'affection et dans le cœur de ses sujets, ce qu'il souhaiterait : comme s'il eût voulu dire que ses trésors et richesses étaient dans le cœur et l'amitié de son peuple (Le Clercq, 1691 : 493).

L'autorité d'un « chef » ne lui venant qu'à force de sacrifice et de renoncement personnels, il est concevable que des liens d'amitié profonde existaient entre lui et chacune des personnes qu'il représentait. Le Garihoua n'était pas qu'un canalisateur et un redistributeur de biens matériels ; il était aussi l'individu qui incarnait le mieux les vertus prisées par le groupe. Il devait inspirer la générosité, le sens de l'accueil, la maîtrise de soi[178] et, surtout, le courage dans toutes les situations. Il est donc normal qu'un tel individu fût considéré comme un don du Grand Pouvoir de l'univers au peuple et, en ce sens, comme un immortel, qu'on ressuscitait, à sa mort, en un autre chef (comme nous verrons subséquemment).

L'individu n'était jamais considéré comme une abstraction, dans la conception politique wendate. Aussi, le plus petit lignage jouissait de la même souveraineté que le plus nombreux. « Les principaux chefs des différents peuples wendats, dit à ce propos Bruce Trigger, n'équivalaient pas à des chefs d'États européens[179]. Bien que les membres d'un peuple donné partageaient des traditions et un territoire communs, ils se considéraient, sur le plan politique, comme un ensemble de lignages. Ils pouvaient certes apprécier l'idée qu'en vertu de sa taille ou pour des raisons historiques, un lignage pouvait avoir plus d'influence qu'un autre et que le chef d'un tel groupe avait le droit d'agir comme porte-parole du peuple en entier. Cependant, ils ne croyaient pas que cela donnait à ce chef le

---

178. Les Iroquois modernes disent qu'un chef doit « avoir une peau épaisse de sept épaisseurs de doigt », c'est-à-dire être capable d'endurer la critique injuste, voire l'injure, sans être influencé dans ses sentiments pour les siens.

179. Bien que ces « penseurs circulaires » aient été incapables de se voir inférieurs – ni supérieurs – au roi de France, tels qu'ils en informèrent Sagard en 1623 (Sagard, 1990 : 230).

droit d'intervenir dans les affaires internes d'aucun lignage autre que le sien. Cette insistance sur le droit des lignages de gérer leurs propres affaires fournissait à chaque chef, peu importe la petitesse de son lignage, une base d'indépendance solide et inaliénable dans ses rapports avec d'autres chefs» (Trigger, 1989 : 88 ; trad. libre).

La dernière instance du gouvernement des Wendats était le Conseil confédéral. Celui-ci se réunissait chaque printemps et durait plusieurs semaines, ordinairement dans le village du chef principal des Attignawantans. Les buts de ces conseils étaient de réaffirmer les liens unissant les cinq nations wendates, de discuter de l'évolution des réalités politiques, d'accueil de nouveaux arrivants, de scissions et de déplacements de villages, de fêtes importantes à planifier, de discuter de nouvelles stratégies de subsistance, d'organiser des grandes pêches, des grandes chasses, d'échange, d'examiner la situation du commerce, de construire de nouvelles routes, de missions diplomatiques à organiser, de « relever des arbres tombés », c'est-à-dire remplacer des chefs défunts, etc. Des Conseils confédéraux d'urgence pouvaient aussi être convoqués et se tenir dans le village du chef convoquant.

L'ordre de ces grands conseils était le suivant : les Attignawantans, formant près de la moitié de la population du Wendaké, occupaient tout un côté de la maison-longue et les autres nations, l'autre côté. Les chefs visitants étaient d'abord salués et on rendait grâce aux forces surnaturelles pour permettre au peuple de profiter de cette occasion pour s'unir. Du tabac était distribué aux chefs principaux, qui le partageaient avec les membres de leurs délégations (Trigger, 1989 : 91). Le tabac faisait partie intégrante de toute entreprise importante pour les Wendats et tous les Amérindiens. En 1636, le père Brébeuf communique l'explication qu'il reçut de la signification de cette plante : « Ils ont cette croyance qu'il n'y a rien de si propre que le Petun [tabac] pour apaiser les passions ; c'est pourquoi ils ne se trouvent jamais aux conseils que la pipe ou calumet à la bouche ; cette fumée qu'ils prennent leur donne, disent-ils, de l'esprit et leur fait voir clair dans les affaires les plus embrouillées» (*Relations des jésuites*, 10 : 218-220).

Le jésuite a décrit de façon admirable l'atmosphère d'un tel conseil, auquel il fut convié, en 1636.

[L]es députés[180] de chaque Village, ou ceux d'une même Nation consultent tout bas ce qu'ils doivent répondre [à l'affaire proposée]. Lorsqu'ils ont bien consulté par ensemble, ils opinent par ordre et s'arrêtent[181] à la pluralité des opinions, où plusieurs choses sont dignes de remarque. La première est en la manière de parler, laquelle, à cause de sa diversité, a un nom différent et s'appelle *akwentonch* ; elle est commune à tous les Sauvages ; ils haussent et fléchissent la voix comme d'un ton de Prédicateur à l'antique, mais lentement, posément, distinctement, même répétant une même raison plusieurs fois. La seconde chose remarquable est que les opinants reprennent sommairement la proposition, et toutes les raisons qu'on a alléguées avant que dire leur avis.

[...] Quasi tous ces esprits sont naturellement d'une assez bonne trempe, [raisonnent] fort bien et ne bronchent point en leur discours... Après que quelqu'un a opiné, le chef du conseil répète, ou fait répéter ce qu'il a dit : de sorte que les choses ne peuvent être que bien entendues, étant tant de fois rebattues [...]

Chacun conclut son avis en ces termes : *Condayauendi ierhayde cha nonhwikwahachen*, c'est-à-dire : Voilà ma pensée touchant le sujet de notre Conseil. Puis, toute l'assemblée répond par une forte respiration tirée du creux de l'estomac : *Haau*. J'ai remarqué que quand quelqu'un a parlé au gré, ce *Haau* se tire avec beaucoup plus d'effort.

[Une autre] chose remarquable est leur grande prudence et modération de paroles : je n'oserais pas dire qu'ils usent toujours de cette retenue, car je sais que quelquefois ils se piquent ; mais cependant, vous remarquez toujours une singulière douceur et discrétion. Je n'ai guère assisté en leurs Conseils, mais toutes les fois qu'ils m'y ont invité, j'en suis sorti avec étonnement sur ce point (*Relations des jésuites*, 10 : 256-260).

---

180. Les chefs sont ordinairement doublés de conseillers, qui prennent la parole en leur nom (Trigger, 1989 : 83).
181. C'est-à-dire décider.

Au-delà de toutes les règles émanant de la tradition et du caractère héréditaire des fonctions sociales, le statut de chef était accessible à tout individu qui avait su se distinguer au service et au bien-être de la nation durant sa vie active d'homme mûr. Trigger définit cette autre classe de chefs :

> De nombreux hommes qui n'étaient ni chefs civils ni chefs de défense s'acquéraient une renommée pour leur bravoure, leur sagacité ou leur générosité, qui leur conféraient de l'influence sur leur communauté. Plus tard dans leur vie, les opinions de ces hommes en venaient à avoir beaucoup de poids dans les affaires de leur village ou de leur Peuple. Bien qu'on donnait à ces individus prestigieux le nom collectif de « Les Vieux »[182], les plus remarquables parmi eux étaient appelés chefs. La possibilité d'être reconnu comme un individu remarquable, même s'il n'y avait pas de fonction clanique disponible, encourageait fortement les hommes à exceller dans les activités liées à la subsistance, au commerce ou à la guerre (Trigger, 1989 : 84-85 ; trad. libre).

Un trésor public était maintenu par les conseils, aux niveaux des villages, des nations et de la confédération.

On a rapporté que chaque village avait une réserve de fourrures, de wampum et d'autres articles, qui étaient à la disposition des chefs. Ces biens représentaient des dons de membres de la communauté ou d'autres groupes, par la voie de traités de paix, d'échanges de prisonniers et de règlements légaux. Un des chefs avait la garde de ces biens, dont on se servait dans des buts divers, tels qu'obtenir l'appui d'autres groupes pour un projet d'offensive armée, offrir des présents publics lors de l'investiture de nouveaux chefs et effectuer les paiements requis par le règlement de disputes avec d'autres groupes. Si ces réserves s'épuisaient, on faisait un appel public aux contributions et, comme la générosité en ces occasions était preuve de civisme, de tels appels restaient rarement sans réponse (Trigger, 1989 : 87 ; trad. libre).

---

182. Nous avons déjà vu que ces Amérindiens traduisaient culturellement l'idée euroaméricaine de vieillesse par celle de sagesse et d'importance. *Tsheinnu*, chez les Montagnais, veut dire « Grand homme » ; *Garihouanne*, chez les Wendats, veut dire « Sage », « Grand Chef » (Sagard, 1866 ; vol. IV, dictionnaire ; voir « Âge », « Âgé »).

Le chef et le Cercle

Le vrai chef d'une société du Cercle a entièrement renoncé à sa propre volonté pour être la *voix*, la volonté du peuple. Les Garihoua wendats, comme leur peuple, ne meurent pas; ils sont relevés, c'est-à-dire ressuscités en d'autres êtres humains. À travers eux, le peuple vit et se transforme. Les chefs n'ont pas besoin de monuments, puisqu'ils ne meurent pas.

Les Nadoueks, comme les peuples à pensée circulaire en général, refusent ainsi de croire en l'anéantissement de leur ordre social par le passage des individus et des chefs au monde des esprits[183]. Les jésuites ont témoigné de la coutume de la résurrection chez les Wendats. La mort de l'être humain entraîne un besoin immédiat de le ressusciter, soit par quelqu'un du groupe, soit par un étranger qu'on a capturé et auquel on donne une nouvelle vie, c'est-à-dire celle du disparu (Lafitau, 1724, tome 2: 6-7).

Ils ressuscitent [le nom des défunts] le plus tôt qu'ils peuvent. À cet effet, ils font des présents aux Capitaines, pour donner à celui qui sera content de prendre le nom du défunt; s'il était en considération et en estime dans le Pays de son vivant, celui qui le ressuscite, après un festin magnifique à tout le Pays, pour se faire connaître sous ce nom, fait une levée de jeunes gens délibérés[184] et s'en va en guerre pour faire quelque brave coup, qui fasse paraître à tout le Pays qu'il a non seulement hérité du nom, mais aussi des vertus et du courage du défunt (*Relations des jésuites*, 10: 274-276)[185].

---

183. Comme l'exprime bien Mircea Eliade dans son livre *Cosmos and History* (1959: 86), «la vie de l'homme archaïque [c'est-à-dire à vision circulaire], bien que de nature temporelle, ne porte pas le fardeau du temps, ne reconnaît pas d'irréversibilité au temps».
184. C'est-à-dire résolus.
185. Coup de cœur plus que de tête pour lequel la ruse est nécessaire, plutôt que l'affrontement ouvert. C'est là une des distinctions de la «guérilla» amérindienne, par opposition à la guerre massive de type européen, où beaucoup d'hommes se font tuer à découvert. Voir, à ce sujet, l'excellent ouvrage de Francis Jennings, *Empire of Fortune. Crowns, Colonies and Tribes in the Seven Years War in America*, New York, W.W. Norton and Company, p. 157-222.

En 1623-1624, Sagard raconte ce que ses confrères récollets ont observé chez les Attiwandaronks, au sujet de ce même trait de culture :

> Les Attiouindarons font des Résurrections, principalement des personnes qui ont bien mérité de la patrie pour leurs signalés services, à ce que la mémoire des hommes illustres et valeureux revive en quelque façon en autrui. Ils font donc des assemblées à cet effet et tiennent des Conseils auxquels ils en élisent un d'entre eux qui ait les mêmes vertus et qualités (s'il se peut) de celui qu'ils veulent ressusciter, ou du moins qu'il soit irréprochable parmi un peuple Sauvage.
>
> Voulant donc procéder à la Résurrection, ils se lèvent tous debout, excepté celui qui doit ressusciter, auquel ils imposent le nom du défunt, en baissant tous la main jusque bien bas, feignent le relever de terre : voulant dire par là qu'ils tirent du tombeau ce grand personnage défunt et le remettent en vie en la personne de cet autre qui se lève debout et (après les grandes acclamations du peuple) il reçoit les présents que les assistants lui offrent, lesquels le congratulent encore de plusieurs festins, et le tiennent désormais pour le défunt qu'il représente ; et par ainsi jamais la mémoire des gens de bien des bons et valeureux Capitaines ne meurt point entre eux (Sagard, 1990 : 293-294).

Par leur conception du chef, c'est-à-dire de l'effacement obligatoire de sa personnalité et de ses intérêts personnels, ainsi que de son devoir d'incarner l'esprit de la collectivité, les Wendats révélaient un trait fondamental de leur vision sociale, celui de privilégier, comme l'exprime Trigger (1989 : 82) « la continuité structurale de leur organisation politique », aux dépens des « considérations historiques ou généalogiques ». Cette notion philosophique amérindienne n'est aucunement étrangère à celle qu'exprime Claude Lévi-Strauss dans ses *Mythologiques*, pour résumer sa compréhension du message principal des mythes : « Un humanisme bien ordonné ne commence pas par soi-même, mais place le monde avant la vie, *la vie avant l'homme* (nous soulignons), le respect des autres êtres avant l'amour-propre[186].» La magnificence et le nombre de fêtes organisées à l'occasion de l'investiture d'un ou de plusieurs nouveaux chefs, ainsi que la gigantesque redistribution de biens que ces événements entraînaient, au moyen des présents faits par tous les autres chefs aux nouveaux dignitaires et répartis par eux entre tous les gens qu'ils représentaient, n'étaient pas tant pour féliciter l'homme que pour célébrer la restauration et l'assurance de la continuation de l'ordre cosmique qui régit la vie des peuples wendats et amérindiens généralement.

La religion du Cercle

Il est nécessaire, si l'on doit parler de la façon dont les Européens ont perçu et apprécié les aspects religieux de la sociologie wendate, de se référer aux hommes qui sont venus ici dans le but de supplanter un ordre social et sacré par un autre, c'est-à-dire le leur. Or ces hommes, missionnaires catholiques français, furent ici, au début, de deux congrégations : les récollets et les jésuites. On note des différences marquées dans la perception respective de chacune à l'égard des sociétés amérindiennes en général et de la société wendate en particulier.

Les récollets, même s'ils ont beaucoup moins écrit que les jésuites sur les débuts de l'histoire canadienne, ont laissé un témoignage souvent plus transparent et moins partial sur la nature religieuse et philosophique de la société amérindienne. Le programme missionnaire des jésuites, basé sur leur longue expérience dans la « conversion » de peuples d'autres continents, était quant à lui beaucoup plus réaliste et pragmatique. Le puissant et influent ordre des jésuites gagna assez facilement contre celui des récollets la lutte politique pour son hégémonie missionnaire en terre néo-française. « Trop peu nombreux, trop dispersés en Amérique pour y laisser des traces aisément repérables sur le territoire et dans les archives, écrit

---

186. Claude Lévi-Strauss, *L'origine des manières de table*, Paris, Plon, 1968, p. 422.

Réal Ouellet, les récollets sont aussi trop peu politiques pour
faire mousser leurs «réalisations» et passer à l'histoire. Agents
de la politique coloniale française et, par leur *Relations*
annuelles de 1632 à 1672, propagandistes habiles de leur
œuvre, les Jésuites sauront se constituer comme seuls témoins
fiables de la réalité canadienne»[187] (Ouellet, 1990: 42).

L'amertume des récollets[188] n'est pas dissimulée dans
une «épître» adressée à «Jésus-Christ, Roi des Rois, Sauveur
du monde» placée au début du *Grand Voyage* de Sagard (1990:
66-67).

> Vous savez, se plaint-il à Dieu afin d'être entendu de tous,
> que nous avons porté nos vœux depuis tant d'années dans la
> Nouvelle-France et fait notre possible[189] pour retirer les âmes
> de cet esprit ténébreux [le Diable]; mais le secours nécessaire
> de *l'ancienne nous a manqué*. Seigneur, nos prières et nos remon-
> trances ont *de peu servi*. Peut-être, ô mon très doux Jésus, que

---

187. Le jésuite Charlevoix qui, au XVIIIe siècle, donna à l'histoire canadienne la forme et la trame qu'elle conserve encore trop souvent,
récusa en quelques traits de plume toute l'œuvre historiographique
des récollets. Dans l'histoire de Charlevoix, les récollets, écrit Ouellet (1990: 43), ne sont que «des témoins naïfs ou malhonnêtes:
Sagard "raconte naïvement tout ce qu'il a vu", mais "il n'a pas eu
le temps de voir bien les choses, encore moins de vérifier tout ce
qu'on lui avait dit", Hennepin et Leclercq, vitupérés au nom de
leur "goût pour la déclamation", se voient condamnés au silence:
le premier pour avoir pris des "libertés" avec la bienséance et la
vérité et le second, parce qu'il vante trop l'activité des récollets et
qu'on a tout lieu de croire que le comte de Frontenac a mis la main
à son "Ouvrage".»
188. Se voyant peu à peu bannis des missions qu'ils avaient fondées, les
récollets essayèrent d'y être réinstitués en publiant des articles de
nature polémique et récriminatoire, comme les deux du père Joseph
Le Caron: «Au Roi sur la Nouvelle France» (1626) et «Plainte de
la Nouvelle France, dite Canada à la France sa germaine» (1626),
ainsi que différents autres écrits et ouvrages dont *Histoire chronologique de la Nouvelle France*, de Sixte Le Tac, qualifié de «mémoire
virulent» par R. Ouellet, et des notices incluses dans les deux livres
de Sagard: *Le Grand Voyage du pays des Hurons* (1632) et l'*Histoire du
Canada* (1636).
189. Ce «possible» n'était évidemment pas vu comme suffisant ni adéquat.

l'ange tutélaire que vous lui avez donné a empêché[190] le secours que nous en espérions pour la nouvelle [...] Si cela est, faites ô mon Dieu, s'il-vous-plaît, que l'ange de la nouvelle France remporte la victoire contre celui de l'ancienne [...] Les récollets n'étaient pas l'ordre militant, élitiste des jésuites, fondé en 1540 par le soldat-courtier espagnol Ignace de Loyola pour défendre le Royaume du Christ contre les infidèles, surtout les musulmans[191]. Ils n'avaient que peu d'influence, n'étant pas confesseurs des monarques et des dirigeants. La gloire qu'ils recherchaient était plus humble. En France, ils allaient pieds nus et mendiaient, prônant la plus stricte pauvreté. Ils étaient l'ordre par excellence des pauvres et des miséreux. Naturellement, leur façon de regarder et de voir les Wendats et les autres Amérindiens différa profondément de celle de leurs homologues jésuites. Un exemple éloquent de cette divergence dans l'attitude des membres des deux congrégations vis-à-vis des Wendats, qui peut indiquer le degré de leur capacité respective d'apprécier l'auto-perception positive de ce peuple, est la description qu'ils firent, respectivement, de la vie dans les habitations wendates. L'une, de Sagard (1990 : 159-164), est remplie de détails vivement enchaînés et intéressants, qui nous font suivre les gens dans les multiples aspects de leur quotidien et qui communiquent même le désir d'entrer dans leur univers pour le connaître. L'autre, du jésuite Lalemant (*Relations des jésuites*, 17 : 12-180),

---

190. Autrement dit l'ange de l'ancienne France est un esprit maléfique, impur. Ce ton n'est pas tout à fait étranger à celui qu'utilisera La Hontan (Ouellet, 1983 : 47) et qui le fera qualifier d'apatride et d'hérétique par les jésuites (Ouellet, 1983 : 7). L'italique est de nous.

191. K.L. Anderson, 1982 : 272 (note 18). «Bien que le but original de l'Ordre fut de combattre l'Islam, [puis plus tard, le protestantisme], observe Anderson, il en vint bientôt à se spécialiser dans les domaines de l'éducation, des missions diplomatiques à l'étranger et des réformes des communautés religieuses. Comme l'un de leurs propres historiens l'a remarqué, l'histoire des jésuites devint de plus en plus identifiée avec l'histoire des nations ; le sort de la Société [des jésuites] suivit le cours des succès et des échecs, de la prospérité et des souffrances que connurent les pays dans lesquels elle s'établit.»

décrit ce qui est perçu : «une petite image de l'Enfer», où tout est saleté, pauvreté, offense à la morale, danger constant et perspective de martyre.

Les *Relations des jésuites* livrent, bien sûr, une quantité considérable de détails sur une variété d'aspects de la vie wendate (et amérindienne), mais les ouvrages écrits par des récollets ne sont pas aussi imprégnés d'un sens de la «mission». Il y a chez ces derniers une place assurée pour l'échange et pour l'appréciation du sens humain chez leurs hôtes amérindiens. D'un point de vue ethnologique, les ouvrages récollets sont souvent plus intéressants et parfois plus dignes de confiance[192]. Le commentaire certes y est souvent et fortement moulé dans le préjugé culturel et religieux, mais il est très rare que le ton soit franchement méprisant, railleur et indifférent comme il l'est d'ordinaire chez les jésuites[193].

Le programme moral catholique, surtout aux débuts de la Nouvelle-France, n'était en aucune façon une invitation à jouir des beautés de la vie et des plaisirs temporels. En fait, il était d'une telle exigence qu'il ne put jamais être plus qu'une proposition utopique même pour les êtres les plus convaincus. Fort curieusement pour les religieux, tant récollets que jésuites, le code social et moral des Wendats et de leurs voisins correspondait de très près à celui des chrétiens par sa rigueur et son insistance sur le renoncement personnel au profit d'autrui. De façon encore plus surprenante, les Amérindiens surpassaient de beaucoup les Européens, sans pourtant y être contraints,

---

192. Par ailleurs, Tooker (1987 : 5-6) et Trigger (1991 : 445-446 ; communication personnelle) considèrent que la production ethnographique des jésuites représente souvent un plus grand intérêt pour l'étudiant moderne, puisque les religieux étaient formés à noter des exemples comme preuves à l'appui de leurs généralisations, ce qui permet de mieux juger de la valeur de celles-ci.

193. Brébeuf fait exception. Il fut incontestablement le jésuite le plus aimé des Wendats, dont il apprit la langue mieux que quiconque avant et après lui. Brébeuf, honnêtement, fit plusieurs références au *Grand Voyage* de Sagard dans sa relation de 1636, écrite au Wendaké (Ouellet, 1990 : 62). Il aurait même offert à Sagard son soutien pour assurer la publication de l'ouvrage (Sagard, 1866 (1636), vol. 1 : 10).

dans l'application de toutes les vertus sociales idéales reconnues par les deux traditions. Dans son introduction à l'*Histoire du Canada*, Sagard force inconsciemment ses compatriotes civilisés à s'incliner devant la moralité supérieure d'un peuple «sauvage» qui ne fait que se soumettre à la Loi du Cercle.

> Je n'ai pas entrepris de contenter des amateurs de beaux discours, mais d'édifier les bonnes âmes qui verront en cette Histoire un grand exemple de patience et de modestie en nos Sauvages, un cœur vraiment noble et une paix et union admirables, car que servent tant de mots nouveaux et inventés à plaisir, sinon pour vider l'âme de la dévotion et la remplir de vanité? (Sagard, 1866, tome I : 11).

Même avant La Hontan, Rousseau et tous les hérétiques sociaux du Siècle des lumières, Sagard semble avoir perçu et reconnu une qualité morale nouvelle et transcendante à l'art social amérindien, dicté par la simple nature[194]. Si l'état de la pensée française et européenne en son temps ne permit pas qu'il pût formuler ouvertement et explicitement d'idées contestataires de l'ordre civil et religieux établi, il semble que ce pauvre frère mineur termina sa vie (de façon, d'ailleurs, assez brusque) dans une profonde désillusion, voire dans des sentiments de révolte qui lui firent même abandonner sa congrégation et devoir rechercher pitoyablement des protecteurs, dans la persécution qu'il parut alors connaître (Ouellet, 1990 : 61-62). Aucun autre religieux en Nouvelle-France n'est allé jusqu'à reconnaître chez les Amérindiens, comme il le fit, une source d'inspiration et de renforcement spirituels. Peu après son arrivée au Wendaké, en 1623, Sagard écrit :

> [J]e me maintenais assez joyeux, nonobstant ma grande débilité, et chantais souvent des Hymnes pour ma consolation spirituelle, et le contentement de mes Sauvages, qui m'en priaient parfois, car ils n'aiment point à voir les personnes tristes et chagrines, ni impatientes, pour être eux-mêmes

---

194. Les idées souvent libérales de Sagard viennent probablement en partie du fait qu'il puise chez d'autres auteurs, quelquefois même sans citer ses sources. Il emprunte particulièrement à Marc Lescarbot, dont l'*Histoire de la Nouvelle France* parut pour la première fois en 1609.

beaucoup plus patients que ne sont communément nos Français, ainsi que je l'ai vu en une infinité d'occasions : ce qui
me faisait grandement rentrer en moi-même et admirer leur
constance, et le *pouvoir qu'ils ont sur leurs propres passions*, et
comme ils savent bien se supporter les uns les autres et s'entre-
secourir et assister au besoin ; et peux dire avec vérité que
j'ai trouvé plus de bien en eux que je ne m'étais imaginé, et
que l'exemple de leur patience était cause que je m'efforçais
davantage à supporter joyeusement et constamment tout ce
qui m'arrivait de fâcheux, pour l'amour de mon Dieu, et
l'édification de mon prochain (Sagard, 1990 : 124 ; l'italique
est de nous).

La grande majorité des Wendats modèlent leur comportement social sur celui de leurs chefs et de leurs sages[195]. Cela
signifie que chacun doit veiller au bien-être, à la sécurité, à la
santé et à la félicité de tous ceux autour de lui avant de
considérer ses propres nécessités physiques ou morales. Sagard
s'étonne de la générosité spontanée de ces gens, qui ne se
limite pas à leurs proches, mais s'étend aussi aux défunts et
aux étrangers, qu'ils adoptent avec empressement et font
oublier qu'ils ne sont pas Wendats. Dès qu'il descend du canot
dans lequel il a fait le voyage de Québec à Tékénonkiayé (en
territoire des Attignawantans), le religieux est conduit, au
milieu d'une foule qui le presse et l'acclame, à la maison des
parents de l'homme qui en a eu le soin, qui sont dès lors aussi
ses parents.

Le père et la mère de mon Sauvage me firent un fort bon
accueil à leur mode, et par des caresses[196] extraordinaires,
me témoignaient l'aise et le contentement qu'ils avaient de ma
vue, ils me traitèrent aussi doucement que leur propre enfant,
et me donnèrent tout sujet de louer Dieu... Mon Sauvage, qui

---

195. Nous verrons plus loin que les individus anti-sociaux étaient classés
comme « sorciers » et considérés, ainsi que traités, comme des ennemis.

196. Le mot « caresses » peut vouloir dire, métaphoriquement, « atten-
tions ». Par ailleurs, on sait que les Iroquois, comme un grand
nombre de peuples amérindiens de tout l'hémisphère Nord, frot-
taient réellement le visage et la tête de certains hôtes, souvent en
utilisant une forme de pleurs particulière, en signe d'accueil et
d'amitié.

me tenait en qualité de frère[197] me donna avis d'appeler sa mère, *Sendoué*[198], c'est-à-dire ma mère, puis lui et ses frères, *Atakwen*, mon frère, et le reste de ses parents en suite, selon les degrés de consanguinité, et eux de même m'appelaient leur parent. La bonne femme disait *Ayéin*, mon fils, et les autres, *Atakwen*, mon frère, *Earassé*, mon cousin[199], *Hioittan*, mon neveu, *Houatinoron*, mon oncle, *Aystan*, mon père : selon l'âge des personnes, j'étais ainsi appelé oncle ou neveu, etc., et des autres qui ne me tenaient en qualité de parent, *Yatoro*, mon compagnon, mon camarade, et de ceux qui m'estimaient davantage, *Garihouanne*, grand Capitaine[200]. Voilà comme ce peuple n'est pas tant dans la rudesse et la rusticité qu'on l'estime[201].

Habitué à l'indifférence à l'égard des nécessiteux dans son pays, Sagard s'émerveille qu'il suffise, chez les Wendats, d'être habitant d'un lieu pour avoir droit à sa part des prises de poissons (Sagard, 1990 : 317). D'ailleurs, le récollet parle hautement de la générosité omniprésente chez ses compatriotes d'adoption et décrit l'horreur qu'ils ressentent lorsqu'il leur parle de l'avarice des riches en France :

> Lorsque, pour quelque nécessité ou affaire, il nous fallait aller d'un village à un autre, nous allions librement loger et manger en leurs Cabanes, auxquelles ils nous recevaient et traitaient fort humainement, bien qu'ils ne nous eussent aucune obligation : car ils ont cela de propre d'assister les passants, et recevoir courtoisement entre eux toute personne qui ne leur est point ennemie : et à plus forte raison ceux de leur Nation,

---

197. Il est évident que Sagard ne peut se rendre à la place qui lui est alors faite dans le Cercle. Peu importe, l'effet s'est produit sur son esprit et il a la sensibilité nécessaire pour décrire la qualité d'âme de ses hôtes.

198. Il n'est pas question ici du père, peut-être parce que Sagard est adopté dans un clan, qui est celui de la mère de son protecteur.

199. Il s'agit de cousins croisés ; les cousins parallèles étaient appelés frères et sœurs (*atakwen*). Pour une explication complète des termes de parenté, voir B.G. Trigger, *Huron Farmers of the North* (1989), p. 69.

200. Jusqu'à la fin de son séjour chez les Wendats (mai 1624), Sagard gardera ce nom honorifique, marque de l'évidente estime qu'eurent pour lui les Wendats et, aussi, signe de la reconnaissance de son statut parmi sa nation d'origine.

201. Commentaire qui, certainement, sera jugé inutile, voire déplacé par plusieurs. Or, Sagard en a fait plusieurs sur le même ton.

qui se rendent l'hospitalité réciproque, et s'assistent tellement l'un l'autre qu'ils pourvoient à la nécessité d'un chacun, sans qu'il n'y ait aucun pauvre mendiant parmi leurs villes et villages, et trouvaient fort mauvais entendant dire qu'il y avait en France grand nombre de ces nécessiteux et mendiants, et pensaient que cela fût faute de charité qui fût en nous, et nous en blâmaient grandement, disant que si nous avions de l'esprit, on donnerait bon ordre à cela, les remèdes étant faciles (Sagard, 1866 : 241-242).

La lecture que nous faisons de ces sources écrites peut paraître une idéalisation, un retour facile au détestable mythe du Bon Sauvage. Disons donc, à ce point, que notre but n'est autre que de faire voir que la Nature résidant en l'humain – c'est-à-dire l'Intelligence universelle, le Grand Pouvoir ou, plus simplement, Dieu – a une capacité bien supérieure à celle des lois que l'homme, de façon imparfaite et arbitraire, s'impose, de produire des sociétés humaines où les vertus sociales supérieures n'existeront pas, précisément, qu'à l'état d'idéaux. Comme nous verrons plus loin, même les «guerres» de ces sociétés naturelles n'ont pas l'aspect et le caractère destructeur et raciste des guerres politiques et religieuses des sociétés à pensée linéaire[202]. D'ailleurs, ce mythe du Bon Sauvage n'est pas sorti du génie amérindien; or, qu'est-ce qui en fait la persistance, sinon une matière sûre et évidente à idéalisation? De toute façon, une telle «idéalisation» du mode de pensée linéaire a-t-elle jamais été possible, excepté par les victimes sociales et économiques qu'il laisse partout[203]?

Les Wendats ont été admirés de tous les Français, des jésuites compris, pour l'empressement avec lequel ils mettaient ce qu'ils avaient de meilleur à la disposition de tous ceux qu'ils considéraient comme les leurs. Le Jeune, pour sa part, en 1635, leur trouve bien certains défauts, mais presque aucun ne peut caractériser tous les Wendats, et ceux qui semblent leur être

---

202. Nous verrons en particulier comment les «circulaires» ne pensent pas en fonction de nations et patries, comme le font les «linéaires».
203. Pourquoi a-t-il toujours été si important de faire taire les Sagard, les La Hontan, les *Indian lovers* et, aujourd'hui, les théoriciens d'un écologisme culturel chez les sociétés dites «archaïques»?

communs ont besoin d'être mis en relation avec la culture d'ensemble de ce peuple. Mais ce qui ne manque presque jamais de surprendre, voire d'édifier, est la capacité d'effort et de renoncement moral de ces êtres humains.

Quant à ce qui concerne les mœurs, les [Wendats] sont lascifs, quoiqu'en deux chefs moins que plusieurs Chrétiens, qui rougiront un jour devant eux. Vous n'y verrez point de baisers ni de caresses déshonnêtes, et dans le mariage, un homme y demeurera les deux et trois ans entiers sans connaître sa femme, tandis qu'elle est nourrice. Ils sont gourmands jusqu'à rendre gorge; il est vrai que cela n'est pas souvent, mais seulement en quelques festins superstitieux[204]. Encore ne s'y trouvaient-ils pas volontiers, et d'ailleurs, ils supportent beaucoup mieux la faim que nous; si bien qu'après avoir jeûné les deux ou trois jours entiers, vous en verrez encore ramer, porter, chanter, rire, gausser[205], comme s'ils avaient bien dîné. Ils sont fort fainéants[206], menteurs[207], larrons[208], importuns demandeurs[209]. Quelques-uns les estiment vindicatifs, mais pour moi, j'estime que ce vice est plus notable ailleurs qu'ici. On y voit reluire d'assez belles vertus morales. Vous y remarquerez en premier lieu une grande amour et union, qu'ils sont soigneux de cultiver par le moyen de leurs mariages, de leurs présents, de leurs festins, et de leurs fréquentes visites. Au retour de leur pêche, de leur chasse et de leur traite, ils s'entredonnent beaucoup: s'ils y ont pris quelque chose d'ex-

---

204. Il s'agit des festins «à tout manger», où les convives étaient tenus, encore ici, d'aller courageusement et généreusement au-delà de leur appétit, afin d'aider à procurer santé, guérison, contentement ou réalisation d'un désir à la personne, ou aux personnes pour lesquelles le festin avait été préparé. Nous y reviendrons.

205. C'est-à-dire rire, plaisanter, avoir du plaisir.

206. Marshall Sahlins, dans *Âge de pierre, âge d'abondance: l'économie des sociétés primitives* (1976) a exposé ce mythe civilisé de la «fainéantise» du naturel.

207. La conception amérindienne de la politesse fait qu'on ne doit pas tenter de convaincre son interlocuteur qu'on a raison et qu'un non ou un oui peut facilement signifier le contraire.

208. Ceux qui connaissent la culture autochtone savent qu'on n'a pas toujours besoin de demander pour «emprunter» quelque chose et qu'un refus de partager est une insulte et, par le fait même, une invitation à l'«emprunt» à la dérobée.

209. En société du Cercle, on «demande» souvent pour commencer une relation d'échange, donc amicale. Or, les jésuites ne se montrèrent jamais enclins à ce type de relation ouverte.

quis, ou même acheté, ou si on le leur a donné, ils en font festin à tout le village ; l'hospitalité envers toute sorte d'étrangers y est remarquable. Ils leur présentent en ces festins ce qu'ils ont préparé de meilleur et comme j'ai déjà dit, je ne sais pas si ailleurs il se rencontre rien de pareil en ce sujet... Ils ne refusent jamais la porte à un Étranger ; et l'ayant reçu une fois en leur maison, ils lui font part de ce qu'ils ont de meilleur ; ils ne lui donnent jamais son congé ; et quand il le prend de soi-même, il en est quitte pour un simple grand merci...[210] Que dirai-je, s'étonne le missionnaire, de leur étrange patience dans leur pauvreté, disette et maladies[211] ?

(*Relations des jésuites*, 8 : 126-130)

C'est en témoignant de leur générosité envers leurs parents et amis défunts que les religieux français trouveront une très bonne raison de recommander l'exemple des Sauvages aux chrétiens. Sagard s'exclame ainsi après avoir décrit une Grande Fête des âmes[212] :

Chrétiens, rentrons un peu en nous-mêmes et voyons si nos ferveurs sont aussi grandes envers les âmes de nos parents détenus dans les prisons de Dieu, que celles des pauvres Sauvages envers les âmes de leurs semblables défunts, et nous trouverons que leurs ferveurs surpassent les nôtres, et qu'ils ont plus d'amour l'un pour l'autre, en la vie et après la mort, que nous, qui nous disons plus sages, et le sommes moins en effet, parlant de la fidélité et de l'amitié simplement : car s'il est question de donner l'aumône, ou faire quelque autre œuvre pieuse pour les vivants ou les défunts, c'est souvent avec tant de peine et de répugnance, qu'il semble à plusieurs qu'on leur arrache les entrailles du ventre[213], tant ils ont de difficulté à bien faire, au contraire de nos [Wendats] et autres peuples sauvages, lesquels font leurs présents et donnent leurs aumônes pour les vivants et pour les morts, avec tant de

---

210. La bienséance amérindienne interdit de remercier pour de la nourriture. Des légendes wendates avertissent même d'un danger de dire un tel merci (C.M. Barbeau, *Huron and Wyandot Mythology*, p. 177).

211. Le Jeune fait ici allusion à un nouvel état social apporté par de très graves épidémies, surtout à partir de l'année 1634.

212. Nous arrivons à parler de cette fête, ainsi que d'autres.

213. Quelle expression emploierait Sagard pour rendre compte de la même réalité sociale aujourd'hui dans notre société plus planétaire et encore plus désolidarisée ?

gaieté et si librement, que vous diriez à les voir qu'ils n'ont rien plus en recommandation que de faire du bien et assister ceux qui sont en nécessité, et particulièrement aux âmes de leurs parents et amis défunts, auxquelles ils donnent le plus beau et le meilleur qu'ils ont et s'en incommodent quelquefois grandement, et y a telle personne qui donne presque tout ce qu'il a pour les os de celui ou celle qu'il a aimée et chérie en cette vie et aime encore après la mort... (Sagard, 1990 : 296-297).

Sous ce rapport de la générosité envers les âmes des funts, les *Relations des jésuites*[214] font exceptionnellement assez èlement écho à l'expression sympathique, typique aux récols, que nous venons de citer :

> Nos[215] Sauvages ne sont point Sauvages en ce qui regarde les devoirs que la Nature même nous oblige à rendre aux morts : ils ne cèdent point en ceci à plusieurs Nations beaucoup mieux policées[216]. Vous diriez que toutes leurs sueurs, leurs travaux et leurs traites ne se rapportent quasi qu'à amasser de quoi honorer les Morts ; ils n'ont rien d'assez précieux pour cet effet ; ils prostituent les robes, les haches et la Porcelaine[217] en telle quantité que vous jugeriez à les voir en ces occasions, qu'ils n'en font aucun état, et toutefois, ce sont toutes les richesses du Pays ; vous les verrez souvent en plein hiver quasi tout nus, pendant qu'ils ont de belles et bonnes robes[218] en leurs caisses qu'ils mettent en réserve pour les Morts ; aussi est-ce là leur point d'honneur. C'est en cette occasion qu'ils veulent paraître surtout magnifiques (*Relations des jésuites*, 10 : 264).

Les Wendats et les âmes

Comme nous avons déjà dit au premier chapitre, les endats ne conçoivent ni un bien, ni un mal absolus. Pour x, il peut y avoir des individus qui, indépendamment de

---

214. Le fait qu'il s'agit d'une relation de Brébeuf ne paraîtra pas accidentel.
215. L'inévitable possessif, apparemment nécessaire au discours impérial.
216. Brébeuf est tout de même jésuite et évite d'exprimer une admiration trop ouverte pour «ses» Amérindiens.
217. Il s'agit du *wampum*, qui veut dire «*tout* pour l'Indien», a dit un chef onontagué (*Relations des jésuites*, 8 : 314).
218. Grandes couvertes faites de peaux de castor cousues.

leur volonté, tombent sous la domination de forces négatives destructrices (tels les sorciers), mais toute âme détachée d'un corps par la mort mérite respect et honneur. «[I]ls ne font mention ni de peine ni de récompense au lieu où vont les âmes après la mort, remarque Le Jeune ; aussi ne mettent-ils point de distinction entre les bons et les mauvais, les vertueux et les vicieux, et ils honorent également la sépulture des uns et des autres...» (*Relations des jésuites*, 8 : 122).

Les Wendats comme les Algonquiens[219] croient en l'existence de deux âmes habitant simultanément l'humain. L'une est de nature sensitive et entretient la vie du corps durant le sommeil[220]. Elle demeure attachée au corps au cimetière, jusqu'à ce qu'une femme l'enfante à nouveau (*Relations des jésuites*, 33 : 190 ; 10 : 286). L'autre âme, l'âme raisonnable, est de nature plus éthérée. C'est celle qui laisse le corps durant le sommeil ou durant l'état de transe, et voyage librement de par le monde pour rejoindre, après la Grande Fête des âmes, le Village des âmes, situé vers l'ouest (*Relations des jésuites*, 10 : 142) qui est l'endroit où toutes les âmes vont se réjouir avec Yoscaha (Tsestah) et Aataentsic, après la vie sur terre (voir Sagard 1866, dictionnaire, article «Yoscaha»).

Les Wendats et leurs voisins algonquiens ont des récits (probablement d'origine algonquienne) de personnes (toujours des hommes) que leur peine fit vouloir ramener un parent (souvent une sœur ou une épouse) du Monde des âmes (*Relations des jésuites*, 10 : 148-152 ; revue *Tawow*, vol. 6, n° 1, 1978, p. 28-32). Or les humains qui ne sont pas passés par la mort n'ont pas acquis la pureté nécessaire pour être admis parmi les esprits dans l'autre vie. Ainsi, leurs tentatives de pénétrer ce monde et d'en ramener un être cher échoue invariablement.

---

219. Voir Henry R. Schoolcraft : *History, Condition and Prospects of the Indian Tribes of the United States*, vol. 6, 1969, p. 664-665 et Ake Hultkrantz : *Conceptions of the Soul among North American Indians*, 1953, p. 77-87.
220. Comme dit un Ojibway à Schoolcraft : «Comment le corps, abandonné par l'âme qui se détache du corps durant le sommeil, pourrait-il continuer à vivre s'il n'avait pas une âme à lui ?» (Schoolcraft, *op. cit.*, p. 665).

ır le Chemin des âmes, ils rencontrent des obstacles multiples difficiles à franchir. S'ils en surmontent un, ou même plu-ᴣurs, un autre éventuellement leur fera connaître l'échec. 'est là, semble-t-il, le sens de l'histoire d'Oscotarach, racon-e par Brébeuf:

> [L]e «Perceur de têtes», qui «tire la cervelle des têtes des morts et la garde». [I]l faut passer une rivière et pour tout pont, vous n'avez que le tronc d'un arbre couché en travers et appuyé fort légèrement. Le passage est gardé par un chien, qui donne le saut à plusieurs âmes et les fait tomber; elles sont en même temps emportées par la violence du torrent et étouffées dans les eaux [...]²²¹

Des Wendats et des Anishinabés qui réussirent à fran-ıir tous ces obstacles, ne purent quand même jamais parvenir ramener quelqu'un à la vie, à cause de l'incompatibilité ᴐsolue de la nature de la vie terrestre et de la vie de ceux qui ᴐnt passés, par la mort, au Monde des âmes (*Relations des suites*, 10: 146).

L'âme du corps, ou sensitive, s'appelle: *Khiondhekwi*. 'âme «raisonnable» (*Relations des jésuites*, 33: 190)²²², quant elle, peut porter plusieurs noms, selon son activité ou sa ᴐnction. *Oki andaerandi*, traduit par Brébeuf par l'expression semblable à un démon», ou «qui imite un démon» (*Relations ᴣs jésuites*, 10: 140), renvoie manifestement au pouvoir imma-ᴣnt et unique de la personne, puisque *Oki* veut dire «pou-ᴐir», positif ou négatif (*Relations des jésuites*, 13: 270). *Andionra* ésigne l'âme qui pense et délibère²²³. Enfin, *gonennonkwat* gnifie l'âme du désir²²⁴. Les Wendats croyaient que l'âme ᴧisonnable, ou sublime, pouvait quitter la personne de façon

---

221. Ces détails visent probablement (selon notre analyse de la tradition orale) à décourager les vivants de se laisser emporter jusqu'à ce point par leur chagrin causé par la perte d'un être cher.
222. Un chef wendat expliqua à Brébeuf que les deux âmes étaient «raisonnables». Le mot «sublime» décrirait probablement mieux la seconde.
223. Ce mot veut aussi dire «Conseil».
224. La racine de ce mot est aussi celle des mots pour désigner «amour», «aimer». *Ononhwasé*: je t'aime. (L'espagnol a un seul mot pour dire «vouloir» et «aimer»: *querer*.)

définitive avant même le terme de la vie humaine, surtout lorsque l'être avait perdu ses plus fortes raisons de vivre et demandait désormais à aller rejoindre ses parents et êtres chers déjà rendus au Paradis des âmes (*Relations des jésuites*, 16 : 190). De telles âmes, apparemment, avaient choisi de ne pas attendre jusqu'après la Grande Fête des âmes pour passer au Village des âmes.

L'âme sensitive, qui se rendait au cimetière, avait sa résidence dans les os de celui qui était mort. En fait, en cette forme d'existence, son nom, *asken*, se confondait avec le mot *atisken* : « les os »[225]. Les contacts entre les vivants et les défunts n'étaient pas rompus par la fin des jours terrestres. Les Wendats, comme tous les Amérindiens, avaient coutume d'enterrer avec les disparus leurs plus précieux effets personnels (*Relations des jésuites*, 39 : 30), de même que de la nourriture, dont l'âme nourrirait celle du défunt (*Relations des jésuites*, 10 : 270). Puis, on faisait fréquemment des festins « pour leurs âmes, par tout le Village, comme le jour des funérailles » (*Relations des jésuites*, 10 : 274), en attendant le jour de la Grande Fête des âmes. Nous avons déjà remarqué qu'une part considérable des biens les plus précieux, le plus souvent obtenus par la traite, était destinée aux âmes des êtres passés dans l'autre monde (*Relations des jésuites*, 10 : 264). Ces « excès et dépenses superflues » furent jugés « sots et inutiles » par les religieux, qui voyaient là autant de biens temporels perdus pour l'édification de leur Église[226].

Les Wendats avaient une morale stricte en ce qui a trait aux façons de disposer des restes des humains[227]. Une

---

225. L'identification des os à l'âme est commune à beaucoup de sociétés circulaires. Voir Lucien Lévy-Bruhl, *L'âme primitive*, Paris, Presses universitaires de France, 1963, p. 306-313.

226. Les Micmacs furent jugés encore plus condamnables, puisqu'ils « donnaient » à leurs morts de véritables fortunes (voir l'article de Calvin Martin. « The Four Lives of a Micmac Copper Pot », *Ethnohistory*, vol. 22, nᵒ 2, 1975, p. 114-115).

227. Leurs légendes contiennent des illustrations du mal qui peut venir d'avoir enfreint ces exigences de respect (Barbeau, 1915 : « Les

narque de Sagard sur le viol des sépultures surtout des
;ements, par quiconque, ne peut manquer de faire réfléchir
; modernes (surtout les archéologues physiques) qui ont
)isi de faire de cette occupation leur profession :

> [Il] faut noter qu'on ne saurait en rien tant les offenser qu'à
> fouiller et dérober dans les sépulcres de leurs parents, et que
> si on y était trouvé, on n'en pourrait pas moins attendre
> qu'une mort très cruelle et rigoureuse, et pour témoigner
> encore de l'affection et révérence qu'ils ont aux os de leurs
> parents : si le feu se prenait en leur village et en leur cimetière,
> ils courraient premièrement éteindre celui du cimetière, et
> puis celui du village (Sagard, 1990 : 292-293).

Les âmes aussi communiquent avec ceux qu'elles ont
ssés temporairement ici-bas. Elles viennent goûter, la nuit,
.a nourriture que laissent pour elles les vivants. Une femme
ilade et désespérée fut ainsi convaincue par des âmes de ne
s renoncer sitôt à la vie, car plus personne ne serait là ensuite
ur leur faire à manger (*Relations des jésuites*, 13 : 152).

Deuil, funérailles et sépultures

Le mode de sépulture dépend de la façon dont la mort
st produite. Lorsque quelqu'un va mourir, de façon naturelle,
village, la coutume est de lui faire un festin d'adieu (*atsa-*
on) avant son décès. Ici, les religieux trouvent matière à
emple pour leurs compatriotes.

> Ces bonnes gens[228] ne sont pas comme beaucoup de Chré-
> tiens, qui ne peuvent souffrir qu'on leur parle de la mort, et
> qui dans une maladie mortelle vous mettent en peine toute
> une maison pour trouver moyen de faire porter cette nouvelle
> au malade, sans le faire mourir par avance. Ici, quand on
> désespère de la santé de quelques uns, non seulement on ne
> fait point de difficulté de leur dire que c'en est fait de leur
> vie ; mais même, on prépare en leur présence tout ce qui est
> nécessaire pour leur sépulture : on leur montre souvent la

---

visionnaires et l'homme enterré dans les bois», p. 152-153 ; voir
aussi *Relations des jésuites*, 11 : 130)

228. Noter l'abandon, ici, du ton péjoratif, puisqu'il s'agit de persuader
d'une humanité, présente chez ces «bonnes gens», propre à redres-
ser des chrétiens dans leur conduite.

robe, les chausses, les souliers et la ceinture qu'ils doivent emporter; souvent, on les ensevelit à leur mode avant qu'ils aient expiré; ils font leur festin d'adieux à leurs amis, où ils chantent quelquefois sans montrer aucune appréhension de la mort, qu'ils regardent fort indifféremment, ne se la figurant que comme un passage à une vie fort peu différente de celle-ci[229]. Aussitôt que le malade a rendu le dernier soupir, ils le mettent en l'état qu'il doit être dans le tombeau, ils ne l'étendent pas de son long comme nous faisons, mais ils le mettent en peloton, quasi dans la même posture que les enfants sont au ventre de la mère (*Relations des jésuites*, 10 : 266).

Pour toute cette description de la façon de pleurer et de rendre les honneurs aux morts, Brébeuf a suivi essentiellement celle de Sagard (1990 : 289-293). Toutefois, le récit de Brébeuf contient plus de détails, ce missionnaire en étant à sa cinquième année passée chez les Wendats et maîtrisant alors leur langue plus qu'aucun autre Européen. Il vaut la peine de rapporter ici tout le propos de Brébeuf :

Jusque là, ils tiennent la bonde de leurs larmes. Après lui avoir rendu ces devoirs toute la Cabane commence à retentir de soupirs, de gémissements et de plaintes, les enfants criant *Aistan*, si c'est leur père, la mère *Aien, Aien*, mon fils, mon fils. Qui ne les verrait tout baignés de leurs larmes, jugerait à les entendre que ce ne sont que pleurs de cérémonies ; ils fléchissent leurs voix tous d'un même accord, et en un ton lugubre, jusqu'à ce que quelque personne d'autorité fasse le hola[230] ; en même temps ils s'arrêtent, le Capitaine s'en va promptement par les Cabanes avertir qu'un tel est mort[231]. À l'arrivée

---

229. Sauf qu'il n'y a pas de guerres, ni de discordes, comme ici-bas, et qu'on y est occupé surtout à se réjouir et à festoyer (Sagard, 1866, tome 2 : 457-458 ; tome 4, dictionnaire, article « Yoscaha »).

230. Certaines tribus amérindiennes de l'Amazonie pleurent encore leurs morts et ceux qui ont été longtemps absents d'une manière très similaire à celle décrite ici. Ces pleurs comportent des arrêts et des modulations sonores précises. Greg Urban, anthropologue de l'Université du Texas, a étudié les façons rituelles de pleurer, chez plusieurs tribus brésiliennes, dans l'article « Ritual Wailing in Amerindian Brazil », *American Anthropologist*, vol. 90, n° 2, p. 385-400. Voir aussi Nicolas Perrot, *Mémoire sur les mœurs, coutumes et religions des sauvages de l'Amérique septentrionale*, 1864, p. 33.

231. Pour éviter que quelqu'un ne reprononce le nom du défunt, ni même de quelqu'un qui porterait le même nom, avant que celui-ci ne soit

des amis, ils recommencent de nouveau à pleurer et se plaindre. Souvent quelqu'un des plus considérables prendra la parole et consolera la mère et les enfants, louant sa patience, sa débonnaireté, sa libéralité, sa magnificence, et s'il était guerrier, la grandeur de son courage. Tantôt il dira, Que voulez-vous il n'y a plus de remède, il fallait bien qu'il mourût. Nous sommes tous sujets à la mort. Et puis il y avait trop longtemps qu'il traînait, etc. Il est vrai qu'en cette occasion, ils ne manquent point de discours. Je me suis quelquefois étonné de les voir longtemps sur ce propos, et apporter avec tant de discrétion, toutes les considérations capables de donner quelque consolation aux parents du défunt.

On envoie aussi donner avis de cette mort aux amis qui demeurent dans d'autres Villages; et comme chaque famille en a une autre qui a soin de ses morts[232]. Ceux-là viennent au plus tôt pour donner ordre à tout, et déterminer le jour des funérailles: d'ordinaire, ils enterrent les Morts le troisième jour; dès le matin, le Capitaine donne ordre[233] que par tout le Village on fasse chaudière pour le mort. Personne n'épargne ce qu'il a de meilleur. Ils font ceci à mon avis pour trois raisons. Premièrement pour se consoler les uns les autres, car ils s'entr'envoient des plats, et quasi personne ne mange de la chaudière qu'il a préparée. Secondement à l'occasion de ceux des autres Villages, qui viennent souvent en assez bon nombre. Tiercement et principalement, pour obliger[234] l'âme du défunt, qu'ils croient y prendre plaisir, et en manger sa part. Toutes les chaudières étant vidées, ou au moins distribuées, le Capitaine publie par le Village que l'on va porter le mort au Cimetière. Tout le Village s'assemble en la Cabane; on renouvelle les pleurs, et ceux qui ont soin des funérailles apprêtent un brancard, où le mort est couché sur une natte et enveloppé d'une robe de Castor, et puis ils le lèvent et le portent à quatre: tout le Village suit en silence jusqu'au Cimetière. Il y a là un Tombeau fait d'écorce et dressé sur quatre pieux d'environ huit à dix pieds de haut. Cependant que l'on y accommode le mort, et qu'on agence les écorces,

---

«relevé» dans une autre personne (*Relations des jésuites*, 11: 104; 31: 33; Sagard, 1990: 290-291).

232. Cette responsabilité réciproque des clans, phratries et moitiés semble avoit été un trait commun de l'organisation sociale de tous les Nadoueks (voir Tooker, 1978: 428; Trigger, 1991: 34).

233. On sait que la société wendate ne fonctionnait pas par voie d'ordres.

234. C'est-à-dire «plaire à».

le Capitaine publie les présents qui ont été faits par les amis. En ce pays aussi bien qu'ailleurs, les consolations les plus agréables dans la perte des parents, sont toujours accompagnées de présents, qui sont chaudières, haches, robes de Castor et colliers de Porcelaine. Si le défunt était en quelque considération dans le Pays, non seulement les amis et les voisins, mais même les Capitaines des autres Villages viendront en personne apporter leurs présents. Or, tous ces présents ne suivent pas le mort dans le tombeau : on lui mettra quelquefois au cou un collier de Porcelaine, et auprès de lui un peigne, une courge pleine d'huile et deux ou trois petits pains : voilà tout. Une grande partie s'en va aux parents pour essuyer leurs larmes : l'autre partie se donne à ceux qui ont donné ordre aux funérailles pour récompense de leurs peines. On met aussi souvent quelques robes, ou quelques haches pour faire largesse à la Jeunesse. Et le Capitaine met entre les mains de quelqu'un d'entre eux un bâton d'environ un pied, proposant un prix à celui qui le lui ôtera. Ils se jettent dessus en troupe à corps perdu, et demeurent quelquefois une heure entière aux prises[235]. Cela fait, chacun s'en retourne paisiblement à sa Cabane.

J'avais oublié de dire que d'ordinaire pendant toute cette cérémonie, la mère ou la femme seront aux pieds du tombeau, appelant le défunt en chantant, ou plutôt en se plaignant d'un ton lugubre (*Relations des jésuites*, 10 : 264-270).

Ceux qui meurent de façon violente, par exemple les morts de la guerre et les suicidés et, certainement, ceux qui en avaient exprimé le désir (*cf. Relations des jésuites*, 16 : 190), sont immédiatement enterrés[236] et non mis dans les cercueils élevés sur des pieux. Ils ne sont pas inhumés avec tous les autres lors de la Grande Fête des âmes, probablement parce que, puisque

---

235. Comme, dirait-on, pour atténuer la peine du village au moyen d'un concours de vigueur. Sagard informe qu'un semblable concours mettait aux prises les jeunes filles simultanément. Par ailleurs ces jeux n'ont pas lieu à toutes les funérailles (Sagard, 1990 : 291-292).

236. L'archéologie (voir Warrick, 1990 : 84-85) confirme la fréquence de ce type de sépulture à la période historique. Par ailleurs, le jésuite Bressani (*Relations des jésuites*, 39 : 31) n'a pas bien rédigé son information à ce sujet. Le texte risque de faire penser que les Wendats brûlaient ou enterraient (parfois encore vivants) ceux des leurs qui mouraient de façon violente, alors que toute l'évidence ethnographique indique que ce traitement était réservé aux ennemis condamnés à mort.

leur mort n'est pas survenue naturellement, ils n'ont pas accès au Pays des âmes. Vraisemblablement, ce sont des âmes qui chercheront à se réincarner rapidement (*Relations des jésuites*, 10 : 144)[237]. Les âmes des vieillards et des petits-enfants, font bande à part[238]. Trop faibles pour faire le voyage du Village des âmes, elles restent dans le pays wendat, «où [elles] ont leurs Villages particuliers» :

> [O]n entend quelquefois, disent-ils, le bruit des portes de leurs Cabanes, et les voix des enfants qui chassent les oiseaux de leurs champs; [elles] sèment des blés en la saison et se servent des champs que les vivants ont abandonnés; s'il se brûle quelque Village, ce qui arrive souvent en ce Pays, [elles] ont soin de ramasser du milieu de cet incendie le blé rôti, et en font une partie de leurs provisions (*Relations des jésuites*, 10 : 142-144).

Vraisemblablement, ces âmes attendaient elles aussi, une occasion de se réincarner dans le ventre d'une femme. Les Wendats avaient une coutume particulière d'enterrer les bébés morts dans leurs premiers mois de vie sous les sentiers utilisés par les femmes afin qu'ils se réincarnent en celles-ci à leur passage (*Relations des jésuites*, 10 : 272).

Ceux qui mouraient de noyade ou de froid étaient cause de l'organisation immédiate d'un rituel auquel participait tout le pays (*Relations des jésuites*, 10 : 162). On redoublait de générosité, puisque le Ciel, symbole du Grand Pouvoir universel,

---

237. Un guérisseur wendat parla aux jésuites d'une maison des esprits située sous terre (*Relations des jésuites*, 13 : 104-106) où, semble-t-il, allaient demeurer ceux qui devaient reprendre une existence terrestre, accidentellement ou brutalement interrompue, en attendant une occasion d'«entrer subtilement dans le ventre d'une femme» pour être à nouveau portés à la vie. La proximité de ce lieu du monde des humains favorisait la réincarnation rapide de ces âmes.

238. Les Amérindiens disent généralement que les Anciens et les enfants sont voisins les uns par rapport aux autres, autour du Cercle de la famille. Les deux sont donc éloignés des gens d'âge mûr. Le rôle de former spirituellement les enfants revient ainsi aux Anciens, et non aux adultes, qui sont naturellement préoccupés par la subsistance de la famille. En ce sens, les Sages et les petits forment une «société à part».

avait été Lui-même outragé et que partant, le pays tout entier était menacé de représailles, sous forme de sécheresse, de gel hâtif, de guerre, etc. Brébeuf décrit la forme que doit prendre la sépulture :

> [O]n fait force festins, et on n'épargne point les présents, comme étant question d'une chose à laquelle tout le pays a intérêt : on porte le mort dans le cimetière, on l'étend sur une natte ; d'un côté est une fosse et de l'autre un feu pour le sacrifice[239] : en même temps, quelques jeunes hommes choisis par les parents se présentent, et se rangent autour du corps, chacun le couteau à la main ; et le protecteur du défunt ayant marqué avec du charbon les parties qui doivent être coupées[240], ils travaillent à qui mieux mieux sur ce cadavre, et en enlèvent les parties les plus charnues[241] ; enfin ils lui ouvrent le corps et en tirent les entrailles, qu'ils jettent au feu avec toutes ces pièces de chair qu'ils ont coupées, et mettent dans la fosse la carcasse toute décharnée. J'ai remarqué que pendant cette boucherie[242] les femmes tournent tout autour à diverses fois, et encouragent ces jeunes hommes qui découpent ce corps à rendre ce bon office à tout le Pays, leur mettant des grains de Porcelaine dans la bouche. Quelquefois même la mère du défunt toute baignée dans ses larmes se met de la partie et chante d'un ton pitoyable en se lamentant sur la mort de son fils [...] (*Relations des jésuites*, 10 : 162-164).

Yandatsa, ou la Grande Fête des âmes

Je ne pense pas qu'il se puisse voir au monde une plus vive image et une plus parfaite représentation de ce que c'est que l'homme. (Jean de Brébeuf, Ihonatiria, 17 juillet 1636.)

---

239. Le mot est trop fort, puisqu'il n'y a pas de victime.
240. Il s'agit, tel qu'il est mentionné après, de toutes les parties charnues du corps. Les marques avec le charbon servent vraisemblablement à éviter que les jeunes hommes ne fassent des marques sur les ossements, qui contiennent l'âme. Plusieurs sociétés circulaires ont ainsi l'habitude de hâter la putréfaction ou de séparer au plus vite les os des matières putrides puisque, «en tant qu'appartenances, les os *sont* le mort lui-même» et que le «mort» a continué à vivre, dans une autre vie (Lévy-Bruhl, *op. cit.*, p. 309).
241. Le but ultime du rituel semble être de soustraire le mort à la vue du Ciel «courroucé», tout en lui donnant une sépulture digne. On libère l'âme sublime en décharnant immédiatement le squelette.
242. Le ton péjoratif est ici de rigueur.

La Grande Fête (ou le Grand Festin) des âmes, célébrée par les Wendats[243], était certainement l'un des traits de civilisation les plus remarquables et les plus significatifs de ce peuple situé au cœur géopolitique du Nord-Est. La pensée wendate et, de façon analogue, celle de tous les peuples qui formaient l'univers social et spirituel de cette très vaste région, y était intégralement représentée.

Essentiellement, la Grande Fête des âmes est un gigantesque rituel d'une durée de dix jours, par lequel sont célébrés l'unité du peuple et son désir de vivre dans la paix et d'étendre des liens de parenté symbolique avec le plus grand nombre d'autres gens possibles. La fête a lieu tous les dix ou douze ans[244] probablement au mois de mai[245], et a pour fonction de réunir en une même grande fosse tous les Wendats d'une même nation décédés de façon naturelle depuis la dernière Grande Fête, ainsi que tous ceux d'autres nations, même non wendates, désireux de consacrer leur alliance, voire leur parenté avec les Wendats par ce moyen, sacré entre tous[246].

---

243. De même que par les Tionontatés, les Attiwandaronks, et probablement par les Wenros et les Ériés.
244. Trigger (1989 : 126) a calculé jusqu'à quinze ans.
245. Celle où fut Brébeuf, en 1636, se termina quelques jours après la Pentecôte. Sagard (1866, vol. IV, dictionnaire : article «Fêtes») donne à entendre que cette Fête a lieu au printemps.
246. Trigger (1989 : 127), partant de la remarque de Brébeuf (*Relations des jésuites*, 10 : 144) selon laquelle les âmes algonquines ne sont pas bienvenues dans les Villages des âmes des Attignawantans, dit qu'il est impossible d'être sûr que ces deux nations mêlaient leurs os dans les mêmes ossuaires. Nous pensons, premièrement, que le Monde des âmes étant essentiellement une réplique de celui des vivants (*ibid.*), le fait que des âmes étrangères, algonquines ou autres, soient unies par la Grande Fête des âmes ne signifie pas nécessairement que ces âmes n'iront pas rejoindre leurs villages respectifs dans l'autre monde, comme vivent alliés algonquins et ours (attignawantans) sur la terre. Deuxièmement, le fait que les Wendats inhumèrent indistinctement ensemble Wendats chrétiens (donc adoptés par les Français) et Wendats ethniques en 1636 et demandèrent même à leurs missionnaires la permission d'inclure les os de deux Français dans la grande fosse indique, selon nous, que les Wendats recherchaient et pratiquaient la confirmation de leurs alliances et de leur parenté (puisque les alliés étaient effectivement des parents) avec d'autres peuples, à plus forte raison avec leurs très anciens partenaires commerciaux et sociaux algonquiens.

Le concept religieux et social contenu dans la Grande Fête des âmes des Wendats et d'autres Nadoueks septentrionaux[247] remonte à une époque très ancienne. « L'élaboration de rituels funéraires au temps de l'archaïque tardif et du sylvicole inférieur [vers l'an 1000 avant notre ère], observe Trigger, marque l'émergence d'un souci d'honorer les morts qui allait persister, avec des fluctuations, dans la région du bas des Grands Lacs et culminer pour la dernière fois, dans la Fête des morts chez les Wendats »[248] (Trigger, 1976: 111). L'archéologue James Tuck (1978: 333), soulignant l'exclusivité ontarienne de ce grand rituel, fait remonter son institutionnalisation par les ancêtres des Wendats, des Tionontatés et des Attiwandaronks à la période du sylvicole moyen, c'est-à-dire à l'an 300 avant notre ère[249].

La Grande Fête des âmes[250] se prépare à partir d'un « Conseil confédéral » convoqué expressément.

Ce Conseil est l'un des plus importants que les [Wendats] aient: savoir de leur Fête des Morts: ils n'ont rien de plus sacré [...] Il s'agissait de faire que tout le Pays mît ses morts en une même fosse, suivant leur coutume [...] Les Maîtres de la Fête exhortaient à la douceur[251], disant que c'était un

---

247. Nous avons vu que les peuples qui formèrent éventuellement l'Hodenosaunee eurent, avant la période de l'owasco, des coutumes et des rites funéraires fondamentalement similaires à ceux des autres peuples de leur univers culturel, alors rattaché aux grandes cultures de l'Ohio et du Mississippi. L'adoption de l'agriculture, apparemment, eut un effet isolateur et désintégrateur sur ces ancêtres des Cinq-Nations iroquoises (voir M. Dennis, *op. cit.*, p. 83).

248. « Fête des âmes » nous semble correspondre mieux au concept wendat.

249. L'existence d'un complexe rituel aussi élaboré pour honorer les âmes chez les Wendats indique certainement une origine plus ancienne de l'ordre wendat-tionontaté-attiwandaronk, par rapport à celui investi dans la ligue iroquoise. Ce fait, impliquant une vie économique plus sécure et, donc, une vie politique extra-confédérale beaucoup plus harmonieuse, explique la centralité du rôle et de la position des Wendats dans l'ordre social d'ensemble au Nord-Est.

250. Agochin Atisken.

251. Il s'agissait, dans ces conseils, d'amener les gens de tout le pays à s'unir dans un esprit de concorde parfaite. Nous verrons plus loin que ces Maîtres de la fête, en 1636, eurent à agir dans un contexte social et politique rendu tendu par la présence des jésuites et par

Conseil de paix. Ils nomment ces Conseils, *Endionraondaoné,* comme si on disait, Conseil égal et facile comme les plaines et rases campagnes [...] (*Relations des jésuites,* 10 : 260).

Champlain, en 1615, a apparemment été témoin d'un Grand Festin des âmes. Dans ses *Voyages* (Biggar, vol. IV : 331-332), il décrit l'Endionraondaoné, puis les préparatifs de la fête et enfin, la fête elle-même, dont il a bien saisi le motif social profond :

> Par «les festins et les danses continuelles» et «les cérémonies qui s'y font», durant «l'espace de dix jours», «ils contractent une nouvelle amitié, disant que les os de leurs parents et amis sont pour être mis tous ensemble, posant un symbole[252] que tout ainsi qu'ils sont assemblés en un même lieu, ainsi doivent-ils être unis en amitié et concorde, comme parents et amis, sans s'en pouvoir séparer...

Reprenant ces observations de Champlain, neuf ans plus tard, le frère Sagard ajoute à cette dernière phrase : «à jamais ou distraire pour aucun disservice ou disgrâce[253] comme en effet ils font» (Ouellet, 1990 : 297).

Bruce Trigger a écrit qu'entre tous les efforts déployés par les Wendats pour promouvoir la solidarité sociale, la Grande Fête des âmes était le plus solennel et de portée plus considérable (1989 : 119). Vu cette importance, nous allons en suivre et en commenter la description qu'en fit Brébeuf, au printemps de 1636, tâchant de noter surtout l'authenticité des sentiments, la tendresse des vivants pour leur parents qui ont quitté ce monde, en un mot, la force du tissu social des Wendats, société amérindienne du Cercle sacré, donc spiritualiste, et aussi l'effet fatal et immédiatement radical qu'eut sur celle-ci la présence d'hommes (les religieux français) incarnant l'essence idéologique d'une société à pense linéaire matérialiste.

---

l'assaut désastreux des épidémies. Brébeuf sera forcé de les admirer pour leur «étonnante modération de paroles», en dépit des tensions déchirantes qu'ils vivaient. La Grande Fête des âmes de 1636, d'ailleurs, fut la dernière dans ce pays à la veille d'être détruit.
252. Le texte emploie, archaïquement, le mot «figure».
253. C'est-à-dire «colère», «querelle» (Sagard, 1990 : 360).

La fête des morts[254], commence Brébeuf, est la cérémonie la plus célèbre qui soit parmi les [Wendats]; ils lui donnent le nom de festin, d'autant que, comme je dirai tout maintenant, les corps étant tirés des Cimetières, chaque Capitaine fait un festin des âmes dans son Village: le plus considérable et le plus magnifique est celui du Maître de la Fête, qui est pour cette raison appelé par excellence la Maître du festin.

Cette fête est toute pleine de cérémonies, mais vous diriez que la principale est celle de la chaudière[255], celle-ci étouffe toutes les autres, et on ne parle quasi de la fête des Morts, même dans les Conseils les plus sérieux, que sous le nom de chaudière[256] ils y approprient tous les termes de cuisine[257]; de sorte que pour dire avancer ou retarder la fête des Morts, ils diront détiser ou attiser le feu dessous la chaudière: et quand on est sur ces termes, qui dirait la chaudière est renversée, ce serait à dire, il n'y aura point de fête des Morts. [...][258]

Les douze ans ou environ étant expirés, les Anciens et les Notables du Pays s'assemblent pour délibérer précisément de la saison[259] en laquelle se fera la fête, au contentement de tout le Pays et des Nations étrangères qui y seront invitées. La résolution prise, comme tous les corps doivent être transportés au Village où est la fosse commune, chaque famille donne

---

254. Là où les Wendats voient des âmes, les jésuites voient des morts.
255. De là son nom principal: *Yandatsa*: le chaudron.
256. Il s'agit, dans la symbolique religieuse wendate, de préparer un grand banquet où tous, vivants et âmes, sont conviés pour faire une Grande Paix.
257. La différence entre les vivants et «ceux qui nous ont laissés» (*Relations des jésuites*, 39: 33) est réduite à l'extrême. La cuisine se fait pour les uns et les autres. Dans le Cercle, rien n'est sacré parce que tout est sacré.
258. Brébeuf explique ici que contrairement à la coutume, toute la nation des Attignawantans n'a pas participé à une même Fête des âmes. Un «schisme» a eu lieu, depuis que les jésuites sont revenus, un an auparavant, au sujet du meurtre d'Étienne Brûlé (que Trigger [1991: 449-451] juge avoir été ordonné pour des motifs politiques), imputé au chef nordique Aenons par les Attignawantans du Sud. Cette division (et d'autres) sera adroitement récupérée par les jésuites, intensément préoccupés par la nécessité de construire une faction pro-chrétienne, laquelle, une fois établie, sera renforcée, aidée par les épidémies, et sera éventuellement (après 1640) la cause principale de l'affaiblissement, puis de la destruction de la Confédération wendate (Trigger, 1991: 691-735).
259. C'est-à-dire «du temps».

ordre à ses morts, mais avec un soin et une affection qui ne peuvent se dire ; s'ils ont des parents morts en quelque endroit du Pays que ce soit, ils n'épargnent point leur peine pour aller les quérir[260] ; ils les enlèvent des Cimetières, les chargent sur leurs propres épaules, et les couvrent des plus belles robes[261] qu'ils aient. Dans chaque Village ils choisissent un beau jour, se transportent au Cimetière, où chacun de ceux qu'ils appellant *Aiheondé*, qui ont eu soin de la sépulture[262], tire les corps du tombeau, en présence des parents qui renouvellent leurs pleurs et entrent dans les premiers sentiments qu'ils avaient le jour des funérailles. Je me trouvai à ce spectacle et y invitai volontiers tous nos domestiques ; car je ne pense pas qu'il se puisse voir au monde une plus vive image et une plus parfaite représentation de ce que c'est que l'homme[263]. Il est vrai qu'en France nos Cimetières prêchent puissamment et que tous ces os entassés les uns sur les autres sans discrétion des pauvres d'avec les riches, ou des petits d'avec les grands sont autant de voix qui nous crient continuellement la pensée de la mort, la vanité des choses du monde et le mépris de la vie présente : mais il me semble que ce que font nos Sauvages en cette occasion touche encore davantage, et nous fait voir de plus près et appréhender plus sensiblement notre misère[264]. Car après avoir fait ouverture des tombeaux, ils vous étalent sur la place toutes ces Carcasses[265], et les laissent assez longtemps ainsi découvertes, donnant tout loisir aux spectateurs d'apprendre une bonne fois ce qu'ils seront un jour[266]. Les unes sont toutes décharnées

---

260. Nous avons ici l'indication que les morts n'étaient pas nécessairement toujours ramenés à leur village d'appartenance. Ils pouvaient être «couverts» (pleurés et honorés) et ensevelis par des alliés ou parents situés plus près du lieu de leur mort, quitte à être retransportés jusqu'à la fosse commune par leurs parents proches, lors du Grand Festin des âmes.
261. Brébeuf déplore ces dépenses «inutiles», comme il le dira plus loin.
262. Voir note 232 de ce chapitre.
263. Brébeuf veut, bien sûr, frapper par cette insigne illustration de la misère humaine, mais n'essaie pas de cacher son étonnement devant la vive humanité de ses hôtes.
264. Ces religieux, d'autre part, ne comprirent jamais pourquoi des peuples aussi «sensuels, jouisseurs, terre-à-terre, etc.» n'éprouvaient pas d'angoisse devant la perte de cette vie.
265. Le ton est détaché, parfois sarcastique, vraisemblablement sur la défensive.
266. Ce n'est évidemment pas l'intention des Wendats. Brébeuf prêche ici à son Église.

et n'ont qu'un parchemin sur les os ; les autres ne sont que comme recuites et boucanées, sans montrer quasi aucune apparence de pourriture ; et les autres sont encore toutes grouillantes de vers. Les parents s'étant suffisamment contentés de cette vue[267] les couvrent de belles robes de Castor toutes neuves : enfin au bout de quelque temps, ils les décharnent et enlèvent la peau et la chair qu'ils jettent dans le feu avec la robe et les nattes dont ils ont été ensevelis. Pour les corps entiers de ceux qui sont nouvellement morts, ils les laissent en même état, et se contentent seulement de les couvrir de robes neuves. Ils ne touchèrent qu'à un vieillard dont j'ai parlé ci-devant, qui était mort cet Automne au retour de la pêche : ce gros corps n'avait commencé à se pourrir que depuis un mois à l'occasion des premières chaleurs du Printemps ; les vers fourmillaient de toutes parts, et le pus et l'ordure qui en sortaient rendaient une puanteur presque intolérable ; cependant ils eurent bien le courage de le tirer de la robe où il était enveloppé, le nettoyèrent le mieux qu'ils purent, le prirent à belles mains, et le mirent dans une natte et une robe toute neuve, et tout cela sans faire paraître aucune horreur de cette pourriture[268]. Ne voilà-t-il pas un bel exemple pour animer les Chrétiens, qui doivent avoir des pensées bien plus relevées[269], aux actions de charité et aux œuvres de miséricorde envers le prochain...

Or les os étant bien nettoyés, ils les mirent partie dans des sacs, partie en des robes, les chargèrent sur leurs épaules, et couvrirent ces paquets d'une autre belle robe pendante. Pour les corps entiers, ils les mirent sur une espèce de brancard, et les portèrent avec tous les autres chacun en sa Cabane, où chaque famille fit un festin à ses morts.

[...]

Un jour ou deux auparavant que de partir pour la fête, ils portèrent toutes ces âmes dans une des plus grandes Cabanes du Village[270] où elles furent une partie attachée aux perches de la Cabane, l'autre étalée par la Cabane, et le Capitaine les traita et leur fit un festin magnifique au nom d'un Capi-

---

267. Brébeuf dirige intensivement son lecteur.
268. En réalité, comment quiconque pourrait-il voir un père, une mère, un enfant, un parent comme de la «pourriture» même dans une famille normale d'une société à pensée linéaire?
269. [Mais qui ne les ont pas].
270. Visiblement la maison d'un Chef confédéral majeur.

taine défunt dont il porte le nom[271]. Je me trouvai à ce festin des âmes et y remarquai quatre choses particulières. Premièrement, les présents que faisaient les parents pour la fête qui consistaient en robes, colliers de Porcelaine et chaudières, étaient étendus sur des perches tout le long de la Cabane, de part et d'autre. Secondement, le Capitaine chanta la chanson du Capitaine défunt, selon le désir que lui-même avait témoigné avant sa mort, qu'elle fût chantée en cette occasion[272]. Tiercement, tous les conviés eurent la liberté de se faire part les uns les autres de ce qu'ils avaient de bon, et même d'en apporter chez eux, contre la coutume des festins ordinaires[273]. Quatrièmement, à la fin du festin, pour tout compliment à celui qui les avait traités, ils imitèrent, comme ils disent, le cri des âmes, et sortirent de la Cabane en criant *haéé, haé*[274].

[...]

Les sept ou huit jours de devant la fête se passèrent à assembler, tant les âmes que les Étrangers qui [y] furent invités; cependant depuis le matin jusqu'au soir, ce n'était que largesse[275] que faisaient les vivants à la jeunesse en considération des défunts. D'un côté les femmes tiraient à l'arc à qui aurait le prix, qui était quelque ceinture de Porc-épic[276] ou

---

271. On comprend encore plus difficilement, à la lecture de semblables témoignages, comment tant de sources documentaires ont pu insister tant sur l'aspect «guerrier» du caractère amérindien et combien elles ont peu fait état de l'extraordinaire sociabilité de ces peuples.

272. Probablement un chant rituel à caractère hautement sacré, puisqu'il venait «concrétiser» le prolongement d'un soutien majeur et vital de la nation et de la confédération.

273. Où la règle était de tout manger, quelquefois en un temps religieusement prescrit, ce qui nécessitait un effort considérable de la part des convives, une sorte de sacrifice à accomplir pour quelqu'un.

274. Cri pour interpeller les âmes et leur faire sentir le respect et l'honneur qu'on leur porte. Les Hodenosaunee en ont un aussi, et son utilisation répétée est l'un des traits de leur célèbre Cérémonie de condoléances, par laquelle les chefs défunts sont relevés. Bacqueville de La Potherie, en 1753, en parle dans son *Histoire de l'Amérique septentrionale*: «Ô vous morts, [dit Tehastokout, chef tsonontouan,] sortez la tête de la terre pour écouter ce que je dis, et ne demandez plus vengeance, la Paix est faite. Il finissait par des paroles Hai, Hai, ce qui est la complainte la plus douloureuse dont cette impitoyable Nation [c'est-à-dire les Iroquois] puisse se laisser toucher» (La Potherie, 1753, vol. IV, p. 136).

275. C'est-à-dire «présents».

276. Ces ceintures portent des motifs brodés avec des piquants de porc-épic teintes de couleurs vives.

quelque collier, ou chaîne de Porcelaine; de l'autre côté en plusieurs endroits du Village les jeunes hommes tiraient [sur un] bâton à qui l'emporterait. Le prix de cette victoire était une hache, quelques couteaux ou, même, une robe de Castor. De jour à autre arrivaient les âmes. Il y a du contentement de voir ces convois, qui sont quelquefois de deux et trois cents personnes; chacun porte ses âmes, c'est-à-dire ses ossements empaquetés sur son dos, à la façon que j'ai dit, sous une belle robe. Quelques-uns avaient accomodé leurs paquets en figure d'hommes ornés de colliers de Porcelaine, avec une belle guirlande de grand poil rouge[277]. À la sortie du Village, toute la troupe criait haéé, haé, et réitéraient ce cri des âmes par le chemin. Ce cri, disent-ils, les soulage grandement; autrement, ce fardeau, quoique d'âmes, leur pèserait bien fort sur le dos, et leur causerait un mal de côté pour toute leur vie. Ils vont à petites journées; notre Village fut trois jours à faire quatre lieues, et à aller à Ossossané, que nous appelons La Rochelle, où se devaient faire toutes les cérémonies. Aussitôt qu'ils arrivent auprès de quelque Village, ils crient encore leur haéé, haé: Tout le Village leur vient au devant, il se fait encore à cette occasion force largesses. Chacun a son rendez-vous dans quelqu'une des Cabanes, tous savent où ils doivent loger leurs âmes[278]; cela se fait sans confusion. En même temps les Capitaines tiennent Conseil pour délibérer combien de temps la troupe séjournera dans le Village.

[...]

Le lundi [de la Pentecôte] sur le midi, on vint avertir qu'on se tînt prêt, qu'on allait commencer la cérémonie; on détache en même temps ces paquets d'âmes, les parents les développent derechef pour dire les derniers adieux; les pleurs recommencèrent de nouveau. J'admirai la tendresse d'une femme envers son père et ses enfants[279]; elle est fille d'un Capitaine qui est mort fort âgé, et a été autrefois fort considérable dans le Pays; elle lui peignait sa chevelure, elle maniait ses os les uns après les autres avec la même affection que si elle eût voulu lui rendre la vie; elle lui mit auprès de lui son *Atsato-newai*, c'est-à-dire son paquet de buchettes de Conseil, qui

---

277. Ce sont les longs poils pris sur le garrot des orignaux, que l'on teint pour en faire des ornements.
278. Normalement dans les maisons de leur clan.
279. Les vieux et les enfants étaient habituellement les premiers à être emportés par les épidémies. L'une d'elles avait fait rage au Wendaké deux ans auparavant.

sont tous les livres et papiers du Pays. Pour ses petits enfants, elle leur mit des bracelets de Porcelaine et de rassade[280] aux bras, et baigna leurs os de ses larmes; on ne l'en pouvait quasi séparer, mais on pressait, et il fallut incontinent partir. Celui qui portait le corps de ce vieux Capitaine marchait à la tête, les hommes suivaient, et puis les femmes, ils marchaient en cet ordre, jusqu'à ce qu'ils arrivent à la fosse. Voici la disposition de cette place, elle était environ de la grandeur de la Place Royale à Paris. Il y avait au milieu une grande fosse d'environ dix pieds de profondeur et cinq brasses[281] de diamètre; tout autour, un échafaud et une espèce de théâtre, assez bien fait, de neuf à dix brasses de diamètre et de neuf à dix pieds de hauteur; au-dessus du théâtre, il y avait quantité de perches dressées et bien arrangées, et d'autres en travers pour y pendre et attacher tous ces paquets d'âmes. Les corps entiers, comme ils devaient être mis au fond de la fosse, étaient dès le jour précédent sous l'échafaud, étendus sur des écorces ou des nattes dressées sur des pieux de la hauteur d'un homme aux environs de la fosse.

Toute la Compagnie arriva avec ses corps environ à une heure après Midi, et se départirent en divers cantons, selon les familles et les Villages, et déchargèrent à terre leurs paquets d'âmes à peu près comme on fait ces pots de terre à ces Foires de Villages. Ils déployèrent aussi leurs paquets de robes et tous les présents qu'ils avaient apportés, et les étendirent sur des perches, qui étaient de 500 à 600 toises[282] d'étendue; aussi y avait-il jusqu'à 1200 présents, qui demeurèrent ainsi en parade deux bonnes heures, pour donner loisir aux Étrangers de voir les Richesses et la magnificence du Pays. Je ne trouvai pas que la Compagnie fût grande comme je m'étais figuré: s'il y avait deux mille personnes, c'était quasi tout[283]. Environ trois heures, chacun serra ses pièces et plia ses robes.

Sur ces entrefaites, chaque Capitaine par ordre donna le signal, et tout incontinent chargés de leurs paquets d'âmes, courant comme à l'assaut d'une ville, montèrent sur ce

---

280. Grains de verroterie, troqués avec des Européens.
281. Une brasse équivaut à 1 mètre 60 (environ 5 pieds).
282. Une toise équivaut à près de 2 mètres (6 pieds).
283. La «division de la chaudière», en 1636, signifia une scission grave et décisive chez les Attignawantans, la force du pays. Ce développement éminemment inquiétant pour la Confédération wendate fut, par ailleurs, cause de réjouissance pour le père Brébeuf et ses compagnons jésuites, comme nous allons voir.

Théâtre à la faveur des échelles qui étaient tout autour, et les pendirent aux perches : chaque Village avait son département[284]. Cela fait, on ôta toutes les échelles, et quelques Capitaines y demeurèrent, et passèrent tout le reste de l'après dinée jusqu'à sept heures à publier des présents qu'ils faisaient au nom des défunts à quelques personnes particulières[285].

Voilà, ce qu'un tel défunt donne à un tel, son parent. Environ les cinq à six heures, ils pavèrent le fond de la fosse et la bordèrent de belles grandes robes neuves de dix Castors, en telle façon qu'elles s'étendaient plus d'un pied au dehors de la fosse. Comme ils préparaient les robes qui devaient être employées à cet usage, quelques-uns descendirent au fond, et en apportèrent leurs mains pleines de sable : Je m'enquis que voulait dire cette cérémonie[286], et appris qu'ils ont cette croyance que ce sable les rend heureux au jeu[287]. De ces douze cents présents qui avaient été étalés sur la place, quarante-huit robes servirent à paver et border la fosse, et chaque corps entier, outre la robe dont il était enveloppé, en avait encore une, et quelques-uns jusqu'à deux, dont ils furent couverts. Voilà tout ; de sorte que je ne pense pas que chaque corps eût la sienne, l'un portant l'autre, qui est bien le moins qu'il pût avoir pour sa sépulture ; car ce que sont les draps et les linceuls de France, sont ici les robes de Castor. Mais que devient donc le reste, je le dirai tout maintenant.

Sur les sept heures, ils descendaient les corps entiers dans la fosse : nous eûmes toutes les peines du monde d'en aborder ; jamais rien ne m'a mieux figuré la confusion qui est parmi les damnés[288]. Vous eussiez vu de tous côtés des corps à demi

---

284. On remarque l'ordre présent en tout, à tout moment.
285. Illustration du devoir sacré des chefs (qui, en cela, sont de véritables prêtres des nations) de faire vivre la nation au-delà et à travers la mort de ses membres. Les chefs et les autres «partis» chantent, offrent des festins et donnent des présents par les mains de leurs remplaçants.
286. Emploi ironique de ce mot.
287. Les jeux de chance sont une activité privilégiée lors des festins. La chance donne le prestige, dans ces sociétés du don.
288. Les Wendats, et tous les Amérindiens, sont un peuple condamné à l'«Enfer». Ainsi s'explique l'indifférence des religieux, les regardant rapidement mourir. Mille vies pour sauver une seule âme paraîtra un prix modeste à payer (*Relations des jésuites*, 8 : 182). Si cette indifférence s'était corrigée par la suite, le monde aurait beaucoup à se réjouir, mais la même attitude règne toujours aujourd'hui, dans d'autres parties des Amériques et du monde et les génocides

pourris, et de tous côtés on entendait un horrible tintamarre de voix confuses de personnes qui parlaient et ne s'entendaient pas : dix ou douze étaient dans la fosse et les arrangeaient tout autour les uns auprès des autres. Ils mirent tout au beau milieu trois grandes chaudières qui n'étaient bonnes que pour les âmes ; l'une était percée, l'autre n'avait point d'anse, et la troisième ne valait guère mieux[289] : j'y vis fort peu de colliers de Porcelaine ; il est vrai qu'ils en mettent beaucoup [sur] les corps. Voilà tout ce qui se fit cette journée.

Tout le monde passa la nuit sur la place, ils allumèrent force feux et firent chaudière[290]. Nous autres nous retirâmes au vieux Village avec résolution de retourner le lendemain au point du jour qu'ils devaient jeter les os dans la fosse ; mais nous ne pûmes quasi arriver à temps, nonobstant toute la diligence que nous apportâmes, à raison d'un incident qui arriva. Une de ces âmes qui n'était pas bien attachée ou peut-être trop pesante pour la corde qui la portait, tomba d'elle-même en la fosse : ce bruit éveilla la Compagnie, qui courut et monta incontinent[291] en foule sur l'échafaud, et vida sans ordre chaque paquet dans la fosse, réservant néanmoins les robes desquelles elles étaient enveloppées.

---

continuent, sans que ce soit réellement la faute des religions, ni de qui que ce soit. En fait, la victime est encore et toujours le coupable, dans les livres d'histoire.

289. Ces « chaudières », bien que *mortes*, avaient une âme, qui allait servir dans l'autre monde. Au reste, ces objets de métal étaient très précieux pour les Amérindiens, qui les retransformaient en ornements, outils, pointes de flèche, etc.

290. Faire chaudière : faire festin.

291. La population semble avoir su exactement quoi faire lors de tels incidents, ou « signaux » de la part des âmes. La tactique discursive missionnaire comporte deux aspects contradictoires qui servent à expliquer le rôle du missionnaire religieux dans le processus de l'invasion. Le missionnaire peut être représenté comme tenant dans une main (de préférence, la droite) ses sujets chrétiens qu'il impressionne à l'occasion de la rationalité ou de la moralité supérieure des sauvages, devant lesquels les chrétiens risquent « de rougir un jour », s'ils ne s'amendent pas. Dans l'autre main sont ses sujets païens dont il doit souvent mettre en doute cette même rationalité et cette même moralité en vue de créer un certain *effet*, chez ses lecteurs coreligionnaires, lequel est toujours la réponse émotive positive à une exhortation à venir aider à détruire le règne du Mal qui, ainsi exposé, non seulement peut, mais doit être remplacé par le Bien et les Bons, c'est-à-dire les envahisseurs civilisés. Nous sommes ici sur le point de connaître un tel effet.

Nous sortions pour lors du Village, mais le bruit était si grand, qu'il nous semblait quasi que nous y étions. Approchant, nous vîmes tout à fait une image de l'Enfer : cette grande place était toute remplie de feux et de flammes, et l'air retentissait de toutes parts des voix confuses de ces Barbares : ce bruit néanmoins cessa pour quelque temps, et se mirent à chanter, mais d'un ton si lamentable et si lugubre, qu'il nous représentait l'horrible tristesse et l'abîme du désespoir, dans lequel sont plongées pour jamais ces âmes malheureuses.

Tout était presque jeté quand nous arrivâmes, et cela se fit presque en un tour de main[292] ; chacun s'était pressé, croyant qu'il n'y eut pas assez de place pour toutes ces âmes[293] ; nous en vîmes néanmoins encore assez pour juger du reste[294]. Ils étaient cinq ou six dans la fosse avec des perches à arranger ces os. La fosse fut pleine à deux pieds près : ils renversèrent par-dessus les robes qui la débordaient tout autour, et couvrirent tout le reste de nattes[295] et d'écorces. Pour la fosse, ils la comblèrent de sable, de perches et de pieux de bois qu'ils y jetèrent sans ordre. Quelques femmes y apportèrent quelques plats de blé, et le même jour et les suivants plusieurs Cabanes du Village en fournirent des mannes toutes pleines qui furent jetées sur la fosse[296].

Nous avons[297] quinze ou vingt Chrétiens enterrés avec ces Infidèles, nous dîmes pour leurs âmes un *De profundis* : avec une ferme espérance, que si la divine volonté n'arrête le cours de ses bénédictions sur ces Peuples, cette fête ne se fera plus,

---

292. Les Wendats auraient-ils usé d'un stratagème afin d'éviter à tout prix que les missionnaires soient présents durant une partie particulièrement sacrée de ce grand rituel, qu'ils savaient condamné par eux ? Ont-ils agi avec une étonnante célérité afin de profiter de l'absence des religieux pour inclure les ossements des «quinze ou vingt Chrétiens» dans leur fosse afin que ceux-ci ne soient pas séparés de leurs gens dans l'au-delà ?
293. Si une telle raison fut donnée par les Wendats, elle semble fort peu crédible.
294. Brébeuf semble vouloir écarter l'idée que ses compagnons et lui purent être dupés par les Wendats : «Nous en avons *quand même* assez vu.»
295. Les nattes aussi servent, dans l'autre monde, lorsque les âmes se reposent, ou se reçoivent entre elles et fument «doucement» ensemble.
296. Le verbe *jeter* apparaît souvent. On s'imagine mal que ces gens «jetaient» tant de choses à leurs parents.
297. Les baptisés ne doivent plus appartenir à leur peuple, si on veut diviser celui-ci.

ou ne se fera que pour les Chrétiens, et se fera avec des cérémonies aussi saintes que celles-là sont sottes et inutiles ; *aussi commencent-elles à leur être à charge, pour les excès et dépenses superflues qui s'y font* (l'italique est de nous).

La description de cette Fête des âmes est celle de la fin d'un monde, telle que vu par les agents de cette fin. La fin d'un monde est toujours affreuse. Trois siècles et demi après, nous ressentons toujours le choc de cette horreur. Nous sentons aussi qu'il est temps d'expliquer ces événements et de mettre en lumière ce qu'était réellement ce monde.

En 1636, la confédération wendate montre des signes de désunion. Un an plus tard (*Relations des jésuites*, 12 : 260-262), les jésuites annonceront le déclin du peuple wendat devant l'«Empire» de la foi chrétienne. Le souhait fait par Brébeuf que cette Fête des âmes soit la dernière dans l'histoire des Wendats est en train d'être exaucé. Le jésuite remarque d'ailleurs avec enthousiasme (*Relations des jésuites*, 10 : 306) que le peuple est en train de devenir matériellement et spirituellement (à cause de la désunion croissante) incapable de continuer. Le missionnaire, voyant le schisme installé, s'en lave les mains (*Relations des jésuites*, 10 : 308). Il utilise même la contingence pour distraire et divertir ses lecteurs.

Le processus de conversion a été un processus de subversion et de destruction. Partout au monde et sous tous les climats, la maladie et la mort ont été considérées par les missionnaires comme des moyens privilégiés d'abaisser la fierté des peuples à pensée circulaire (*Relations des jésuites*, 15 : 52, 56) et de les appauvrir afin de les soumettre à l'ordre socio-économique de l'envahisseur. L'appauvrissement viendra naturellement avec les divisions et celles-ci seront hâtées par la misère entraînée par la maladie. L'«abondante récolte d'âmes» que Brébeuf prévoit à la suite de la grave épidémie qui faucha des milliers de Wendats dans les mois qui suivirent (*Relations des jésuites*, 11 : 17-19) ne peut se réaliser que grâce à l'horreur de la mort omniprésente et du spectre de l'extermination. Déjà, en 1636, les missionnaires jésuites sont conscients d'un pouvoir presque absolu qu'ils ont sur les autorités de la société wendate. Au terme de cette Fête des âmes, Brébeuf refuse publiquement un présent des mains du Premier Chef des Attignawantans et, peut-être, de toute la Confédération wendate. *Le seul cadeau acceptable est l'abandon de leur culture par tous les sauvages.* Le mépris va encore beaucoup plus loin : même les os de l'«infâme» traître et «scandaleux» apostat Étienne Brûlé, dont sa nation n'a jamais pensé à venger le meurtre par les Wendats, trois ans plus tôt, sont «trop respectés» pour permettre qu'on les laisse mêler aux os de ceux qui n'ont pas reçu le baptême (*Relations des jésuites*, 10 : 304). Quel espoir, quelle justice, quelle «rédemption» y a-t-il donc si les Wendats les plus exemplaires sont jugés moins dignes que les plus immoraux des Français ?

L'individu dans le Cercle

Pour les Wendats, le Grand Cercle de la société humaine était composé de onze cercles, dont sept étaient situés à l'intérieur de leur monde et quatre à l'extérieur. Les sept cercles du premier ordre étaient le Soi, la Famille, le Lignage, le Clan, le Village, la Nation et la Confédération ; les quatre autres étaient la Confédération élargie (les alliés), le Continent, le Monde (comprenant les ennemis et les étrangers) et l'Univers.

Le premier cercle, celui du Soi individuel, était au centre de la sociologie wendate. L'individu ne pouvait en aucune façon être vu comme une force de production et de reproduction redevable à un État pour son existence, sa subsistance et son degré d'élévation intellectuelle ou spirituelle et donc, moralement et légalement tenu de servir intégralement ce même État, sous peine de châtiments physiques et moraux éternels. Sous ce rapport, le fondement épistémologique de thèses comme celle de Karen Lee Anderson, voulant que l'on puisse contester les fondements moraux des systèmes sociaux préconisant une nécessaire et naturelle soumission de la femme par rapport à l'homme en évoquant l'exemple de la société wendate[298], est

---

298. K.L. Anderson, *op. cit.*, p. 1.

partiellement discutable puisque, disons-nous, les sociétés du Cercle ne peuvent servir de référence pour traiter de réalités propres aux sociétés à pensée non circulaire telles les relations sociales de production, car les peuples du Cercle ne conçoivent pas leurs relations sociales en fonction du «travail» ou de la «production sociale de travail» (Anderson, 1982 : 158). Des thèses comme celle d'Anderson sont, si l'on se réfère à la pensée circulaire, des efforts pour expliquer des relations humaines de nature spirituelle (c'est-à-dire dictées par la nature) en fonction de lois créées et imposées par l'homme.

Pour les Wendats, l'existence de chaque individu était, comme nous l'avons vu, l'effet de la volonté d'êtres spirituels agissant dans un monde inaccessible à l'entendement humain[299]. Mais le fait que l'on était capable de construire et de faire prospérer une société où existaient paix, bonheur et sécurité, en dépit de toute la faiblesse et la petitesse de l'humain, était la preuve d'un ordre équilibré favorable à la santé et au bonheur de l'individu qui savait trouver et garder sa place parmi les lois de l'univers et de la vie.

Chaque individu était unique et portait un mystère que lui seul ou elle seule pouvait et devait comprendre. Les peuples algiques avaient une institution, la «Quête de la Vision», par laquelle les jeunes hommes[300] (ou les plus vieux qui n'avaient pas encore eu cette révélation du secret de leur vie) étaient placés sur la voie de la découverte du sens profond de leur vie personnelle. Cette «vision» devait nécessairement amener l'individu à vivre en fonction de la paix, ainsi que l'illustre la conclusion d'une telle expérience mystique vécue par un jeune Wendat, dont parlent les jésuites (*Relations des jésuites*, 23 : 154-158 ; Barbeau, 1915 : 345 ; Tooker, 1987, note 193). Les Wendats, grâce à leurs relations avec les Algiques, maintinrent

---

299. Nous verrons que certains humains jouaient le rôle d'intermédiaires entre les deux mondes.

300. Les jeunes filles y avaient également accès, surtout celles qui sentaient en elles-mêmes certains pouvoirs et voulaient les comprendre et les développer (voir, au chapitre premier, l'origine du clan du Serpent d'eau).

cette pratique plus que les Hodenosaunee, mais trouvaient, dans leur situation d'agriculteurs-commerçants-guerriers, d'autres moyens et d'autres raisons que leurs alliés nordiques de chercher le contact d'alliés spirituels et d'éprouver et développer la force de leur esprit, afin d'en arriver à percer le mystère de leur existence personnelle et, ainsi, devenir des individus, des chefs aimés, admirés, considérés[301].

L'enfant qui arrive dans la société wendate est accueilli comme un présent offert au peuple par la Vie. Une fille est encore plus cause de réjouissances qu'un garçon puisqu'elle apporte la promesse de renforcer le pays (*Relations des jésuites*, 15 : 182). Sagard, qui a connu une France où l'attitude normale envers l'enfant va de l'indifférence au rejet[302], remarque que les Wendats «aiment tous grandement leurs enfants, plus qu'on ne fait par deçà» (Sagard, 1990 : 205). Trigger a écrit sur cette façon wendate (différente de celle des Européens) de voir les enfants et, donc, l'individu en général :

> L'une des manifestations du respect que les Wendats croyaient nécessaire de manifester envers chaque individu était leur

---

301. Les jésuites (*Relations des jésuites*, 17 : 154) ont eu connaissance que les Wendats possédaient et avaient communément recours à leur Esprit familier, d'une façon similaire aux Algonquiens. Cela laisse croire que l'institution de la Quête de la Vision a pu être bien implantée chez les Wendats. Le révérend Charles Elliott, missionnaire chez les Wyandots avant 1850, rapporte des propos du chef Warpole qui viennent confirmer cette hypothèse : «Il y avait une coutume chez eux [les Wyandots] dans les temps anciens, dit Warpole, de faire faire aux garçons un jeûne prolongé et d'accomplir certaines cérémonies, qui sont aujourd'hui complètement oubliées, afin d'obtenir des animaux sauvages un certain pouvoir, une certaine force, qui les rendrait capables d'exceller à la guerre, à la chasse ou en d'autres choses [...] Vers ce temps-là, les prêtres romains [catholiques] sont venus parmi nous [...] Nous demeurions alors au Canada.» (*Indian Missionary Reminiscences, principally of the Wyandot Nation*, New York, Lane and Scort, 1850, p. 64.)

302. La sociologue Elizabeth Badinter, dans son livre *L'amour en plus*, décrit une société française, au XVIIe siècle, où l'enfant qui naît est vu comme un être fondamentalement défectueux, un pécheur naturel qu'on va devoir déformer puis reformer, ou encore une gêne pour la femme aristocrate, qui envoie ses rejetons en nourrice, à la campagne. Au XIXe siècle, quatre enfants sur cinq meurent, faute de soins adéquats.

refus de recourir à quelque forme de châtiment physique que ce soit pour discipliner leurs enfants. Cette règle de conduite se trouvait renforcée par leur croyance qu'humilier un enfant en public pouvait le conduire au suicide. Bien qu'on les réprimandait parfois verbalement, on laissait aux enfants beaucoup de liberté de faire ce qu'ils voulaient. Par ailleurs, les façons subtiles et parfois indirectes de louanger et de blâmer, omniprésentes dans la vie des Wendats, rendaient les enfants désireux de se conformer aux modèles de comportement propres à leur société (Trigger, 1989 : 77 ; trad. libre).

Le refus des Wendats d'utiliser les punitions corporelles, dans l'éducation des enfants reflétait leur opinion qu'un enfant était déjà une personne avec des droits et des besoins propres, par opposition au point de vue des Européens, selon lequel un enfant était un être non formé qu'on devait mouler et contraindre à devenir un adulte acceptable (Trigger, 1989 : 99 ; trad. libre).

La meilleure illustration qui se puisse trouver du respect des anciens Wendats[303] pour l'individualité de la personne est leur profonde considération pour le rêve fait par tout membre de leur société. Les rêves, du moins ceux qu'un individu jugeait porteurs d'une signification personnelle ou sociale particulière, étaient reçus comme des messages du Monde des âmes. Brébeuf écrit, en 1636 :

Ils ont une croyance[304] aux Songes qui surpasse toute croyance, et si les Chrétiens mettaient en exécution toutes les inspirations divines avec autant de soin que nos Sauvages exécutent leurs Songes, sans doute ils deviendraient bientôt de grands Saints [...] [le Songe] est le maître le plus absolu qu'ils aient ; si un Capitaine parle d'un côté, et un songe de l'autre, le Capitaine a beau se rompre la tête à crier, le songe est le premier obéi [...] (*Relations des jésuites*, 10 : 168-170)

Ce phénomène de la vénération religieuse du rêve et de la vision paraît donc comme une clef pour la compréhension de la plupart des aspects mystérieux de la vision du monde des Wendats. Une personne est avant tout l'incarnation d'un

---

303. Évidemment, les Amérindiens de tradition ont maintenu vivante cette vision spiritualiste de la personne.
304. C'est-à-dire une foi.

monde d'esprits dont le pouvoir, vital pour les humains, n'est accessible à ceux-ci que par le respect le plus intégral de leurs désirs et volontés. Celles-ci se manifestent essentiellement par les rêves et les visions, obtenus entre autres par le jeûne, la méditation et la prière. Le résultat concret d'une telle attitude sur le plan humain est une civilisation (un ensemble de sociétés) où le groupe social est en tout temps solidaire de tous les individus qui le composent[305] et où chaque membre se sent intimement responsable du bien-être de l'ensemble et est même prêt à défendre inconditionnellement son prochain contre toute attaque, même justifiée, venant de l'extérieur. Brébeuf poursuit :

> [C]e n'est pas ici comme en France où le public et toute une ville entière n'épousent pas ordinairement la querelle d'un particulier. Ici, vous n'y sauriez outrager qui que ce soit sans que tout le Pays ne s'en ressente et ne se porte contre vous, et même contre tout un Village ; c'est de là que naissent les guerres[306], et c'est un sujet plus que suffisant de prendre les armes contre quelque Village, quand il refuse de satisfaire par les présents ordonnés pour celui qui vous aurait tué quelqu'un des vôtres (*Relations des jésuites*, 10 : 218).

La croyance des Wendats en l'inviolabilité de la personne était si profonde et si authentique qu'il était impensable chez eux de laisser libre cours à la vengeance contre quiconque aurait commis un crime aussi odieux que le meurtre. Ici encore, la générosité et le partage des responsabilités servaient à réduire le danger d'écarts individuels par rapport au bien-être collectif. Brébeuf a mieux que quiconque décrit le droit criminel wendat :

> Ils punissent les meurtriers, les larrons, les traîtres et les Sorciers : et pour les meurtriers, quoiqu'ils ne tiennent pas la

---

305. Les traîtres et les sorciers sont évidemment exceptés, mais personne d'autre, pas même les meurtriers, comme nous allons voir.

306. Ces «guerres» amérindiennes, qui ne sont que d'honneur, ne sont donc compréhensibles qu'en relation avec le caractère sacré de la personne. Nous en arrivons à traiter des compensations pour dommages subis, comme mode de reconnaissance de tort et d'évitement des conflits.

sévérité que faisaient jadis leurs ancêtres[307], néanmoins le peu de désordre qu'il y a en ce point me fait juger que leur procédure n'est guère moins efficace que ne l'est ailleurs le supplice de la mort : car les parents du défunt ne poursuivent pas seulement celui qui a fait le meurtre, mais s'adressent à tout le Village, qui en doit faire raison, et fournir au plus tôt pour cet effet jusqu'à soixante présents, dont les moindres doivent être de la valeur d'une robe neuve de Castor[308] : le Capitaine les présente lui-même en personne et fait une longue harangue à chaque présent qu'il offre ; de façon que les journées entières se passent quelquefois dans cette cérémonie. Il y a deux sortes de présents ; les uns, tels sont les neuf premiers, qu'ils appellent *Andaonhaan*, se mettent entre les mains des parents, pour faire la paix, et ôter de leur cœur toute l'aigreur, et les désirs de vengeance, qu'ils pourraient avoir contre la personne du meurtrier : les autres se mettent sur une perche, qui est étendue au-dessus de la tête du mort, et les appellent *Andaerraehaan* ; c'est-à-dire qui se mettent sur la perche. Or, chacun de ces présents a son nom particulier. Voici deux des neuf premiers, qui sont les plus considérables, et quelquefois chacun de mille grains de Porcelaine. Le Capitaine parlant et haussant sa voix au nom du coupable, et tenant en sa main le premier présent, comme si la hache était encore dans la plaie du mort, *condayee onsahachoutawas* ; voilà, dit-il, [avec] quoi il retire la hache de la plaie, et la fait tomber des mains de celui qui voudrait venger cette injure. Au second présent, *condayee oscotawéanon* ; voilà [avec] quoi il essuie le sang de la plaie de sa tête : par ces deux présents, il témoigne le regret qu'il a de l'avoir tué, et qu'il serait tout prêt de lui rendre la vie, si c'était possible. Toutefois, comme si le coup avait rejailli sur la Patrie, et comme si le Pays avait reçu la plus grande plaie, il ajoute au troisième présent en disant : *condayee onsahondechari* ; voilà pour remettre le Pays en état, *condayee onsahondwaronti etotonhwentsiai* ; voilà pour mettre une pierre dessus l'ouverture et la division de la terre, qui s'était faite par ce meurtre. Les métaphores sont grandement en usage parmi ces Peuples ; si vous ne vous y faites, vous n'entendez rien

---

307. Celle-ci, toujours observée alors chez les Attiwandaronks, sera exposée un peu plus loin.

308. La compensation pour le meurtre d'une femme devait être au moins 33,3 % plus élevée que celle pour le meurtre d'un homme (*Relations des jésuites*, 33 : 242). Pour les étrangers, encore plus de présents étaient exigés (*Relations des jésuites*, 33 : 244).

dans leurs conseils, où ils ne parlent quasi que par métaphores. Ils prétendent par ce présent réunir les cœurs et les
volontés, et même les Villages entiers, qui avaient été comme
divisés [...] Le cinquième se fait pour aplanir les chemins et
ôter les broussailles, *condayee onsa hannonkiai*, c'est-à-dire afin
qu'on puisse aller dorénavant en toute sûreté par les chemins,
et de Village en Village. Les quatre autres s'adressent immédiatement aux parents, pour les consoler en leur affliction, et
essuyer leurs larmes, *condayee onsa hohéronti*; voilà, dit-il, pour
lui donner à pétuner, parlant de son père, de sa mère ou de
celui qui serait pour venger sa mort; ils ont cette croyance
qu'il n'y a rien si propre que le Pétun pour appaiser les
passions [...] Aussi, ensuite de ce présent, on en fait un autre
pour remettre tout à fait l'esprit à la personne offensée, *condayee
onsa hondionroenkhra*. Le huitième est pour donner un breuvage
à la mère du défunt, et la guérir comme étant grièvement
malade à l'occasion de la mort de son fils, *ondayee onsa awen-
nonkwa d'okweton*. Enfin le neuvième est comme pour lui mettre
et étendre une natte, sur laquelle elle se repose et se couche
durant le temps de son deuil, *condayee onsa hohiendaen*. Voilà les
principaux présents, les autres sont comme un surcroît de
consolation, et représentent toutes les choses dont se servait
le mort pendant sa vie[309]; l'un s'appellera sa robe, l'autre son
collier, l'autre son Canot, l'autre son aviron, son [filet], son
arc, ses flèches, et ainsi des autres. Après cela les parents du
défunt se tiennent pleinement satisfaits[310]. Autrefois, les parties ne s'accordaient pas si aisément, et à si peu de frais: car
outre que le public payait tous ces présents, la personne
coupable était obligée de subir une honte, et une peine que
quelques-uns n'estimeraient peut-être guère moins insupportable que la mort elle-même. On étendait le mort sur des
perches, et le meurtrier était contraint de se tenir dessous et
recevoir dessus soi le pus qui allait dégouttant de ce cadavre;
on lui mettait auprès de lui un plat pour son manger, qui

309. On remarque l'insistance sur la nécessité de traiter avec honneur
les Émotions afin de faire revenir à son siège la Raison, principe
essentiel du message de paix du Wendat Deganawidah, sur lequel
les Hodenosaunee fondèrent leur ligue (*Cf.* Sioui, 1989: 9-10; 65-
67).
310. «Les cadeaux étaient soigneusement examinés par ceux à qui ils
étaient offerts», remarque là-dessus Elizabeth Tooker en se référant
à une autre relation jésuite (33: 244). «S'ils ne plaisaient pas,
observe cette auteure, ils étaient rejetés et devaient être remplacés
par d'autres plus satisfaisants» (Tooker, 1987: 52).

était incontinent plein de l'ordure et du sang pourri qui peu à peu en tombait, et pour obtenir seulement que le plat fût tant soi peu reculé, il lui en coûtait un présent de sept cents grains de Porcelaine, qu'ils appelaient *hassaendista*; pour lui, il demeurait en cet état tant et aussi longtemps qu'il plaisait aux parents du défunt; et encore après cela pour en sortir lui fallait-il faire un riche présent qu'ils appelaient *akhiataendista*.

Que si les parents du mort se vengeaient de cette injure, par la mort de celui qui avait fait le coup, toute la peine retombait de leur côté; c'était aussi à eux à faire des présents à ceux mêmes qui avaient tué les premiers[311], sans que ceux-ci fussent obligés à aucune satisfaction, pour montrer combien ils estiment que la vengeance est détestable[312] puisque les crimes les plus noirs, tel qu'est le meurtre, ne paraissent quasi rien en sa présence, qu'elle les abolit et attire sur soi toute la peine qu'ils méritent. Voilà pour ce qui est du meurtre; les blessures à sang ne se guérissent aussi qu'à force de présents, de colliers, de hache, selon que la plaie est plus ou moins notable.

Ils punissent aussi sévèrement les Sorciers, c'est-à-dire, ceux qui se mêlent d'empoisonner et faire mourir par sort; et cette peine est autorisée du consentement de tout le Pays; de sorte que quiconque les prend sur le fait, a tout droit de leur fendre la tête, et en défaire le monde sans crainte d'en être recherché, ou obligé de faire aucune satisfaction.

Pour les larrons, quoique le Pays en soit rempli[313], ils ne sont pas pourtant tolérés; si vous trouvez quelqu'un saisi de quelque chose qui vous appartienne, vous pouvez en bonne conscience jouer au Roi dépouillé et prendre ce qui est vôtre,

---

311. Le missionnaire lui-même est porté à utiliser le collectif pour désigner l'individuel.
312. On peut voir, en lisant cela, combien la peine capitale, pour des motifs souvent infiniment moins sérieux que le meurtre, de même que l'emprisonnement et ses horreurs ont pu paraître odieux pour ces Amérindiens. Combien de réformes dans la morale juridique des États modernes ne seraient pas nécessaires et urgentes?
313. Nous savons déjà que les Wendats avaient une conception très relâchée de la propriété individuelle. Nous savons également que les Wendats se sont constamment plaints que leurs hôtes missionnaires ne respectaient pas la loi wendate de la réciprocité (Sagard, 1990: 152; *Relations des jésuites*, 13: 146; 12: 112), ce qui contribua à les faire voir comme des sorciers, surtout lorsque frappèrent les épidémies, qui leur furent évidemment associées, sans que les pères purent réellement s'en défendre, du moins dans leur écrits (Sioui, 1989: 1-11, 56, 64; *Relations des jésuites*, 13: 30, 38-40, 180; voir aussi Trigger, 1991: 487).

et avec cela le mettre nu comme la main; si c'est à la pêche, lui enlever son Canot, ses [filets], son poisson, sa robe, tout ce qu'il a : il est vrai qu'en cette occasion, le plus fort l'emporte : tant y a-t-il que voilà la coutume du Pays, qui ne laisse pas d'en tenir plusieurs en leur devoir (*Relations des jésuites*, 10 : 214-222)[314].

En somme, «le but de l'action légale des Wendats n'était pas de punir l'offenseur, mais d'éveiller chez lui un sens de sa responsabilité envers ses proches. Ultimement, cette préoccupation se manifestait dans le consentement des individus de se conformer aux normes de la société wendate de leur propre gré» (Trigger, 1989 : 98). Au reste, le soupçon de sorcellerie et la punition radicale qui y était rattachée (*Relation des jésuites*, 13 : 156) étaient suffisants pour faire de presque n'importe qui un être bon, franc et généreux (Trigger, 1989 : 101-105).

La conception wendate de la médecine

De la même façon que les Wendats refusaient de croire qu'ils pouvaient comprendre tous les motifs qui ont pu pousser quelqu'un à commettre un crime contre la société, puisque la cause et la fin des choses humaines étaient déterminées dans le monde des esprits, ils étaient aussi incapables de concevoir qu'un individu, quel qu'il soit, était seul responsable de ses maladies, malheurs et acidents. La vie en société du Cercle exige, comme nous l'avons vu, la générosité, le sacrifice, le renoncement et la maîtrise de soi constante. La solidarité que chaque individu était en droit d'attendre de son groupe social en tout temps était la preuve la plus manifeste de la sagesse d'une vie attentive aux lois du Cercle (voir Trigger, 1989 : 138-140).

Les Wendats reconnaissaient trois causes possibles aux maladies physiques et morales: les causes naturelles, la sorcellerie et les désirs inassouvis de l'âme. Les maux naturels

---

314. Quant aux traîtres au Pays, lesquels se rencontrent «fort rarement», les Wendats tentent en commun de s'en défaire au plus tôt. Deux siècles plus tard, alors qu'ils sont en Ohio, les Wyandots exigent double restitution pour les vols. Les traîtres, comme les sorciers, sont exécutés (Powell, 1881 : 1808-1809).

étaient soignés par des moyens naturels, tels que les plantes, cataplasmes, saignées et la transpiration au moyen d'étuves (*endeonskwa*, voir Potier, 1745 : 454). Si les moyens naturels ne réussissaient pas à guérir, on concluait qu'il s'agissait d'un sort ou encore d'une manifestation d'une souffrance de l'âme qu'il fallait apaiser au moyen de fêtes (aux formes très variées), de rituels et de présents.

Les remèdes naturels étaient connus de tous et pouvaient être utilisés par à peu près tout le monde[315]. Pour la guérison des maux d'origine surnaturelle, cependant, on faisait appel à des spécialistes, désignés dès l'enfance et mis sous la direction de maîtres de médecine réputés, appelés généralement *Arendiwane* (de *arenda*, «pouvoir spirituel», et *wane*, «grand»)[316]. Ils appartenaient à l'une de deux branches de médecine : les *Atetsens*, ou *Ontetsens*, spécialisés dans l'extraction de sorts du corps de malades au moyen de préparations émétiques ou en suçant la partie malade (*Relations des jésuites*, 17 : 212 ; 33 : 198, 218), et les *Okata*, ou *Saokata*, qui déterminaient les causes des maladies au moyen de jeûnes (*Relations des jésuites*, 13 : 236), de rêves conscients, ou dirigés, de festins, de danses et de chants (*Relations des jésuites*, 8 : 122), de rituels de purification (notamment par l'étuve [*Relations des jésuites*, 10 : 196 ; 13 : 104]), de la contemplation du feu ou de l'eau (*Relations des jésuites*, 8 : 122), faisant, par tous ces moyens, entrer dans leur propre corps le pouvoir de leur oki personnel. Cette cause était toujours un désir secret ou caché de l'âme, que les Wendats nommaient *ondinnonk*, c'est-à-dire «un désir inspiré par l'esprit» (Tooker, 1987 : 86). En outre, les désirs étaient fréquemment révélés aux personnes dans leurs rêves. Les Wendats

---

315. Nous avons vu, au chapitre premier (note 128), que la médecine physique était essentiellement pratiquée par les femmes.
316. Les entreprises surnaturelles de ces Hommes sacrés étaient presque toujours extrêmement ambitieuses. Ils étaient réputés capables de produire la pluie, d'éloigner une gelée hâtive, de voir au-delà du temps et de l'espace ; de retrouver les objets et les personnes perdus, etc. (Trigger, 1991 : 61-62). Aussi, leurs échecs occasionnels ne devaient pas être jugés trop sévèrement.

accordaient une importance extrême à ces communications du Monde des esprits.

Le jésuite Jérôme Lalemant, en 1648, livre au sujet de la maladie et de sa guérison certains détails qui éclairent sur la conception sociale des Wendats :

L'ordonnance [concernant les désirs de l'âme d'un ou plusieurs malades] étant faite, les Capitaines du bourg tiennent conseil, comme en une affaire importante pour le public, et délibèrent s'ils s'emploieront pour le malade : et lorsqu'il y a quantité de malades qui sont personnes considérables[317], on ne peut croire avec combien d'ambitions et de brigues leurs parents et amis s'emploient à qui aura la préférence, le public ne pouvant pas rendre ces honneurs à tout le monde[318].

La conclusion des Capitaines étant prise en faveur de quelqu'un, ils envoient des députés vers le malade, pour savoir de sa bouche quels sont ses désirs. Le malade sait bien faire son personnage en ces rencontres[319], car quoi que bien souvent ce soient maladies fort légères, ou plutôt à vrai dire des maladies d'ambition, de vanité ou d'avarice ; toutefois il répondra d'une voix mourante qu'il n'en peut plus, que des désirs qui ne sont pas volontaires le font mourir, et que ces désirs sont de telle et telle chose.

Le rapport en étant fait aux Capitaines ; ils se mettent en peine de fournir au malade l'accomplissement de ses désirs, faisant pour cet effet une assemblée publique, où ils exhortent tout le monde à y contribuer ; et les particuliers prenant à gloire de paraître magnifiques[320] en ces rencontres : car tout cela se fait à son de trompe, un chacun à l'envie de l'autre tâchant de l'emporter sur son compagnon. Si bien que souvent

---

317. Comme nous l'avons vu, le terme «considérable» n'indique pas un rang obtenu arbitrairement et occupé sans mérite, mais, justement, la considération que s'est gagnée quelqu'un par sa valeur personnelle. D'ailleurs, les «considérables», comme on sait, ne sont jamais longtemps riches.

318. Sans sembler s'en apercevoir, Lalemant parle d'une société déjà ravagée par la misère et la maladie et dont la fin est imminente.

319. Jérôme Lalemant se distingua au Wendaké (voir Trigger, 1976: 572-588) et passa à l'histoire comme un homme froid, intransigeant et pragmatique. Son indifférence à l'égard du sort des Wendats n'a eu d'égale que sa répugnance envers eux. En 1638, il avait été choisi pour remplacer Jean de Brébeuf, infiniment plus humain, comme directeur de la «mission huronne», au Wendaké.

320. C'est-à-dire généreux.

en moins d'une heure, on aura fourni au malade plus de vingt choses précieuses qu'il aura désirées ; qui lui demeureront ayant recouvré la santé, ou s'il mourait, à ses parents. En sorte qu'un homme devient riche en un jour, accommodé de tout ce dont il a besoin : car outre les choses qui étaient de l'ordonnance du Médecin, le malade ne manque jamais d'en ajouter quantité d'autres qui, dit-il, lui ont été représentées en songe, et dont, par conséquent, dépend la conservation de sa vie.

Après cela, on proclame les danses, qui doivent se faire dans la cabane et à la vue du malade, trois et quatre jours de suite, desquelles on dit aussi que dépend sa santé[321]. Ces danses approchent pour la plupart des branles de la France : les autres sont en forme de balets, avec des postures et des proportions qui n'ont rien de sauvage et qui sont dans les règles de l'art : le tout à la cadence et à la mesure du chant de quelques-uns, qui sont les maîtres du métier.

C'est le devoir des Capitaines de tenir la main à ce que le tout se fasse avec ordre et dans la magnificence. Ils vont dans les cabanes y exhorter les hommes et les femmes, mais nommément l'élite de la jeunesse : un chacun tâchant d'y paraître vêtu à son avantage, et de s'y faire valoir, de voir et d'y être vu.

Ensuite, les parents du malade font des festins très magnifiques, où un grand monde est invité ; dont les meilleurs morceaux sont le partage des plus considérables, et de ceux qui ont le plus paru durant ces jours de magnificence publique.

Jamais le malade ne manque après cela de dire qu'il est guéri, quoique quelquefois il meure un jour après cette célébrité. Mais comme d'ordinaire ces maladies ne sont que feintises, ou de petits maux passagers, on se trouve en effet guéri, et c'est ce qui donne ce grand crédit à ces remèdes[322].

---

321. Au-delà de l'événement et de la forme se situe la compréhension que ces gens avaient qu'il ne fallait pas seulement sécuriser matériellement une personne épuisée, déprimée, mais qu'il était aussi nécessaire de lui redonner la joie de l'âme, qui vient par l'attention collective au besoin d'éprouver du plaisir et de la sécurité et de voir aussi éprouver du plaisir et de la sécurité. De là la croyance profonde des Wendats et des Amérindiens en général que les fêtes, les festins et les danses ont le pouvoir de guérir (*Relations des jésuites*, 13 : 238-240), voire de rendre la vie (*Relations des jésuites*, 10 : 176).

322. Conclusion maladroite,

C'est l'occupation de nos Sauvages tout le long de l'Hiver, et la plupart de leurs chasses, de leurs pêches, de leur trafic et de leurs richesses s'emploient en ces récréations publiques : et ainsi en dansant on guérit les malades[323] (*Relations des jésuites*, 33 : 204-208).

Festins, fêtes et jeux

On peut dire que les Wendats (comme tous les Amérindiens et les peuples du Cercle en général) croyaient religieusement aux fêtes, aux festins et aux jeux. Ces événements leur étaient dictés consciemment et inconsciemment (par les voix d'esprits) comme des moyens thérapeutiques de préserver la santé et l'équilibre de tous les membres du groupe, puisqu'ils contenaient une infinité de possibilités pour quiconque d'avoir un exutoire à ses maux, frustrations, anxiétés et désirs réprimés.

L'attitude des Wendats à l'égard de la prévention de la maladie et de sa guérison n'était pas passive ou simplement supplicative ; plutôt, ils croyaient que la vie, qui triomphe toujours de la mort, contenait, à l'intention des humains, des ressources infinies dont ils étaient assurés de profiter s'ils mettaient simultanément en œuvre l'âme et la pensée de tous les membres valides de leur société. Libres des notions paralysantes et arbitrairement imposées d'un bien et d'un mal absolus, et assurés de l'amour et du respect mutuels indéfectibles de tous leurs gens, la foi qu'ils avaient opérait naturellement et tranquillement ses miracles, tel que le remarqua Jérôme Lalemant.

Lalemant ne fut pas le seul à remarquer l'indicible attachement des Wendats pour leurs fêtes. En général, tous les missionnaires se sont facilement convaincus que le Diable seul, en les aidant personnellement, avait pu édifier et entretenir chez ces gens une confiance si souveraine en leurs fêtes, comme responsables de guérisons et de bonheur (bêtise, selon les missionnaires) collectifs. Constatant l'aide que leur apporte ce

---

323. Doit-on sentir ici un regret de pertes matérielles pour la France ?

Maître des ténèbres, à l'occasion (et même à des Français « ensauvagés »), Sagard démarque bien, en 1636 (1866 : 457), l'adversaire réel dont doivent triompher les hommes de Dieu :

C'est ainsi que le Diable les amuse, et les maintient et les conserve dans ses filets et en des superstitions étranges, leur prêtant aide et faveur (comme à gens abandonnés de Dieu) selon la croyance qu'il lui ont en ceci[324], comme aux autres cérémonies et sorcelleries, que leur Oki [Arendiwane] observe et leur fait observer pour la guérison de leurs maladies et autres nécessités.

Les Jésuites ne sont pas dupes eux non plus de stratagèmes sataniques.

Pour le regard des festins, c'est une chose infinie, le Diable les y tient si fort attachés, qu'il n'est pas possible de plus, *sachant bien que c'est le moyen* de les rendre toujours plus brutaux et moins capables des vérités surnaturelles (*Relations des jésuites*, 10 : 176 ; l'italique est de nous)[325].

Les Wendats comptaient un grand nombre de fêtes et au moins douze sortes de danses « qui sont autant de souverains remèdes pour les maladies » (*Relations des jésuites*, 10 : 184). Dans sa célèbre *Ethnographie des Hurons, 1615-1649*, Elizabeth Tooker commence un chapitre sur la religion des Wendats en parlant de leurs festins.

En général, les Wendats organisaient des festins pour leurs amis et pour les notables à l'occasion d'une grande joie ou d'une grande peine (*Relations des jésuites*, 23 : 160) [le nombre des convives pouvait s'élever jusqu'à 200 ou même 400 (*Relations des jésuites*, 23 : 160 ; C 164)]. L'organisateur était toujours un homme respecté, ce qui signifiait chez les Wendats un homme paisible, qui ne faisait mal à personne et qui se plaisait fort à se réjouir et à faire festin (*Relations des jésuites*, 17 : 152).

---

324. Sagard parle d'offrandes et de prières que les Wendats font à des esprits habitant certains « endroits de pouvoir ».
325. La maladie, surtout épidémique et résistante aux cures traditionnelles, acquerra de l'importance pour les jésuites en ce qu'elle « démentira » l'efficacité des fêtes pour guérir (*Relations des jésuites*, 8 : 26).

La bonne nourriture y était abondante (*Relations des jésuites*, 17 : 162) et on donnait les morceaux de choix aux étrangers (*Relations des jésuites*, 8 : 128). Le maître du festin offrait en cadeau, au chef principal ou à quelqu'un de respecté pour sa vaillance, la tête de l'animal qui constituait le festin [...][326]. Habituellement celui qui donnait le festin ne mangeait pas, mais il fumait, chantait et causait avec ses invités [...]

Quelquefois les Wendats donnaient des fêtes appelées *anondahoin*[327], où l'on ne faisait que fumer la pipe, ou d'autres où l'on ne mangeait que du pain ou des galettes de son de maïs. En général, de telles fêtes avaient été commandées par les rêves de celui qui les donnait, ou par ceux d'un [Arendi-wane] (Tooker, 1987 : 73-74).

Plusieurs types de fête pouvaient être adaptés à la nature de la cure indiquée pour une guérison, mais les jésuites les classèrent selon quatre « espèces » : l'*Athataion* (ou *Atsataion*), festin d'adieu donné par une personne qui allait mourir ; l'*Enditeuhwa*, « fête d'action de grâce et de conjouissance », l'*Atouronta aochien*, « festin à chanter et à manger et l'*Awataérohi*, « faite pour la délivrance d'une maladie ainsi appelée » (*Relations des jésuites*, 10 : 176). Les festins durent souvent des jours et des nuits entières et, quelquefois, lorsqu'il a été spécifié que c'est « à tout manger », les convives doivent manger de bon cœur beaucoup plus que leur saoûl et vider tous les chaudrons. Tel invité qui n'en pourra plus de manger devra donner une récompense à un autre pour l'aide qu'il lui aura fournie en ce sens. Il arrivait aussi qu'un invité fasse place en son estomac en allant vomir, à l'écart, pour pouvoir recommencer à manger[328]. Une fois les mots du festin prononcés par le Maître d'un tel festin, personne d'autre que les invités ne doit entrer

---

326. Il est ici question de festins de guerre, dont nous traiterons plus loin.

327. Étant donné les propriétés du tabac déjà décrites, cette fête dut être faite pour susciter la réflexion profonde ou la méditation en groupe sur des sujets sérieux ou sacrés.

328. En une occasion, deux jésuites se sont fait juger hommes « au cœur petit » pour n'avoir daigné manger à un tel festin, puisqu'ils y étaient entrés. On leur dit qu'ils « gâchaient la fête » (*Relations des jésuites*, 9 : 198).

dans la maison car, disent les Wendats, «c'est une chose d'importance qu'un festin».

Mais il n'y a rien de magnifique comme les festins qu'ils appellent *Atouronta ochien*, c'est-à-dire festins à chanter. Ces festins dureront souvent les vingt-quatre heures entières, quelquefois il y aura trente et quarante chaudières, et s'y mangera jusqu'à trente Cerfs : cet hiver dernier il s'en fit un au Village d'Andiata de vingt-cinq chaudières, où il y avait cinquante grands poissons, qui valent bien nos plus grands Brochets de France, et cent vingt quatres de la grandeur de nos Saumons. Il s'en fit un autre à Contarrea[329] de trente chaudières, où il y avait vingt Cerfs et quatre Ours, aussi y a-t-il ordinairement bonne compagnie, les huit et neuf villages y seront souvent invités, et même tout le Pays ; en ce cas le Maître du festin envoie à chaque Capitaine autant de bûchettes qu'il invite de personnes de chaque Village (*Relations des jésuites*, 10 : 178 et 180).

L'*awataérohi* est une souffrance ressentie en un endroit du corps par la présence d'un petit esprit gros comme le poing qui s'est introduit par quelque songe ou par l'effet de sorcellerie. Le remède indiqué pour ce type de mal est le festin de l'*Awataérohi* qui comprend certains chants connus seulement de certaines Personnes sacrées appartenant à l'une des nombreuses Sociétés de guérison instituées chez les Wendats (Trigger, 1989 : 116-117).

Une cérémonie particulière de guérison observée par les Wendats et qui persista, bien que sous des formes modifiées, au moins jusqu'en 1750, chez les Wyandots de Détroit (Potier, 1745 : 451), est l'*Ononharoia*, ou le «renversement de cervelle» (*Relations des jésuites*, 10 : 174)[330]. Bruce Trigger, dans *Huron*

---

329. Capitale des Arendahronons, à la période des jésuites.
330. Plutôt que le sens traditionnellement donné à cette expression, qui est celui de se laisser aller à toutes ses fantaisies, quoique de façon sanctionnée, une observation dans les *Relations des jésuites* (13 : 234) suggère que cette cérémonie était tout indiquée lorsqu'il s'agissait de guérir l'esprit d'une personne excédée par la peine, le malheur ou quelque autre adversité. «Onanonharaton» dit un Grand Chef à Le Jeune, que celui-ci traduit par «Nous avons la cervelle renversée», signifiant que tout le village est excédé par la peine d'une «très grande mortalité» qu'il vient de connaître.

Farmers of the North (1989), a expliqué et décrit une telle cérémonie, observée par les jésuites en 1639 (*Relations des jésuites*,
17 : 164-186).

Une femme socialement en vue, qui avait apparemment souf-
fert de quelque genre de dérèglement nerveux, prétendit
qu'alors qu'elle était sortie de chez elle, Aataentsic («la
Lune») lui apparut sous la forme d'une belle et grande femme
qui lui suggéra que sa guérison viendrait si tous les peuples
circonvoisins lui offraient quelque chose de distinctif de leur
contrée. Aataentsic décrivit aussi à la femme des cérémonies
précises qui devaient être exécutées en son honneur et lui dit
qu'elle devait s'habiller de rouge, de façon à ressembler à la
lune, qui était faite de feu. Lorsqu'elle retourna chez elle, la
femme se sentit étourdie et souffrit de violents spasmes mus-
culaires. En conséquence, il fut décidé qu'une *Ononharoia*
devait être organisée pour elle. Comme elle ne vivait pas dans
son village d'origine, on demanda aux chefs de sa communauté natale de faire exécuter cette cérémonie pour elle. Ils y
consentirent, et la femme fut transportée à ce village dans un
panier, accompagnée d'environ vingt ou trente personnes qui
chantaient. À son arrivée, elle fut abordée par deux hommes
et deux filles, portant des costumes spéciaux, qui lui demandèrent ce qu'elle voulait. Elle nomma vingt-deux présents,
que les habitants du lieu se hâtèrent de lui fournir.

Les chefs annoncèrent ensuite que tout le monde devait garder
ses feux allumés ce soir-là et précisèrent que la malade avait
demandé à ce que ces feux soient aussi grands et ardents que
possible[331]. Après le coucher du soleil, ses muscles se relâchè-
rent assez pour qu'elle puisse marcher. Supportée par deux
personnes, elle déambula dans l'allée centrale de chaque maison-longue du village et passa ainsi (ou parut passer) par-
dessus plusieurs centaines de feux. Malgré ceci, elle dit ne
sentir que très peu de chaleur. Suite à ceci, l'*Ononharoia*
commença. Les gens se peignirent, puis coururent à travers
le village poussant et faisant tomber les objets, cassant des

---

331. Quiconque vivant dans une société dite civilisée, où les rêves de
quelques-uns seulement ont de l'importance, est forcé d'admirer
dans une société du Cercle l'empressement avec lequel l'ensemble
cherche à concrétiser les rêves de chacun.

pots et frappant les chiens[332]. Durant les trois jours qui suivirent, ces gens[333] firent deviner leurs rêves. Le troisième jour, la femme fit à nouveau les maisons, accompagnée silencieusement par une foule de gens. Durant cette partie de la cérémonie, tous ceux qui n'étaient pas avec elle et qui n'étaient pas occupés à faire devenir leurs rêves, devaient demeurer à l'intérieur des maisons. Dans chaque maison, elle donnait des indices, sous forme d'énigmes, concernant un dernier désir, lequel, lorsqu'il fut enfin deviné, donna occasion à une grande réjouissance. Elle retourna une troisième fois à toutes les maisons pour remercier chacun des occupants pour sa guérison, laquelle, était-on assuré, devait nécessairement suivre. À ce moment, la coutume était de distribuer des présents aux gens de l'endroit en guise de remerciement pour ce qu'ils avaient fait. Ensuite, un conseil de village fut convoqué, durant lequel les chefs passèrent en revue ce qui venait d'arriver et remirent à la femme un ultime présent pour marquer la fin de la cérémonie (Trigger, 1989 : 136-137 ; trad. libre).

L'ouvrage *Huron Farmers of the North* contient plusieurs analyses profondes et très utiles concernant les conceptions wendates de la psychologie humaine, particulièrement en ce qui a trait aux façons dont l'individu et le groupe participent d'un même sens de leurs obligations et de leurs droits respectifs. Ce que Trigger remarque en discutant du rôle des rêves peut trouver écho dans probablement tous les contextes sociaux, anciens ou modernes, circulaires ou linéaires.

Dans une société où de fortes pressions de se conformer aux normes portaient sur l'individu, l'attribution de plusieurs frustrations et désirs personnels à des forces qui n'étaient pas

---

332. La maladie de la femme est vue comme l'occasion d'un défoulement collectif. Dans les sociétés spiritualistes, les objets matériels n'ont pas autant d'importance que dans nos sociétés. Qui, d'ailleurs, n'a jamais «fait sentir sa colère» à des objets, même précieux? Quant aux chiens, ils étaient, à l'occasion, les «ennemis» que l'on pouvait frapper, tuer, manger. Le chien montrait encore ainsi qu'il était le meilleur ami de l'homme en assumant le rôle de son souffre-douleur, pour permettre aux humains d'avoir plus de patience et de tendresse les uns envers les autres; aussi, les Wendats reconnaissaient au chien une nature et une âme quasi humaines; il avait aussi son Village dans le Monde des âmes et son propre Chemin céleste pour s'y rendre (*cf.* ce chapitre, p. 213).

333. Les gens qui «avaient la cervelle renversée». À remarquer que la femme malade n'est jamais laissée seule dans sa situation.

sujettes à leur contrôle [c'est-à-dire : les désirs de l'âme] fournissait aux gens un exutoire socialement et psychologiquement
acceptable à leurs sentiments personnels.

Par leurs désirs de
l'âme, les individus qui se sentaient négligés, abusés ou insécures pouvaient réclamer l'attention et le soutien psychologique de la communauté. Le but ultime de la satisfaction des
désirs de l'âme, toutefois, n'était pas d'altérer la conduite des
individus, mais de modifier leurs relations avec la société. Ce
but, qui plaçait une grande part de la responsabilité pour la
thérapie individuelle sur la communauté, s'accordait avec la
croyance wendate en l'intégrité et les droits de l'individu.

Par la voie des désirs de l'âme, l'individu pouvait équilibrer
les exigences de conformisme et d'accomplissement qu'avait
à son endroit la société, par ses propres exigences d'attention
et de soutien de la part de la société dans son ensemble. De
temps en temps, ces exigences permettaient aussi à de grandes
quantités de gens, sans égard à leur statut social, de relâcher
les conventions étroites de leur société, normalement strictement appliquées, et de se satisfaire de façons non permissibles
dans la vie de tous les jours (Trigger, 1989 : 39-40 ; trad. libre).

Trigger fait ici allusion à une cérémonie wendate abhor-
rée par les jésuites, la principale d'un type de thérapie de
nature sexuelle. «Parmi toutes ces niaiseries [fêtes, festins et
jeux], lance le père Brébeuf, excédé de scandale, je n'oserais
dire les infamies et lubricités que le Diable y fait glisser, leur
faisant voir en songe qu'ils ne sauraient guérir qu'en se vau-
trant dans toutes sortes d'ordures...» (*Relations des jésuites*, 10 :
190)[334].

Trigger a analysé la portée et la signification sociales de
ces rites de guérison organisés chez les Wendats pour répondre
aux requêtes d'individus, généralement assez âgés.

Lorsqu'on demandait aux jeunes gens d'une communauté de
danser pour le rétablissement de quelqu'un, on leur disait
comment ils devaient être peints et habillés. La personne

---

334. Les Wendats ne connaissaient ni viol, ni pédophilie, ni pédérastie,
ni aucune pathologie mentale attribuable à la répression de la
sexualité. On n'y a jamais noté non plus d'indications d'homo-
sexualité.

malade ou le chamane[335] décidaient également s'ils devaient porter des pagnes ou danser complètement nus. En un cas, une femme rêva qu'elle serait guérie si tous les jeunes gens dansaient nus en sa présence et si l'un des hommes lui urinait dans la bouche. Dans l'espoir qu'elle serait ainsi guérie, cette cérémonie fut exécutée tel qu'elle l'avait demandé. Le rituel de guérison le plus remarquable de ce type était l'*Endakwandet*, qui impliquait des rapports sexuels publiques. Il semble que cette cérémonie était principalement demandée par les hommes et les femmes âgées et qu'elle ait pu exprimer l'envie que les gens âgés ressentaient secrètement à l'endroit des jeunes gens dans la société wendate, en dépit du fait que les gens âgés étaient considérés comme plus sages et plus dignes de confiance que les jeunes. En une occasion, toutes les jeunes filles célibataires d'un village s'assemblèrent dans la maison d'une femme malade et l'on demanda à chacune, à tour de rôle, de déclarer avec quel jeune homme elle désirait avoir des rapports sexuels. Les hommes qui furent choisis furent avisés par les chefs responsables de la cérémonie[336] et vinrent la nuit suivante à la maison-longue de la femme pour avoir des rapports avec ces filles. Ils occupèrent la maison d'un bout jusqu'à l'autre et restèrent ensemble jusqu'à l'aurore. Durant toute la nuit, la malade, accotée dans son lit à une extrémité de la maison-longue, observa la cérémonie, pendant que deux chefs, ou chamanes, chacun à un bout, scandaient une mesure avec leurs crécelles de carapace de tortue et chantaient. Dans le cas d'un *Endakwandet* exécuté pour un vieil homme, on demanda à une jeune fille d'avoir des rapports sexuels avec le patient. L'*Endakwandet* ne paraît pas avoir été une cérémonie peu fréquente, et avait l'approbation du public, même si les Wendats désapprouvaient normalement la manifestation publique de toute espèce de comportement sexuel. Cela démontre comment les Wendats utilisaient les rituels de guérison pour transgresser les normes restrictives de leur société ; encore que ce fût en des contextes bien définis et de courte durée.

Toutefois, les rêves n'impliquaient pas tous l'auto-gratification. Parfois, lors de l'*Ononharoia*, des individus prospères

---

335. Mot algonquien, plus connu, pour désigner un «homme de pouvoir», une «Personne sacrée», un Arendiwane.

336. On peut facilement s'imaginer l'atmosphère dans laquelle se firent ces préparatifs. Il s'agissait de transmettre beaucoup de joie et de force vitale.

rêvaient qu'ils devaient obligatoirement remeubler entièrement leurs maisons-longues. Pour arriver à le faire, eux et
leurs familles devraient trouver les moyens de donner tout ce
que contenaient leurs maisons aux gens qui venaient les visiter. La recherche de la santé par le don s'accorde avec la haute
valorisation de la générosité chez les Wendats et concourt avec
leur coutume de faire don de leurs biens, afin d'éviter de
devenir victimes de la sorcellerie (Trigger, 1989: 137-138;
trad. libre).

Les jeux

Les Wendats avaient trois principales sortes de jeux: le
jeu de crosse, le jeu de plat et le jeu de pailles (*aeskara*). Les
deux premiers sont le mieux documentés[337]. Des parties de
crosse étaient organisées entre des équipes d'un même village
ou de villages différents. On jouait pour guérir les malades,
pour éloigner quelque malheur, telle une épidémie ou une
sécheresse, ou encore pour honorer la mémoire d'un défunt
grand joueur. Le jeu de crosse était rude et entraînait souvent
des blessures, qu'on était censé endurer avec courage, un peu
comme à la guerre[338] (Trigger, 1989: 118). Les Wyandots, dans
les années 1860, alors qu'ils habitaient au Kansas, avaient un
jeu ressemblant beaucoup au football (soccer) moderne, qu'ils
apprirent vraisemblablement des Amérindiens du Sud-Est[339].

Le jeu de plat, à l'instar de celui de pailles, est un jeu
de chance. Les Wendats, ainsi que tous les Amérindiens, ado-
raient les jeux de hasard et beaucoup aimaient gager. Le jeu
leur donnait l'occasion de mettre à l'épreuve la force de leurs
pouvoirs surnaturels personnels, ou encore, des talismans obtenus quelquefois à fort prix des Algonquins ou autres. Ceux qui
allaient jouer au nom de leurs parents ou amis se préparaient

---

337. Pour une description détaillée de ces jeux, voir Nicolas Perrot,
    *Mémoire sur les mœurs, coutumes et religion des sauvages de l'Amérique
    septentrionale*, p. 43-51.
338. Les chefs nadoueks ont parfois appelé «jeux» les guerres que se
    livraient mutuellement leurs jeunes (voir Lafitau, *op. cit.*, tome 2,
    p. 15-16), manifestement dans le but de s'empêcher d'accorder trop
    d'importance à ces exercices juvéniles.
339. Culin Stewart, *Games of the North American Indians*, New York, Dover
    Publications, 1985, p. 702.

avec un sérieux absolu, en jeûnant, en se purifiant à l'intérieur de l'*endeonskwa* (hutte à transpirer) et en s'abstenant de rapports sexuels. Certains joueurs, hommes ou femmes, devenaient très fameux et respectés, puisque les gains au jeu étaient, comme toujours, distribués au groupe. Comme nous le fait voir Sagard, les Wendats semblent avoir perdu de bonne grâce au jeu.

L'exercice du jeu est tellement fréquent et coutumier entre eux qu'ils y emploient beaucoup de temps et, parfois, tant les hommes que les femmes jouent tout ce qu'ils ont et perdent aussi gaîment et patiemment, quand la chance ne leur en dit point, que s'ils n'avaient rien perdu ; et j'en ai vu retourner en leur village tout nus et chantant, après avoir tout laissé au nôtre, et il est arrivé une fois entre autres qu'un Canadien[340] perdit et sa femme et ses enfants au jeu contre un Français, qui lui furent néanmoins rendus après volontairement (Sagard 1990 : 167-168 ; *Relations des jésuites*, 10 : 186-188 ; 17 : 200)[341].

Le jeu d'hiver du «serpent des neiges», répandu chez toutes les nations amérindiennes qui connaissent l'hiver, était aussi connu et pratiqué chez les Wendats. Il consiste à faire glisser des bâtons façonnés spécialement le plus loin possible sur une piste tracée dans la neige. Les Iroquois des Six-Nations, à Brantford (Ontario), le pratiquent encore aujourd'hui. On y gage et on y gagne des prix[342].

La guerre dans l'univers wendat

Plus que pour leur moralité libre (libératrice) et extrêmement provocatrice pour les porte-étendard de la civilisation française et européenne en Amérique qu'étaient les mission-

---

340. Ce nom désignait alors les Montagnais.
341. L'historien wyandot de l'Oklahoma William E. Connelly rapporte qu'en 1773, alors que les Wyandots vivaient à Détroit, un Chippewa, après avoir tout perdu au jeu contre un Wyandot, gagea sa vie et la perdit aussi. Il s'enfuit, fut poursuivi, puis tué. Acquitté par la suite, le Wyandot dédia le reste de sa vie à prendre soin de la mère, de l'épouse et des enfants de l'homme qu'il avait tué «pour sa lâcheté» (Barbeau, 1915 : 370-373).
342. Bacqueville de La Potherie (*op. cit.*, vol. 3, p. 23) décrit ce jeu chez les Wendats dans les années 1740-1750.

naires, ce fut pour la cruauté qu'ils manifestaient à l'occasion à l'égard d'ennemis capturés que les Wendats, en particulier, et tous les Amérindiens du Nord-Est en général, reçurent leur condamnation à mort au tribunal blanc de l'histoire. Qu'aurait-on pu faire d'autre à l'égard d'un monde nouveau, où «le diable avait demeuré paisible jusqu'à présent»? (Sagard, 1866, tome I, p. 23.) À Satan et à ses suppôts, que sont tous les Amérindiens, il faut signifier (par tous nos saints moyens) «que nous prenons possession de cette terre pour le Royaume de Jésus-Christ et que dorénavant ils n'y auraient plus de pouvoir, et que le seul et vrai Dieu y serait reconnu et adoré» (Sagard, 1990 : 103-104). Enflammé d'un zèle héroïque, le jésuite Le Jeune, en 1637, criera à la France d'envoyer ici du renfort missionnaire et civil, afin de «jeter le feu partout...»[343]. Les Amérindiens sont les objets du démon, qu'il faut puissamment attaquer puisque «l'ennemi qui ne rend point de combat est dangereux, car il ne perd point ses forces; plus la bataille est sanglante, plus noble en est la victoire, et plus glorieux le triomphe». «Plus cette Église naissante a de rapports avec la primitive[344], plus elle nous donne d'espérance de lui voir porter des fleurs et des fruits dignes du Paradis» (*Relations des jésuites*, 11 : 40-42). Et lorsque bientôt le feu des épidémies sera présent partout et produira l'«abondante moisson» d'âmes que l'on avait patiemment préparée et attendue, on dira que les survivants auront «compris» que les valeureux missionnaires ne sont venus à eux que pour leur «procurer la santé de l'âme et la vie infinie et immortelle» (*Relations des jésuites*, 11 : 15-17). Cent ans plus tard, le père jésuite Charlevoix, composant, à partir des écrits de ses illustres prédécesseurs, la trame de ce qui devait, jusqu'à récemment, tenir lieu au Canada de «petite histoire», expliqua que la France catholique s'était acquittée de façon vénérable de l'unique devoir qu'elle avait eu vis-à-vis

---

343. Noter la terminologie guerrière utilisée.
344. C'est-à-dire : plus elle sera marquée par la misère, la souffrance et la mort.

des peuples autochtones, celui d'assurer à plusieurs une place au Ciel chrétien (Charlevoix, 1744, vol. III, p. 200-206).

Nous avons souvent vu, au long du présent ouvrage, que la conception sociale amérindienne et wendate n'avait rien d'immoral, et que la guerre, qui a toujours été présente et le sera toujours dans notre monde, tant qu'il sera humain, releva toujours, chez ces peuples, du domaine des choses anormales et accidentelles. Les Wendats et les Iroquois, sur le plan de la politique, distinguaient les affaires civiles des affaires militaires, lesquelles, d'ailleurs, étaient en tout temps subordonnées aux décisions des conseils civils qui, observe Lafitau, ne se déterminaient pas à la guerre «sans en avoir couvé longtemps le dessein et sans en avoir pesé toutes les raisons du pour et du contre avec beaucoup de maturité» (Lafitau, 1724, tome 2, p. 12). En réalité, les analyses les plus sérieuses et les plus acclamées[345] indiquent toutes clairement que l'Amérindien contemplait des idéaux sociaux de paix, qu'il excellait dans l'art du commerce, évident dans des modes, des conventions, même des langages protocolaires entendus par tous les peuples de son univers.

Les Wendats sont très certainement le prototype de cette civilisation du commerce dans le Nord-Est. Bruce Trigger a écrit ce qui suit :

[La confédération wendate] n'était pas simplement un groupement de peuples indépendants qui avaient convenu de ne pas se guerroyer mutuellement, tel que la confédération iroquoise semble avoir été en ce temps-là[346]. La confédération

---

345. Surtout celles faites par Bruce Trigger, mais aussi celles de Denys Delâge (1985, 59-81 ; 173-237) ; Francis Jennings (1984 ; 62-69) et Conrad Heidenreich (1971 : 219-280).

346. Matthew J. Dennis, dans sa thèse «Cultivating a Landscape of Peace : The Iroquois New World», a brillamment discuté la vision profondément pacifiste des Hodenosaunee. Nous avons aussi (Sioui, 1989 : 55-82) exposé l'Hodenosaunee comme une société du Cercle au même titre que toutes les autres. Voir aussi les articles de Mary A. Druke (p. 29-40), Richard L. Haan (p. 41-60) et Neal Salibury (p. 61-73) dans *Beyond the Covenant Chain, The Iroquois and their Neighbors in Indian North America, 1600-1800*, Daniel K. Richter et

wendate était aussi un groupement de peuples qui désiraient partager ensemble le même commerce et protéger celui-ci des gens de l'extérieur.

Les Wendats appréciaient leur commerce, comme source de biens exotiques et utiles, en même temps que comme moyen de cultiver des relations amicales avec les peuples qui les avoisinaient. Pour le préserver, ils devaient se conformer à de très vieilles conventions comprises et acceptées par tous les peuples de la région. La traite était scellée dans un ensemble complexe de relations sociales et l'échange de biens se faisait sous forme de dons réciproques. Les Wendats considéraient la réciprocité comme partie intégrante de toute forme d'interaction amicale ou coopérative et les liens unissant des partenaires commerciaux étaient vus comme semblables à ceux qui liaient ensemble des parents. Les visites à des partenaires de traite éloignés étaient des occasions de fêtes, de discours et d'échanges de cadeaux durant plusieurs jours [...]

Les Français reconnurent que les Wendats étaient des commerçants adroits et admirèrent la façon dont ils obtenaient les fourrures de peuples amérindiens habitant de vastes régions du nord de l'Ontario et du sud-ouest du Québec. Pourtant, ils remarquèrent que les Wendats refusaient de marchander les prix d'articles individuels et se contrariaient lorsque les Français tentaient de le faire. Bien que les trafiquants wendats comprenaient manifestement la mentalité de marché, ils n'exprimaient jamais ouvertement un motif de profit. La fluctuation des taux d'échange reflétait la disponibilité ou la demande variable pour certains biens, mais de plus hauts ou de plus bas taux d'échange étaient invariablement demandés, comme preuve d'amitié et comme moyen de renforcer les alliances entre les différents peuples. Le succès des Wendats dans leur commerce dépendait beaucoup de leur habileté à maintenir de bonnes relations avec des peuples éloignés, et en particulier avec les Algonquiens du Nord, dont les économies complémentaient la leur. On réalisait cela en offrant l'hospitalité à ces gens, en pratiquant l'échange de cadeaux et en observant soigneusement le protocole. Tôt au XVIIᵉ siècle, les Wendats avaient déjà créé un ensemble d'alliances commerciales qui s'étendait à tous les peuples qui leur

James H. Merrell (dir.), Syracuse (NY), Syracuse University Press, 1987.

étaient voisins, à l'exception des Iroquois (Trigger, 1989: 46-47; trad. libre).

L'ordre territorial

Les Européens furent, à l'origine, étonnés de voir que les Amérindiens du Nord-Est pouvaient, s'ils le voulaient, voyager très loin (Sagard, 1990: 266-267). Les jésuites (*Relations des jésuites*, 9: 274) remarquèrent que le pays amérindien était ordonné et que sans égard à la force des groupes, les droits territoriaux étaient strictement respectés. «C'est chose étrange, notent les Européens, que quoique [les Wendats] soient dix contre un seul Insulaire [groupe de Nipissingues], ils ne passeront pas tant qu'un seul Insulaire s'y oppose, tellement ils gardent les lois du Pays. Les présents[347] ouvrent pour l'ordinaire cette porte, quelquefois on les fait plus grands, quelquefois plus petits, selon l'occurrence.» Sagard a remarqué le même respect pour un ordre établi.

J'ai vu plusieurs sauvages des villages circonvoisins venir à Quieunonascaran demander congé à Onorotandi, frère du grand capitaine [Awendaen] pour avoir la permission d'aller au Saguenay, car il se disait maître et supérieur[348] des chemins et rivières qui y conduisent, s'entend jusque hors du pays des [Wendats]. De même il fallait avoir la permission d'Awendaen pour aller à Québec, et comme chacun entend être maître en son pays, aussi ne laissent-ils passer aucun d'une autre nation sauvage par leur pays pour aller à la traite sans être reconnus et gratifiés de quelque présent: ce qui se fait sans difficulté, autrement on pourrait leur donner de l'empêchement et leur faire du déplaisir[349].

---

347. Le droit de passage n'est pas un tarif douanier, comme le voient souvent les historiens, mais un présent pour reconnaître l'existence d'un lien d'amitié.

348. Il s'agit, comme nous l'avons vu, de positions héréditaires investies dans des lignages donnés.

349. Sagard se sent obligé d'ajouter cette dernière menace, qui est sans fondement vu le respect des lois observé chez ces «sauvages». On songe nécessairement ici à la frustration que durent ressentir tous ces peuples lorsque, par exemple, des gens comme Jacques Cartier et tant d'autres Européens à sa suite défièrent, grâce à leurs armes plus puissantes, l'ordre territorial des nations autochtones et outrepassèrent les frontières avec tout le mépris dont ils étaient capables.

Voisins, alliés et ennemis des Wendats

L'organisation territoriale et extra-territoriale des Wendats leur faisait voir leur pays comme le «cœur» de leur univers social (*Relations des jésuites*, 15 : 32). Comme nous l'avons vu, ce peuple, bien au-delà de la dispersion massive qu'il connut à la fin des années 1640, continua à se considérer comme un centre politique et à en être un pour les descendants de ses nombreux anciens alliés, comme lui dispersés[350]. À l'époque française du Wendaké (1610-1649), la liste des partenaires commerciaux des Wendats était, comme l'a dit Trigger, celle de la presque totalité des nations autochtones qui les environnaient. En 1636, Sagard publie son dictionnaire de la langue wendate, qu'il dit être utilisée pour le commerce «et le voyage» par un nombre impressionnant de peuples : «Les Pétuneux [Tionontatés], la nation Neutre [Attiwandaronks], la province de Feu [Atsistaronons], les [Ouinipegons], à la nation du Bois[351], à celle de la Mine de cuivre, aux Iroquois, à la province des Cheveux Relevés, et à plusieurs autres. Puis en celle des Sorciers [Nipissingues], de ceux de l'Île, de la Petite Nation et les [Algonquiens], qui la savent en partie,

---

350. L'illustre orateur tsonontouan Red Jacket (Sagoyewatha) référait aux Wyandots par l'appellation «oncles» (Charles Elliot, *op. cit.*, p. 181).

351. Probablement les Attikameks, appelés aussi «Gens des terres» au XVIIᵉ siècle (Normand Clermont : *Ma femme, ma hache et mon couteau croche : deux siècles d'histoire à Weymontachie*, 2ᵉ éd., Québec, ministère des Affaires Culturelles, 1982, p. 19). Clermont établit de façon assez définitive que les Attikameks sont les descendants de survivants des «Gens des terres», peuples originaires du nord du lac Supérieur, décimés par les maladies et les guerres au XVIIᵉ siècle, qui vinrent se fixer dans des territoires du haut Saint-Maurice, au Québec, au XIXᵉ siècle. Cette «nation du Bois» est attestée dans l'œuvre de Lafitau (*op. cit.*, tome 2, p. 31), sous le nom de *Garhagonronon*, nom wendat et agnier pour *Nation des forêts*, à laquelle le même auteur renvoie pour «Têtes de Boules» (édition anglaise de *Mœurs des Sauvages amériquains*, par William N. Fenton et Elizabeth L. Moore, Toronto, The Champlain Society, 1974, vol. 1, p. 358. Lafitau suggère que les Garhagonronons vouaient un culte esthétique pour la forme ronde de la tête, qu'ils essayaient de produire chez leurs enfants, par des moyens mécaniques, de la même façon que certaines nations de l'Ouest idéalisaient une forme de tête aplatie (par exemple la nation flathead du Montana et de l'Idaho).

pour la nécessité qu'ils ont, lorsqu'ils voyagent ou qu'ils ont à traiter avec quelques personnes de nos provinces [wendates] et sédentaires» (Sagard, 1990 : 72).

À cette liste doivent s'ajouter de nombreux autres peuples amérindiens avec lesquels les Wendats entretenaient des rapports commerciaux directs et soutenus, et qui faisaient partie avec eux d'un même grand réseau d'alliances. Ces peuples, alliés des Wendats, étaient, du côté nadouek : les Ériés, les Wenros et les Susquehannas et, du côté algonquien, les Montagnais et les Attikameks. D'autres alliés de ces alliés étaient les peuples de l'estuaire du Saint-Laurent, ainsi que les confédérés de Waban-Aki (la Terre de l'Aube, c'est-à-dire l'Est) : Micmacs[352], Etchemins, Malécites, Penobscots, Massachusetts, Narragansets, Souriquois, Wampanoags, Niantics, Mohicans, Delawares, Munsees, etc.

Le nombre d'alliés réels et virtuels des Wendats était donc incommensurablement plus grand que celui de leurs ennemis iroquois. Ceux-ci, par ailleurs, n'étaient ni capables (Trigger, 1989 : 5) ni culturellement disposés à infliger de grands dommages au Wendats, pas plus que ces derniers à leur endroit (Trigger, 1989 : 51). De plus, les guerres que se livraient les jeunes hommes ne sortaient jamais des bornes que leur imposaient les esprits plus sages des nations en cause. Certes, le courage à la guerre, c'est-à-dire dans la défense des

---

352. Bien qu'une inimitié ait pu exister entre Stadaconiens et Etchemins et Micmacs, du moins au moment de la venue de Cartier (Trigger, 1991 : 173-174), il semble qu'il ait pu se produire des transfusions culturelles entre ces groupes. Par exemple, celui que les Stadaconiens désignent comme «leur dieu» (Jacques Cartier, 1977 : 134), *Cudouagny*, est aussi une divinité chez les Micmacs de Port-Royal et de Miscou, au temps de Sagard (1866 : 449). La conception de ces Micmacs de la destinée de l'âme après la mort, telle qu'elle a été ébauchée par Sagard, s'apparente étroitement à celle expliquée par le chef stadaconien Donnacona à André Thévet, rapportée par ce dernier dans sa *Cosmographie universelle* (1575) dans : *Proceedings of the Tenth Meeting of the French Colonial Society*, p. 12-13. On ne peut pas méconnaître la possibilité d'un contact pluri-séculaire entre les deux groupes, cause éventuelle de plusieurs échanges, notamment au niveau du sacré (et de la mythologie, *cf.* chapitre premier, note 111).

siens était, aux yeux de tous les Wendats sans exception, la première vertu qu'un homme devait posséder et cultiver, mais encore ici, la pensée du Cercle comportait une sagesse capable d'empêcher que les conflits ne dépassent certaines proportions, extrêmement modestes en comparaison de celles qu'atteignaient les guerres que connaissaient les Européens qui vinrent ici et regardèrent les autochtones avec la double lentille de leur convoitise et de leur expérience de terreur multiforme et omniprésente (Trigger, 1991 : 50-52).

Les « guerres » amérindiennes

La coutume amérindienne d'atténuer la douleur du meurtre par des présents, plutôt que de le venger par un autre meurtre, démontre assez clairement que les peuples autochtones considéraient normal que des jeunes gens cherchent à démontrer, en allant au combat, leur propre valeur dans la défense des leurs. Si une telle philosophie existait chez ces peuples, c'est que les autorités des villages, et des pays en général, comptaient sur la possibilité de régler, selon la coutume, avant qu'ils ne s'amplifient, plusieurs conflits créés par ce genre d'incidents. D'ailleurs, comme nous l'avons vu, ces peuples à pensée circulaire n'étaient pas capables de se voir mutuellement selon des notions strictes de nations[353], tel les Européens, qui projetèrent sur eux ce type de vision[354].

La façon dont ces Amérindiens – et plus particulièrement les Nadoueks – voyaient la guerre : une chose normale, inévitable, un «jeu» nécessaire aux jeunes hommes et qui causait aux sociétés des blessures dont les plus sages connais-

---

353. Les noms des «nations» autochtones n'étaient presque jamais qu'une description de particularités géographiques ou écologiques des territoires habités ou fréquentés : «ceux du silex», «ceux de l'île», «ceux des collines», «ceux des bois», «ceux de l'Est», «ceux des terres à tabac», etc.

354. Cette capacité de voir, avant tout, l'humain dans l'humain et, à plus forte raison, de se reconnaître mutuellement comme «parents» est sûrement l'un des traits culturels essentiels resté le plus intact chez les Amérindiens modernes. La preuve la plus manifeste de cette capacité des sociétés circulaires, à notre sens, est leur pratique de l'adoption, dont nous allons traiter un peu plus loin.

saient les remèdes et le traitement, est illustrée par le jésuite Lafitau dans une anecdote qu'il trouve pour le moins «étrange».

> [Un chef des Cinq-Nations] fit solliciter le chef de la nation Neutre (Attiwandaronk) de permettre que leurs jeunes gens allassent en guerre les uns contre les autres[355] et se harcelassent par de petits partis. Celui-ci, intimidé par ce qui venait d'arriver aux [Wendats] ses voisins[356] dont le sang fumait encore[357] et dont la défaite *entière* était toute récente, fit répondre qu'il n'y pouvait consentir et qu'il appréhendait trop les suites funestes qui pourraient naître de la facilité qu'il aurait eu à donner les mains à cette proposition[358]. L'Iroquois qui ne pouvait toujours en venir à son but, lui fit demander avec qui donc il voulait que ses enfants jouassent! [...]
>
> Soit que le chef de la nation neutre se rendit enfin à la proposition qui lui avait été faite, soit qu'il y fut forcé par quelques escarmouches faites contre ses gens[359], la petite guerre commença. Mais malheureusement, dès les premières rencontres, le propre neveu du chef iroquois fut fait prisonnier, et donné dans une cabane où on le condamna au feu[360]. Le

---

355. Nous sommes après 1650. Les Neutres, alliés des Wendats (maintenant dispersés) *et* des Iroquois, sont aussi gravement atteints par les maladies qui ont largement décimé leur peuple. Cette proposition iroquoise ne peut masquer un projet de guerre, comme le suggère Lafitau, puisque les Iroquois, aussi menacés que tous les autres, ne recherchent que l'adjonction d'autres groupes afin d'augmenter ensemble leurs chances de survie. Il paraît beaucoup plus logique que l'intention iroquoise est de susciter une alliance, voire une fusion.

356. Nous avons vu que «ce qui venait d'arriver aux Wendats» n'était que le coup de grâce par lequel les malheureux survivants de cette nation furent amenés à rejoindre les Hodenosaunee et d'autres nations et furent donc sauvés de l'extermination totale.

357. Expression sensationnaliste typique aux écrits des jésuites.

358. La narration fait paraître le chef attiwandaronk comme un ignorant des coutumes propres à ces peuples. Lafitau le fait changer d'idée au paragraphe suivant.

359. Les Attiwandaronks étaient à l'origine plus nombreux, donc plus puissants que les Wendats ou les Iroquois (Fitzgerald, 1990: 359-364).

360. Nous savons que quelques années plus tard, les jésuites contribuèrent financièrement à la destruction finale des Ériés par les Iroquois chrétiens, surtout onontagués (Jennings, 1984: 105). Ces missionnaires comprenaient les coutumes d'adoption et ont pu provoquer des guerres entre les Iroquois et leurs voisins pour faire amener des

malheureux oncle, qui s'était persuadé qu'on devait avoir des égards pour une personne qui lui touchait de si près[361], fut extraordinairement irrité contre le chef ennemi et disait souvent dans les accès de sa douleur : « Mon frère, pourquoi n'as-tu pas sauvé ton neveu et le mien[362] ?» Les esprits s'étant ainsi extrêmement aigris, la guerre s'envenima tout de bon et ne finit que par la destruction totale de la nation Neutre dont le chef semblait avoir prévu la ruine[363] (Lafitau, 1724, tome 2, p. 15-16 ; l'italique est de nous).

Lorsqu'il fit son recueil de la tradition orale wyandote en Oklahoma au début du siècle, Marius Barbeau fut surpris de ne relever aucun souvenir des torts que les Iroquois auraient infligés à cette nation au XVIIᵉ siècle (Barbeau, 1915 : 275)[364]. Dans le même ouvrage, deux historiens wyandots du XIXᵉ siècle, Peter Clarke Dooyentate et Joseph Warrow, ainsi que l'ethnologue étasunien Henry H. Schoolcraft, font chacun le récit (manifestement fort mythifié) de l'origine de l'inimitié wendate-tsonontouane, estimée vers 1525 par les deux premiers et vers 1650 par le dernier (Barbeau, 1915 : 360-365). Il est certain que les Tsonontouans étaient, au début du XVIIᵉ siècle,

---

païens à leur portée, lorsqu'ils étaient adoptés dans les tribus «ennemies». Sur le plan du commerce également, tous ces gens devenaient ainsi placés sous l'empire des Français. La part de ces religieux dans la dispersion finale des Neutres dut normalement être de même ordre et de même nature que partout ailleurs.

361. Le mépris des jésuites les fait souvent se moquer de l'adversité des Amérindiens (voir *Relations des jésuites*, 12 : 184).

362. Par quelles manipulations extérieures les frères, tels que l'étaient en réalité ces deux chefs, en tant qu'alliés, purent-ils en venir à se séparer au point de servir les intérêts de l'ennemi commun, en achevant la destruction de leurs peuples, par lui commencée ? Guerres d'autant plus douloureuses que fratricides, génocides et n'appartenant plus à une logique connue.

363. En somme, voilà comment une «guerre-jeu» amérindienne est transformée en «vraie guerre» (guerre de profit) européenne, au détriment total des Amérindiens et au bénéfice des Européens.

364. En revanche, on se souvient, en Oklahoma, qu'une bouteille, semeuse de maladie mortelle dès qu'elle était ouverte, fut à l'origine l'outil le plus déterminant de la subversion blanche du pays amérindien (Barbeau, 1915 : 81, 270). L'association avec la bouteille d'eau baptismale n'est que naturelle et correspond au sentiment général éprouvé par les Wendats durant la période de leur décimation définitive (*Relations des jésuites*, 15 : 12, 18 ; 14 : 136 ; 11 : 238).

les principaux ennemis des Wendats, bien que ceux-ci livraient forcément combat aux cinq nations de la Ligue iroquoise (Trigger, 1989 : 51). La guerre wendate-tsonontouane, toutefois, connaissait de fréquentes trêves et il fut souvent question, avant que les Iroquois ne furent massivement armés de fusils par les Hollandais[365], d'alliance commerciale entre Wendats et différentes nations de la Ligue, et même avec toute la Ligue (Trigger, 1991 : 378, 413, 465, 487, 529, 530, 539, 597, 615-617, 626-627, 629-640, 644).

Dans son *Histoire de l'Amérique septentrionale*, Bacqueville de La Potherie a plusieurs fois remarqué que les Français en particulier, mais aussi les Anglais (vol. 4, p. 4), ont régulièrement saboté les projets d'alliance entre Iroquois et alliés de la France (vol. 4, p. 26-27, 66) et manœuvré en fonction d'une inter-extermination amérindienne (vol. 2, p. 204 ; vol. 4, p. 18-19)[366]. Dans une thèse de maîtrise remarquable[367], Gilles Havard a bien décrit comment et pourquoi la France dut user

---

365. Francis Jennings dit que le glas du «grand système de traite des [Wendats]» fut sonné le 7 avril 1648, lorsque le gouverneur de la Nouvelle-Hollande, Peter Styuvesant, autorisa la vente officielle de 400 fusils aux Agniers «à des prix outrageusement bas». En mars 1649, l'Hodenosaunee vint disperser le pays du Wendaké, déjà ruiné (F. Jennings, *The Ambiguous Iroquois Empire* [...], p. 99). On peut aisément s'imaginer l'anéantissement si l'on considère que déjà en 1637, la gravité de la maladie amena les Wendats à convoquer un Conseil confédéral pour décider du sort des prêtres français, que l'on désigna clairement comme la source de la dépopulation du pays. Le Jeune dit qu'il n'avait «jamais rien vu de plus lugubre que cette assemblée» (*Relations des jésuites*, 15 : 36-50). L'agonie de la confédération wendate durera encore douze ans, jusqu'à ce que «*les Iroquois*» viennent «détruire la Huronie». Voir le traitement de cette «fabrication historiographique» jésuite dans *Autohistoire amérindienne* (Sioui, 1989 : 55-82).

366. La défaite éventuelle et l'extermination de la grande majorité de ces «alliés», compte tenu de la force incomparable de leurs nombres, est la preuve qu'ils furent victimes de la faiblesse économique de la France (voir Denys Delâge, «La rencontre de deux mondes», p. 25) et que celle-ci ne considéra et n'utilisa ces peuples alliés que comme «combustible» dans ses guerres impériales en Amérique du Nord. Ces guerres, au fond, durèrent aussi longtemps que les Amérindiens.

367. Gilles Havard, «La Grande paix de Montréal de 1701», Québec, Université Laval, 1989.

de tous les moyens possibles pour susciter et aviver les conflits entre les Amérindiens des deux camps (p. 84-85), ainsi que la raison pour laquelle les deux puissances européennes s'efforcèrent toujours et avant tout de prévenir une union pan-amérindienne (p. 39-44).

En 1616, le représentant de Champlain, Étienne Brûlé, laisse le pays tsonontouan pour retourner chez les Wendats en «promettant» aux premiers de réaliser une paix entre les Wendats, les Français et eux (Trigger, 1991: 450). En 1634, les mêmes Tsonontouans, après une «victoire» sur les Wendats, sollicitent d'eux, «de façon inattendue», une paix, de concert avec les quatre autres nations iroquoises, au grand étonnement des jésuites (*Relations des jésuites*, 7: 214). Matthew J. Dennis, dans *Cultivating a Landscape of Peace* (p. 275-285), explique de façon éloquente les multiples efforts faits par les Hodenosaunee, entre 1623 et 1645, pour faire la paix avec les autres nations amérindiennes (toutes alliées de la France). Cet auteur constate que dans deux cas précis dont parlent les sources documentaires françaises, en 1623 et en 1645, des religieux furent les artisans de l'échec de ces entreprises de paix. Francis Jennings, quant à lui affirme que la France se détermina à implanter des missions catholiques chez les Wendats, à partir du moment où elle réalisa le danger que les Iroquois fussent attirés dans le réseau commercial des Wendats, ce qui eût fatalement diverti toute la traite wendate vers les Hollandais, à Fort Orange (sur la rivière Hudson). Dans l'effort d'annuler cette possibilité, les Français, écrit Jennings, «envoyèrent, en 1623, une mission spéciale de onze laïcs et trois prêtres récollets» chez les Wendats[368]. À partir de ce moment, tous les (nombreux) efforts des Iroquois en vue d'une réconciliation avec les nations du circuit wendat, furent, dit Jennings,

---

368. Trigger (1991: 397, 399) a observé que les Wendats ne furent pas dupes, à ce moment, de la vraie nature – commerciale et politique – de cette mission, censément religieuse. L'un des trois prêtres, Joseph de La Roche Daillon, faillit être assassiné par les Wendats pour son ingérence subversive dans leur traite avec les Attiwandaronks.

«repoussés ou esquivés» par les directeurs des missions françaises (Jennings, 1984: 86-87). Indépendamment des épidémies, qui furent, au fond, la cause déterminante de la destruction des Wendats et de toutes les autres nations amérindiennes[369], cette logique guerrière, privilégiée non seulement par la France, mais aussi par les deux autres puissances européennes en cause (la Hollande et l'Angleterre), fut plus que suffisante pour effectuer la dispersion de toute force amérindienne importante dans cette partie (et sûrement dans toutes les autres) de l'Amérique. Les nations européennes, en définitive, furent réciproquement leurs meilleures alliées, puisque leur position d'envahisseurs leur fit toujours voir la guerre (par le fait même la réduction des peuples amérindiens) préférable à la paix. Les Amérindiens, ainsi, virent leurs nations fondre comme neige au soleil et les Européens, abondants, augmenter et prospérer. Ce qui toujours inquiéta le plus la France ne fut pas les Iroquois eux-mêmes, mais la capacité de ceux-ci à faire la paix avec ses alliés et elle-même (voir Bacqueville de La Potherie, tome 4, p. 66-69). La culture diplomatique amérindienne, axée sur le raccordement et la paix, était insupportable pour une nation aussi fondamentalement guerrière et impérialiste qu'elle, d'où son besoin irrépressible de guerre, ainsi que de faire paraître *l'autre* comme le sauvage, rôle qui incomba par excellence aux Iroquois (voir Sioui, 1989: 56-65), que toujours il faudra «tous tuer» (*Relations des jésuites*, 12: 252; 14: 26).

La violence amérindienne et européenne

Il a été facile et utile pour les historiens du XVIIe siècle, surtout jésuites, et pour beaucoup d'autres jusqu'à aujourd'hui, d'émouvoir et de scandaliser les gens de leur culture en leur décrivant avec force détails qu'ils avaient tout intérêt à exagérer les scènes de torture, de cruauté, voire d'anthropo-

---

369. Nous avons prôné cette responsabilisation des microbes, dans le but de déculpabiliser et de rapprocher les humains désolidarisés par l'histoire, dans *Autohistoire amérindienne* (1989: 7-12).

phagie dont ils furent témoins dans leurs missions. Bien que rien, évidemment, ne se doit trouver à redire au sujet du mal absolu que constitue toute violence faite à des êtres humains ou aux êtres vivants de quelque nature et donc des raisons des religieux du XVIIᵉ siècle de dénoncer ce qu'ils virent, il reste tout de même de nombreuses choses à comprendre et à considérer sur les raisons de ces Amérindiens d'exercer la violence, ainsi que les formes et les significations culturelles de cette violence.

Premièrement, comme l'a remarqué Denys Delâge dans son livre *Le pays renversé* (p. 76-77), la violence, chez les Amérindiens, n'est jamais dirigée vers l'intérieur du groupe[370], contrairement à ce qui se passe en Europe. Appliquée contre l'ennemi, la violence est donc ouverte : elle n'est jamais un acte accompli de façon autoritaire, voire arbitraire, voué à intimider et à conditionner la pensée et le comportement des membres *de la même société* que le punisseur officiel. Il est par trop facile, pour des penseurs linéaires, de cataloguer comme cruels et violents des gens qui, en réalité, ne connaissent pas ce que c'est que – et n'accepteraient jamais – d'être soumis aux mille formes de violence morale et psychologique contenue implicitement et normalement dans presque tous les aspects et situations de la vie « civilisée ».

Deuxièmement, et nous y avons déjà fait allusion, la guérilla amérindienne est, comme l'a noté Matthew Dennis, « relativement exempte de danger » (1986 : 100), comparée aux « grands déploiements à découvert de la guerre européenne classique » (Delâge, 1989 : 41), d'où le simple soldat avait, avec raison, la quasi-certitude de ne jamais revenir vivant.

Troisièmement, le combattant amérindien savait exactement pourquoi il allait vers l'ennemi. Une question d'honneur, stricte et sacrée, faisait qu'il engageait tout son être dans son action. Le soldat européen, quant à lui, ne pouvait que

---

370. Sauf, bien entendu, en réponse aux actes de traîtres ou de sorciers qui, d'ailleurs, sont vus comme des étrangers ennemis.

très mal voir pourquoi il allait exposer sa propre vie pour les gains territoriaux et commerciaux de gens qui n'avaient pas à exposer la leur et qui ambitionnaient de bénéficier de ces gains, ou encore pour convertir d'autres gens à sa religion, jugée meilleure mais si pleine de dogmes mystérieux que seules certaines élites pouvaient ou disaient comprendre.

Quatrièmement, et de façon plus importante, l'agression, surtout nadouek, ne vise pas seulement et simplement la vengeance par l'élimination de l'autre. La pensée circulaire (surtout celle des sédentaires, qui perdaient plus de gens à la guerre que les chasseurs) faisait voir l'autre comme quelqu'un qui pouvait parfaitement remplacer celui ou ceux qu'on avait perdus, à la guerre, par accident ou autrement. «La perte d'une seule personne, observe Lafitau chez les Iroquois, est une grande perte qu'il faut nécessairement réparer, en remplaçant cette personne qui manque par une ou par plusieurs autres, selon que la personne qu'on doit remplacer était plus ou moins considérable» (Lafitau, 1724, tome 2, p. 6). La guerre, chez ces peuples, peut donc prendre la forme d'expéditions de capture de remplaçants, telle qu'elle le fit communément chez les Iroquois, lorsque ceux-ci furent sérieusement menacés d'extermination par l'effet combiné des épidémies et des guerres[371].

Une personne adoptée assumait le nom, le rang, la fonction et le statut de celle qu'elle avait remplacée.

---

371. Nous avons déjà défendu la thèse selon laquelle la situation de marginalité géopolitique des Iroquois, à l'origine, voulut qu'ils (et non les Wendats, condamnés en raison de leur centralité) assument le rôle de réunir et d'organiser, selon leur système politique, les groupes de survivants dispersés en les adoptant, de gré ou de force (Sioui, 1989: 62, 71-72). Dans l'article «1992: The discovery of Americity», nous avons décrit cette «politique amérindienne iroquoise» comme la seule solution de remplacement aux «politiques amérindiennes» désintégratrices des Anglais et des Français. Bacqueville de La Potherie (1753, vol. III: 55) a remarqué cette faculté iroquoise de se reconstituer par l'adoption, en vertu de leur marginalité géopolitique (voir Jennings, 1984: 95-96: «The Iroquois Melting Pot»).

[Dès que cet individu] est entré dans la cabane où il est donné [par le chef de l'expédition], et où l'on a résolu de le conserver, on détache ses liens [...], on le lave avec de l'eau tiède pour effacer les couleurs dont son visage était peint, et on l'habille proprement. Il reçoit ensuite les visites des parents et des amis de la famille où il entre. Peu de temps après, on fait festin à tout le village pour lui donner le nom de la personne qu'il relève ; les amis et alliés font aussi festin en son nom pour lui faire honneur et dès ce moment, il entre dans tous ses droits. Si l'esclave[372] est une fille donnée dans une cabane où il n'y ait pas de personne du sexe en état de la soutenir [c'est-à-dire la cabane], c'est une fortune pour cette cabane-là et pour elle. Toute l'espérance de la famille est fondée sur cette esclave qui devient la maîtresse de cette famille et des branches qui en dépendent. Si c'est un homme qui ressuscite un Ancien, un considérable, il devient considérable lui-même, et il a de l'autorité dans le village s'il sait soutenir par son mérite personnel le nom qu'il prend[373].

Torture et anthropophagie

Le captif donné à la maison d'une matriarche n'était pas toujours adopté. Parfois, lorsque la douleur causée par la perte de parents aux mains d'une nation ennemie était trop grande, certains individus achetaient des adopteurs le droit d'infliger certaines blessures au prisonnier. Ainsi, si le désir

---

372. Emploi manifestement injustifié de ce terme.
373. Le captif qu'on adopte, évidemment, doit mourir dans sa propre société. Cependant, ce destin possible était psychologiquement assumé par chaque individu (*Relations des jésuites*, 9 : 268). Par ailleurs, cette « mort sociale » du remplaçant n'était pas nécessairement définitive, puisque l'on procédait couramment, lors de trèves ou à l'occasion du rétablissement de la paix, à des échanges d'individus auxquels on avait « donné une nouvelle vie » (Bacqueville de La Potherie, 1753, vol. IV, p. 242), auquel cas la parenté de ces individus avec la nation auparavant ennemie demeurait pour toujours réelle et donc, un moyen éventuel de contenir la guerre, ou produire la paix, tel que le remarqua le frère Sagard en une occasion (1866, 2 : 445). Encore ici, on peut voir la mesure de la différence dans la conception de la « nationalité » chez les Amérindiens et chez les Européens. Les Wyandots, en 1911, sont conscients que jamais aucun de leurs adoptés n'a cherché à retourner chez son peuple d'origine, tellement ils aimaient leur nation d'adoption, contrairement aux Wyandots qui, invariablement, se sauvaient pour retourner chez les leurs (Barbeau, 1915 : 286).

collectif de vengeance l'emportait sur l'importance d'une éventuelle adoption, un captif pouvait se retrouver si défavorisé par trop de mauvais traitements que ceux qui l'avaient adopté se voyaient contraints de lui dire de se préparer à être «jeté au feu», c'est-à-dire à mourir par le supplice du feu, ce à quoi il se disposait tranquillement et de bonne grâce (*Relations des jésuites*, 13 : 52-54). Quelquefois, l'honneur du groupe avait été tellement contrarié qu'une punition exemplaire s'imposait inconditionnellement (Lafitau, 1724, tome 2 : 27-29). La mise à mort d'un ennemi par la torture doit être vue comme un rituel de thérapie collective. Tous les individus qui ressentaient un besoin de guérir une douleur causée par la perte d'un être cher avaient alors la possibilité de rétablir l'équilibre dans leurs émotions en participant à cette exécution rituelle, à laquelle la victime se prêtait bravement et de bonne grâce, puisqu'elle en comprenait la logique culturelle. Ainsi était maintenue la norme sociale de condescendance et de générosité. Cependant, les gens étaient entièrement libres de ne pas participer au supplice et nombreux étaient ceux qui s'en abstenaient. Il se trouvait même toujours des gens qui venaient encourager, nourrir, abreuver le supplicié, durant des moments de répit (Lafitau, 1724, tome 2 : 98). Au reste, les témoins français se sont généralement émerveillés de l'absence de passion chez les exécuteurs, qui, au-delà du geste *politique* qu'ils vont poser, ne cessent pas de considérer l'humain dans leur victime.

> À voir tout le monde assemblé autour d'un misérable qui va finir ses jours dans les tourments les plus horribles, on dirait qu'il s'agit rien moins que la sanglante tragédie qui va se dérouler sous leurs yeux. Tous sont là du plus grand sang froid du monde. On est assis ou couché, sur les nattes comme dans les Conseils, chacun s'entretient froidement avec son voisin, allume sa pipe et fume avec une tranquilité merveilleuse (Lafitau, 1724, tome 2 : 88).

Que fait-on d'un prisonnier dans une société où tout le monde sait que *rien* ne peut faire trahir à quelqu'un les intérêts et l'honneur des siens? Le renvoie-t-on tout bonnement chez lui, ou l'exécute-t-on ? *Dans ce dernier cas, le tue-t-on méca-niquement, en un instant, ou lui fait-on le don respectueux d'une mort qui l'honorera, ainsi que les siens, et qui sera conséquente avec la préparation de cette personne à cet événement ?* Où est ici la cruauté ? l'horreur ? la tristesse[374] ? Le condamné, pour sa part, démontre une bravoure qui doit susciter l'admiration devant son imperturbable dignité[375], tellement que les hommes les plus graves et intrépides, au terme de plusieurs jours d'une telle démonstration de force d'âme, voudront s'assimiler celle-ci en mangeant un morceau de son cœur, ou encore voudront se garantir contre tout accident à la guerre en mêlant leur sang à celui de ce brave qui vient d'expirer (*Relations des jésuites*, 10 : 226-228). Généralement, le corps d'un ennemi exécuté fait l'objet d'un Festin de guerre, où tous ceux qui le veulent viennent manger un morceau de son corps, ce qui, à la fois, confirme la capacité de la nation de « manger » l'ennemi, c'est-à-dire de l'assimiler, et constitue la façon appropriée de disposer des restes non seulement d'un semblable, mais souvent, aussi, d'un membre adoptif de la société.

Si nous avons placé à la toute fin de l'ouvrage cet aspect toujours rebutant de la représentation sociale amérindienne qu'est la guerre et la violence, c'est dans le but de lui nier l'importance que les anciens historiographes nous ont conditionné à lui conférer. N'ayant aucun motif d'inspirer à d'éven-

---

374. Au jésuite Brébeuf qu'ils sont à torturer, les Iroquois disent de les remercier pour lui permettre d'aller là où il veut, c'est-à-dire au Ciel (*Relations des jésuites*, 34 : 30).

375. La torture de certains captifs iroquois dura jusqu'à huit jours, et requit de la victime une endurance et un courage incroyables (Too-ker, 1987 : 35-39). Celle du père Brébeuf dura une journée, le 16 mars 1649.

tuels lecteurs un mépris ou une répugnance vis-à-vis des peuples autochtones, nous avons cru devoir présenter d'abord à leur intelligence et à leurs sentiments le plus de matière susceptible de nourrir, d'édifier, de grandir, avant d'arriver à traiter des malheurs qu'aucune société humaine, même wendate, n'a jamais osé peindre en couleurs claires et gaies.

Conclusion

Nous avons voulu dans cet ouvrage affirmer l'existence, jusqu'au milieu du XVIIᵉ siècle, d'une civilisation amérindienne nord-américaine méconnue jusqu'à maintenant, la civilisation wendate. Trois chemins ont été empruntés pour en circonscrire et en élucider la nature : la mythologie, l'archéologie et l'ethnographie.

La première voie, la mythologie, nous a fait pénétrer au plus profond de l'auto-perception wendate. Grâce surtout au recueil de l'histoire orale des descendants de cette nation, compilé dans les années 1910 par l'ethnologue québécois Marius Barbeau, nous avons découvert des façons de comprendre la culture wendate que la science historique moderne ne pourra jamais être en mesure d'offrir. Nous croyons ainsi avoir irréfutablement illustré la valeur scientifique et, donc, indispensable de la tradition orale.

Nous avons aussi compris certaines des idées sacrées les plus essentielles des Wendats (et des sociétés à pensée circulaire en général). Ainsi, nous savons que les Wendats admettent la nécessité de la présence du Mal dans l'univers. Le monde, pour eux, n'est donc, ni ne doit être, ni bon ni mauvais. Le monde est équilibré et devient un objet d'admiration, de vénération. La vie fonctionne par cycles. Le temps lui-même est circulaire et n'a donc pas d'existence réelle. Personne ne ressent le besoin de progresser ou d'évoluer. Autre notion essentielle : les autres êtres font partie de «peuples», comme nous : les animaux, les végétaux, les pierres, les montagnes, les esprits, sont faits de la même substance vitale que nous ; ils sont des parents et des amis qui nous aident et nous secourent. Ils ont droit à notre respect et à notre considération.

La deuxième voie, celle de l'archéologie, est, elle aussi, absolument essentielle à notre quête de reconnaissance de la civilisation wendate. Les archéologues sont capables de reconstruire les mouvements de populations, sur des siècles, et d'observer les gestes d'individus ayant vécu il y a très longtemps. À l'aide de leurs observations et de leurs hypothèses, il devient possible de beaucoup mieux juger de l'exactitude et d'évaluer la partialité, qui est un aspect inévitable des écrits ethnographiques.

Grâce à notre regard approfondi sur l'archéologie, nous sommes à même de mieux comprendre le trait si essentiel de la civilisation que nous étudions, c'est-à-dire le génie commercial des Wendats. Nous voyons que ce peuple, comme tous ses parents ethniques « nadoueks », était aux prises avec un accablant désavantage démographique dans la mer de peuples algiques qui, apparemment, avaient souvenir de son intrusion dans leur monde nordique. De là le caractère inquiet et notablement guerrier de ces peuples et, donc, leur établissement éventuel sédentaire dans des territoires propres à l'agriculture. L'essence de la civilisation commerciale (donc remarquablement pacifique des Wendats) résiderait dans leur volonté de composer culturellement avec leurs voisins algiques et nadoueks et d'étendre (à partir d'un pays situé au carrefour de deux grandes zones écologiques et qu'ils « colonisèrent » activement dès la fin du XIIIᵉ siècle de notre ère) des liens de communication et d'échange avec une quantité impressionnante d'autres peuples de cultures et de langues fort diverses. Telle est notre vision des Wendats, selon notre *théorie démographique*. La centralité politique des Wendats, telle qu'avancée dans leur propre tradition orale, est donc confirmée par l'archéologie.

L'ethnographie est notre troisième avenue d'étude pour cerner la nature de la civilisation wendate. Les Français localisèrent assez tôt le pays wendat dans le Nord-Est. Avec eux, comme avec tous les Européens, arrivèrent simultanément des maladies qui furent toujours fatales à tous les peuples autochtones du continent. Dès qu'ils trouvèrent le Wendaké, les Français n'eurent de cesse d'établir leur empire à partir de ce point central. À mesure que la présence européenne s'affirma, le sort des Wendats et de dizaines de milliers d'autres Amérindiens parut de plus en plus scellé. En 1634, les jésuites entrèrent en scène et la fin commença de façon décisive pour les Wendats. Les missionnaires laissèrent, dans leurs écrits, plus de renseignements sur les Wendats que nous en avons sur toute autre nation autochtone à son origine.

Encore plus que pour leur étonnante richesse ethnographique, ces sources nous sont inestimables en ce qu'elles nous permettent de voir les raisons et les motifs permettant à ces religieux de regarder avec indifférence, et même avec bonheur, ces peuples souvent entièrement – et rapidement – être sacrifiés aux intérêts d'envahisseurs impériaux dont la moralité sociale ne pouvait en aucune façon être comparée avec celle des sociétés circulaires qu'ils décrivent. Analysant bien ces raisons et ces motifs, nous nous défendons de mettre en doute l'honnêteté et la sincérité de ces représentants spirituels de leur société ; mais force nous est de faire porter le blâme sur le type de société qui a pu produire des individus aussi méprisants de la vie (qu'ils reconnaissent pourtant œuvre de Dieu) et dépourvus de sensibilité humaine.

Le sort des Amérindiens au début (leur quasi-extermination), généralement une question historique du côté euroaméricain, devient une question morale et philosophique du côté autochtone du discours, et tant que l'histoire officielle ne tiendra pas compte de cela, elle ne pourra pas progresser audelà d'un exercice futile auto-disculpant, et devenir une réflexion socialement significative.

Les textes des *Relations des jésuites*, des récollets et d'autres que nous citons sont soigneusement choisis en fonction de la déconstruction du discours religieux et colonial. Une telle utilisation de ces sources est tout à fait centrale à notre effort d'expliquer la pensée du Cercle sacré et d'aider à établir la vérité historique concernant les Wendats et les autres sociétés à pensée circulaire.

Épilogue

Le désir le plus profond qui fut mien au cours des mois et des années qu'a nécessités la rédaction du présent ouvrage a été de changer radicalement la façon de regarder les Amérindiens et les sociétés du Cercle en général et d'écrire à leur sujet. En tant qu'autochtone engagé dans le rétablissement de la dignité et du droit d'être de mon peuple, j'ai depuis longtemps considéré le mépris naturel et omniprésent qu'a pour lui le monde linéaire non seulement comme une injustice, mais aussi et surtout comme la cause première de la dilapidation d'un capital spirituel précieux que l'humanité a encore à sa disposition.

Ce qui tue l'homme peu à peu est la croyance en l'évolution et la seule chose qui peut sauver l'homme est qu'il apprenne à distinguer les notions d'évolution et de dégénération. Pour passer de l'admission passive à la conscience active, il est nécessaire de se détourner de la croyance en l'évolution pour reconnaître et envisager la nature dégénérative des sociétés linéaires dites «avancées». La plupart des spécialistes des sciences humaines voient l'idéologie linéaire de leur propre civilisation accusée par les cultures dites «primitives» et consacrent une grande partie de leurs efforts, tout au long de leur vie, à défendre la thèse de la supériorité morale de leur société, et se ferment ainsi aux influences curatives des civilisations à idéologie circulaire.

La science sociale moderne continue de véhiculer le mythe du «Bon Sauvage». Elle écarte toutes les notions gênantes suggérant une moralité utile possédée par les peuples «primitifs» et évite ainsi d'en faire l'étude, laquelle entraînerait la nécessité de sa réorientation morale et risquerait de la priver d'une grande part de sa substance «sociale». Résultat encore moins commode, les sociétés primitives pourraient se voir élevées au rang de modèles sociaux alternatifs. Ainsi, après maintenant plus de cinq siècles d'un constant assaut physique et idéologique à son endroit, l'Amérindien connaît aujourd'hui un nouveau type de détracteur et d'ennemi, aussi sinon plus pernicieux que le jésuite du XVIIe siècle. Il s'agit du supposé scientifique, qui prend à son tour et à son compte la mission civilisatrice de sa société dominante et applique ses efforts à enlever à l'Amérindien – et aux penseurs circulaires en général – la place qu'il s'est gagnée dans la conscience populaire en tant qu'être issu d'une pensée particulièrement capable de communication respectueuse avec les autres éléments de la Création. De tels «penseurs» modernes dénoncent l'Amérindien comme un type social tout aussi anti-écologique que l'homme à pensée linéaire, surtout à cause du dommage et du retard qu'infligent à la société de consommation moderne l'idée et l'image d'une société culturellement écologique.

Les sociétés eurogènes ont de tout temps produit ce type de penseur. Cette aptitude particulière est due à l'état d'isolement de ces mêmes sociétés par rapport à la nature. Toute séparation d'éléments organisés entre eux implique la non-communication, la peur, l'indifférence et le conflit. Une société ainsi caractérisée dans son rapport avec la nature s'exprime forcément, de façon officielle, dans des penseurs qui nient à l'«homme» (sans discriminer le type de pensée, linéaire ou circulaire) tout pouvoir d'harmonisation avec la nature et dénoncent l'idée d'une telle «noblesse» comme un mythe. L'Amérindien écologique, capable – surtout désireux – de communiquer avec les plantes, les animaux, les montagnes, les esprits, devient, dans le discours de tels scientifiques, une invention rhétorique aussi forcée que ridicule, trompeuse pour la pensée et, surtout, néfaste pour la bonne marche et le progrès de la vraie civilisation.

Bien qu'il soit inévitable qu'un tel type de discours existe au sujet des sociétés à pensée circulaire, il ne faut pas pour autant cesser de reconnaître à la science une responsabilité d'inventorier et d'étudier d'autres types de savoir que

ceux produits par des sociétés dont la sagesse sociale (c'est-
à-dire humaine *et* environnementale) est de plus en plus mise
en question par cette même science, dans le but de tendre vers
un savoir et une pensée «universalisés» et, donc, plus aptes à
répondre pour la réalité globale de l'homme et de l'humanité.
À cause de l'évidence, à présent reconnue, de la catas-
trophe écologique et sociale causée par la civilisation industrielle linéaire, l'Amérindien, en tant que vestige social
conscient et articulé d'une civilisation identifiée au registre de
la conscience populaire mondiale (envers et contre les idéologies scientifiques les plus «officielles») comme un modèle
d'équilibre entre l'homme et le reste de la Création, représente
un monument idéologique énorme et précieux, jouant un rôle
historique inéluctable dans le remplacement d'une vision
sociale linéaire néfaste et périmée par celle acceptée par les
Amérindiens.

La vision circulaire et unitaire des Amérindiens est
l'idée la plus purement «américaine» qui soit et celle qui
définit le mieux la mission mondiale de l'Amérique. Améro-
logue avant la lettre[1], le philosophe et ethnographe mondiale-
ment reconnu Hartley Burr Alexander écrivait, en 1926:

> Il faudra maints siècles avant que les civilisations de l'Ancien
> Monde, de l'Orient comme de l'Occident, puissent approcher
> d'une unité de l'esprit aussi parfaite que celle où étaient
> arrivées les civilisations américaines avant les jours de leur
> décadence. Il est vrai que ces civilisations du Nouveau Monde
> sont moins complexes, sont beaucoup plus simples, que ne le
> sont celles de l'Ancien. Mais, en revanche, elles sont bien plus
> complètes dans leur formes propres; et elles nous offrent peut-
> être notre seul modèle de ce qui arrivera dans les temps
> reculés de l'avenir où tout le monde aura une civilisation unie
> et uniforme. De ce point de vue, notre civilisation paraît
> enfantine en comparaison avec celle de [l'Amérindien][2].

---

1. L'amérologie est une approche philosophique à l'Amérique et aux
Amérindiens, que nous avons présentée dans *Pour une autohistoire amérindienne* (Québec, Presses de l'Université Laval, 1989, p. 137-141).
2. Hartley Burr Alexander, *L'art et la philosophie des Indiens de l'Amérique
du Nord*, Paris, Éditions Ernest Leroux, 1926, p. 99.

Les Wendats furent jadis au centre d'une grande civilisation commerciale, dont les origines dans le Nord-Est paraissent très anciennes, selon le témoignage archéologique. L'esprit de l'échange et du don caractéristiques des sociétés circulaires est, dans la pensée de Marshall D. Sahlins, la marque du règne de la Raison et de la présence d'un Progrès authentique de la pensée humaine dans ces sociétés, dites archaïques. Dans son célèbre ouvrage intitulé *Âge de pierre, âge d'abondance*, Sahlins cite Marcel Mauss («L'esprit du don») sur la nécessité d'une primitivisation (ou, dirions-nous, d'une circularisation) de la société mondiale :

> Les sociétés ont progressé dans la mesure où elles-mêmes, leurs sous-groupes et enfin leurs individus, ont pu stabiliser leurs rapports, donner, recevoir et enfin, rendre. Pour commercer, il fallut d'abord poser les lances. C'est alors qu'on a réussi à échanger les biens et les personnes, non plus seulement de clans à clans, mais de tribus à tribus, de nations à nations et – surtout – d'individus à individus. C'est seulement ensuite que les gens ont su se créer, se satisfaire mutuellement des intérêts, et enfin les défendre sans avoir à recourir aux armes. C'est ainsi que le clan, la tribu, les peuples ont su – et c'est ainsi que *demain dans notre monde dit civilisé* [l'italique est de nous], les classes et les nations et aussi les individus, doivent savoir – s'opposer sans se massacrer et se donner sans se sacrifier les uns aux autres[3].

John Collier[4], certainement le plus grand surintendant du Bureau of Indian Affairs dans toute l'histoire des États-Unis, écrivit, en 1947 : «En réalité, à moins que nous soyons tous condamnés par le destin ; [...] ; à moins que nous ayons fait notre temps comme race biologique, nous ferions bien de considérer très sérieusement la voie de l'Indien d'Amérique[5].»

---

3. Marshall D. Sahlins, *Âge de pierre, âge d'abondance*, Paris, Gallimard, 1976, p. 228-229.
4. Il fut aussi le principal collaborateur de D'Arcy McNickle, l'anthropologue amérindien qui, en 1972, fonda le D'Arcy McNickle Center for the History of the American Indian, intégré à la Newberry Library de Chicago.
5. John Collier, *The Indians of the Americas*, New York, Norton and Co., 1947, p. 54.

L'humain n'a le choix qu'entre deux attitudes possibles : reconnaître la dignité et l'interdépendance de toutes les formes de vie ou les détruire toutes, à l'exception d'une certaine classe de son espèce, elle-même trop spirituellement appauvrie et affaiblie pour survivre.

Le présent ouvrage aura porté fruit s'il réussit à inspirer chez ses lecteurs une raison et une manière d'aimer encore beaucoup plus et mieux cette Grande Île et cette Terre que nous partageons tous. Je crois profondément que les Wendats et les autres Amérindiens n'ont jamais eu, ni n'ont encore, de plus cher désir vis-à-vis de tous les gens qui sont venus habiter ici, chez eux, que celui de pouvoir reconnaître en eux le sentiment d'appartenance fort et lucide qui lie d'une façon sacrée et filiale les cœurs, les corps et les esprits non pas aux « pays », sans cesse créés et détruits par l'homme, mais à la Terre mère elle-même. Puissions-nous nous américiser ; puisse ce regard sur les anciens Wendats nous « circulariser » !

Bibliographie

ALEXANDER, Hartley Burr, *L'art et la philosophie des Indiens de l'Amérique du Nord*, Paris, Éditions Ernest Leroux, 1926.

ANDERSON, Karen Lee, «Huron Women and Huron Men: The Effects of Demography, Kinship and the Social Division of Labour on Male/Female Relationships among the 17th Century Huron», thèse de doctorat, Toronto, Université de Toronto.

BACQUEVILLE DE LA POTHERIE, Claude-Charles, *Histoire de l'Amérique septentrionale*, Paris, Brocas, 4 vol., 1753.

BADINTER, Elizabeth, *L'amour en plus. Histoire de l'amour maternal* (XVIIᵉ-XXᵉ siècle), Paris, Flammarion, 1980.

BAKKER, Peter, «A Basque Etymology for the Word "Iroquois"», *Man in the Northeast*, nᵒ 40, 1990, p. 89-93.

BARBEAU, C. Marius, *Huron and Wyandot Mythology*, mémoire 80, Ottawa, Department of Mines, Government Printing Bureau, 1915.

BIBEAU, Pierre, «Les palissades des sites iroquoiens», *Recherches amérindiennes au Québec*, vol. X, nᵒ 3, 1980, p. 189-198.

BIGGAR, Henry P. (dir.), *The Works of Samuel de Champlain*, Toronto, University of Toronto Press, 6 vol., 1922-1936.

BLOUIN-SIOUI, Anne-Marie, «Histoire et iconographie des Hurons de Lorette du XVIIᵉ au XIXᵉ siècle», thèse de doctorat, Montréal, Université de Montréal, 1987.

BOITEAU, Georges, «Les chasseurs hurons de Lorette», thèse de maîtrise, Québec, Université Laval, 1954.

CAMPEAU, Lucien, s.j., *La mission des jésuites chez les Hurons, 1634-1650*, Montréal, Bellarmin, 1987.

CARTIER, Jacques, *Voyages en Nouvelle France*, texte remis en français moderne par Robert Lahaise et Marie Couturier, La Salle, Cahiers du Québec/Hurtubise HMH, 1977.

CHAPDELAINE, Claude, «Avenir de notre patrimoine archéologique», *Recherches amérindiennes au Québec*, vol. VII, nᵒˢ 1 et 2, 1978, p. 125-126.

_____, *Le site Mandeville à Tracy. Variabilité culturelle des Iroquoiens du Saint-Laurent*, Montréal, Recherches amérindiennes au Québec, 1989.

_____, «Le concept du sylvicole ou l'hégémonie de la poterie», *Recherches amérindiennes au Québec*, vol. XX, n° 1, 1990, p. 2-3.

_____, «The Mandeville Site and the definition of a new regional group within the Saint Lawrence Iroquoian world», *Man in the Northeast*, n° 39, 1990, p. 53-63.

_____, «Poterie, ethnicité et Laurentie iroquoienne», *Recherches amérindiennes au Québec*, vol. XXI, n°s 1 et 2, 1991, p. 44-52.

CHAPDELAINE, Claude, et Gregory G. KENNEDY, «The origin of the Iroquoian rim sherd from Red Bay», *Man in the Northeast*, n° 40, 1991, p. 41-43.

CHARLEVOIX, Pierre F.X. DE, *Histoire et description générale de la Nouvelle France, avec le journal historique d'un voyage fait par ordre du roi dans l'Amérique septentrionale*, 6 t., Paris, Nyon Fils, Librairie, 1744 (Montréal, Éditions Élysée, 1976).

CLASTRES, Pierre, *La société contre l'État : recherches d'anthropologie politique*, Paris, Éditions de Minuit, 1974.

CLERMONT, Normand, «L'augmentation de la population chez les Iroquoiens préhistoriques», *Recherches amérindiennes au Québec*, vol. X, n° 3, 1980, p. 159-163.

_____, *Ma femme, ma hache et mon couteau croche : deux siècles d'histoire à Weymontachie*, Québec, ministère des Affaires culturelles, Série cultures amérindiennes, 1982.

_____, «Le pouvoir spirituel chez les Iroquoiens de la période du contact», *Recherches amérindiennes au Québec*, vol. XVIII, n°s 2 et 3, 1988, p. 61-68.

_____, «Why did the Saint Lawrence Iroquoians become horticulturalists?», *Man in the Northeast*, n° 40, 1990, p. 75-79.

CLIFTON, James A., «The Re-emergent Wyandot: A Study in Ethnogenesis on the Detroit River Borderland, 1747», dans K.G. PRYKE et L.L. KULISEK (dir.), *The Western District*, Windsor, Commercial Printing Co., 1979.

COLLIER, John, *The Indians of the Americas*, New York, Norton and Co., 1947.

CRÉEAU, Robert R., et Gregory G. KENNEDY, «Neutron activation analysis of Saint Lawrence Iroquoian pottery», *Man in the Northeast*, n° 40, 1990, p. 65-74.

CRONON, William, *Changes in the Land: Indians, Colonists and the Ecology of New England*, New York, Hill and Wang, 1983.

CULIN, Stewart, *Games of the North American Indians*, New York, Dover Publications, 1985.

DELÂGE, Denys, *Le pays renversé. Amérindiens et Européens en Amérique du Nord-Est, 1600-1664*, Montréal, Boréal Express, 1985.

_____, «L'Amérique du Nord en 1492», texte présenté au Musée de la civilisation, à Québec, 15 février 1989, 95 p.

_____, «La rencontre de deux mondes : 1492-1992» (texte non publié, 52 pages), 1990.

_____, «Les Iroquois chrétiens des "réductions", 1667-1770, I-Migration et rapports avec les Français», *Recherches amérindiennes au Québec*, vol. XXI, nᵒˢ 1 et 2, 1991, p. 59-70.

_____, «Les Iroquois chrétiens des "réductions", 1667-1770, II-Rapports avec la Ligue iroquoise, les Britanniques et les autres nations autochtones», *Recherches amérindiennes au Québec*, vol. XXI, nᵒ 3, 1991.

DENNIS, Matthew J., «Cultivating a Landscape of Peace : The Iroquois New World», thèse de doctorat, Berkeley, University of California, 1986.

DESVEAUX, Emmanuel, 1989 : «Les pensées indigènes de l'Amérique du Nord», dans André JACOB (dir.), *L'Univers philosophique*, Paris, Presses universitaires de France, 1989.

DICKASON, Olive Patricia, *The Myth of the Savage and the Beginnings of French Colonialism in the Americas*, Edmonton, University of Alberta Press, 1984.

DICKINSON, John A., «The Pre-Contact Huron Population : A Reappraisal», *Ontario History*, nᵒ 72, 1980, p. 173-179.

DOBYNS, Henry F., «Estimating Aboriginal American Population : An Appraisal of Techniques with a New Hemispheric Estimate», *Current Anthropology*, vol. 7, nᵒ 4, 1966, p. 395-416.

_____, *Their Number Become Thinned. Native American Population Dynamics in Eastern North America*, Knoxville, University of Tennessee Press, 1983.

DODD, Christine F., Dana R. POULTON, Paul A. LENNOX, David G. SMITH et Gary A. WARRICK, «The Middle Ontario Iroquoian Stage», dans Chris J. ELLIS et Neal FERRIS (dir.), *The Archaeology of Southern Ontario to A.D. 1650*, Occasional publication of the London Chapter, Ontario, Archaeological Society, nᵒ 5, 1990, p. 321-359.

ELIADE, Mircea, *Cosmos and History : The Myth of the Eternal Return*, trad. Willard R. Trask, New York, Harper and Row, 1959.

DOOYENTATE, Peter Clarke, *Origin and Traditional History of the Wyandotts*, Toronto, Hunter, Rose, 1870.

ELLIOTT, Charles, *Indian Missionary Reminiscences, principally of the Wyandot Nation*, New York, Lane and Scott, 1850.

ELLIS, Chris J., «Introduction», dans Chris J. ELLIS et Neal FERRIS (dir.), *The Archaeology of Southern Ontario to A.D. 1650*, Occasional publication of the London Chapter, Ontario, Archaeological Society, nᵒ 5, 1990, p. 1-3.

_____, et D. Brian DELLER, «Paleo-Indians», dans Chris J. ELLIS et Neal FERRIS (dir.), *The Archaeology of Southern Ontario to A.D. 1650*, Occasional publication of the London Chapter, Ontario Archaeological Society, n° 5, 1990, p. 37-63.

_____, Ian T. KANYON et Michael SPENCE, «The Archaic», dans Chris J. ELLIS et Neal FERRIS (dir.), *The Archaeology of Southern Ontario to A.D. 1650*, Occasional publication of the London Chapter, Ontario Archaeological Society, n° 5, 1990, p. 1-3.

_____, et Neal FERRIS (dir.), *The Archaeology of Southern Ontario to A.D. 1650*, Occasional publication of the London Chapter, Ontario Archaeological Society, n° 5, 1990, p. 570.

ENGELBRECHT, William, Earl SIDLER et Michael WALKO, «The Jefferson County Iroquoians», *Man in the Northeast*, n° 39, 1990, p. 65-77.

FENTON, William N., «Problems Arising from the Historic Northeastern Position of the Iroquois», Smithsonian Miscellaneous Collections, vol. 100, 1940, p. 159-252.

_____, «Northern Iroquoian Culture Patterns», dans Bruce G. TRIGGER (dir), *Handbook of North American Indians*, vol. 15 (Northeast), Washington, D.C., Smithsonian Institution, 1978, p. 296-321.

FERDAIS, Marie, «Matrilinéarité et/ou matrilocalité chez les Iroquoiens: remarques critiques et méthodologiques à l'usage des archéologues», *Recherches amérindiennes au Québec*, vol. X, n° 3, 1980, p. 181-188.

FINLAYSON, William D., *The 1975 and 1978 Rescue Excavations at the Draper Site: Introduction and Settlement Patterns*, Ottawa, Musées nationaux du Canada, 1985.

FITTING, James E., «Prehistory: Introduction», dans Bruce G. TRIGGER (dir.), *Handbook of North American Indians*, vol. 15 (Northeast), Washington, D.C., Smithsonian Institution, 1978, p. 14-15.

FITZGERALD, William R., «Chronology to Cultural Process: Lower Great Lakes Archaeology, 1500-1650», thèse de doctorat, Montréal, Université McGill, 1990.

FOX, William A., «L'exhumation et l'analyse des restes humains en archéologie. La situation en Ontario sur le plan légal», trad. Robert Larocque, *Recherches amérindiennes au Québec*, vol. XVIII, n° 1, 1988, p. 61-72.

_____, «The Middle Woodland to Late Woodland Transition», dans Chris J. ELLIS et Neal FERRIS (dir.), *The Archaeology of Southern Ontario to A.D. 1650*, Occasional publication of the London Chapter, Ontario Archaeological Society, n° 5, 1990, p. 171-188.

_____, « The Odawa », dans Chris J. ELLIS et Neal FERRIS (dir.), *The Archaeology of Southern Ontario to A.D. 1650*, Occasional publication of the London Chapter, Ontario Archaeological Society, n° 5, 1990, p. 457-475.

FUNK, Robert E., « Post-Pleistocene Adaptations », dans Bruce G. TRIGGER (dir.), *Handbook of North American Indians*, vol. 15 (Northeast), Washington, D.C., Smithsonian Institution, 1978, p. 16-27.

GAGNÉ, Gérard, « La paléopathologie humaine et Amérique du Nord : un aperçu », *Recherches amérindiennes au Québec*, vol. XII, n° 1, 1982, p. 3-11.

GARRAD, Charles, et Conrad E. HEIDENREICH, « Khionontateronon (Petun) », dans Bruce G. TRIGGER (dir.), *Handbook of North American Indians*, vol. 15 (Northeast), Washington, D.C., Smithsonian Institution, 1978, p. 394-397.

GODDARD, Ives, « Delaware », dans Bruce G. TRIGGER (dir.), *Handbook of North American Indians*, vol. 15 (Northeast), Washington, D.C., Smithsonian Institution, 1978, p. 213-239.

HAVARD, Gilles, « La grande paix de Montréal de 1701 », thèse de maîtrise, Québec, Université Laval, 1989.

HEIDENREICH, Conrad E., *Huronia. A History and Geography of the Huron Indians, 1600-1650*, Toronto, McClelland and Stewart, 1971.

_____, « Huron », dans Bruce G. TRIGGER (dir.), *Handbook of North American Indians*, vol. 15 (Northeast), Washington, D.C., Smithsonian Institution, 1978, p. 368-388.

_____, « History of the St. Lawrence-Great Lakes Area to 1650 », dans Chris J. ELLIS et Neal FERRIS (dir.), *The Archaeology of Southern Ontario to A.D. 1650*, Occasional publication of the London Chapter, Ontario Archaeological Society, n° 5, 1990, p. 475-492.

HEWITT, J.N.B., réimpression d'un travail produit en deux parties dans les 21ᵉ et 43ᵉ « Annual Reports of the Bureau of American Ethnology » (1903 et 1928), sous le titre de *Iroquoian Cosmology*, New York, AMS Press Inc., 1974.

HULTKRANTZ, Ake, *Conceptions of the Soul among North American Indians*, Ethnographic Museum of Sweden, Monograph Series Publication No. 1, Stockholm, Caslon Press, 1953.

JAENEN, Cornelius J., « L'autre » en Nouvelle-France/The « other » in Early Canada », discours du président de la Société historique du Canada lors du 68ᵉ Congrès annuel, Québec, Université Laval, 1ᵉʳ juin 1989.

_____, « Amerindian Views of French Culture in the Seventeenth Century », *Canadian Historical Review*, vol. 55, n° 3, septembre 1974, p. 261-291.

JAMIESON, James B., « Trade and Warfare : The Disappearance of the Saint Lawrence Iroquoians », *Man in the Northeast*, n° 39, 1990, p. 79-86.

_____, « The Archaeology of the Saint Lawrence Iroquoians », dans Chris J. ELLIS et Neal FERRIS (dir.), *The Archaeology of Southern Ontario to A.D. 1650*, Occasional publication of the London Chapter, Ontario Archaeological Society, n° 5, 1990, p. 385-404.

JENNINGS, Francis, *The Invasion of America : Indians, Colonialism and the Cant of Conquest*, New York, W.W. Norton and Company, 1976.

_____, *The Ambiguous Iroquois Empire. The Covenant Chain Confederation of Indian Tribes with English Colonies from its Beginnings to the Lancaster Treaty of 1744*, New York, W.W. Norton and Company, 1984.

_____ (dir.), avec la collab. de William N. FENTON, Mary A. DRUKE et David R. MILLER, *The History and Culture of Iroquois Diplomacy. An Interdisciplinary Guide to the Treaties of the Six Nations and their League*, Syracuse (NY), Syracuse University Press, 1985.

_____, *Empire of Fortune. Crowns, Colonies and Tribes in the Seven Years War in America*, New York, W.W. Norton and Company, 1988.

JOHNSTON, Basil H., « The Path of Souls – the Milky Way », *Tawow*, vol. 6, n° 1, 1978, p. 28-32.

JOHNSTON, Charles M. (dir.), *The Valley of the Six Nations. A Collection of Documents on the Indian Lands of the Grand River*, Toronto, Champlain Society/University of Toronto Press, 1964.

JONES, Arthur E., *« Wendake Ehen »*, *or Old Huronia*, Toronto, Fifth Report of the Bureau of Archives for the Province of Ontario, 1908.

KARROW, P.F., et B.G. WARNER, « The Geological and Biological Environment for Human Occupation in Southern Ontario », dans Chris J. ELLIS et Neal FERRIS (dir.), *The Archaeology of Southern Ontario to A.D. 1650*, Occasional publication of the London Chapter, Ontario Archaeological Society, n° 5, 1990, p. 5-35.

KATZENBERG, Anne, « La paléonutrition. Une approche à l'étude de l'alimentation dans la préhistoire, suivi d'un exemple du sud de l'Ontario », *Recherches amérindiennes au Québec*, vol. XVIII, n° 1, 1988, p. 39-48.

LAFITAU, Joseph François, *Mœurs des Sauvages américains comparées aux mœurs des premiers temps*, introduction, choix des textes et notes par Edna Hindie LEMAY, Paris, Maspéro, 2 tomes, 1983.

LAHONTAN, Louis Armand de Lom d'Arce DE, *Nouveaux Voyages de M. le baron de Lahontan dans l'Amérique Septentrionale*, 2 vol., La Haye : Frères l'Honoré, 1703.

LAROCQUE, Robert, « Ostéologie humaine et archéologie », *Recherches amérindiennes au Québec*, vol. VIII, n° 1, 1978, p. 41-52.

—————, « Les maladies chez les Iroquoiens préhistoriques », *Recherches amérindiennes au Québec*, vol. X, n° 3, 1980, p. 165-180.

—————, « L'introduction de maladies européennes chez les autochtones des 17e et 18e siècles », *Recherches amérindiennes au Québec*, vol. XII, n° 1, 1982, p. 13-24.

—————, « Le rôle de la contagion dans la conquête des Amériques : importance exagérée attribuée aux agents infectieux », *Recherches amérindiennes au Québec*, vol. XVIII, n° 1, 1988, p. 5-16.

—————, « L'exhumation et l'analyse des restes humains en archéologie », *Recherches amérindiennes au Québec*, vol. XVIII, n° 1, 1988, p. 59-60.

—————, « Les sépultures amérindiennes du mont Royal », *Recherches amérindiennes au Québec*, vol. XX, n°s 3 et 4, 1990, p. 31-41.

LE CLERCQ, Chrestien, récollet, *The First Establishment of the Faith in New France (1691)*, traduit du français par John G. SHEA, New York, John G. Shea, 2 vol., 1881.

—————, *New Relation of Gaspesia, with the Customs and Religion of the Gaspesian Indians (1691)*, traduit et édité par W.F. GANONG, Toronto, The Champlain Society, 1910.

LE JEUNE, Paul, s.j., « Relation to What Occured in New France in the Year 1634 », dans R.G. THWAITES (dir.), *The Jesuit Relations and Allied Documents*, vol. VI, New York, Pageant Book, 1897.

LENNOX, Paul A., et William R. FITZGERALD, « The Culture History and Archaeology of the Neutral Iroquoians », dans Chris J. ELLIS et Neal FERRIS (dir.), *The Archaeology of Southern Ontario to A.D. 1650*, Occasional publication of the London Chapter, Ontario Archaeological Society, n° 5, 1990, p. 405-456.

LÉVI-STRAUSS, Claude, *La pensée sauvage*, Paris, Plon, 1962.

—————, *Mythologiques. 3. L'origine des manières de table*, Paris, Plon, 1968.

_____, *Mythologiques. 4. L'homme nu*, Paris, Plon, 1971.

LÉVY-BRUHL, Lucien, *L'âme primitive*, Paris, Presses universitaires de France, 1963.

LIGHTHALL, W.D., *Hochelagans and Mohawks : A Link in Iroquois History*, Ottawa, J. Hope and Sons, 1899.

LOUNSBURY, Floyd G., «Iroquoian Languages», dans Bruce G. TRIGGER (dir.), *Handbook of North American Indians*, vol. 15 (Northeast), Washington, D.C., Smithsonian Institution, 1978, p. 334-343.

MARTIJN, Charles A., «The Iroquoian Presence in the Estuary and Gulf of the Saint Lawrence River Valley : A Reevaluation», *Man in the Northeast*, nᵒ 40, 1990, p. 45-63.

MARTIN, Calvin, *Keepers of the Game. Indian-Animal Relationships and the Fur Trade*, Berkeley et Los Angeles, University of California Press, 1978.

_____ (dir.), *The American Indian and the Problem of History*, New York et Oxford, Oxford University Press, 1987.

MAUSS, Marcel, «Essai sur le don, forme et raison de l'échange dans les sociétés archaïques», *L'année sociologique*, tome 1, 2ᵉ série, 1923-1924, p. 145-279.

MCILWRAITH, Thomas F., «Archaeological Work in Huronia, 1946 : Excavations near Warminster», *The Canadian Historical Review*, 27, 1946 : 394-401.

MCILWRAITH, Thomas F., «On the Location of Cahiagué», *Transactions of the Royal Society of Canada*, Ottawa, 3ᵉ série, section 2, vol. 41, 1947, p. 99-102.

MÉTRAUX, Alfred, «Le caractère de la conquête jésuitique», *Acta Americana*, vol. 1, 1943, p. 69-82.

MOMADAY, N. Scott, «Personal Reflections», dans Calvin MARTIN (dir.), *The American Indian and the Problem of History*, New York et Oxford, Oxford University Press, 1987, p. 156-161.

MORGAN, Lewis Henry, *League of the Hodenosaunee, or Iroquois*, [1851], réimprimé en facsimilé avec une introduction par W.N. FENTON, New York, Corinth Books, 1962.

_____, *Ancient Society or Researches in the Lines of Human Progress from Savagery through Barbarism to Civilization*, Chicago, Charles H. Kerr and Company, 1877.

MURPHY, Carl, et Neal FERRIS, «The Late Woodland Western Basin Tradition in Southwestern Ontario», dans Chris J. ELLIS et Neal FERRIS (dir.), *The Archaeology of Southern Ontario to A.D. 1650*, Occasional publication of the London Chapter, Ontario Archaeological Society, nᵒ 5, 1990, p. 189-278.

ORTIZ, Alfonso, «Indian/White Relations : A View from the Other Side of the «Frontier», dans Frederick E. HOXIE (dir.),

Indians in American History, Arlington Heights (Illinois), Harlan Davidson, 1988.

OUELLET, Réal, textes présentés et annotés par, *Sur Lahontan*, Québec, L'Hêtrière, 1983.

————, *Lahontan. Œuvres complètes*, Montréal, Bibliothèque du Nouveau Monde, Presses de l'Université de Montréal, 2 vol., 1990.

PARKER, Arthur C., «The Constitution of the Five Nations», dans William N. FENTON (dir.), *Parker on the Iroquois*, Syracuse (NY), Syracuse University press, 1968.

PENDERGAST, James F., «St. Lawrence Iroquoians», *Ontario Archaeology*, nº 25, 1975, p. 47-56.

————, «Emerging Saint Lawrence Iroquoian Settlement Patterns», *Man in the Northeast*, nº 40, 1990, p. 17-30.

————, et Bruce G. TRIGGER (dir.), «Hochelaga : History and Ethnohistory», *Cartier's Hochelaga and the Dawson Site*, Montréal, McGill-Queen's University Press, 1972, p. 1-108.

PERROT, Nicolas, *Mémoire sur les mœurs, coutumes et religion des sauvages de l'Amérique septentrionale*, [1864], réimpression publiée sous les auspices du Conseil canadien de la recherche en sciences sociales, de la Maison des sciences de l'homme (Paris), du Conseil canadien de la recherche sur les humanités et de la Toronto Public Library, 1968.

PETERSON, James B., «Evidence of Saint Lawrence Iroquoians in Northern New England : Population Movement, Trade or Stylistic Borrowing?», *Man in the Northeast*, nº 40, 1990, p. 31-39.

PLOURDE, Michel, «Un site iroquoien à la confluence du Saguenay et du Saint-Laurent, au XIIIᵉ siècle», *Recherches amérindiennes au Québec*, vol. XX, nº 1, 1990, p. 47-61.

POSEY, Darrel A., «Contact before contact : typology of post-colombian interaction with Northern Kayapo of the Amazon Basin», *Nucleo de Ethnobiologia*, Boletin Museo Paraense Emilio Goeldi, Nova Série anthropologica, vol. 3, nº 2, 1987, p. 135-154.

POTIER, Pierre, *Radices huronicae*, [1745], dans *15th Report of the Bureau of Archives for the Province of Ontario for the Years 1918-1919*, Alexander FRASER (dir.), Toronto, Clarkson W. James, 1919.

POWELL, John Wesley, «Wyandot Government : A Short Study of Tribal Society», [1881], dans W.E. WASHBURN, *The American Indian and the United States : A Documentary History*, New York, Random House, 4 vol., p. 1803-1811.

RAMSDEN, Peter G., Trent Valley Iroquoian Research », *Arch Notes Newsletter of the Ontario Archaeological Society*, n° 7, 1977, p. 19-31.

_____, « An Hypothesis Concerning the Effects of Early European Trade among Some Ontario Iroquois », *Canadian Journal of Archaeology*, n° 2, 1978, p. 101-107.

_____, « Palisade Extension, Village Expansion and Immigration in Trent Valley Huron Villages », *Canadian Journal of Archaeology*, vol. 12, 1988, p. 177-183.

_____, « Saint Lawrence Iroquoians in the Upper Trent River Valley », *Man in the Northeast*, n° 39, 1990, p. 87-95.

_____, « The Hurons : Archaeology and Culture History », dans Chris J. ELLIS et Neal FERRIS (dir.), *The Archaeology of Southern Ontario to A.D. 1650*, Occasional publication of the London Chapter, Ontario Archaeological Society, n° 5, 1990, p. 361-384.

Relations des jésuites, Montréal, Éd. du Jour, 6 vol., 1972.

RICHTER, Daniel K., et James H. MERRELL (dir.), *Beyond the Covenant Chain. The Iroquois and their Neighbors in Indian North America, 1600-1800*, Syracuse (NY), Syracuse University Press, 1987.

ROELENS, Maurice (dir.), *Dialogues avec un Sauvage*, Montréal, Leméac, 1974.

SAGARD-THÉODAT, Gabriel, récollet, *Le Grand Voyage du pays des Hurons* (éd. originale : 1632), texte établi par Réal OUELLET, introduction et notes par Réal OUELLET et Jack WARWICK, Montréal, Bibliothèque québécoise, 1990.

_____, *Histoire du Canada et voyages que les Frères mineurs récollets y ont fait pour la conversion des infidèles depuis l'an 1615. Avec un dictionnaire de la langue huronne*, [1636], Paris, E. Tross, 4 vol., 1866.

SAHLINS, Marshall D., *Âge de pierre, âge d'abondance : l'économie des sociétés primitives*, Paris, Gallimard, 1976.

SAUNDERS, Shelley R., « La croissance et le remaniement des os », *Recherches amérindiennes au Québec*, vol. XVIII, n° 1, 1988, p. 49-58.

SCHOOLCRAFT, Henry R., *History, Condition and Prospects of the Indian Tribes of the United States*, [1857], New York, Paladin (AMS) Press, 6 vol., 1969.

SIOUI, Éléonore, « A Huron-Wyandot Woman's Life Story : The Realization of an Impossible Dream », thèse de doctorat, Cincinnati (Ohio), The Union Institute, 1989.

SIOUI, Georges Émery, *Pour une autohistoire amérindienne. Essai sur les fondements d'une morale sociale*, Québec, Presses de l'Université Laval, 1989.

_____, « La découverte de l'Américité », *Indigena : Perspectives autochtones contemporaines*, éd. par Gerald McMaster et Lee-Ann Martin, Vancouver et Toronto, Le Musée canadien des civilisations, Douglas et McIntyre, 1992 (aussi en anglais).

SMITH, David G., « Iroquoian Societies in Southern Ontario : Introduction and Historic Overview », dans Chris J. ELLIS et Neal FERRIS (dir.), *The Archaeology of Southern Ontario to A.D. 1650*, Occasional publication of the London Chapter, Ontario Archaeological Society, nᵒ 5, p. 279-290.

SNOW, Dean, et Kim M. LANPHEAR, « European Contact and Indian Depopulation in the Northeast : The Timing of the First Epidemics », *Ethnohistory*, vol. 35, nᵒ 1, 1988, p. 15-33.

_____, et William A. STARNA, « Sixteenth-Century Depopulation : A View from the Mohawk Valley », *American Anthropologist*, vol. 91, nᵒ 1, 1989, p. 142-149.

SPENCE, Michael W., Robert H. PIHL et Carl MURPHY, « Cultural Complexes of the Early and Middle Woodland Periods », dans Chris J. ELLIS et Neal FERRIS (dir.), *The Archaeology of Southern Ontario to A.D. 1650*, Occasional publication of the London Chapter, Ontario Archaeological Society, nᵒ 5, 1990, p. 125-169.

STARNA, William A., et Ralf WATKINS, « Northern Iroquoian Slavery », *Ethnohistory*, vol. 38, nᵒ 1, 1991, p. 34-57.

STECKLEY, John, « The Clans and Phratries of the Huron », *Ontario Archaeology*, nᵒ 37, 1982, p. 29-34.

_____, « The Cord Tribe of the Huron », *Arch Notes*, nᵒ 6, 1982, p. 15.

STERN, Steve J., *Peru's Indian Peoples and the Challenge of the Spanish Conquest : Huamanga to 1640*, Milwaukee, University of Wisconsin Press, 1982.

STURTEVANT, William C., « Oklahoma Seneca-Cayuga », dans Bruce G. TRIGGER (dir.), *Handbook of North American Indians*, vol. 15 (Northeast), Washington, D.C., Smithsonian Institution, 1978, p. 537-543.

TANNER, Helen H., « Historical Report for Appraising Value of Wyandot Reservations in Ohio », U.S. Indian Claims Commission, document non publié, 1974.

_____ (dir.), *Atlas of Great Lakes Indian History*, Norman (Oklahoma), University of Oklahoma Press, 1986.

THÉVET, André, *Cosmographie universelle* (extrait), dans Philip P. BOUCHER, *Proceedings of the Tenth Meeting of the French Colo-*

nial Society, Lanham (Maryland), University Press of America, 1985, p. 1-21.

THWAITES, Reuben G. (dir.), *The Jesuit Relations and Allied Documents, 1610-1791*, New York, Pageant Book, 71 vol., 1959.

TOOKER, Elizabeth, « The League of the Iroquois : Its History, Politics and Ritual », dans Bruce G. TRIGGER (dir.), *Handbook of North American Indians*, vol. 15 (Northeast), Washington, D.C., Smithsonian Institution, 1978, p. 418-441.

——————, *Ethnographie des Hurons : 1615-1649*, Montréal, Recherches amérindiennes au Québec, 1987.

TRIGGER, Bruce G., *The Children of Aataentsic : A History of the Huron People to 1660*, Montréal et Kingston, McGill-Queen's University Press, 1976. *Les Enfants d'Aataentsic. L'histoire du peuple huron*, trad. Jean-Paul Sainte-Marie et Brigitte Chabert Hacikyan, Montréal, Éditions Libre Expression, 1991.

——————, « Early Iroquoian Contacts with Europeans », dans Bruce G. TRIGGER (dir.), *Handbook of North American Indians*, vol. 15 (Northeast), Washington, D.C., Smithsonian Institution, 1978, p. 344-356.

——————, « Archaeology and the Image of the American Indian », *American Antiquity*, 45, 1980, p. 662-676.

——————, « Draper : Past and Prologue », dans : *The 1975 and 1978 Rescue Excavations at the Draper Site : Introduction and Settlement Patterns*, Ottawa, National Museum of Man, Mercury Series, Archaeological Survey of Canada Paper 130, 1985, p. 15-18.

——————, 1990, *Les Indiens, la fourrure et les Blancs*, Montréal et Paris, Boréal et Seuil, 1987.

——————, *The Huron Farmers of the North*, New York, Holt, Rinehart and Winston Inc., 2ᵉ éd., 1989.

——————, « The 1990s : North American archaeology with a human face ? », *Antiquity*, vol. 64, nᵒ 245, 1990, p. 778-787.

——————, *Les Indiens, la fourrure et les Blancs : Français et Amérindiens en Amérique du Nord*, trad. Georges Khal, Montréal/Paris, Boréal/Seuil, 1990.

——————, et James F. PENDERGAST, « Saint Lawrence Iroquoians », dans Bruce G. TRIGGER (dir.), *Handbook of North American Indians*, vol. 15 (Northeast), Washington, D.C., Smithsonian Institution, 1978, p. 357-361.

TRUDEL, Pierre, « Les Mohawks ont-ils découvert Jacques Cartier ? », *Recherches amérindiennes au Québec*, vol. XXI, nᵒˢ 1 et 2, 1991, p. 53-58.

TUCK, James A., « Northern Iroquoian Prehistory », dans Bruce G. TRIGGER (dir.), *Handbook of North American Indians*, vol. 15

(Northeast), Washington, D.C., Smithsonian Institution, 1978, p. 322-333.

TURGEON, Laurier, «Basque-Amerindian Trade in the Saint Lawrence during the Sixteenth Century: New Documents, New Perspectives», *Man in the Northeast*, n° 40, 1990, p. 81-87.

URBAN, Greg, «Ritual Wailing in Amerindian Brazil», *American Anthropologist*, vol. 90, n° 2, 1988, p. 385-400.

VACHON, André, *L'éloquence indienne*, Ottawa, Fides, 1968.

WACHTEL, Nathan, *La vision des vaincus: les Indiens du Pérou devant la conquête espagnole, 1530-1570*, Paris, Gallimard, 1971.

WALLACE, Anthony, *The Death and Rebirth of the Seneca*, New York, Alfred A. Knopf, 1969.

WALLACE, Birgitta, «Les Vikings à Terre-Neuve», *Dossiers de l'archéologie*, n° 27, mars/avril 1978, p. 44-48.

WARRICK, G.A., *et al.*, «Sticks and Stones: A Re-evaluation of Prehistoric Iroquoian Warfare», Paper presented at the 20th Annual Checmool Conference, Calgary, University of Calgary, 1987.

WARRICK, Gary A., «A Population History of the Huron-Petun, A.D. 900-1650», thèse de doctorat, Montréal, Université McGill, 1990.

WASHBURN, Wilcomb E., *The American Indian and the United States: A Documentary History*, New York, Random House, 4 vol., 1973.

WILLIAMSON, Ronald F., «The Early Iroquoian Period of Southern Ontario», dans Chris J. ELLIS et Neal FERRIS (dir.), *The Archaeology of Southern Ontario to A.D. 1650*, Occasional publication of the London Chapter, Ontario Archaeological Society, n° 5, 1990, p. 291-320.

WRIGHT, James V., *The Ontario Iroquois Tradition*, Anthropological series 75, National Museum of Canada, Bulletin 210, Ottawa, 1966.

_____, *Quebec Prehistory*, Toronto, Van Nostrand Reinhold, 1979.

_____, *La préhistoire de l'Ontario*, Montréal, Éditions Fides, 1981.

_____, «La circulation de biens archéologiques dans le bassin du Saint-Laurent au cours de la préhistoire», *Recherches amérindiennes au Québec*, vol. XII, n° 3, 1982, p. 193-205.

_____, «The Archaeology of Southern Ontario to A.D. 1650: A Critique», dans Chris J. ELLIS et Neal FERRIS (dir.), *The Archaeology of Southern Ontario to A.D. 1650*, Occasional publication of the London Chapter, Ontario Archaeological Society, n° 5, 1990, p. 493-503.

Annexe

LES TRANSFERTS
CULTURELS

PREMIÈRE PARTIE
Point de vue wendat sur les transferts culturels Europe-Amérique 992-1992

Nous sommes au printemps 992, le 2 mai probablement, dans un village situé à une demi-journée du Beau Lac, le Gontario, à l'est, vers la Grande Rivière qui va vers l'Eau salée. Le village est du peuple sastaretsi, ancêtres des Wendats. Il contient dix-sept grandes maisons (ganonchias) et environ quatre cents personnes. C'est un grand village, un Kanatha. Les grains pour les semences du maïs ont été mis à germer il y a quelques jours, selon l'avis des Femmes Principales des maisons. Dans le village, il est beaucoup question de planter et de travaux des champs. Les Arendiouane et leurs sociétés de savoir préparent une grande Fête en l'honneur de la Terre et de tous les esprits féminins ; en l'honneur aussi du Maïs (Onneha), la plante sacrée surgie du cerveau de l'aïeule de tous les Sastaretsi, la fille d'Aataentsic, la fondatrice de ce continent, la Grande Île sur le Dos de la Tortue. Aussi, on invoque et on remercie Inon et ses Aides, Esprits du Tonnerre

* L'annexe reproduit intégralement la communication de l'auteur à l'occasion d'un colloque sur les transferts culturels tenu au Musée de la civilisation (Québec), du 30 avril au 3 mai 1992.

et de la Pluie, Esprits de vie par excellence et Ennemis implacables de tous les ennemis surnaturels et naturels du Peuple.

Les Anciens commémorent le temps de leurs lointains
ancêtres, lorsque les Sastaretsi ne vivaient pas dans des villages
permanents, comme aujourd'hui, mais chassaient et voya-
geaient presque toute l'année, comme les Akwanaké (Algonquins), et comprenaient parfaitement le langage de tous les
animaux. Mais les temps avaient changé. Les Akwanaké
avaient occupé cette partie nord de la Grande Île avant ceux
qu'ils nommaient les Nadoueks, dont les Sastaretsi étaient un
Peuple. Les Akwanaké étaient nombreux et puissants. Ils vinrent, avec le temps, à occuper presque tout le territoire. Ce fut
alors que l'Esprit bienveillant, Yoscaha, petit fils d'Aataentsic,
apporta aux Sastaretsi ces graines miraculeuses sorties du
cerveau même de sa mère, après qu'elle mourut.

Ce fut alors le début d'une nouvelle vie pour le Peuple,
et aussi pour les Akwanaké. Les Anciens nous ont dit que tout
changea très vite dans tout le pays. Dès que l'on fut en possession de la plante magique, le peuple arrêta de bouger. Les
femmes enseignèrent au Peuple une nouvelle façon de vivre.
Elles firent construire par les hommes de grands villages et
elles leur firent déboiser beaucoup d'espaces pour planter et
cultiver la plante magique, et d'autres plantes, données aussi
par notre Père Yoscaha.

Ce fut le début d'une vie tellement différente, et tellement intense, et riche. Nous connûmes une grande abondance
en tout, et les gens commencèrent à former de grandes alliances
entre familles, entre groupes de familles, entre villages. De
nouveaux alliés, des Animaux-Esprits (les clans), devinrent les
symboles de nos alliances et de notre parenté, qui devint universelle. Nous commençâmes à instituer de nombreuses fêtes,
destinées à maintenir et à agrandir les réseaux de nos liens.
Notre amitié de toujours avec les Akwanaké et nos autres
voisins se renforcit. Nous eûmes tellement plus de choses qu'auparavant à nous échanger. Nous reçûmes des choses, des objets,
des connaissances de très loin ; plusieurs de ces choses compor-

taient un grand pouvoir. Grâce à la plante sacrée que nous cultivions, nous devînmes le peuple très riche et très puissant que nous sommes aujourd'hui.

Maintenant, nous chassons beaucoup moins ; nous sommes surtout un peuple de voyageurs et de commerçants. Nos amis, eux, n'ont pas cessé de chasser. En plus de leurs viandes séchées et de leurs fourrures, ils continuent de nous apporter la connaissance et le lien intime avec le monde des Animaux-Esprits, que nous avons choisi de perdre, peu à peu. L'hiver, ils viennent nous visiter et nous entendons, en leurs voix, les paroles de nos puissants Ancêtres. Souvent, ils nous laissent de leurs jeunes gens, qui apprennent notre langue et se marient assez fréquemment avec nous. Ainsi, nous devenons uns avec eux et nous enterrons ensemble, lors de nos Grandes Fêtes des âmes, les corps de nos parents partis de ce monde.

Mais nous n'avons pas que des amis. Nos jeunes hommes, souvent, se lassent de la vie et des travaux des villages et offrent d'aller exposer leur vie pour venger la perte de ceux qui nous sont enlevés ou tués par des peuples ennemis. Leur offre, bien sûr, est souvent acceptée par les Femmes Principales de nos clans, dont le désir le plus pressant est toujours de remplacer ceux qu'elles ont perdus, en adoptant des gens capturés, ou encore en les «jetant au feu», lorsqu'une mort a été trop douloureuse et est irréparable autrement. Curieusement, nos ennemis ont presque toujours été des gens de même origine que nous, dont nous comprenons les langages, des gens appelés, comme nous, «Nadoueks» par les Akwanaké.

Wendaké, 2 mai 1492

Cinq autres siècles ont passé, sur cette Terre éternelle. Il y a plus de deux cents ans, nos Ancêtres sont venus habiter cette merveilleuse Île du Wendaké, située aux confins sud des terres akwanaké du Nord et à la limite nordique des terres des agriculteurs nadoueks. Nos villages sont disséminés sur tout le pays du Wendaké. Nous sommes les Wendats, descendants des Sastaretsi, le premier Peuple créé sur la Grande Île sur le dos de notre très ancienne Grand-Mère, la Tortue. Nous sommes composés de deux grandes nations, les Attignaouantans et les Attignéénongnahacs, elles-mêmes étant des confédérations de plusieurs Peuples venus, anciennement et récemment, habiter le Wendaké. Le Wendaké est le territoire du Centre du monde. Par lui passent tous les grands chemins du commerce et tous les peuples de notre grande société comprennent et utilisent notre langue pour traiter entre eux. Nos sages Ancêtres avaient bien vu. Nous sommes devenus un Peuple très nombreux et très puissant. Sur nos chemins de traite circulent les choses les plus rares et précieuses qui soient. Notre pays est le cœur d'un vaste monde d'échanges et de relations. Notre capacité de production et de commerce est inimaginablement grande. Presque tous les Peuples de toutes les directions sont nos parents et traitent avec nous.

Nous avons aussi des ennemis en lesquels nos jeunes gens trouvent des adversaires de taille et extrêmement valeureux, même si nous n'avons aucun motif de les craindre. Ce sont nos voisins, au sud du Beau Lac, le Gontario ; les Cinq Nations qui, comme nous, forment une Ligue, beaucoup moins puissante que la nôtre, laquelle inclut tant de Peuples de ce monde. Nous sommes les Wendats, descendants des Sastaretsi, le premier Peuple de l'Île sur le Dos de la Grande Tortue. Nous sommes les premiers et les Maîtres. Notre histoire et notre destin sont de succès et de puissance.

Wendaké, 2 mai 1642

Nous sommes un Peuple presque mort. Les Wendats, descendants des Sastaretsi, le premier peuple créé sur cette Île merveilleuse, très bientôt ne seront plus. Nous sommes un géant frappé à mort, qui agonise dans une misère sans nom. Nous qui jamais n'avions connu la crainte, ni la défaite, et qui présidions depuis le commencement des temps sur un empire de paix et d'abondance ; nous qui avons vécu forts, heureux et si prospères, avons été abattus sans même pouvoir nous défendre par d'étranges et faibles ennemis venus de l'Est, au-delà de la Grande Eau salée. Si faibles, en apparence, mais possédant un pouvoir si dangereux que tout ce qu'ils font nous fait mourir. L'air même qui sort de leur bouche empoisonne l'air de tout le pays et fait rapidement mourir même les gens de ce pays qui ne les ont jamais vus.

Nos Pères les ont accueillis il y a plus de cent hivers sur la rive nord de la Grande Rivière, où nos gens avaient alors de nombreux villages. Nos Mères les ont même soignés, et sauvés d'une mort certaine, à l'une de nos villes, qui se nommait Stadaconé (aujourd'hui Québec). Nous savions que leurs venues, depuis plus de quarante hivers, faisaient mourir beaucoup de gens, à l'Est, mais nos Peuples pensèrent qu'en traitant avec eux et en devenant leurs Parents, ces étrangers cesseraient d'utiliser leur mauvais pouvoir contre nous. Mais il n'en fut absolument pas ainsi : ces étranges humains commencèrent bientôt à nous maltraiter et à se comporter comme si notre pays était à eux. Ils se mirent même à capturer nos Principaux, à nous tuer et à nous empoisonner, alors même qu'ils nous assuraient être nos Frères.

Très tôt, nos Sages nous avertirent de ne pas traiter avec cet étrange et fatal Peuple, mais il fut, bien sûr, impossible d'empêcher tous nos gens de prendre le risque de se procurer les objets merveilleux que souvent nous leur trafiquions sans heurt ni danger. D'autant plus que ces objets, surtout ceux de fer et d'autres nouveaux métaux, devinrent vite indispensables à la survie de nos familles et de nos nations, ainsi que pour nous garantir contre nos ennemis, qui connaissaient le même malheureux sort que nous.

Au fil des années, les étrangers s'approchèrent de notre pays du Wendaké, le centre et le rampart de toutes les nations. Ils y arrivèrent enfin, il y a vingt-sept hivers. J'étais encore un garçon et je me souviens que nos Anciennes pleuraient et prédisaient que notre grand Peuple et notre grande Société seraient bientôt détruits et que les survivants connaîtraient une misère indicible. Regardez maintenant tout autour de nous. Dites-moi si vous voyez autre chose que mort, malheur et désolation. Entrez dans nos Conseils et voyez s'il s'y traite d'autre chose que de la mort déjà presque accomplie de notre grand et beau Pays. Les Robes-Noires, qui professent nous vouer le plus grand amour possible, déchirent à loisir les lambeaux qui restent de nos Peuples. Ils ont même changé notre nom et ceux de tous les lieux de notre Pays, qu'il disent d'ores et déjà être le leur. En seulement huit années, une dizaine de ces Mauvais Okis a converti le Pays le plus beau et le plus prospère qui ait existé au monde en un lieu de la plus grande misère qui se puisse imaginer. Tous les gens originaires de ce sol de la Grande Île sont en train d'être détruits par l'invincible pouvoir des étrangers qui, bientôt, auront réussi à s'approprier tout ce qui fut à nous, qui n'eûmes pourtant de désir que de le partager avec eux. Ils se réjouissent en ce moment de nous voir mourir, et ce qui nous arrive actuellement arrivera à tous les Peuples de notre Grande Île. Ô Ciel!, Ô Grand Esprit! Ô Intelligence infinie de l'Univers!, fais que nous survivions et que nous vivions à nouveau!

DEUXIÈME PARTIE
Point de vue amérindien lors du cinquième centenaire de l'arrivée européenne sur notre continent

Comme certainement plusieurs autres Amérindiens cette année, je me retrouve assez fréquemment dans la position d'avoir à donner à une assemblée composée surtout de non-Amérindiens un point de vue amérindien sur les cinq cents années de présence européenne sur notre sol d'Amérique. Même si en cette année centenaire l'atmosphère est infiniment plus tempérée qu'il y a cent ans, si l'on s'en rapporte aux journaux du temps, le camp (euroaméricain) de la célébration est nettement plus nombreux que celui du deuil et de la réflexion (Amérindiens et sympathisants).

Pourquoi célébrer l'arrivée et l'invasion européennes de l'Amérique? Les réponses à cette question sont amplement claires dans le discours de la célébration: l'Europe nous a apporté ses lumières sociales et religieuses, ses langues, son bagage génétique, ses arts de vivre. Les Indiens sont une race améliorée par la présence blanche et vivent aujourd'hui infiniment mieux qu'il y a cinq cents ans. De toute façon, pourquoi se sentir coupable de la victoire d'un système, ou d'une «structure» contre une autre et d'ailleurs, comment et pourquoi nier l'éblouissant triomphe de la civilisation américaine eurogène, à l'échelle mondiale?

Simultanément, dans l'autre camp (n'est-il pas même étonnant qu'il en existe un?), l'ambiance est au deuil et à la réflexion. Notre deuil est pour les quelque dix dizaines de millions de nos gens dont l'arrivée de Colon signifia la mort violente, surtout durant les cent premières années de l'invasion européenne. De ce plus grand holocauste de l'histoire humaine, le dixième peut-être mourut par la voie directe d'armes contre lesquelles on n'eut pas de défense, ni morale ni matérielle : fusils, canons, épées, chiens tueurs des Espagnols, etc., mais, surtout, l'esprit de convoitise, de traîtrise, de misanthropie, du goût pour le carnage, le vol, le viol et l'annihilation. Je ne parle pas ici particulièrement des Espagnols : la science historique est parfaitement bien informée que ce comportement extrêmement violent fut, toute les fois que les conditions du contact le permirent, celui des sept nations européennes qui prirent une part active dans l'invasion. La réflexion des Amérindiens porte surtout sur le pourquoi de cette agressivité infinie qui fut et est encore la marque principale de la civilisation eurogène en Amérique.

«Mens sana in corpore sano», disons-nous tous. Le fait le plus évident à se dégager de toute comparaison, sur le plan sociobiologique, entre les civilisations européenne et amérindienne, au temps du contact, est celui de l'extrême développement d'un complexe microbien en Europe, par opposition à une étonnante santé physique des Amérindiens. Et l'insensibilité morbide des découvreurs et de leurs suites vis-à-vis de l'existence, de la disparition et du droit des Peuples originaires, ainsi que vis-à-vis de toute forme de vie en général, ne doit apparaître que comme le corollaire d'un état physique également morbide d'une majorité d'Européens de ces siècles. Car, qu'indiquent l'agressivité insensible, le mépris de la vie, la soif insatiable et aveugle de possessions matérielles, le goût de l'anéantissement et toutes les autres maladies mentales antisociales, sinon une biologie souffrante, exaspérée ? Personnellement, je vois dans la compréhension de ce simple fait le début de toute possibilité d'une meilleure coexistence entre toutes nos cultures. Et quelle était la nature de la civilisation ici, en Amérique ? Tous nos peuples (amérindiens) se conçoivent issus du sol même de cette Grande Île qu'est l'Amérique. Très nombreux sommes-nous, à l'échelle de l'hémisphère, à dire que cette Grande Île a d'abord été formée sur le Dos de la Grande Tortue et qu'un Conseil d'Animaux et d'Esprits Créateurs a présidé à l'arrangement de ce grand Pays en vue de son occupation par les Êtres de nature humaine. Et lorsque le monde terrestre fut prêt pour nous, nous y fûmes conduits, à partir d'un monde souterrain. Ce que nos premiers et lointains ancêtres virent à ce moment-là était un monde de beauté, d'abondance et d'équilibre, qu'il leur incombait de contempler, pour le comprendre. Vision d'un Grand Esprit, ou d'une Intelligence infinie, cette Terre était, comme tous les Êtres créés, un Être doué d'intelligence, de pensée, de vision. Toutes les créatures composant ce monde étaient vues comme pourvues elles aussi d'un sens, d'une âme, faites d'une même essence spirituelle et indispensable à l'ordre de l'ensemble. Ce monde était une chaîne infinie de relations, organiquement solidaires et interdépendantes, fonctionnant selon des cycles immuables, le Tout se présentant à l'entendement humain comme un grand Cercle sacré de Relations, ou de la Vie. La loi fondamentale du Cercle est une double reconnaissance : celle de la parenté entre tous les êtres et celle de l'individualité insondable et inviolable de chaque être.

Les peuples évoluent de façons presque toujours fort différentes. Certains, à cause de contraintes physiques

ambiantes, surtout climatiques, géographiques et sociolo-
giques, épuisent ou voient s'épuiser de façon critique les ressources de leurs territoires. Ils n'ont alors que le choix de
s'engager sur la voie d'une perception linéaire. Cela implique
que certains de leurs membres entreprennent d'organiser ces
sociétés en fonction de la conquête économique d'autres
sociétés. Les individus de ces sociétés cessent donc alors de
chercher à reconnaître la nature intime et unique de chaque
être, humain et non humain. Plutôt, les êtres sont alors vus et
évalués selon leur potentiel d'exploitabilité qui se traduit
concrètement en valeur monétaire.

La chaîne des relations sacrées entre tous les êtres est
ainsi détruite, les êtres sont désolidarisés. Le pouvoir monétaire ainsi produit est canalisé dans les mains de certaines
élites, dont le but doit nécessairement devenir la concentration
la plus rapide et la plus forte possible du plus grand pouvoir
possible, de façon à gérer toutes les mauvaises velléités d'un
peuple désormais opprimé. La femme elle-même, dès qu'est
apparue la marchandabilité universelle, donc la propriété privée, marque du règne patriarcal, est passée de maîtresse dans
une civilisation de la parenté à servante-objet dominée, possédée, également exploitée par l'homme propriétaire et héritier.
La sensibilité et l'attention contemplative aux autres êtres,
condition *sine qua non* de l'existence de sociétés humaines, est
disparue à mesure que les êtres, humains et non humains, ont
perdu leurs lieux naturels d'existence, donc leur existence
même. Cette nature détruite, fondue lentement mais résolument au creuset du pouvoir des élites (civiles et religieuses), a
signifié une destruction simultanée de la force vitale des individus. La maladie s'est mise à gagner sur la santé. L'Europe,
au moment d'arriver accidentellement en Amérique, n'était
qu'un grand foyer d'épidémies, tellement la Ligne avait intégralement remplacé le Cercle. On pourrait même dire que
l'Europe, chroniquement et mortellement malade, a frénéti-
quement cherché un remède et son salut à la fin du xvᵉ siècle.
Ainsi, le seul sens acceptable d'une célébration de l'arrivée

des Européens ici en 1492 serait le salut physique d'une Europe condamnée à mort, puis son retour graduel à la santé physique, mentale et spirituelle, dans l'air sain et salutaire de la Grande Île amérindienne. Cette guérison, toujours très incomplète, est une tâche à laquelle les Amérindiens continuent de vouloir contribuer. Voilà ce à quoi nous réfléchissons, nous dont le cœur bat au rythme de celui de cette Amérique, terre de vie pour tous, pendant que d'autres cœurs célèbrent encore un vieux monde que l'on a fui parce qu'il ne promettait alors que la mort.

Mais notre propre survie à nous n'est-elle pas quelque chose, la seule chose même que nous pourrions et devrions célébrer, en cette cinq-centième année depuis le début de l'invasion? Même s'il paraît certain que nous aurions dû disparaître, si certain même qu'une grande majorité d'Euro-Américains croient que c'est chose faite ou virtuellement accomplie, très rares sommes-nous, Amérindiens, à penser que notre survie est quelque sorte de miracle, ou d'accident. Plutôt, nous croyons que comme le Cercle de la Vie elle-même, notre existence et notre pensée circulaires sont indestructibles. Peu importe la violence d'un choc dirigé contre eux, la Vie et son Cercle se recomposent toujours. Notre vision circulaire a permis que nos peuples, tous décimés et autrement voués à l'anéantissement, se rejoignent, se regroupent, oubliant souvent les inimitiés traditionnelles les ayant opposés. De l'extrême misère venue avec les colons naquit ainsi une conscience limpide de la supériorité morale d'une vision panamérindienne circulaire, ainsi que du mensonge de la vision apportée d'Europe et de l'impossibilité du succès de sa transplantation en cette terre d'Amérique, terre sacrée du Cercle par excellence. Et pour celui ou celle qui veut voir tous les signes de morbidité de cette vieille vision linéaire, destructrice, ne sont-ils pas maintenant présents? Je citerai à cet effet, et pour terminer, les propos récents de deux penseurs étasuniens, l'un euroaméricain, l'autre amérindien.

Le premier, le célèbre auteur, professeur et écologiste new-yorkais Kirkpatrick Sale, dit dans son dernier livre *The Conquest of Paradise* : « Nous pouvons donc garder l'espoir. Il n'y a qu'une seule façon de vivre en Amérique et c'est celle des Américains, je veux dire des Américains aborigènes, car c'est cela que demande la terre d'Amérique. Depuis cinq siècles, nous avons tenté de résister à cette simple vérité. Nous continuons d'y résister seulement au risque de notre propre perdition, et même pire, de la destruction de la terre. »

Le second, le célèbre auteur et professeur dakota Vine Deloria, Jr., écrit dans l'épilogue du livre *America in 1492* : « Les anciennes prophéties indiennes disent qu'entre tous ceux qui sont venus sur ces continents occidentaux, l'Homme blanc [cela voulant dire la philosophie euroaméricaine linéaire] aura séjourné le moins longtemps. D'un point de vue amérindien, le thème général selon lequel nous devons comprendre l'histoire de l'hémisphère serait le degré auquel les Blancs ont répondu aux rythmes de la terre, le degré auquel ils sont devenus autochtones. De ce point de vue, notre jugement au sujet des Européens doit être sévère. »

Cet ouvrage a été composé
en caractères Baskerville par l'atelier
Caractéra production graphique inc.,
de Québec, en mars 1994.